尚志钧本草文献全集

本草古籍辑注丛书·第一辑

2018年度国家古籍整理出版专项经费资助项目

尚志钧／辑注
尚元胜 尚云飞
尚元藕 任 何／整理

尚志钧
百年诞辰
典藏

《新修本草》辑复（上）

【唐】苏 敬 等／撰

尚志钧／辑复

北京科学技术出版社

图书在版编目（CIP）数据

本草古籍辑注丛书．第一辑．《新修本草》辑复：全2册／（唐）苏敬等撰；尚志钧辑复．—北京：北京科学技术出版社，2019.1

ISBN 978 - 7 - 5304 - 9986 - 3

Ⅰ.①本…　Ⅱ.①苏…②尚…　Ⅲ.①本草 – 中医典籍 – 注释②《新修本草》
Ⅳ.①R281.3

中国版本图书馆 CIP 数据核字（2018）第 268695 号

本草古籍辑注丛书·第一辑.《新修本草》辑复

辑　　　复：尚志钧
策划编辑：侍　伟　白世敬
责任编辑：杨朝晖　张　洁　董桂红　白世敬　朱会兰　吴　丹
责任印制：张　良
责任校对：贾　荣
出 版 人：曾庆宇
出版发行：北京科学技术出版社
社　　址：北京西直门南大街 16 号
邮政编码：100035
电话传真：0086 - 10 - 66135495（总编室）
　　　　　0086 - 10 - 66113227（发行部）
　　　　　0086 - 10 - 66161952（发行部传真）
电子信箱：bjkj@ bjkjpress. com
网　　址：www. bkydw. cn
经　　销：新华书店
印　　刷：北京七彩京通数码快印有限公司
开　　本：787mm × 1092mm　1/16
字　　数：1348 千字
印　　张：75. 75
版　　次：2019 年 1 月第 1 版
印　　次：2019 年 1 月第 1 次印刷
ISBN 978 - 7 - 5304 - 9986 - 3/R · 2541

定　　价：1980. 00 元（全 2 册）

范行准序

距今 1300 年前，我国已出现了世界第一部药典《新修本草》。在唐显庆二年（657）苏敬上言重修本草，诏从其请，遂召集许敬宗等诸名医 22 人从事编纂工作。它实际是由苏敬负责主纂的。苏敬是一位在医学上具有多方面丰富学识的名医。至显庆四年全书完成，计正文 20 卷，目录 1 卷，连同药图、图经部分，共 54 卷。

这部具有世界第一部药典意义的《新修本草》是在 5 世纪陶弘景《本草经集注》一书的基础上编写的。当时我国国威远震，中外文化交流频繁，这些也都能从这部本草中反映出来；当时世界上的许多新药，被这部本草所吸收。由于它具有世界性的本草内容，所以在问世之后，它很快流传到近邻朝鲜、日本，并被当作学习本草的教科书。

它流传了 360 余年。到了宋开宝六年（973），政府又在此书的基础上连续纂修成所谓"新定""重定"的两部《开宝本草》。之后，它好像功成身退似的日渐消隐，其地位就被《开宝本草》所替代。此后，簿录学家也很少有关于此书的著录。直到光绪十五年（1889），傅云龙得到日本天平年间卷子本残卷，在日影刻以归之后，它才以残缺的形貌重返祖国。但其仍不为我国医家所知。虽然有人在 1935 年于杂志上刊登我所辑录的《新修本草》一书的消息，但仍没有人注意它。直到 1937 年我在杂志上发表"六朝写本陶弘景《本草经集注序录》"一文后，医家才开始知道此书残卷已在祖国流行多年了。

不过，虽然这部本草表面上消沉了 1000 余年，和其他亡佚了的医书一样，同被医家所遗忘，但实际上它的内容，始终支配着我国每个医家的处方用药，因为一般临床医家所用之药，很少能超过此书所收的药物范畴。这诚如古人所说：百姓日用而不知。但是，由于亡佚，它不能充分发挥自身应有的作用，也是事实。必须经过一番整复工作，它才能充分发挥作用。正因如此，外人很早就注意到它，遂想代庖而着其先鞭，这对口称热爱祖国医学的我国医家，是一个辛辣的嘲讽。

所谓佚书整复的工作，也就是佚书的辑补工作。它在我国来说，并不始于今日，早在宋代就已经开始了。我国 12 世纪有名的书志学家郑樵，在他的《校雠略》中，已提出这一工作的重要性，并在《书有名亡实不亡论》中，指出这种工作的原则。他说："书有亡者，有虽亡而不亡者，有不可不求者，有不可求者。"接着，他又指出了各家求取亡书的方法，其中也涉及求取医家虽亡而不亡之书的方法，恰好举出了辑录《新修本草》诸书的方法："《名医别录》虽亡，陶隐居已收入《本草》；《李氏本草》虽亡，唐慎微已收入《证类》。"此说基本上是正确的。因为他是一位兼擅医方、本草的学者。不过事实上《名医别录》（简称《别录》）并没有全被陶隐居《本草》所收；《证类》所收《李氏本草》（即《唐本草》）文字也与原书文字不一样，郑樵只言其大略而已。反之，我们也并不迷信唐卷子本，如此书卷子本卷 5 "戎盐"条，陶弘景注中就脱去 90 多字。又，此条，如我们校以《北堂书钞》《西溪丛语》诸书，则二者连《别录》之文也有所脱误。盖当时所据既均是写本，难免脱误，也难于一致。总之，郑樵好像在 800 年前已为我们今天从事此书的整复工作，做出了具体的指导了。其实，辑录医书，也在 800 年前就开始了，并且所辑之书恰好也是本草，那就是王炎的《本草正经》《神农本草经》，它的序文现尚存于王炎《双溪六集》中。

郑樵说，"书有名亡实不亡"的事例，确可用于描述亡佚已有千余年的《新修本草》。因它实际上既存于唐慎微的《证类本草》中，又存在于今天流传最广的李时珍《本草纲目》中。那么，我们不去辑录它可不可以呢？当然是可以的。但是对提高祖国医学的水平来说，研究和发挥《新修本草》一书，自有它的一定重要性，而这种整复工作，也正有它的积极意义。因为我们用流传不很普遍的《证类本草》，总有一种前后阻隔、蒙翳而没有系统的感觉；如其用《本草纲目》，则更有混乱之感。因为《新修本草》在李时珍《本草纲目》中已全被窬切，并被混在其他的本草中，成为一种杂烩了。这对系统地研究此书来说，是何等的不便！那么，它对我们研究工作效率的妨碍，自更不用说了。

亡书的整复工作，不但对研究祖国医学来说是一个重要的工作，而且对研究其他文化科学等，也是如此。抛开清代许多学者在此类工作上做出的卓越成就不说，以我国现代文学革命的巨人鲁迅而论，他也为研究中国文学，如小说等的历史，花了很多时间，辛勤地做了此种古书整复工作，先后辑成《会稽郡故书杂集》《嵇康集》《古小说钩沉》等书。从本质上来说，我们这种工作也正和鲁迅辑录佚书的工作相同，无非为了给自己和别人在研究工作上提供便利而已。

我开始做中国医学历史研究工作时，即感到资料的不足，查看了汉、隋、唐、宋诸史艺文经籍志所著录的医书。如汰去重复，被著录的恐还不及千种，且留给我们的完整医书，更是只有这样寥寥可数的几部，元明医书也十亡七八。这对有系统的研究工作来说，是非常不够的。我受前贤此种启示，遂仿清·严可均的《全上古三代秦汉三国六朝文》一书之例，先后辑成《全汉三国六朝唐宋医方》（简称《全医方》）及《元明医学钩沉》两书。由于我在研究整个中国医学历史，所以我所辑录的医书是全面的，本草书仅占其中的一部分。

此种整复的辑佚工作，可说是没有止境的。因为一个人绝不能读尽天下之书，并且有种种客观上不能克服的困难，如需要的书籍不能都看到等，所以所辑之书终究有缺点。我开始从事此种工作远在 30 年前，直到中华人民共和国成立后才因工作关系，放下来；但近 10 年来仍不忘宿好，还是断断续续地做些补苴工作。我的这两部书都仿严可均之例，并以人为纲。以第一部《全医方》而言，其汰重去复，得 4000 余家，合 800 卷，在内容上已超过了严可均之书。近来，时有朋友要我以《全医方》中的书名为纲，写出一个目录先行发表，以供大家参考。经过初步整理发现，自汉至宋（包括金、元在内），约有 1200 种医书。这数字已超过宋以前诸史艺文经籍志所著录的医书的总和。

在中华人民共和国成立之前的 20 多年中，我在辑佚方面的工作只有极少数的几位师友支持，很少有人做与此同类的工作。不想 3 年前尚志钧先生在北京学习时，忽以他所辑的《新修本草》一书的原稿见示，这诚使我感到犹如《庄子》上所说空谷足音之喜。他竟为此书的整复工作，花去整整 10 年的时间。其用心的精专和锲而不舍的毅力，都是使我十分感动的。由此始知世固未尝无同路之人，这也反映了我这独学面墙的孤陋。他原是一位受过科学陶冶的药学专家，善能运用科学的律令，所以他补辑之书，义例也十分精整。但他竟谬以我为识途之马，要我对他提些意见，这是使我为难的问题。不得已，我只好提些不怎么重要的不同看法。其后尚志钧先生返回原工作单位，我们仍时用通信的方式往来商榷一些问题，彼此都感到赏识之乐。尚志钧先生此书不久遂定稿而欲公之于世，但受到历史上的因袭关系的影响，当时没有顺利出版。

在医学上向来存在着学用的矛盾问题。关于此问题，有一则小故事，或许也是大家知道的。相传明初名医戴原礼在某处开业，门可结网，十分冷清；但他对门的一家医馆，却车马阗咽，门庭若市。有一天，他看到这家的医生叫病家在药中加一块锡作药引。戴原礼是朱丹溪的高足，是很有学问的名医，他觉得医书上很少有用锡作药引的事。一天他忍不住这种怀疑，走过去请教这位医生，后者就以书为证，拿书给戴原礼看，原来书上写的是"饧"字，戴原礼才恍然大悟，无语而退。这和认"肾"字为"贤"字的医生，比认得"肾"字的医生生意好，是同一类型的故事，这里不再多说。

历史上固然不止上面所举的这些学用矛盾的明显例子，就是我们亲自见闻或处理过的类似的例子也不少。有一位不学之徒，用剪贴的办法，把清·张文虎《舒艺室续笔》、俞樾《读书余录》等书剪贴成书，而把这些书名及作者姓氏抹去，不到一星期就"著"成一部读《内经》的什么笔记，而在自序上却说费了10年功夫才著成此书。一般读者多属临床家和学生等，既不知其底细，更看不出它的错误。我另在《医书记伪记禁记毁录》（简称《医书三记录》）中记之。我以为这类情况，和上面"锡"与"饧"、"贤"与"肾"之例并无两样。

上面所说的是由认识水平所造成的学用上的矛盾。还有一种主观上的偏见（当然也和认识的水平有关）所造成的此种矛盾。他们认为中医精华在经验，因而偏重临床报告和验方的搜集，尤其为了追求十万、百万的"验方"数量，费了很大的劲。可是他们除了没有想到征集了这么多的"验方"之后如何处理外，还没有想到下面两个问题，即：许多病，往往由于病人生理机制调节而自愈，并非因针药而愈，否则，认"饧"作"锡"的医生，也不会走红了；许多有关验方的报告缺少统计上的必要条件，而错误或虚伪的统计和浮夸的报告，更不用说了，因而不能用理论去驾驭而运用之。《淮南子》的"好方非医也"就是对此一针见血的话。俗语"千方易得，一效难求"和清人"藏方十楼而不能治愈一病"之叹等，都是从无数次实践中得出来的结论。

其实，学用即理论与实践，两者相结合，是真理，我们学习过毛泽东同志的《实践论》的人都知道。学与用二者本身并没有矛盾，而所谓矛盾，都是由于人们的认识和处理问题时的不当所产生的。如学而不能致用，那是脱离实际的无用之学；而偏执不切实际之用，则势必走上浮夸、虚伪、圆谎的道路，危害更大。毛泽东同志说的"科学是老老实实的学问，任何一点调皮都是不行的"，就是此种道理。所以我们必须批判这种不切实际之用，抛弃它。

我们今天在中医方面的出版，毕竟不完全同中华人民共和国成立前那样处于出版《医学三字经》加《汤头歌诀》、《内经知要》加《药性赋》的低级状态，已经有了一定的发展。如所出版罕见的金刻孤本《重修政和经史证类备用本草》及篇幅巨大的如明·朱橚召集名医所撰的《普济方》等书，都是中华人民共和国成立前不能做到的。像尚志钧先生这部具有研究性而能结合到实际应用的书，也是应该予以出版的。

今此书在尚志钧先生的工作单位领导同志的支持下，在坚决执行党的"百花齐放，百家争鸣"，及党在中医政策上实事求是、普及与提高并重的正确方针政策的指导下，克服困难，得以出版。这对提高祖国医学水平，是一个不小的贡献。不但如此，我们知道从事重辑《新修本草》者，中外不止一家，而其书俱未能问世。今尚志钧先生所辑之书竟能拔纛先登而最先出版，使1300年前世界上第一部药典的原貌，灿然复见于世，是值得我们庆幸的一件事。至于那些卷子本的《新修本草》今后只好退居于名实相符的抱残守缺的地位，不能与尚志钧先生此书相提并论，那更不用赘言了。

范行准

1962 年 11 月 3 日于北京

出版者注：本文是范行准先生为当时的芜湖医专内部油印本尚志钧辑《新修本草》所写的序。

《〈新修本草〉辑复》序

《新修本草》，一名《唐本草》，是唐代政府制定的本草，有中国最早的药典之称。但 20 世纪 30 年代的《中华药典》序文中却说"缅维首制，实始纽伦"。其实《纽伦堡药典》是在 1542 年颁布的，《新修本草》比它要早 883 年。因此，《新修本草》实为世界最早药典。

《新修本草》的编纂，是在 657—659 年一次完成的。但是明代李时珍《本草纲目》卷 1 关于"《唐本草》"的记载说："唐高宗命司空英国公李勣等修陶隐居所注《神农本草经》，增为七卷。世谓之《英公唐本草》，颇有增益。显庆中，右监门长史苏恭重加订注，表请修定。帝复命太尉赵国公长孙无忌等二十二人与恭详定……世谓之《唐新本草》。"按照这种说法，《新修本草》好像曾被编修了两次：第一次是李勣等所修，名为《英公唐本草》；第二次是长孙无忌等所修，名为《唐新本草》。但《新唐书·艺文志》注云"显庆四年，英国公李勣、太尉长孙无忌……右监门府长史苏敬等撰"，并列官衔姓名 22 人。由此说明《新修本草》是由李勣、长孙无忌和苏敬等 22 人一次修成的，并非像李时珍所说经两次修成；所谓"《英公唐本草》"即《新修本草》。

《新修本草》原由本草、药图、图经三部组成。本草是文字部分，药图是药物图谱，图经是药图说明文。其中本草部分 20 卷，目录 1 卷；药图部分 25 卷，目录 1 卷；图经部分 7 卷。全书共 54 卷。

《新修本草》对本草部分的编修，是在陶弘景《本草经集注》一书基础上发展而成的。其在卷数上，将陶弘景书之 7 卷扩充为 20 卷；在药物数量上，将陶弘景书之 730 种增加到 850 种，其中有不少的药，如龙脑、安息香、茴香、诃子、阿魏、郁金、胡椒等，都是在当时中外经济文化交流影响下输入中国，且经试用有效，而首次被正式收入本草的。在药物分类上，陶弘景书原分为 7 类，《新修本草》改分为玉石、草、木、禽兽、虫鱼、果、菜、米、有名无用 9 类。在内容安排上，《新修本草》把陶弘景《本草经集注》卷 1"序录"析为"序例上"1 卷、"序例下"1 卷，把其余 6 卷析为 18 卷。这 18 卷中，药物正文用大字书写，注文用小字书写。正文凡属《神农本草经》文用朱字，《名医别录》文和唐代修订时新增药用黑字。《名医别录》文不加任何标记；修订时新增药物的正文末尾则标注"新附"字样。凡属陶弘景注文不加任何记号；凡属修订时新增的注文，在注文的开头，一律冠以"谨案"2 字。这些标记，对本草文献来源起着重要保存作用。

《新修本草》药图部分的编纂者在工作时，很重视对药物实际形态的考察。当时政府曾下令征询全国各地药物形象，并将之绘成彩色图。所谓"普颁天下，营求药物。羽毛鳞介，无远不臻；根茎花实，有名咸萃……丹青绮焕，备庶物之形容"，就反映了编绘药图的经过。从卷数上看，药图部分及图经部分的篇幅，远远超过本草文字部分。

《新修本草》是由政府主持集体编修的，取材丰富，结构严谨，一问世，很快就被传播出去。1899 年在敦煌石窟中发现的《新修本草》手抄卷子本背面有乾封二年（667）字样。该年代距离该书颁发的时间仅 8 年，这说明该书颁行后，很快就被传播到我国交通不便的西北地区了。不仅中国辽远的地区有此书的踪迹，国外亦有之。如日本所发现的《新修本草》卷子本卷 15 末记有"天平三年岁次辛未七月十七日书生田边史"，天平三年即 731 年，可见此书渡海传入日本的时间最迟不超过颁发后 70 年。

《新修本草》的药图部分的散失比本草要早，约在宋代嘉祐时就已无药图版本了，但其内容却分散地通过《蜀本草》、苏颂《本草图经》而被保存在宋唐慎微《证类本草》中。其本草部分，约在 11 世纪后期基本上亡佚了。唐慎微作《证类本草》时，已没有见过它；但其流传到日本的版本，到北宋时还在。所以日本《日本国见在书目录》记有"《唐本草》"的书名。但日本也有战乱，《日本国见在书目录》所录之书，后亦大多失传。

清光绪十五年（1899）傅云龙在日本得到《新修本草》卷子本残卷，将之模刻后收入他编集的《簑喜庐丛书》中；并将日本小岛宝素从《政和本草》中辑出的本书第 3 卷，一并刻入。1955 年上海群联出版社曾根据《簑喜庐丛书·新修本草》将这些残卷影印。

日本流传的《新修本草》卷子本，加上敦煌出土的《新修本草》卷子本，仅为《新修本草》本草部分的半数。对于所缺半数，国内外很多学者都曾有志于整复它。笔者亦曾努力辑复过。

所辑初稿，始于 1947 年，终于 1958 年。1958 年 10 月笔者赴北京中医学院中药研究班进修，将稿子带到北京，并请政治老师看有无不妥之处。政治老师阅后说无问题。到 1959 年春，笔者接到芜湖医学专科学校校长方有成来信，其说已与安徽人民出版社联系出版，嘱将书稿寄去。笔者遂将书稿寄往合肥。与此同时，该社也收到安徽中医进修学校所编的《神农本草经通俗讲义》。经研究，该社决定用中医进修学校的编本，将拙稿退回北京。笔者接到退稿，即到北线阁中医研究院医史室，请陈邦贤教授审阅。

不久陈邦贤教授寄来书稿并附给严棱舟的信，向人民卫生出版社推荐出版。笔者把书稿和推荐信送到天坛西里人民卫生出版社，当时严棱舟为了多征求几家意见，又将书稿送请中国军事医学科学院研究员范行准审阅。到 1960 年，严棱舟将书稿退回，并嘱笔者按范行准所提意见修。范行准讲要按唐写卷子本修。笔者即遵照其意见修订。

回修稿再寄人民卫生出版社。到 1961 年因我国经济困难，许多工程下马，此稿亦随之下马。书稿又被退回芜湖医学专科学校。笔者把退回书稿信给学校领导看，学校领导认为不是质量问题，而是因暂时经济困难而下马。于是学校在 1962 年给予油印发行，并请范行准写序冠于书首。

序云："我们知道从事重辑《新修本草》，中外不止一家，而其书俱未能问世。今尚志钧先生所辑之书竟能拔蠹先登而最先出版，使 1300 年前世界上第一部国家药典的原貌，灿然复见于世，是值得我们庆幸的一件事。"

"文革"结束后，笔者曾多次写信给人民卫生出版社，提起此稿出版问题，但未见回信。人民卫生出版社不回信，笔者只好将此稿改投安徽科学技术出版社，该社很慎重，也去信问人民卫生出版社，人民卫生出版社仍无回信。于是该社决定出版。

当时笔者将原稿卷 1 至卷 20 各卷首所题"司空上柱国英国公臣李勣等奉敕修"等中的官衔删掉，将各卷分目也删掉，关于卷 1、卷 2 中加上若干小标题；在原书名《新修本草》之前冠以"唐"字；在各卷《神农本草经》文中，将其生境（生山谷、生平泽）由原稿所注《名医别录》文，改成《神农本草经》文标记（按《新修本草》中《神农本草经》文原无产地和生境）。诸如此类的增删，皆非原书体例。

书出版后，遭到范行准、郑金生、齐云等诸家批评。这就使笔者想起1960年范行准所嘱按唐写卷子本修订是对的。1962年芜湖医学专科学校油印本就是这样做的。当时已经范行准复核认可。对1981年笔者所删节的内容，本书除改繁体为简体，改竖排为横排外，基本上依1962年油印稿改正。该本对第1版中存在的失误，做了订正。如"422梓白皮"条："……梓亦有三种，当用作桦索不腐者，方药不复用……"其中"桦索"，《证类本草》作"拌索"，《本草纲目》作"朴素"，皆误。《新修本草》底本是正确的。本书第1版误从《证类本草》，此次已做订正。

由于本人学术水平所限，本书难免有错误和缺点，敬希读者批评指正。

尚志钧

于皖南医学院弋矶山医院

2004年6月

《〈新修本草〉辑复》凡例

《新修本草》又称《唐本草》，原书54卷，本草部分20卷，另有目录1卷；药图部分26卷（包括图目1卷）；图经部分7卷。现辑校的是其中本草文字20卷。兹将该书辑校说明如下。

一、版本选目

（一）底本

吐鲁番出土《本草经集注》残卷，1900年敦煌出土《本草经集注·序录》，敦煌出土《新修本草》残卷，武田本《新修本草》，傅氏影刻《新修本草》，上海古籍出版社影印《新修本草》，孙思邈《千金翼方》，人民卫生出版社影印《重修政和经史证类备用本草》。

（二）主校本

柯逢时影刻《大观本草》，日本望草玄翻刻《大观本草》，商务印书馆影印《政和本草》，明成化年间翻刻《政和本草》，明万历年间翻刻《政和本草》，明万历年间刻《经史证类大全本草》等。

（三）校　本

日本丹波康赖《医心方》，日本深江辅仁《本草和名》，宋·寇宗奭《图经衍义》（1924年上海涵芬楼影印《正统道藏》本），明·刘文泰《本草品汇精要》（1936年商务印书馆版），明·李时珍《本草纲目》（1957年人民卫生出版社影印本），明·缪希雍《本草经疏》（1891年周学海刊本），清·邹澍《本经疏证》（1959年上海科学技术出版社版），清·邹澍《本经续疏》（1959年上海科学技术出版社版），清·孙星衍等辑《神农本草经》（1799年间经堂刻本、1891年周学海刊本及1955年商务印书馆版），清·黄奭辑《神农本草经》（1893年汉学堂业书本），清·顾观光辑《神农本草经》（1955年人民卫生出版社影印本），日本森立之辑《神农本草经》（1957年上海卫生出版社影印本），日本狩谷望之志辑《神农本草经》（涩江籀斋订，抄本），清·吴其濬《植物名实图考长编》（1959年商务印书馆版）。

（四）其他参校书

唐·欧阳询《艺文类聚》（1959年中华书局影印本），唐·徐坚《初学记》（孔氏古香斋刻本），唐·虞世南《北堂书钞》（1888年孔广陶校注本），宋·李昉等《太平御览》（上海涵芬楼影印本），清康熙年间敕修《古今图书集成·博物汇编》内的《草木典》《禽虫典》《食货典》。

二、辑复《新修本草》（以下简称《新修》）资料处理

处理资料时以辑录、校勘、标点为主。《新修》文字20卷中，有半数亡佚，它的内容散存在各种古本草、类书，以及古典文、史、哲的注文中。而这些书又因历代传抄和翻刻，对《新修》资料的记载，存在很大差异。有些书在引《新修》资料时非原文抄录，或取其意，或加化裁（如《本草纲目》）。有些书所录《新修》资料，是间接转引的，属第二、三手资料。各书在文字取舍方面互有参差出入。在辑录时为确保《新修》资料的准确性，必须详加校勘。因此整复《新修》的重点工作是在辑佚、校勘、标点。至于本书其他问题，则被列在次要地位。

（1）《新修》卷数和药物数目如下。

《新修》原书20卷载药850种。其中新增药114种。《本草经集注》（以下简称《集注》）载药730种。从850种减去114种，是736种，这比《集注》原书多

出 6 种。为何多出 6 种？因为《新修》在编纂时，对《集注》中某些药进行了分条。按陶弘景所注，海蛤、文蛤原并为一条，葱、薤并为一条，粉锡、锡铜镜鼻并为一条，大豆黄卷、赤小豆并为一条，鼠李、郁核并为一条，鼺鼠、六畜毛蹄甲并为一条。这些合并的药在被苏敬编入《新修》时，皆单独分立成条。由于《新修》对《集注》中药物进行分条，《集注》药物由 730 种变成 736 种。又，《千金翼方》所录《新修》药物多"北荇华""领灰"两条，但《医心方》《本草和名》所载《新修》目录，以及日本传抄卷子本《新修》有名无用类中，俱无此二条，本书收此二条为附录，不作正目计数。

各药物前序数为辑校者所加，以方便读者查阅。

（2）《新修》药物主要是按药物自然来源分类的。敦煌出土的《集注·序录》有诸药制使（七情畏恶药物），将药物分成玉石、草木、虫兽、果、菜、米食、有名无实 7 类。陶弘景把草木划为一类，虫兽并为一类。苏敬曾批评说："岂使草木同品，虫兽共条，披览既难，图绘非易。"因此，《新修》将药物分为玉石、草、木、兽禽、虫鱼、果、菜、米食、有名无实 9 类，除有名无实类外，其他各类，又分为上、中、下三品。

（3）《新修》药物三品分类法如下。

本书收载药物，除按药物自然来源分类外，也保留了《神农本草经》的三品分类。

《神农本草经》的三品分类，因历代人们认识不同，而略有差异。例如水银，《集注·序录》七情畏恶药，将"水银"列在上品。《神农本草经》上品药定义有"久服不老延年，轻身神仙"。"水银"条经文云："水银……熔化还复为丹，久服神仙不死。"此与《神农本草经》上品含义吻合。水银在古代能炼丹，故被列为上品。后来人们发现水银有毒，不能被列为上品，就将之移入中品。又如黄芪，自《新修》以后，被列在上品；在《集注·序录》七情畏恶药物中被列为中品。查黄芪《神农本草经》文内容，并无久服神仙等语。所以古人并不把黄芪当作上品来看待。后来人们发现黄芪无毒，有补益作用，就把它从中品移入上品。本书辑录，以《医心方》所载《新修》目次分类为准，将水银列在上品，黄芪列在中品。类似此例很多，此处从略。

（4）原文辑录方法如下。

把各种古书所载《新修》药物条文，全部录出，加以比较互勘。以最先出现本为底本，以后出本为核校本。一般先以敦煌出土《新修》残卷、武田本《新

3

修》、傅氏影刻《新修》、罗氏所藏抄本《新修》为底本；《新修》所缺，即以《千金翼方》为底本；《千金翼方》所缺，即以人民卫生出版社影印《重修政和经史证类备用本草》为底本；然后再以其他后出本为核校本。

（5）校勘。

不仅校误字，而且还校书中有关错引、脱漏、增衍、颠倒及《本经》《别录》文的混淆等。

例如"发髲"条，原以傅氏影刻《新修》为底本。该底本"发髲"条文末为"疗小儿惊热下"。其句末的"下"字很难理解。再查各种版本《证类本草》作"疗小儿惊热"，无"下"字。查《小儿卫生总微论》引"发髲"作"疗小儿惊热下痢"。则"下"字后似脱漏"痢"字。查《备急千金要方》《外台秘要》治痢方均载有乱发灰治下痢。据此可知《小儿卫生总微论》所引当属正确。盖因唐代抄本《新修》已脱落"痢"字；到了宋代本草，以"下"字不可解而删之。李时珍援引此文，又用陶弘景注文"百病"2字置换"下"字。故《新修》原文"疗小儿惊热下痢"，自宋以后已失去真实面貌，同时发髲灰治痢之药效，亦为后世本草所失载。通过诸书的校勘，可以恢复原书条文的真实面貌。

又如各种版本《证类本草》所引"陶隐居序"有"张茂先辈逸民皇甫士安"。各种版本《本草纲目》引作"张茂先辈，逸民皇甫士安"。从《本草纲目》断句来看，这句话讲的是2个人的名字。查敦煌出土《集注·序录》作"张茂先裴逸民皇甫士安"。则此句应是3个人的名字，即张茂先、裴逸民、皇甫士安。《本草纲目》因将"裴"误作"辈"，遂误断为2个人的名字。本次校勘，对书中有关时间、地点、人名、人事错引之处，均加以考证，择善而从之，并对残缺或脱漏处予补正。

（6）《神农本草经》《名医别录》文区分如下。

《新修》是在陶弘景《集注》基础上编修的。在《集注》中，陶弘景将《神农本草经》文用朱书写，将《名医别录》文用墨书写。唐代苏敬修本草时，是沿用陶弘景旧例。今苏敬书仅存半数，所存半数又缺乏《神农本草经》《名医别录》标记，要分辨《神农本草经》文和《名医别录》文，必须借助《证类本草》。又《证类本草》版本不同，其白字（《神农本草经》文）、黑字（《名医别录》文）标记亦有差异。例如，成化本《政和本草》、商务印书馆影印《政和本草》将菖蒲、龙胆、白英、麝香、鹿茸、独活等条全作黑字，无白字《神农本草经》文标记。人民卫生出版社影印《重修政和经史证类备用本草》"曾青"条亦无白字《神农本草经》文标记。因此，还要借助其他各种本草如《本草纲目》、各种辑本《神农本草经》等旁证之。

（7）对避讳字的处理如下。

唐代苏敬修《新修》是以《集注》为蓝本的。由于要避讳唐太宗李世民、唐高宗李治的"世""治"等字，所以《新修》药物条文中，遇到"世"则改作"俗"，或改作"造"，或删除不用。例如，燕屎、鼹鼠等药效，《新修》《证类本草》分别作"燕屎，主蛊毒""鼹鼠，主痈疽"。但吐鲁番出土《集注》断片作"燕屎，主治蛊毒""鼹鼠，主治痈肿"。由此可见，《集注》中药效原作"主治某某"。《新修》因避唐高宗李治的讳，把"主治"的"治"字删掉。宋代本草沿用《新修》旧例，不用"主治某某"，仅作"主某某"。本书在辑录时，凡因避唐代帝王名讳所改的字，亦仍其旧。

（8）通假字一般不予改动。但唐代写本中所用的俗字改用通行字。

《新修本草》夹杂很多通假字，如朱沙（砂）、伏（茯）苓、伏（茯）神、署预（薯蓣）、芎穷（劳）、淹浃（腌浃）、零（羚）羊、芒消（硝）、流黄（硫黄）、芒消（硝）、消（硝）石、昌（菖）蒲、胡（狐）臭、射（麝）香、举（榉）树、丹沙（砂）、太（泰）山、朴消（硝）、已（以）来、止（只）说、杏人（仁）、雀瓮（瓮）、黑志（痣）、桃人（仁）、真（珍）珠、虎魄（琥珀）、枝（栀）子、丁（疔）肿、茈（柴）胡、乌臼（桕）、罡（钢）铁、华（花）、直（值）、傅（敷）、淡（痰）、创（疮）、噉（啖）、希（稀）、白敛（蔹）、萝摩（藦）子、木绵（棉）、墙（蔷）薇、柔（揉）烂、罗文（纹）、瘾（隐）疹、蘗（檗）木等均不改。有的也写作正名（如"442 麝香"条），一仍其旧。这样的目的是：满足原作上下文叙述的需要；尊重原著，尽可能保持原著风貌。但对唐代写本中所用的俗字，如桑、枣、闭、叶、因、热、血、脑、医、亦等字，在卷子本《新修本草》作"桒""棗""閇""菜""囙""焫""血""臑""醤""亦"等字，因影响阅读，本书辑校时，均改用通行字。

（9）《证类本草》墨盖下所引"唐本""唐本注"等文，一般被视为《新修》文。经考证，其实为《蜀本草》文。（考证从略）

（10）《新修》的药物正文有3种来源，辑复本在排版时的标别方法如下。

《神农本草经》文（在唐代原底本作"朱书"，在宋代本草引用时刻成黑底白字，明代本草中以文字注明之）现排为准雅宋体字。

《名医别录》文（在唐代原底本作"墨书"，在宋代本草引用时刻成黑字，明

5

代本草以文字注明之）现排为宋一体字。

唐代新修时附增药物的正文（在唐代原底本标以"新附"2字，在宋代本草中注明"唐本先附"，在明代本草注明"唐本"或"苏恭"2字）现排为宋一体字，但条末承唐本旧例，以小字注明"新附"。

（11）各药正文后所附注释文字，一律用小字。其中有三方面内容，相互间以空位间隔：首列为七情畏恶资料，次为陶弘景注文，最后为唐代新修时所增注文（原底本均冠以"谨案"2字，现承其旧例）。

（12）古本草多无句断。为使读者阅读方便，补辑中试加新式标点。

《〈新修本草〉辑复》参考书及资料说明

（1）1900 年敦煌出土陶弘景《集注》卷 1 "序录"。1955 年上海群联出版社据《吉石盦丛书》影印之。

（2）吐鲁番出土的陶弘景《集注》残缺的断片，1952 年被罗福颐影抄收入《西陲古方技书残卷汇编》。

（3）1947 年万斯年译《集注》残片，被收入《唐代文献丛考》（1957 年商务印书馆版）中。

（4）武田本《新修》，日本国药商武田长兵卫商店制药部内的大阪本草图书刊行会，据唐写卷子本《新修》卷 4、卷 5、卷 12、卷 17、卷 19，在日本昭和十一年（1936）用珂玒版复制印本。

（5）敦煌出土卷子本《新修》卷 10 残卷，1952 年被罗福颐影抄收入《西陲古方技书残卷汇编》。

（6）傅氏影刻《新修》，日本天平三年（731）田边史抄苏敬《新修》，1955 年上海群联出版社据《籑喜庐丛书》本影印之。

（7）罗氏藏本《新修》，日本天平三年（731）田边史抄苏敬《新修》，罗振玉于 1901 年在日本购得影抄本，1981 年上海古籍出版社据以影印。

（8）《唐·新修本草》，尚志钧辑复，1981 年安徽科学技术出版社出版。

（9）《本草和名》（简称《和名》），日本深江辅仁撰，日本宽政八年（1796）

刊印本。日本大正十五年（1925）日本古典全集刊行会据以重刊。

（10）宋·唐慎微《经史证类大观本草》（简称《大观》），清光绪三十年（1904）武昌柯逢时影宋并重校刊（简称柯《大观》）。此书中"果人"之"人"皆作"仁"。按《说文解字注》卷8人部段玉裁注云："'果人'之字，自宋元以前，本草方书诗歌记载，无不作'人'字，自明成化重刊本草，乃尽为'仁'字，于理不通，学者所当知也。"据此可知，柯逢时所谓影宋可疑。

（11）宋·唐慎微《大观》，日本安永四年（1775）望草玄据元大德宗文书院刊本翻刻（简称玄《大观》）。实乃据明王大献《重刊经史证类大全本草》重刊。

（12）《重刊经史证类大全本草》（简称《大全》），明万历二十八年（1600）籍山书院重刊王大献本。

（13）宋·唐慎微《重修政和经史证类备用本草》，1957年人民卫生出版社据扬州季范董氏藏金泰和张存惠晦明轩本影印的4页合1页本（简称人卫《政和》）。1960年文物出版社出版的中国国家图书馆编的《中国版刻图录》第一册51页及99页，对此书做了介绍，认为该书底本是真正元刻本。书中药图精工细刻，该本是《证类本草》各种版本中最好的一种。

（14）宋·唐慎微《重修政和经史证类备用本草》，1921—1929年商务印书馆影印金泰和甲子下己酉晦明轩本、《四部丛刊初编·子部》4页合1页本（简称商务《政和》）。实乃据明成化《政和本草》重刊。

（15）明成化翻刻《政和本草》（简称成化《政和》），明成化四年（1468）山东巡抚原杰等据晦明轩《重修政和经史证类备用本草》翻刻。

（16）明万历翻刻《政和本草》（简称万历《政和》），明万历十五年（1587）经厂刻的《重修政和经史证类备用本草》。

（17）宋·寇宗奭撰《本草衍义》（简称《衍义》），1957年商务印书馆铅印本。

（18）宋·寇宗奭撰《图经衍义本草》（简称《图经衍义》），1924年上海涵芬楼影印《正统道藏》本。该书题宋通道直郎辨验药材寇宗奭编撰，宋太医助教辨验药材许洪校正。该书对《神农本草经》（简称《本经》）、《名医别录》（简称《别录》）文无标记，而且删去有名无用类药物。

（19）明·刘文泰等《本草品汇精要》（简称《品汇》），1936年商务印书馆据故宫抄本铅印。该书摘录《证类本草》主要内容而成。其对历代文献出典，用文字注之。但其对《名医别录》资料注作"名医所录"，对历代医方的内容注作"别录云"，是极易令人误解的。

（20）明·李时珍《本草纲目》（简称《纲目》），1957 年人民卫生出版社据清光绪十一年（1885）合肥张绍棠味古斋重校刊本影印。

（21）校点本《本草纲目》，刘衡如据 1603 年夏良心、张鼎思序刊的江西初刻本校点，于 1977—1981 年由人民卫生出版社出版。

（22）明·卢之颐《本草乘雅半偈》，南京图书馆藏本。

（23）明·缪希雍《神农本草经疏》（简称《本草经疏》），明天启五年（1625）绿君亭刊本。该书名为《神农本草经疏》，实际是一部综合性本草。书中对《本经》和《别录》的资料皆无区分。

（24）清·邹澍《本经疏证》，1959 年上海科学技术出版社出版。该书名为《本经疏证》，实际是一部综合性本草。书中《本经》文，用黑体字排印。

（25）清·邹澍《本经续疏》，1959 年上海科学技术出版社出版。是书附在《本经疏证》之后，也是一部综合性本草。书中《本经》文，用黑体字排印。

（26）《草木典》，清康熙时敕修《古今图书集成·博物汇编·草木典》，中华书局影印本。

（27）《禽虫典》，清康熙时敕修《古今图书集成·博物汇编·禽虫典》，中华书局影印本。

（28）《食货典》，清康熙时敕修《古今图书集成·经济汇编·食货典》，中华书局影印本。

（29）明·卢复辑《神农本草经》（简称卢本），日本宽政十一年（1799）新镌。

（30）日本嘉永七年（1854）森立之辑《神农本草经》（简称森本），1955 年上海群联出版社据日本森氏温知药室本影印。

（31）日本文政七年（1824）汤岛狩谷望之志辑《神农本草经》（简称狩本），南京图书馆藏有手抄本。是书取《证类本草》中白字《本经》文，按《新修本草》药物目录次序编排，并以善本《大观》校注之。

（32）清嘉庆四年（1799）孙星衍和孙冯翼合辑《神农本草经》（简称孙本），1955 年商务版铅印本。

（33）清·孙星衍和孙冯翼合辑《神农本草经》，清嘉庆四年（1799）阳湖孙氏刻《问经堂丛书》本（简称问本）。

（34）清·孙星衍和孙冯翼合辑《神农本草经》，清光绪十七年（1891）池阳周学海刊《周氏医学丛书·初集》本（简称周本）。

（35）清·徐大椿《神农本草经百种录》（简称徐本），1956 年人民卫生出版社影印本。

（36）清·黄奭辑《神农本草经》（简称黄本），清光绪十九年（1893）仪征刘富增刻《汉学堂丛书》本。是书全抄自孙本，仅在书末补录几条《本经》佚文而已。

（37）清道光二十四年（1844）顾观光辑《神农本草经》（简称顾本），1955 年人民卫生出版社据武陵山人遗书本影印。

（38）清·吴其濬《植物名实图考长编》（简称《图考长编》），1959 年商务印书馆出版。

（39）《补注黄帝内经素问》，清光绪二十二年（1896）图书集成书局印。

（40）汉·张仲景著，宋·成无己注《注解伤寒论》，1955 年商务印书馆铅印本。

（41）汉·张仲景著《金匮要略方论》，1956 年人民卫生出版社据明·赵开美刻《仲景全书》本影印。

（42）晋·葛洪撰《肘后备急方》，1956 年人民卫生出版社据明万历二年（1574）李栻刻刘自化校刊本影印。

（43）《补辑肘后方》，尚志钧辑校，1983 年安徽科学技术出版社出版。

（44）隋·巢元方等撰《巢氏诸病源候总论》，明新安汪氏一斋校刊本。

（45）唐·孙思邈撰《备急千金要方》（简称《千金方》），1955 年人民卫生出版社据江户医学本影印。

（46）唐·孙思邈撰《千金翼方》（简称《千金翼》），1955 年人民卫生出版社据江户医学本影印。

（47）唐·王焘著《外台秘要》，1955 年人民卫生出版社据歙西槐塘经余居藏本影印。

（48）《小儿卫生总微论方》，1958 年上海卫生出版社出版。

（49）日本圆融帝永观二年（984）丹波康赖撰《医心方》，1955 年人民卫生出版社据日本浅仓屋藏版影印。

（50）日本源顺撰《和名类聚钞》，清光绪三十二年（1906）龙璧勤据杨守敬抄本刊印。

（51）晋·张华撰《博物志》，清·黄丕烈据汲古阁影宋本翻刻，并将之收入《士礼居黄氏丛书》本。据张心澂《伪书通考》云此书是后人缀辑。

（52）宋·李石撰《续博物志》，清康熙戊申（1668）新安汪士汉刊本。是书误刻晋代李石撰，但书中提到宋代的曾公亮、王安石、方舟先生等。按，方舟别名李石，故其可能误宋代李石为晋代李石。

（53）北魏·贾思勰撰《齐民要术》，商务印书馆《丛书集成初编》本。

（54）宋·沈括著，胡道静校注《梦溪笔谈校正》，1957 年上海古典文学出版社出版。是书卷 26 "药议" 引有本草资料。

（55）宋·沈括著，胡道静校注《梦溪补笔谈》，1957 年上海古典文学出版社出版。是书附刊在《梦溪笔谈校正》一书中。

（56）宋·郑樵《通志·昆虫草木略》，中华书局聚珍仿宋版印。

（57）唐·陆羽撰《茶经》，民国二十年（1931）上海博古斋影印《百川学海》丛书本。

（58）宋·洪刍撰《香谱》，民国二十年（1931）上海博古斋影印《百川学海》丛书本。

（59）宋·刘蒙撰《刘氏菊谱》，民国二十年（1931）上海博古斋影印《百川学海》丛书本。

（60）宋·史老圃撰《史氏菊谱》，民国二十年（1931）上海博古斋影印《百川学海》丛书本。

（61）宋·释赞宁撰《笋谱》，民国二十年（1931）上海博古斋影印《百川学海》丛书本。

（62）宋·傅肱撰《蟹谱》，民国二十年（1931）上海博古斋影印《百川学海》丛书本。

（63）宋·韩彦直撰《橘录》，民国二十年（1931）上海博古斋影印《百川学海》丛书本。

（64）清·刘灏等《佩文斋广群芳谱》，清康熙四十七年（1608）刻本。该书是在明代王象晋《群芳谱》的基础上增修而成的。书中把杂录资料冠以 "别录" 作白字标题，其含义不同于《名医别录》含义。

（65）唐·孔颖达疏注《毛诗注疏》，中华书局聚珍仿宋版印《四部备要》本。

（66）清·郝懿行注《山海经笺疏》，《四部备要》本，上海中华书局据《郝氏遗书》本校刊。

（67）汉·史游撰，唐·颜师古注，宋·王应麟补注《急就篇》，清光绪五年（1879）福山王氏刻天壤阁丛书本。

（68）东汉·许慎撰，清·段玉裁注《说文解字注》，1981 年上海古籍出版社据经韵楼藏版影印。

（69）《说文解字系传》，北宋·徐锴撰《说文解字系传通释》，商务印书馆出版《四部丛刊》本。

（70）《尔雅》，商务印书馆出版《四部丛刊》本。书中有郭璞注；所引本草资料，与现存古本草中内容不同。

（71）宋·邢昺注《尔雅注疏》，中华书局聚珍仿宋版印，《四部备要》本。

（72）清·王念孙注《广雅疏证》，中华书局聚珍仿宋版印，《四部备要》本。

（73）唐·西明寺翻经沙门慧琳撰《一切经音义》，日本元文三年（1738）东狮谷白莲社刻本。

（74）梁·昭明太子撰，唐·李善注《文选》，中华书局聚珍仿宋版印，《四部备要》本。

（75）北齐·颜之推《颜氏家训》，王利器集解，1980 年上海古籍出版社出版。

（76）唐·段成式《酉阳杂俎》，方南生点校，1981 年中华书局出版。

（77）隋大业四年（608）杜瞻纂修《编珠》，清康熙三十七年（1698）高士奇刻巾箱本。是书，据张心澂《伪书通考》944 页云是伪书。

（78）唐·白居易撰，宋·孔传续撰《白孔六帖》，明刊本。是书收载本草资料不多。

（79）唐·欧阳询等奉敕修《艺文类聚》，1959 年中华书局据宋绍兴本影印。是书卷 81 至卷 89 引有本草资料。

（80）隋末唐初虞世南撰《北堂书钞》，清光绪十四年（1888）南海孔广陶三十有三万卷堂刊本。

（81）唐·徐坚等撰《初学记》，古香斋袖珍本。是书卷 27 至卷 30 有本草资料。

（82）宋·李昉等修纂《太平御览》（简称《御览》），上海涵芬楼影印宋本。

（83）宋·吴淑撰《事类赋》，清嘉庆十八年（1813）聚秀堂翻刻剑光阁本。

（84）宋·谢维新撰《古今合璧事类备要》，明嘉靖三十五年（1556）夏氏据宋本复刻本。是书分前集、后集、续集、别集、外集五大部分，其中别集有本草资料。

（85）宋·祝穆撰《新编古今事文类聚》，明翻刻元刊本。是书序言中题宋淳祐六年（1246）腊月望日晚进祝穆伯和父谨识。

（86）宋·刘省轩《新编事文类聚翰墨全书》，元刻本。是书分前集、后集两大部，前集和后集，各按甲、乙、丙……分为10集，合20集，每集又分若干卷，其中后集之戊集卷1至卷4有本草资料。

（87）宋淳熙（1174—1189）中不著撰人名氏《锦绣万花谷》，明嘉靖十四年（1535）徽藩刊本。是书分前集、后集、续集三大部，其前集卷30至卷39有本草资料。

（88）宋绍兴十九年（1149）叶廷珪撰《海录碎事》，明万历戊戌（1598）刊本。是书卷14至卷22有本草资料。

（89）宋·潘自牧撰《记纂渊海》，明万历七年（1579）胡维新刻。是书卷90至卷99有本草资料。

（90）清康熙四十九年（1710）张英等奉敕纂《渊鉴类函》，民国六年（1917）同文图书馆复印本。

（91）陈垣《史讳举例》，1958年科学出版社出版。

编校说明

（一）本书为尚志钧先生辑注的本草古籍。本次整理以尚志钧先生已出版的图书《新修本草（辑复本第二版）》为基础书稿。

（二）尚志钧先生原书为简化字本，本次亦使用简化字编排。对书稿进行编辑加工时，主要依据国家语言文字工作委员会文字规范文件（《简化字总表》《异体字整理表》等）的规定以及《汉语大字典》的相关释义，在不影响原义的情况下，将书稿中的繁体字、异体字等改为现行规范字，但应本书"《新修本草》辑复凡例"要求对通假字不予改动。此外，还对以下情况做变通或特别处理。

1. 简化字可能使字义淆错或不明晰的，不予简化。如中医病名"癥瘕"之"癥"不简化为"症"。

2.《异体字整理表》等归并不当或关系有歧见的异体字，不做简单归并。如《异体字整理表》将"剉"并入"锉"，但中草药切制古只作"剉"，与"锉"使用的工具、加工的方式与结果都不相同，故不予归并；"鱓"与"鼍""鳝"2字有关，不易确定古书中的指向，故保留原字。

3. 古书中的特有、习惯表达，不改为现代用字。如"华"不改"花"，"文"不改"纹"等。

4. 尚志钧先生摘录古籍药名时尊重古籍文字原貌，所写药名与现代规范药名不同者，也不做改动，如"芒消""朴消"等。

（三）对于书稿中的明显的错别字以及常识性错误，编加时直接予以改正，不予出注。

（四）为方便读者阅读，古籍卷页均以阿拉伯数字表示。（如卷 23 页 76，卷 987 页 3 等）

（五）本书涉及诸多古籍，为方便阅读，对部分本草古籍使用简称。（如《本草纲目》简称为《纲目》，《太平御览》简称为《御览》，《本草经集注》简称为《集注》等）

（六）为方便查找及统计，尊重并保留原书对古籍药物条文添加的编号。

（七）文中涉及的反切注音，悉尊原书。

在本书的编辑整理过程中，得到了尚志钧先生弟子郑金生研究员以及国内多位中医文献学者、古籍出版专家的悉心指教。由于本书体量巨大，且出版时间紧促，编辑水平有限，疏漏谬误，恐所难免，欢迎广大读者批评指正，以期再版更正。

目　录

上　册

下　册

序例　卷上第一

孔志约序①

　　盖闻天地之大德曰生，运阴阳以播物；含灵之所保曰命，资亭育以尽年。蛰穴栖巢，感物之情盖寡；范②金揉木，逐欲之道方滋。而五味或爽，时昧甘辛之节；六气斯沴，易愆寒燠之宜。中外交侵，形神分战。饮食伺衅，成肠胃之眚；风湿候隙，遘③手足之灾。几④缠肤腠，莫知救止；渐固⑤膏肓，期于夭折。暨炎晖纪物，识药石之功；云瑞名官，穷诊候之术。草木咸得其性，鬼神无所遁情。刳麝刳犀，驱泄邪恶；飞丹炼石，引纳清和。大庇苍生，普济黔首；功侔造化，恩迈财⑥成，日用不知，于今是赖。岐、和、彭、缓，腾绝轨于前；李、华、张、吴，振英声于后。昔秦政煨燔，兹经不预；永嘉丧乱，斯道尚存。梁·陶弘⑦景雅好摄⑧生，研精药术。以为《本草经》者，神农之所作，不刊之书也。惜其年代浸远，简编残蠹，与桐、雷众记，颇或踳驳⑨。兴言撰辑，勒成一家，亦以雕琢经方，润色医

---

　　① 本序以日本安永四年（1775）望草玄刻《经史证类大观本草》（简称《大观》）为底本，以1957年人民卫生出版社影印的金刻《重修政和经史证类备用本草》（简称《证类》）为核校本。

　　② 范：《大观》原作"苑"，据《证类》改。

　　③ 遘：《证类》作"构"。

　　④ 几：《证类》作"机"。

　　⑤ 固：《大观》原作"因"，据《证类》改。

　　⑥ 财：《本草纲目》（简称《纲目》）作"裁"。

　　⑦ 弘：《证类》脱此字。

　　⑧ 摄：《大观》原作"撮"，据《证类》改。

　　⑨ 驳：《大观》原作"駮"，据《纲目》改。

业。然而时钟鼎峙，闻见阙于殊方；事非佥议，诠释拘于独学。至如重建平之防己，弃槐里之半夏。秋采榆人，冬收云实。谬粱、米之黄白，混荆子之牡、蔓。异繁蒌于鸡肠，合由跋于鸢尾。防葵、狼毒，妄曰同根；钩吻、黄精，引为连类。铅、锡莫辨，橙、柚不分。凡此①比例，盖亦多矣。自时厥后，以迄于今，虽方技分镳，名医继轨，更相祖述，罕能厘正。乃复采杜蘅于及己，求忍冬于络石。舍陟厘而取莂藤，退飞廉而用马蓟。承疑行妄②，曾无有觉。疾瘵多殆，良深慨叹。既而朝议郎行右监门府长史骑都尉臣苏敬③，撿陶氏之乖违，辨俗用之纰紊。遂表请修定，深副圣怀。乃诏太尉扬州都督监修国史上柱国赵国公臣无忌、太④中大夫行尚药奉御臣许孝崇等二十二人，与苏敬详撰。窃以动植形生，因方舛性；春秋节变，感气殊功。离其本土，则质同而效异；乖于采摘，乃物是而时非。名实既爽，寒温多谬。用之凡庶，其欺已甚；施之君父，逆莫大焉。于是上禀神规，下询众议；普颁⑤天下，营求药物。羽毛鳞介，无远不臻；根茎花实，有名咸萃。遂乃详探秘要，博综方术。《本经》虽阙，有验必书；《别录》虽存，无稽必正。考其同异，择其去取。铅翰昭章，定群言之得失；丹青绮焕⑥，备庶物之形容。撰本草并图经、目录等，凡成五十四卷。庶以网罗今古，开涤耳目。尽医方之妙极，拯生灵之性命。传万祀⑦而无昧，悬百王而不朽。

梁·陶隐居序⑧

　　隐居先生在乎茅山岩岭⑨之上，以吐纳余暇，颇⑩游意方技，览本草药性，以

---

①　此：《证类》作"比"。

②　妄：《大观》原作"妄"，据《证类》改。

③　敬：《大观》《证类》皆作"恭"，据史讳改。

④　太：《纲目》作"大"。

⑤　颁：《大观》原作"须"，据《证类》改。

⑥　焕：明万历五年刻《大全》、商务《政和》作"燠"。

⑦　祀：《大观》原作"世"，据《证类》改。

⑧　本序以群联出版社影印的敦煌石室藏陶弘景《集注·序录》为底本，以人民卫生出版社影印的金刻《证类》为核校本。

⑨　岩岭：《纲目》无此2字。

⑩　颇：《纲目》脱此字。

为尽圣人①之心，故撰而论之。旧说皆称②《神农本经》，余以为信然。昔神农氏之王天下也，画易③卦，以通鬼神之情；造耕种，以省杀害④之弊；宣药疗疾⑤，以拯夭伤之命。此三道者，历群⑥圣而滋彰。文王孔子，彖象繇⑦辞，幽赞人天。后稷、伊尹，播厥百谷，惠被群生⑧。岐、皇⑨、彭、扁，振扬辅导，恩流含气。并岁逾三千，民⑩到于今赖之。但轩辕以前，文字未传，如六爻指垂，画象稼穑，即事成迹。至于⑪药性所主，当以识识相因，不尔何由得闻。至乎⑫桐、雷，乃著在于篇⑬简。此书应与《素问》同类，但后人多更修饰之尔。秦皇所焚，医方、卜术不预，故犹得全录。而遭汉献迁徙，晋怀奔进，文籍焚靡，千⑭不遗一。今之所存，有此四卷⑮。是其《本经》所出⑯郡县，乃后汉时制，疑仲景、元化等所记。又云有《桐君采药录》，说其华⑰叶形色。《药对》四卷，论其佐使相须。魏、晋以⑱来，吴普、李当之等，更复损益。或五百九十五，或四百三⑲十一，或三百一十九。或三品混糅，冷、热舛错，草、石不分，虫、兽⑳无辨。且所主疗，互有多

---

① 隐居先生……以为尽圣人：《集注》原脱，据《证类》补。

② 旧说皆称：《纲目》作"旧称"。

③ 易：《证类》《纲目》作"八"。

④ 害：《证类》《纲目》作"生"。

⑤ 疾：《集注》原脱，据《证类》补。

⑥ 群：《证类》《纲目》作"众"。

⑦ 繇：《集注》原作"瓞"，据《证类》改。

⑧ 群生：《集注》作"生民"。

⑨ 皇：《证类》《纲目》作"黄"。

⑩ 民：《集注》原脱，据《证类》补。

⑪ 如六……至于：《纲目》无此文。

⑫ 乎：《证类》《纲目》作"于"。

⑬ 于篇："于"，《纲目》脱。"篇"，《证类》《纲目》作"编"。

⑭ 千：《纲目》作"十"。

⑮ 四卷：《纲目》作"三卷"。

⑯ 是其《本经》所出：《纲目》作"其所出"。"所"，《集注》原作"生"，据《证类》改。

⑰ 华：《证类》作"花"。按，"华""花"古本草通用。

⑱ 以：《证类》作"已"。

⑲ 三：《证类》《纲目》作"四"。

⑳ 兽：《集注》原作"树"，据《证类》改。

少①。医家不能备见，则识智有②浅深。今辄包综诸经，研括烦省。以《神农本经》三品，合三百六十五为主，又进名医副③品，亦三百六十五，合七百三十种。精粗皆取，无复遗落，分别科条，区畛物类，兼注铭时④用，土地所出⑤，及仙经道术所须，并此序录⑥，合为三卷⑦。虽未足追踵前良，盖亦一家撰制。吾去世之后，可贻诸知音尔⑧。

本草经卷上序药性之本源，诠⑨病名之形诊，题记品录，详览施用。

本草经卷中玉石、草、木三品。

本草经卷下⑩虫兽、果菜、米食三品，有名未用三品。

右三卷，其中、下二卷，药合七百三十种，各别有目录，并朱、墨杂书并子注，大⑪书分为七卷。

[谨案]《汉书·艺文志》，有黄帝《内》《外经》，班固论云：经方者，本草石之寒温，原疾病之深浅。乃班固论经方之语，而无本草之名。惟梁《七录》，有《神农本草》三卷，陶据此以《别录》加之为七卷，序云三品混糅，冷热舛错，草、石不分，虫、兽无辨，岂使草木同品，虫兽共条，披览既难，图绘非易。今以序为一卷，例为一卷，玉石三品为三卷，草三品为六卷，木三品为三卷，禽兽为一卷，虫鱼为一卷，果为一卷，菜为一卷，米谷为一卷，有名无用为一卷，合二十卷。其十八卷中，药合八百五十种，三百六十一种《本经》，一百八十一种《别录》，一百一十五种新附，一百九十三种⑫有名无用。

上药一百二十种为君，主养命以应天，无毒，多服久服不伤人。欲轻身益气，不老延年者，本上经。

中药一百二十种为臣，主养性以应人，无毒、有毒斟酌其宜。欲遏病补虚羸者，本中经。

---

① 多少：《证类》《纲目》作"得失"。

② 识智有：《集注》原作"识致"，据《证类》改。《纲目》作"智识有"。

③ 副：《纲目》作"别"。

④ 时：《集注》原作"世"，据《证类》改。

⑤ 所出：《集注》原脱，据《证类》补。

⑥ 录：《纲目》脱此字。

⑦ 三卷：《证类》《纲目》作"七卷"。

⑧ 音尔：《集注》原作"方"，据《证类》改。

⑨ 本源，诠：《证类》作"原本，论"。

⑩ 本草经卷上、本草经卷中、本草经卷下：系《本经》文，故排黑体以示区别。下仿此。

⑪ 大：《证类》作"今大"。

⑫ 一百九十三种：实数《新修》有名未用为195种。

　　下药一百二十五种为佐使，主疗①病以应地，多毒不可久服。欲除寒热邪气、破积聚、愈疾者，本下经。

　　三品合三百六十五种，法三百六十五度，一度应一日，以成一岁，倍其数，合七百三十名也②。

　　本说如此③。今案，上品药性，亦皆能遣疾，但其势力④和厚，不为仓卒之效⑤，然而岁月常⑥服，必获大益，病既愈矣，命亦兼申。天道仁育，故云应天。独用⑦百廿种者，当谓寅、卯、辰、巳之月，法万物生荣时也。

　　中品药性，疗病之辞渐深，轻身之说稍薄，于服之者，祛患当速，而延龄为缓。人怀性情，故云应人。一百二十种者，当谓午、未、申、酉之月，法万物熟成⑧时也。

　　下品药性，专主攻击，毒烈之气，倾损中和，不可恒⑨服，疾愈即止。地体收杀，故云应地。独用⑩一百廿五种者，当谓戌、亥、子、丑之月，兼以闰之，盈数加之，法万物枯藏时也⑪。今⑫合和之体，不必偏用⑬，自随人患苦⑭，参而共行。但君臣配隶，应⑮依后所说，若单服之者，所不论耳⑯。

---

① 疗：《集注》原作"治"，据《证类》改。按，《新修》因避讳，不用"治"字。

② 三品合……名也：这段文字掌禹锡认为是《别录》文，但《证类》原作白字《本经》文，今从掌禹锡改。

③ 本说如此：《证类》作"右本说如此"。《纲目》无此文。

④ 力：《集注》原作"用"，据《证类》改。

⑤ 仓卒之效：《纲目》作"速效"。

⑥ 常：《集注》原作"将"，据《证类》改。

⑦ 独用：《证类》《纲目》作"一"。

⑧ 熟成：《证类》《纲目》作"成熟"。

⑨ 恒：《证类》《纲目》作"常"。

⑩ 独用：《证类》无此2字。

⑪ 兼以闰之，盈数加之，法万物枯藏时也：前二句《证类》《纲目》在末句之后。"加"，《纲目》作"焉"。

⑫ 今：《证类》作"凡"。

⑬ 用：《证类》作"用之"。

⑭ 苦：《证类》《纲目》脱此字。

⑮ 应：《证类》脱此字。

⑯ 今合和……不论耳：《纲目》作"若单服或配隶，自随人患，参而行之，不必偏执也"。

药有君臣佐使，以相宣摄。合和宜用一君、二臣、三佐、五使；又可一君、三臣、九佐使也。

本说如此。案，今①用药，犹如立人之制，若多君少臣，多臣少佐，则势力不周故也②。而检仙经俗道③诸方，亦不必皆尔。大抵④养命之药，则多君；养性之药，则多臣；疗病之药，则多佐；犹依本性所主，而兼复斟⑤酌，详用此者，益当为善。又恐⑥上品君中，复各有贵贱，譬如列国诸侯，虽并得称君⑦制，而犹归宗周⑧；臣佐之中，亦当如此⑨。所以门冬、远志，别有君臣⑩；甘草国老，大黄将军，明其优劣，不皆⑪同秩。自非农岐之徒，孰敢诠正，正应领略轻重，为其分剂也⑫。

药有阴阳配合，子母兄弟，根叶华⑬实，草石⑭骨肉。有单行者，有相须者，有相使者，有相畏者，有相恶者，有相反者，有相杀者。凡此⑮七情，合和当视之⑯，相须⑰、相使者良，勿用相恶相反者。若有毒宜制⑱，可用相畏、相杀⑲；不

---

① 本说如此。案，今：《证类》作"右本说如此。今案"。《纲目》无此文。

② 则势力不周故也：《证类》《纲目》作"则气力不周也"。

③ 而检仙经俗道："而"，《纲目》作"然"。"仙经"，《集注》原脱，据《证类》补。"俗道"，《集注》原作"世道"，据史讳改；又《证类》《纲目》作"世俗"。

④ 大抵：《集注》原脱，据《证类》补。

⑤ 斟：《集注》原作"酙"，据《证类》改。

⑥ 详用……又恐：《纲目》无此文。

⑦ 君：《证类》脱此字。

⑧ 譬如……宗周：《纲目》无此文。

⑨ 亦当如此：《纲目》作"亦复如之"。

⑩ 臣佐之中……别有君臣：《集注》原脱，据《证类》补。

⑪ 不皆：《证类》《纲目》作"皆不"。

⑫ 自非……剂也：《纲目》无此文。

⑬ 叶华：《证类》《纲目》作"茎花"。

⑭ 草石：《纲目》作"苗皮"。按，《证类》《千金方》皆作"草石"。

⑮ 此：《集注》原脱，据《证类》补。

⑯ 合和当视之：《大观》作"合和时视之"。《证类》《纲目》作"合和视之"。《千金方》作"合和之时，用意视之"。

⑰ 相须：《证类》《纲目》作"当用相须"。

⑱ 有毒宜制：《集注》原作"有宜毒制"，据《证类》改。

⑲ 相杀：《证类》《纲目》作"相杀者"。

尔，勿合用也①。

本说如此。案②，其主疗虽同，而性理不和，更以成患。今③检旧方用药，亦有相恶、相反者，服之不乃为忤④。或能复⑤有制持之者，犹如寇、贾辅汉，程、周佐吴，大体既正，不得以私情为害。虽尔，恐不如⑥不用。今⑦仙方甘草丸，有防己、细辛；俗⑧方玉石散，有⑨栝楼、干姜，略举大者⑩如此。其余复有数十余⑪条，别注在后。半夏有毒，用之必须生姜，此是取其所畏，以相制耳。其相须、相使⑫，不必同⑬类，犹如和羹、调食鱼肉，葱、豉各有所宜，共相宣发也。

药有酸、咸、甘、苦、辛五味，又有寒、热、温、凉四气，及有毒、无毒。阴干、暴干，采造⑭时月生⑮熟，土地所出，真伪陈新，并各有法。

本说如此。又有分剂秤两，轻重多少，皆须甄别。若用得其宜，与病相会，入口必愈，身安寿延，若冷热乖衷，真假非类，分两违舛，汤丸失度，当瘥反剧，以至殆⑯命。医者意也，古之所谓良医，盖善以意量得其节也。谚言俗⑰无良医，枉死者半；拙医疗病，不若⑱不疗。喻如宰夫，以鲴鳖为葶羹，食之更足成病，岂充

---

① 用也：《集注》原脱，据《证类》补。

② 本说如此。案：《证类》作"右本说如此。今案"。

③ 本说……成患。今：《纲目》作"凡"。

④ 不乃为忤：《证类》作"乃不为害"。

⑤ 复：《证类》无此字。

⑥ 如：《集注》原作"及"，据《证类》改。

⑦ 今：《纲目》作"如"。

⑧ 俗：《集注》原作"世"，据《证类》改。按，《新修》因避讳而改"治"。

⑨ 有：《证类》《纲目》作"用"。

⑩ 者：《证类》作"体"。

⑪ 余：《证类》无此字。

⑫ 使：《证类》作"使者"。

⑬ 同：《集注》原作"用"，据《证类》改。

⑭ 造：《集注》原作"治"，据《证类》改。

⑮ 生：《集注》原作"三至"，据《证类》改。

⑯ 殆：《证类》作"殒"。

⑰ 言俗："言"，《证类》作"云"。"俗"，《集注》原作"世"，《新修》因避讳改为"俗"，现据《证类》改。

⑱ 若：《证类》作"如"。

饥之可望乎？故仲景每①云：如此死者，愚②医杀之也。

药③有宜丸者，宜散者，宜水煮者，宜酒渍者，宜膏煎者，亦有一物兼宜者，亦有不可入汤酒者，并随药性，不得违越。

本说如此。又疾④有宜服丸者，宜⑤服散者，宜⑥服汤者，宜⑦服酒者，宜⑧服膏煎者，亦兼参用，察病之源⑨，以为其制耳。

凡欲疗病⑩，先察其源，先候病机。五脏未虚，六腑未竭，血脉未乱，精神未散，食⑪药必活。若病已成，可得半愈。病势已过，命将难全。

本说如此。案，今⑫自非明医，听声察色，至乎⑬诊脉，孰能知未病之病乎？且未病之人，亦无肯自疗⑭。故桓侯⑮怠于皮肤之微，以致骨髓之痼。非⑯但识悟之为难，亦乃信受之弗易。仓公有言⑰：病不肯服药，一死也⑱；信巫不信医，二死也⑲；轻身薄命，不能将慎，三死也⑳。夫病之所由来虽多㉑，而皆关于邪。邪

---

① 每：《证类》无此字。

② 愚：《集注》原脱，据《证类》补。

③ 药：《证类》《纲目》作"药性"。

④ 疾：《证类》《纲目》作"案病"。

⑤ 宜：《证类》《纲目》无此字。

⑥ 宜：《证类》《纲目》无此字。

⑦ 宜：《证类》《纲目》无此字。

⑧ 宜：《证类》《纲目》无此字。

⑨ 察病之源：《纲目》脱此文。"察"，《集注》原作"所"，据《证类》改。

⑩ 凡欲疗病：《证类》《纲目》脱"凡"字。"疗"，《集注》原作"治"，据《证类》改。

⑪ 食：《证类》《纲目》作"服"。

⑫ 本说如此。案，今：《纲目》无此文。"本"字前，《证类》有"右"字。

⑬ 至乎：《纲目》无此2字。

⑭ 无肯自疗："肯"，《集注》原作"止"，据《证类》改。"疗"，《集注》原作"治"，据《证类》改。

⑮ 桓侯：《纲目》作"齐侯"。

⑯ 非：《证类》作"今非"。

⑰ 言：《证类》作"言曰"。

⑱ 病不肯服药，一死也：《纲目》无此文。

⑲ 二死也：《纲目》作"死不治"。

⑳ 轻身薄命，不能将慎，三死也：《集注》原脱，据《证类》补。自"轻身薄命"以下诸文，《纲目》皆未节录。

㉑ 多：《证类》作"多端"。

者不正之因，谓非人身之常理，风、寒、暑、湿、饥、饱、劳、逸，皆各是邪，非独鬼气疫疠者矣。人生气中，如鱼在水，水浊则鱼瘦，气昏则人疾①。邪气之伤人，最为深重，经络既受此气传以入脏腑，随其虚实冷热，结以成病，病又相生，故流变遂广。精神者，本宅身为用②。身既受邪，精神③亦乱。神既乱矣，则鬼灵斯入，鬼力渐强，神守稍弱，岂得不致于死乎？古人譬之植杨，斯理当矣。但病亦别有先从鬼神来者，则宜以祈祷祛之，虽曰可祛，犹因药疗致益④，李子豫⑤有赤丸之例是也。其药疗无益者，是则不可祛，晋景公膏肓之例是也。大都鬼神之害人⑥多端，疾病之源惟一种，盖有轻重者耳⑦。《真诰》言⑧：常不能慎事上者，自致百疴⑨，而怨咎于神灵⑩；当风卧湿，反责佗人于失福，皆是⑪痴人也。云慎事上者⑫，谓举动之事，必皆慎思；饮食男女⑬，最为百疴之本。致使虚损⑭内起，风湿外侵，所⑮以共成其害，如此⑯岂得关于神明乎？惟当勤药疗为理耳⑰。

若⑱毒药疗病，先起如⑲黍粟，病去即止，不去倍之，不去十⑳之，取去为度。

---

① 疾：《证类》作"病"。

② 为用：《证类》作"以为用"。

③ 精神：《集注》原颠倒，据《证类》改。

④ 致益：《证类》作"致愈"。

⑤ 李子豫："李"字前，《证类》有"昔"字。

⑥ 人：《证类》作"则"。

⑦ 疾病之源惟一种，盖有轻重者耳：《集注》原作"疾病盖其一种之轻者耳"，据《证类》改。

⑧ 《真诰》言：《证类》作"真诰中有言"。

⑨ 百疴：《证类》作"百疴之本"。

⑩ 灵：《证类》作"灵乎"。

⑪ 反责佗人于失福，皆是："人"，《集注》原脱，据《证类》补。"福"，《证类》作"复"。"是"，《证类》脱。

⑫ 云慎事上者："云"，《证类》作"夫"。"上者"，《集注》原颠倒，据《证类》改。

⑬ 饮食男女：《证类》作"若饮食恣情，阴阳不节"。

⑭ 损：《集注》原作"积"，据《证类》改。

⑮ 所：《集注》原脱，据《证类》补。

⑯ 如此：《证类》作"如此者"。

⑰ 药疗为理耳：《证类》作"于药术疗理耳"。

⑱ 若：《证类》《纲目》作"若用"。

⑲ 如：《集注》原脱，据《证类》补。

⑳ 十：《集注》原作"什"，据《证类》改。

本说如此。案，盖谓①单行一两种毒物②，如巴豆、甘遂辈③，不可便令至剂耳④。依如经言⑤：一物一毒，服一丸如细麻；二物一毒，服二丸如大麻；三物一毒，服三丸如小豆⑥；四物一毒，服四丸如大豆⑦；五物一毒，服五丸如兔矢⑧；六物一毒，服六丸如梧子；从此至十，皆如梧子，以数为丸。而毒⑨中又有轻重，如⑩狼毒、钩吻，岂同附子、芫花⑪辈耶？凡此之类，皆须量宜。

[谨案] 兔矢大于梧子，等差不类，今以胡豆替小豆，小豆替大豆，大豆替兔矢，以为折衷。

疗寒以热药，疗热以寒药，饮食不⑫消以吐下药，鬼疰蛊毒以毒药，痈肿疮瘤以疮药，风湿以风湿药，各随其所宜。

本说如此。案，今⑬药性，一物兼主十余病者，取其偏长为本，复应⑭观人之虚实补泻，男女老少，苦乐⑮荣悴，乡壤风俗，并各不同。褚澄疗寡妇、尼僧，异乎妻妾，此是达其性怀之所致也。

病在胸膈以上者，先食后服药；病在心腹以下者，先服药后⑯食。病在四肢血脉者，宜空腹而在旦；病在骨髓者，宜饱满而在夜。

本说如此。案，其非但药性之多方，节⑰适早晚，复须修理⑱。今方家所云先

---

① 本说如此。案，盖谓：《纲目》作"今药中"，《证类》作"右本说如此，按今药中"。

② 毒物：《证类》作"有毒物"，《纲目》作"有毒"。

③ 如巴豆、甘遂辈：《证类》作"只如巴豆、甘遂之辈"，《纲目》作"只如巴豆、甘遂将军"。

④ 至剂耳：《纲目》作"尽剂"。

⑤ 依如经言：《证类》作"如经所言"，《纲目》作"如经所云"。

⑥ 小豆：《证类》《纲目》作"胡豆"。

⑦ 大豆：《证类》《纲目》作"小豆"。

⑧ 兔矢：《证类》《纲目》作"大豆"。

⑨ 以数为丸。而毒：《纲目》作"为数，其"。

⑩ 如：《证类》《纲目》作"且如"。

⑪ 岂同附子、芫花："同"，《纲目》作"如"。"华"，《证类》《纲目》作"花"。

⑫ 不：其后，《集注》衍"以"字，据《证类》删。

⑬ 本说如此。案，今：《证类》作"右本说如此。又案"，《纲目》无此文。

⑭ 应：《纲目》无此字。

⑮ 乐：商务《政和》作"药"。

⑯ 后：《证类》《纲目》作"而后"。

⑰ 节：《证类》作"其节"。

⑱ 本说……修理：《纲目》无此文。"本"字前，《证类》有"右"字。"修"，《证类》作"条"。

食、后食，盖此义也①。又有须酒服、饮服、冷服、暖服②。服汤有③疏、有数，煮汤有生、有熟，皆各有法，用者并应详宜之④。

夫大病之主，有中风、伤寒，寒热、温疟，中恶、霍乱，大腹、水肿，腹⑤澼下痢，大小便不通，奔豚上气，咳逆、呕吐，黄疸、消渴，留饮、癖食，坚积、癥瘕，惊邪、癫⑥痫、鬼疰，喉痹、齿痛，耳聋、目盲，金创、踒折，痈肿、恶疮，痔瘘、瘿瘤；男子五劳七伤，虚乏羸瘦；女子带下、崩中，血闭、阴蚀；虫蛇蛊毒所伤。此皆⑦大略宗兆，其间变动枝叶，各⑧依端绪以取⑨之。

本说如此。案，今⑩药之所主，各⑪止说病之一名，假令中风，中风乃⑫数十种，伤寒证候，亦⑬二十余条，更复就中求其类例，大体归其始终⑭，以本性为根宗，然后配合诸证，以合药耳。病生之变⑮，不可一概言之。所以医方千卷，犹未理尽⑯。春秋已前及和、缓之书蔑闻，道⑰经略载扁鹊数法，其用药犹是本草家意。

---

① 也：其后，《集注》衍"先后二字，当作苏殿胡豆之音，不得云苏田胡苟音也，此正大反，多致疑惑"。据《证类》删。

② 酒服、饮服、冷服、暖服：《证类》《纲目》作"酒服者、饮服者、冷服者、暖服者"。

③ 有：《证类》《纲目》作"则有"。

④ 皆各有法，用者并应详宜之：《证类》作"各有法用，并宜审详尔"。《纲目》作"各有法用，并宜详审"。

⑤ 腹：《证类》《纲目》作"肠"。

⑥ 癫：《纲目》作"惊"。

⑦ 皆：《证类》《纲目》无此字。

⑧ 各：《证类》《纲目》作"各宜"。

⑨ 取：《纲目》作"收"。

⑩ 本说如此。案，今：《纲目》无此文。"本"，《证类》作"右本"。

⑪ 各：《证类》《纲目》无此字。

⑫ 中风乃：《证类》《纲目》作"乃有"。

⑬ 证候，亦："证"，《集注》原作"诊"，据《证类》改。"亦"，《证类》《纲目》作"亦有"。

⑭ 大体归其始终：《集注》原作"大归终"，据《证类》改。

⑮ 配合诸证，以合药耳。病生之变："合诸"，《纲目》无此2字，《证类》无"诸"字。"以合"，《集注》原作"以命"，据《证类》改。"病生之变"，《证类》《纲目》作"病之变状"。

⑯ 理尽：《证类》《纲目》作"尽其理"。

⑰ 道：《证类》《纲目》作"而道"。

至汉淳于意及华佗①等方，今之有存者，亦皆修②药性。惟③张仲景一部，最为众方之祖④，又悉依本草。但其善诊脉、明气候以意⑤消息之耳。至于刳肠剖臆，刮骨续筋之法，乃别术所得，非神农家事。自晋代⑥已来，有张苗、宫泰、刘德、史脱、靳邵、赵泉、李子豫等，一代良医。其贵胜阮德如、张茂先、裴⑦逸民、皇甫士安，及江左葛稚川⑧、蔡谟、殷渊源⑨诸名人等，并亦⑩研精药术。宋有羊欣、王微⑪、胡洽、秦⑫承祖，齐有尚书褚澄、徐文伯、嗣伯群从兄弟，疗病亦十愈其九⑬。

凡此诸人，各有所撰用方，观其旨趣，莫非本草者⑭。或时用别药，亦修⑮其性度，非相逾越。《范汪方》百余卷，及葛洪《肘后》，其中有细碎单行径用者⑯，或田舍试验之法，或⑰殊域异识之术。如藕皮散血，起自庖人；牵牛逐水，近出野老。饼店蒜齑，乃是下蛇之药；路边地菘，而为金疮所秘。此盖天地间物，莫不为天地间用，触遇则会，非其主对矣。颜光禄亦云：诠三品药性，以本草为主⑱。道

---

① 华佗："佗"，《集注》原作"他"，据《证类》改。按，"他""佗"古本草通用。

② 修：《证类》《纲目》作"条理"。

③ 惟：《集注》原脱，据《证类》补。

④ 祖：其后，《集注》衍"宗"字，据《证类》删。

⑤ 意：《集注》原脱，据《证类》补。

⑥ 代：《集注》原作"世"，据《证类》改。

⑦ 裴：《证类》《纲目》作"辈"。

⑧ 葛稚川：《证类》《纲目》作"葛洪"。按，"稚川"即葛洪的别名。

⑨ 殷渊源：《证类》作"商仲堪"，《纲目》作"殷仲堪"。

⑩ 亦：《证类》《纲目》无此字。

⑪ 王微：《证类》《纲目》作"元徽"。

⑫ 秦：其后，《集注》衍"有"字，据《证类》删。

⑬ 疗病亦十愈其九："疗"，《集注》原作"治"，据《证类》改。"其"，《纲目》脱。"九"，《证类》《纲目》作"八九"。

⑭ 者：《证类》作"者乎"。

⑮ 修：《证类》《纲目》作"循"。

⑯ 径用者："径"，《证类》《纲目》作"经"。"者"字后，《集注》衍"所谓出于阿巷是"七字，据《证类》删。

⑰ 或：《集注》原脱，据《证类》补。

⑱ 诠三品药性，以本草为主：《纲目》无此文。"三品药性"，《集注》原作"品三药"，据《证类》改。

经、仙方、服食、断谷、延年、却老，乃至飞丹转①石之奇。云腾羽化之妙，莫不以药导②为先。用药之理，又③一同本草，但制御之途，小异俗④法。犹如粱、肉，主于济命，华夷禽兽⑤皆共仰资。其为生理则同⑥，其为性灵则异耳。大略⑦所用不多，远至二十余物，或单行数种，便致大益，是其深练岁积⑧。即本草所云久服之效，不如俗⑨人微觉便止，故能臻其所极，以致遐龄，岂但充体愈疾而已哉⑩。

今庸医处疗，皆耻看本草，或倚约旧方，或闻人传说，或遇其所忆⑪，便揽笔疏之，俄然戴面⑫，以此表奇。其畏恶相反，故自寡昧，而药类违僻，分两参差，亦不以为疑脱⑬。或偶尔值差，则自信方验⑭；若⑮旬月未瘳，则言病源深结。了不反求诸己，详思得失⑯，虚构声称，多纳金帛，非惟在显宜责，固将居幽⑰贻谴矣。其五经四部，军国礼服，若详用乖越者⑱，正⑲于事迹非宜耳。至于汤药，一物有谬，便性命及之。千乘之君，百金之长，何⑳不深思戒慎耶？

---

① 转：《证类》《纲目》作"炼"。

② 导：《证类》《纲目》作"道"。

③ 又：《证类》《纲目》无此字。

④ 俗：《集注》原作"世"，据唐讳改。

⑤ 兽：《集注》原作"鸟"，据《证类》改。

⑥ 生理则同：《证类》作"主理即同"。

⑦ 犹如……大略：《纲目》无此文。

⑧ 是其深练岁积：《证类》作"是其服食岁月深积"，《纲目》作"岁月深积"。

⑨ 俗：《集注》原作"世"，据唐讳改。

⑩ 故能……已哉：《纲目》无此文。

⑪ 或遇其所忆：《纲目》无此文。

⑫ 俄然戴面：《纲目》无此文。

⑬ 亦不以为疑脱：《纲目》无"亦""脱"2字。

⑭ 验：其后，《集注》衍"若自信方验"5字，据《证类》删。

⑮ 若：《纲目》脱此字。

⑯ 详思得失：《纲目》无此文。"失"，《集注》原作"夫"，据《证类》改。

⑰ 多纳……居幽：《纲目》作"自应"2字。

⑱ 若详用乖越者：《纲目》作"少有乖越"。"者"字后，《证类》有"犹可矣"3字。

⑲ 正：《证类》《纲目》作"止"。

⑳ 何：《集注》原作"何可"，据《证类》改；又《纲目》作"可"。

昔许太子①侍药不尝，招弑贼之辱②；季孙馈药，仲尼有未达之辞③，知其药性④之不可轻信也。晋时有一才⑤人，欲刊正《周易》及诸药方，先与祖讷共论，祖云：辨释经典，纵有异同，不足以伤风教；方药⑥小小不达，便致⑦寿夭所由，则后人受弊不少，何可轻以裁断。祖之此言，可谓⑧仁识，足为水镜⑨。《论语》云⑩：人而无恒，不可以作巫医。明此二法，不得⑪以权饰妄造。所以医不三世，不服其药。又云九折臂⑫，乃成良医，盖谓学功须深故也。复患今⑬承藉者，多恃炫名价，亦不能精心研解⑭，虚传声美⑮，闻风竞往，自有新学该明，而名称未播，贵胜以为始习，多不信用，委命虚名，谅可惜也。京邑诸人，皆尚声誉，不取实录⑯。余祖辈以来，务敦方药，本有《范汪方》一部，斟酌详用，多获其效，内护家门，傍及亲族。其有虚心告请者，不限贵贱，皆摩踵救之。凡所救活，数百千人。自余投缨宅岭，犹不忘此，日夜玩味，恒⑰觉欣欣。今撰此三卷⑱，并《效验方》五卷，又补阙⑲葛氏《肘后》三卷。盖欲永⑳嗣善业，令诸子侄，弗㉑敢失坠，

---

① 昔许太子："昔"，《集注》原脱，据《证类》补。"太"，《集注》原作"世"，据《证类》改。

② 招弑贼之辱：《证类》作"招弑君之恶"。

③ 仲尼有未达之辞：《集注》原作"仲尼未达"，据《证类》改。

④ 知其药性：《集注》原作"知药"，据《证类》改。

⑤ 才：其后，《集注》衍"情"字，据《证类》删。

⑥ 方药：《证类》作"至于汤药"。

⑦ 便致：《集注》原脱"致"，据《证类》补。

⑧ 谓：《证类》作"为"。

⑨ 水镜：《证类》作"龟镜矣"。

⑩ 《论语》云：《证类》作"案，《论语》云"。

⑪ 得：《证类》作"可"。

⑫ 又云九折臂：《证类》作"九折臂者"。

⑬ 今：《证类》作"今之"。

⑭ 解：《证类》作"习"，实为"可惜"。

⑮ 美：《集注》原作"羹"，据《证类》改。

⑯ 录：《证类》作"事"。

⑰ 恒：《证类》作"常"。

⑱ 今撰此三卷：《证类》作"今亦撰方三卷"。

⑲ 阙：《证类》脱此字。

⑳ 永：《证类》作"承"。

㉑ 弗：《证类》作"不"。

可以辅身济物者，孰复是先①。

今②诸药采造③之法，既并用见成，非能自掘④，不复具论其事，惟合药须解节度，列之如左⑤。

案，诸药所生，皆的有境界。秦、汉已前，当言列国。今郡县之名，后人所改耳。自⑥江东已来，小小杂药，多出近道，气力性理⑦，不及本邦。假令荆、益不通，则全⑧用历阳当归，钱唐三建，岂得相似。所以疗病不及往人，亦当缘此故也⑨。蜀药及北药，虽有去来，亦复非⑩精者。又⑪市人不解药性，惟尚形饰。上党人参，殆不复售。华阴细辛，弃之如芥。且各随俗相竞，顺方切须⑫，不能多备，诸族故往往遗漏。今之所存，二百许种耳。众医睹⑬不识药，惟听市人；市人又不辨究，皆委采送之家。采送之家⑭，传习造作⑮，真伪好恶莫测⑯。所以有⑰钟乳醋煮令白，细辛水渍使直，黄者蜜蒸为甜，当归酒洒取润，螵蛸胶著桑枝⑱，蜈蚣朱足令赤。诸有此等，皆非事实，俗用既久，转以成法，非复可改，末如之何。又依方分药⑲，不量剥除。如⑳远志、牡丹，才不收半；地黄、门冬，三分耗一。

---

① 孰复是先：《证类》无此文。

② 今：《证类》作"今案"。

③ 造：《集注》原作"治"，据《证类》改。

④ 掘：《证类》作"采"。

⑤ 今诸……列之如左：《纲目》无此文。"列之如"，《证类》作"例之"。

⑥ 自：《证类》《纲目》无此字。

⑦ 气力性理：《集注》原作"气势理"，据《证类》改。

⑧ 全：《集注》原作"令"，据《证类》改。

⑨ 故也：《纲目》无此2字。

⑩ 复非：《证类》作"非复"。

⑪ 又：《证类》作"且"。

⑫ 顺方切须：《证类》无此文。

⑬ 众医睹：《证类》作"众医都"，《纲目》作"又且医"。

⑭ 采送之家：《纲目》无此文。

⑮ 造作：《集注》原作"治拙"，据《证类》改。

⑯ 莫测：《证类》《纲目》作"并皆莫测"。

⑰ 有：《证类》《纲目》脱此字。

⑱ 胶著桑枝：《纲目》作"胶于桑枝，以虻床当蘼，以荠苨乱人参"。

⑲ 诸有此等……依方分药：《纲目》作"此等既非事实，合药"。

⑳ 不量剥除。如："除"，《集注》原作"治"，据《证类》改。"如"，《证类》作"只如"。

凡去皮除心之属，分两皆不复相应，病家惟依此用，不知更秤取足①。又王公②贵胜，合药之日，悉付群下。其中好药贵石，无不窃遣。乃言③紫石英、丹砂吞出洗取，一片④经数十过卖。诸有此例，巧伪百端，皆非事实⑤。虽复监检⑥，终不能觉。以此疗病，理难即效⑦，斯并药家之盈虚，不得咎医人之浅拙也⑧。

本草时月，皆在⑨建寅岁首，则从汉太初后所记也。其根物多以二月、八月采⑩者，谓春初津润始萌，未冲⑪枝叶，势力淳浓故⑫也。至秋则枝叶就枯，又归流于下⑬。今即事验之⑭，春宁宜早，秋宁宜晚，其⑮华、实、茎、叶乃⑯各随其成熟耳。岁月亦有早晏，不必都依本文矣⑰。经说⑱阴干者，谓就六甲阴中干之。依⑲遁甲法，甲子⑳阴中在癸酉，以药著酉地也。余谓㉑不必然，正是不露日暴，于阴影处干之耳。所以亦有云暴干故也。若幸可㉒两用，益当为善。

古秤惟有铢两，而无分名。今则以十黍为一铢，六铢为一分，四分成一两，十

---

① 分两皆……更秤取足：《纲目》作"分两不应，不知取足"。"取足"，《集注》原脱，据《证类》补。

② 王公：《集注》原颠倒，据《证类》改。

③ 窃遣。乃言："遣"，《证类》作"换"。"言"，《证类》作"有"。

④ 片：《证类》作"片动"。

⑤ 皆非事实：《证类》无此文。

⑥ 悉付群下……虽复监检：《纲目》作"群下窃换好药"。

⑦ 理难即效："理"，《证类》《纲目》作"固"。"即"，《纲目》作"责"。

⑧ 斯并……浅拙也：《纲目》无此文。"斯并"，《证类》作"如斯并是"。

⑨ 本草时月，皆在：《证类》《纲目》作"凡采药时月皆是"。

⑩ 采：《集注》原脱，据《证类》补。

⑪ 冲：《纲目》作"充"。

⑫ 故：《纲目》脱此字。

⑬ 至秋则枝叶就枯，又归流于下：《证类》《纲目》作"至秋枝叶干枯，津润归流于下"。

⑭ 今即事验之：《纲目》作"大抵"。

⑮ 其：《证类》《纲目》无此字。

⑯ 乃：《纲目》无此字。

⑰ 矣：《证类》《纲目》作"也"。

⑱ 经说：《纲目》作"所谓"。

⑲ 依：《证类》《纲目》作"又依"。

⑳ 甲子：《证类》《纲目》作"甲子旬"。

㉑ 余谓：《证类》作"实谓"，《纲目》作"实"。

㉒ 正是……若幸可：《纲目》作"但露暴于阴影处干之尔。若可"。

六两为一斤。虽有子谷秬黍之制，从来均之已久，正尔依此用之。但古秤皆复，今南秤是也。晋秤始后汉末已来，分一斤为二斤耳，一两为二两耳①。金银丝绵，并与药同②，无轻重矣③。古秤惟有仲景而已，涉今秤若用古秤，作汤④则水为殊少⑤，故知非复秤，悉用今者尔⑥。

方有云等分者⑦，非分两之分，谓诸药斤两多少皆同耳。先视病之大小轻重所须，乃以意裁之。凡此之类⑧，皆是丸散，丸散竟便⑨依节度用之。汤酒中⑩无等分也⑪。

凡散药有云⑫刀圭者，十分方寸匕之一，准如梧⑬子大也。方寸匕者，作匕正方一寸，抄散取不落为度。钱⑭五匕者，今⑮五铢钱边五字者以抄之，亦令不落为度⑯。一撮者，四刀圭也。十撮为一勺，十⑰勺为一合。药以升分之者⑱，谓药有虚实轻重，不得用斤两，则以升平之。药升合方寸作⑲，上径一寸，下径六分，深八分。内散药，勿⑳按抑之，正尔微动令平调耳。而今人分药，多不复用此㉑。

---

① 耳：《纲目》无此字。

② 同：《集注》原作"用"，据《证类》改。

③ 金银……重矣：《纲目》无此文。

④ 作汤：《纲目》无此2字。

⑤ 古秤皆复……则水为殊少：《纲目》注为"苏恭曰"。按，此文《集注》已有，应出于陶弘景。

⑥ 故知……者尔：《纲目》无此文。

⑦ 方有云等分者：《证类》作"今方家所云等分者"，《纲目》作"今方家云等分者"。

⑧ 凡此之类：《集注》原作"凡所此"，据《证类》改。

⑨ 便：《证类》无此字。

⑩ 中：《证类》作"之中"。

⑪ 先视……等分也：《纲目》作"多是丸散用之"。"等分"，《集注》原颠倒，据《证类》改。

⑫ 凡散药有云：《纲目》作"丸散云"。

⑬ 梧：《证类》《纲目》作"梧桐"。

⑭ 钱：《纲目》脱此字。

⑮ 今：《纲目》作"即今"。

⑯ 亦令不落为度：《纲目》脱"亦令"2字。"为度"，《集注》原颠倒，据《证类》改。

⑰ 十：《集注》原作"一"，据《证类》改。

⑱ 药以升分之者：《纲目》作"药以升合分者"。

⑲ 药升合方寸作：《证类》作"药升方作"，《纲目》作"十合为一升。升方作"。

⑳ 勿：《纲目》作"物"。

㉑ 而今人分药，多不复用此：《纲目》无此文。《证类》脱"而""多"2字。

凡丸药有①云如细麻者，即今②胡麻也，不必扁扁，但令较略大小相称耳。如③黍粟亦然，以十六黍为一大豆也④。如大麻子者，即大麻子⑤准三细麻也。如胡豆者，今⑥青斑豆也⑦，以二大麻子准之。如小豆者，今赤小豆也，粒有大小⑧，以三大麻子⑨准之。如大豆者，以二小豆准之。如梧子者，以二大豆准之。一方寸匕散，蜜和得如⑩梧子，准十丸为度⑪。如弹丸及鸡子黄者，以十⑫梧子准之。

［谨案］方寸匕散为丸如梧子，得十六丸如弹丸一枚。若鸡子黄者，准四十丸。今弹丸同鸡子黄，此甚不等。

凡汤酒膏药，旧方⑬皆云㕮咀者，谓秤毕捣之如大豆者⑭，又使⑮吹去细末，此于事殊不允⑯；药有易碎、难碎，多末、少末，秤两则不复均⑰，今皆细切之，较略令⑱如㕮咀者，差得无末⑲，而粒片调和，于药力同出，无生熟也⑳。

［谨案］㕮咀，正谓商量斟酌之，余解皆理外生情尔㉑。

凡丸散药，亦先切细曝燥乃捣之。有各捣者，有合捣者，并随方所言㉒。其润

---

① 有：《纲目》脱此字。

② 今：《证类》《纲目》脱此字。

③ 但令较略大小相称耳。如：《纲目》作"略相称尔"。

④ 以十六黍为一大豆也：《纲目》无此文。

⑤ 即大麻子：《证类》《纲目》无此文。

⑥ 今：《证类》《纲目》作"即今"。

⑦ 也：《证类》作"是也"。

⑧ 粒有大小：《纲目》无此文。

⑨ 子：《集注》原脱，据《证类》补。

⑩ 如：《集注》原脱，据《证类》补。

⑪ 一方寸……准十丸为度：《纲目》无此文。"准"，《集注》原脱，据《证类》补。

⑫ 十：《纲目》作"四十"。

⑬ 旧方：《纲目》无此2字。

⑭ 者：《证类》《纲目》无此字。

⑮ 使：《纲目》无此字。

⑯ 此于事殊不允：《纲目》脱此文。"允"字后，《证类》有"当"字。

⑰ 秤两则不复均：《纲目》脱此文。"均"字后，《证类》有"平"字。

⑱ 较略令：《纲目》无此3字。

⑲ 差得无末：《纲目》无此文。"差"，《证类》作"乃"。

⑳ 而粒片……生熟也：《证类》作"而又粒片调和也"。《纲目》无此文。

㉑ 余解皆理外生情尔：《纲目》省此文。

㉒ 所言：《纲目》无此2字。

湿药，如天门冬、干地黄辈，皆先切暴①，独捣令偏碎，更出细擘暴干②。若逢阴雨，亦以微火烘之，既燥，小停冷乃捣之③。

凡润④湿药燥，皆大耗，当先增分两，须得屑乃秤⑤为正。其汤酒中不须如此⑥。

凡筛丸药，用重密绢令细，于蜜丸易成⑦熟。若筛散草药，用轻疏绢，于酒服则不泥⑧。其石药亦用细绢筛如丸者⑨。凡筛丸散药竟⑩，皆更合于臼中，以杵研之数百过，视其色理和同为佳⑪。

凡汤酒膏中用诸石，皆细捣之如粟米。亦可以葛布筛令调，并以⑫新绵别裹内中。其雄黄、朱沙⑬细末如粉⑭。

凡煮汤，欲微火令小沸。其水数依方多少⑮，大略二十两药，用水一斗⑯，煮取四升，以此为率⑰。然则利汤欲生，少水而多取⑱；补汤欲熟，多水而少取。好详视之，不得令水多少⑲。用新布两人以尺木绞之，澄去垽浊，纸覆令密。温汤勿

---

① 切暴：《纲目》作"增分两切暴"。

② 独捣……暴干：《纲目》作"独碎更暴"。

③ 小停冷乃捣之：《纲目》无"小""乃"2字。

④ 润：《证类》无此字。

⑤ 秤：《证类》作"秤之"。

⑥ 凡润……须如此：《纲目》无此文。"须如此"，《证类》作"如此也"。

⑦ 成：《证类》无此字。

⑧ 酒服则不泥：《证类》作"酒中服即不泥"。

⑨ 细绢筛如丸者：《证类》作"绢筛令如丸者"。

⑩ 凡筛丸药……药竟：《纲目》作"凡筛丸散，用重密绢，各筛毕"。"竟"，《证类》作"毕"。

⑪ 以杵研……为佳：《纲目》作"捣数百遍，色理和同，乃佳也"。"研"，《证类》作"捣"。

⑫ 以：《集注》原脱此字，据《证类》补。

⑬ 沙：其后，《证类》有"辈"字。

⑭ 凡汤酒……末如粉：《纲目》无此文。

⑮ 其水数依方多少：《纲目》作"其水依方"。

⑯ 斗：《集注》原作"升"，据《证类》改。

⑰ 率：《证类》《纲目》作"准"。

⑱ 取：《大观》《纲目》作"取汁"。

⑲ 好详视之，不得令水多少：《集注》原作"好详视所得宁令少多"，据《证类》改。《纲目》脱"好详视之"4字。

令铛器中有水气①，于热汤上煮令暖亦好②。服汤家小热易下③，冷则呕涌。

云④分再服三服者，要令力热势足⑤相及。并视人之强羸，病之轻重，以为进退增减之，不必悉依方说⑥。

凡渍药酒，皆须细切，生绢袋盛之，乃入酒密封⑦，随寒暑日数，视其浓烈，便可漉出，不必待至酒尽也⑧。滓可暴燥，微捣，更渍饮之⑨；亦可作⑩散服。

凡建中、肾沥诸补汤，滓合两剂，加水煮竭饮之，亦敌一剂新药，贫人当依此用，皆应先暴令燥⑪。

凡合膏，初以苦酒渍令淹浃，不用多汁，密覆勿泄。云晬时者，周时也，从今旦至明旦。亦有止一宿者。煮膏，当⑫三上三下，以泄其焦⑬势，令药味得出。上之使匝匝沸乃下之，下之取沸静乃上⑭，宁欲小生⑮。其中有薤白者，以两头微焦黄为候。有白芷、附子者，亦令小黄色也⑯。猪肪皆勿令经水，腊月者弥佳⑰。绞膏亦以新布绞之⑱。若是可服之膏，膏滓亦堪酒煮稍饮之⑲。可摩之膏，膏滓即宜

---

① 温汤勿令铛器中有水气：《纲目》作"温汤勿用铁器"。"汤"，《集注》原脱，据《证类》补。"铛"，《证类》作"铴"。

② 于热汤上煮令暖亦好：《纲目》无此文。"热"，《证类》作"熟"。

③ 服汤家小热易下：《证类》作"服汤宁令小沸，热易下"。《纲目》作"服汤宁小沸"。

④ 云：《证类》作"凡云"。

⑤ 力热势足：《证类》作"势力"。

⑥ 云分再……依方说：《纲目》无此文。"说"，《证类》作"说也"。

⑦ 皆须……乃入酒密封：《集注》原脱，据《证类》补。《纲目》脱"乃"字。

⑧ 视其……尽也：《纲目》作"漉出"2字。

⑨ 饮之：《纲目》无此2字。

⑩ 作：《纲目》作"为"，《证类》无此字。

⑪ 新药，贫人当依此用，皆应先暴令燥：《纲目》作"皆先暴燥"。"人"，《证类》作"人可"。"用"，《集注》原脱，据《证类》补。

⑫ 煮膏，当：《集注》原脱，据《证类》补。

⑬ 焦：《证类》作"热"。

⑭ 乃下之，下之取沸静乃上：《证类》《纲目》作"乃下之使沸静良久乃止"。

⑮ 宁欲小生：《证类》作"宁欲小小生"，《纲目》无此文。

⑯ 亦令小黄色也：《证类》作"亦令小黄色为度"。《纲目》作"以小黄色为度"。

⑰ 猪肪皆勿令经水，腊月者弥佳：《纲目》无此文。"者"，《新修》原脱，据《证类》补。

⑱ 绞膏亦以新布绞之：《纲目》作"以新布绞去滓"。"绞之"，《集注》原脱，据《证类》补。

⑲ 若是可服之膏，膏滓亦堪酒煮稍饮之：《纲目》作"滓亦可酒煮饮之"。"堪"，《证类》作"可"。《证类》脱"稍"字。

以敷病上①，此盖贫野人欲兼尽其力②。

凡③膏中有雄黄、朱沙辈④，皆别捣细研⑤如面，须绞膏竟⑥乃投中，以物疾搅，至于凝强⑦，勿使沉聚在下不调也⑧。有水银者，于凝膏中，研令消散。胡粉亦尔⑨。

凡汤酒中用大黄，不须细剉。作汤者，先水渍⑩，令淹浃，密覆一宿。明旦煮汤，临熟乃以内中⑪，又煮两三沸，便绞出，则力势⑫猛，易得快利。丸散中用大黄，旧皆蒸⑬，今不须尔。

凡汤中用麻黄，皆先别煮两三沸，掠去其沫，更益水如本数，乃内余药，不尔令人烦。麻黄皆折去节，令理通，寸斩⑭之；小草、瞿麦五分斩之；细辛、白前三分斩之；丸散膏中则细剉也。

凡汤中用完物，皆擘破，干枣、枝子、栝楼子⑮之类是也。用细核物亦打碎⑯，山茱萸、五味⑰、蕤核、决明⑱之类是也。细华子物正尔完用之，旋覆华、菊花、地肤子、葵子之类是也。米、麦、豆辈，亦完用之。诸虫先微炙，亦完煮⑲之。惟

---

① 可摩之膏，膏淬即宜以敷病上：《纲目》作"摩膏淬可敷病上"。"即"，《证类》作"则"。

② 此盖贫野人欲兼尽其力：《纲目》无此文。《证类》作"欲兼尽其药力故也"。

③ 凡：《纲目》无此字。

④ 朱沙辈：《纲目》作"朱沙、麝香辈"。

⑤ 细研：《纲目》无此2字。

⑥ 须绞膏竟：《证类》作"须绞膏毕"，《纲目》作"绞膏毕"。

⑦ 以物疾搅，至于凝强：《纲目》作"疾搅"2字。"以"，《集注》原作"已"，据《证类》改。

⑧ 不调也：《纲目》无此3字。

⑨ 胡粉亦尔：《纲目》作"胡粉"2字，在"水银"之后。

⑩ 先水渍：《证类》作"先以水浸"。

⑪ 乃以内中：《证类》作"乃内汤中"。

⑫ 力势：《证类》作"势力"。

⑬ 蒸：其后，《证类》有"之"字。

⑭ 斩：《证类》作"剉"。下同此。

⑮ 子：《证类》无此字。

⑯ 打碎：《证类》作"打破"。

⑰ 五味：《证类》作"五味子"。

⑱ 决明：《证类》作"决明子"。

⑲ 亦完煮：《证类》无此文。

螵蛸当中破炙之。生姜、夜干①皆薄切②。芒消、饴糖、阿胶皆须绞汤竟③，内汁中，更上火两三沸，烊尽乃服之④。

凡用麦门冬，皆微润抽去心。杏人、桃人汤柔挞去皮。巴豆打破，剥皮⑤，刮去心，不尔⑥令人闷。石韦、辛夷刮去毛⑦。鬼箭削取羽及⑧皮。藜芦剔取根微炙。枳实去其核，止用皮⑨，亦炙之。椒去⑩实于铛器⑪中微熬，令汗出，则有势力。矾石于瓦⑫上若铁物中熬，令沸汁尽即止⑬。礜石皆⑭黄土泥包使燥，烧之半日，令势热⑮而解散。犀角、羚羊角皆刮截⑯作屑。诸齿骨并炙捣碎之。皂荚去皮子炙之。

凡汤⑰、丸散，用天雄、附子、乌头、乌喙、侧子，皆燥灰火炮炙⑱令微拆，削去黑皮乃秤之。惟姜附汤及膏酒中生用，亦削去⑲皮乃秤，直理破作七八片。随其大小，但削除外黑尖处令尽⑳。

凡汤酒丸散膏中，用半夏皆且完。以㉑热汤洗去上滑，手捼之㉒，皮释随剥去，

---

① 夜干：《证类》作"射干"。

② 切：《证类》作"切之"。

③ 竟：《证类》作"毕"。

④ 烊尽乃服之：《集注》原脱，据《证类》补。

⑤ 剥皮：《证类》作"剥其皮"。

⑥ 不尔：《集注》原作"不不尔"，据《证类》改。

⑦ 石韦、辛夷刮去毛：《证类》作"石韦刮去毛，辛夷去毛及心"。

⑧ 及：《证类》无此字。

⑨ 核，止用皮：此4字《证类》作"瓤"。

⑩ 去：《集注》原作"云"，据《证类》改。

⑪ 铛器：《证类》作"铃"。

⑫ 瓦：《集注》原作"凡"，据《证类》改。

⑬ 即止：《集注》原作"二"，据《证类》改。

⑭ 皆：《证类》作"皆以"。

⑮ 势热：《证类》作"熟"。

⑯ 刮截：《证类》作"镑"。

⑰ 汤：其后，《证类》有"并"字。

⑱ 灰火炮炙：《证类》作"灰中炮"。

⑲ 去：《证类》脱此字。

⑳ 但削除外黑尖处令尽：《集注》原作"并割除冰处者"，据《证类》改。

㉑ 以：《证类》作"用"。

㉒ 手捼之：《证类》作"以手捼之"。

更复易汤洗令滑尽。不尔，戟人咽喉。旧方云二十许过，今六七过便足。亦可煮之，沸易水①，如此三过②，仍挪洗毕便讫③。随其大小破为细片，乃秤④以入汤。若膏酒丸散，皆须暴燥乃秤之。丸散止削上皮用之，未必皆洗也⑤。

凡丸散用胶⑥皆先炙，使通体沸起燥，乃可捣。有不沸处更炙之。

丸方⑦中用蜡皆烊⑧，投少蜜中，搅调以和药。若用熟艾，先细擘，合诸药捣令散；不可筛者，别捣内散中和之。

凡用⑨蜜，皆先火上煎⑩，掠去其沫，令色微黄，则丸经久不坏。克之多少，随蜜精粗⑪。

凡丸散用巴豆、杏人、桃人、葶苈、胡麻诸有膏脂⑫药，皆先熬黄黑，别捣令如膏。指撾视泯泯尔，乃以向成散；稍稍下臼中，合研捣，令消散，乃⑬复都以轻疏绢筛度之，须尽，又内臼中，依法捣⑭数百杵也。汤膏中用，亦有熬之者，虽生并捣破⑮。

凡用桂⑯、厚朴、杜仲、秦皮、木兰辈⑰，皆削去⑱上虚软甲错⑲，取里有味者

---

① 沸易水：《证类》作"一两沸一易水"。

② 三过：《证类》作"三四过"。

③ 讫：《证类》作"暴干"。

④ 秤：《证类》作"秤之"。

⑤ 丸散止削上皮用之，未必皆洗也：《证类》脱此文。

⑥ 胶：《证类》作"阿胶"。

⑦ 丸方：《证类》作"凡丸"。

⑧ 皆烊：《集注》原作"洋"，据《证类》改。

⑨ 凡用：《集注》原作"用凡"，据《证类》改。

⑩ 火上煎：《证类》脱"上"字。"火上"，《纲目》作"大"。

⑪ 克之多少，随蜜精粗：《纲目》无此文。"克"，《证类》作"掠"。

⑫ 脂：《证类》作"腻"。

⑬ 乃：《证类》作"仍"。

⑭ 捣：《集注》原作"治"，据《证类》改。

⑮ 破：《证类》作"破之"。

⑯ 桂：《证类》作"桂心"。

⑰ 木兰辈：《证类》作"木兰之辈"。

⑱ 皆削去：《集注》原作"皆去削"，据《证类》改。

⑲ 错：《证类》作"错处"。

秤之。茯苓、猪苓，削除①黑皮；牡丹、巴戟天、远志、野葛等皆捶破去心；紫菀洗去土皆毕乃秤之；薤白、葱白除青令尽；莽草、石南草②、茵芋、泽兰皆③剔取叶及嫩茎去大枝；鬼臼、黄连皆除根毛；蜀椒去闭口者及目熬之④。

凡狼毒、枳实、橘皮、半夏、麻黄、吴茱萸，皆欲得陈久者，良。其余须新精⑤。

凡方云巴豆若⑥干枚者，粒有大小，当先去心皮竟⑦秤之，以一分准十六枚。附子、乌头若干枚者，去皮竟⑧，以半两准一枚。枳实若干枚者，去核竟⑨，以一分准二枚。橘皮一分准三枚。枣有⑩大小，三枚准一两。云干姜一累者，以重⑪一两为正。

凡方云半夏一升者，洗竟⑫秤五两为正。蜀椒一升者，三两为正。吴茱萸一升者，五两为正。菟丝子一升，九两为正。菴䕡子一升，四两为正。蛇床子一升，三两半为正。地肤子一升，四两为正。此其不同也。云某子一升者⑬，其子各有虚实轻重，不可通以秤准，皆取平升为正。

凡方云用桂一尺者，削去皮毕，重半两为正⑭。甘草一尺者，重⑮二两为正。凡方⑯云某草一束者，以重⑰三两为正。云一把者，重二两为正。凡方⑱云蜜一斤

---

① 除：其后，《集注》衍"去"字，据《证类》删。

② 草：《证类》脱此字。

③ 皆：《集注》原脱，据《证类》补。

④ 熬之：《集注》原脱，据《证类》补。

⑤ 新精：《证类》作"精新也"。

⑥ 若：《集注》原作"如"，据《证类》改。下同。

⑦ 竟：《证类》作"乃"，《纲目》无此字。

⑧ 竟：《证类》《纲目》作"毕"。

⑨ 去核竟：《证类》《纲目》作"去穰毕"。

⑩ 有：《纲目》脱此字。

⑪ 重：《纲目》脱此字。

⑫ 洗竟：《证类》《纲目》作"洗毕"。

⑬ 此其……一升者：《纲目》无此文。

⑭ 蜀椒一升者……重半两为正：《集注》原文错简、脱漏，据《证类》补正。

⑮ 重：《纲目》脱此字。下同。

⑯ 凡方：《证类》《纲目》无此2字。

⑰ 以重：《纲目》无此2字。

⑱ 凡方：《证类》脱此2字。

者，有七合。猪膏一斤者，有一升二合也。

右合药分剂料理法①。

《新修本草》序例卷上第一

---

① 理法："理"，《集注》原作"治"，据《证类》改。"法"，《证类》作"法则"。

序例　卷下第二

案，诸药①，一种虽主数病，而性理亦有偏著。立方之日，或致疑混，复恐单行径②用，赴急抄撮，不必皆得研究。今宜指抄病源所主药名③，仍④可于此处疗⑤，若⑥欲的寻，亦兼易解⑦。其甘苦之味可略，有毒无毒易知，惟冷热须明。今以朱点为热，墨点为冷，无点者是平，以省于烦注也⑧。其有不入汤酒者，亦条于后也。

疗风通用

防风《本经》温

秦艽《本经》平，《别录》微温

芎䓖《本经》温

麻黄《本经》温，《别录》微温

防己《本经》平，《别录》温

独活《本经》平，《别录》微温

---

① 药：其下，讲诸病主治药，或称诸病通用药。

② 径：《证类》作"经"。

③ 名：《集注》原作"各"，据《证类》改。

④ 仍：《证类》作"便"。

⑤ 疗：《集注》原作"治"，据《证类》改。

⑥ 若：《集注》原脱，据《证类》补。

⑦ 解：《集注》原脱，据《证类》补。

⑧ 今以朱点为热……省于烦注也：《新修》对诸药药性分别以朱、墨点标记。自《开宝本草》以后，直接用文字说明之。本书对诸病通用药的药性亦用文字说明。

羌活 《本经》平，《别录》微温

风眩

菊花 《本经》平

羊踯躅 《本经》温

杜若 《本经》微温

伏苓 《本经》平

鸱头 《别录》平

飞廉 《本经》平

虎掌 《本经》温，《别录》微寒

伏神 《别录》平

白芷 《本经》温

头面风

芎䓖 《本经》温

天雄 《本经》温，《别录》大温

莽草 《本经》温

牡荆实 《别录》温

藁本 《本经》温，《别录》微温、微寒

菜耳 《本经》温

署预 《本经》温，《别录》平

山茱萸 《本经》平，《别录》微温

辛夷 《本经》温

蔓荆实 《本经》微寒，《别录》平温

蘼芜 《本经》温

中风脚弱

石斛 《本经》平

殷孽 《本经》温

石流黄 《本经》温，《别录》大热

豉 《别录》寒

五加皮 《本经》温，《别录》微寒

大豆 《本经》平

侧子 《别录》大热

石钟乳 《本经》温

孔公蘖 《本经》温

附子 《本经》温，《别录》大热

丹参 《本经》微寒

竹沥 《别录》大寒

天雄 《本经》温，《别录》大温

久风湿痹

昌蒲 《本经》温，《别录》平

天雄 《本经》温，《别录》大温

乌头 《本经》温，《别录》大热

牛膝 《别录》平

术 《本经》温

石龙芮 《本经》平

细辛 《本经》温

侧子 《别录》大热

茵芋 《本经》温，《别录》微温

附子 《本经》温，《别录》大热

蜀椒 《本经》温，《别录》大热

天门冬 《本经》平，《别录》大寒

丹参 《本经》微寒

茵陈蒿 《本经》平，《别录》微寒

松节 《别录》温

松叶 《别录》温

贼风挛痛

茵芋 《本经》温，《别录》微温

侧子《别录》大热

芎穷《本经》温

萆薢《本经》平

白鲜《本经》寒

葈耳《本经》温

附子《本经》温，《别录》大热

麻黄《本经》温，《别录》微温

杜仲《本经》平，《别录》温

狗脊《本经》平，《别录》微温

白及《本经》平，《别录》微寒

猪椒《别录》温

暴风瘙痒

蛇床子《本经》平

乌喙《别录》微温

景天《本经》平

青葙子《本经》微寒

藜芦《本经》寒，《别录》微寒

蒴藋《别录》温

蒺藜子《本经》温，《别录》微寒

茺蔚子《本经》微温，《别录》微寒

枫香脂《本经》平

伤寒

麻黄《本经》温，《别录》微温

杏仁《本经》温

柴胡《本经》平，《别录》微寒

龙胆《本经》寒，《别录》大寒

薰草《别录》平

牡丹《本经》寒，《别录》微寒

术 《本经》温

石膏 《本经》微寒，《别录》大寒

贝母 《本经》平，《别录》微寒

犀角 《本经》寒，《别录》微寒

葱白 《别录》平

豉 《别录》寒

芒消 《别录》大寒

葛根 《本经》平

前胡 《别录》微寒

大青 《别录》大寒

芍药 《本经》平，《别录》微寒

升麻 《别录》平、微寒

虎掌 《本经》温，《别录》微寒

防己 《本经》平，《别录》温

牡蛎 《本经》平，《别录》微寒

鳖甲 《本经》平

羚羊角 《本经》寒，《别录》微寒

生姜 《别录》微温

人溺 《别录》寒

大热

凝水石 《本经》寒，《别录》大寒

滑石 《本经》寒，《别录》大寒

知母 《本经》寒

玄参 《本经》微寒

沙参 《本经》微寒

茵陈蒿 《本经》平，《别录》微寒

竹沥 《别录》大寒

蛇莓 《别录》大寒

白颈蚯蚓 《本经》寒，《别录》大寒

石膏 《本经》微寒，《别录》大寒

黄芩 《本经》平，《别录》大寒

白鲜 《本经》寒

大黄 《本经》寒，《别录》大寒

苦参 《本经》寒

鼠李根皮 《别录》微寒

枝子 《本经》寒，《别录》大寒

人粪汁 《别录》寒

芒消 《别录》大寒

劳复

鼠屎 《别录》微寒

竹沥 《别录》大寒

豉 《别录》寒

人粪汁 《别录》寒

温疟

常山 《本经》寒，《别录》微寒

牡蛎 《本经》平，《别录》微寒

射香 《本经》温

大青 《别录》大寒

猪苓 《本经》平

茵芋 《本经》温，《别录》微温

白头翁 《本经》温

芫花 《本经》温，《别录》微温

松萝 《本经》平

蜀漆 《本经》平，《别录》微温

鳖甲 《本经》平

麻黄 《本经》温，《别录》微温

防葵 《本经》寒

防己 《本经》平，《别录》温

巴豆《本经》温，《别录》生温、熟寒

女青《本经》平

白薇《本经》平，《别录》大寒

中恶

射香《本经》温

丹沙《本经》微寒

干姜《本经》温，《别录》大热

当归《本经》温，《别录》大温

吴茱萸《本经》温，《别录》大热

桃枭《本经》微温

桃胶《别录》微温

乌雌鸡血《别录》平

雄黄《本经》平、寒，《别录》大温

升麻《别录》平、微寒

巴豆《本经》温，《别录》生温、熟寒

芍药《本经》平，《别录》微寒

鬼箭《本经》寒

桃皮《别录》平

乌头《本经》温，《别录》大温

霍乱

人参《本经》微寒，《别录》微温

附子《本经》温，《别录》大热

干姜《本经》温，《别录》大热

厚朴《本经》温，《别录》大温

麋舌《别录》微温

木瓜《别录》温

术《本经》温

桂心《别录》大热

橘皮 《本经》温

香薷 《别录》微温

高良姜 《别录》大温

转筋

小蒜 《别录》温

橘皮 《本经》温

楠材 《别录》微温

香薷 《别录》微温

藊豆 《别录》微温

木瓜 《别录》温

鸡舌香 《别录》温

豆蔻 《别录》温

杉木 《别录》微温

生姜 《本经》微温

呕哕

厚朴 《本经》温，《别录》大温

麋舌 《别录》微温

小蒜 《别录》温

高良姜 《别录》大温

桂 《别录》大热

鸡舌香 《别录》微温

香薷 《别录》微温

附子 《本经》温，《别录》大热

楠材 《别录》微温

木瓜 《别录》温

橘皮 《本经》温

大腹水肿

大戟 《本经》寒，《别录》大寒

泽漆 《本经》微寒

芫花 《本经》温，《别录》微温

猪苓 《本经》平

泽兰 《本经》微温

商陆 《本经》平

郁李人 《本经》平

昆布 《别录》寒

小豆 《本经》平

鳖鱼 《本经》寒

大豆 《本经》平

黄牛溺 《别录》寒

甘遂 《本经》寒，《别录》大寒

葶苈 《本经》寒，《别录》大寒

巴豆 《本经》温，《别录》生温、熟寒

防己 《本经》平，《别录》温

桑根白皮 《本经》寒

泽泻 《本经》寒

海藻 《本经》寒

苦瓠 《本经》寒

瓜蒂 《本经》寒

鲤鱼 《别录》寒

荛华 《本经》寒，《别录》微寒

肠澼下痢

赤石脂 《别录》大温

牡蛎 《本经》平，《别录》微寒

黄连 《本经》寒，《别录》微寒

当归 《本经》温，《别录》大温

禹馀粮 《本经》寒，《别录》平

檗木 《本经》寒

矾石 《本经》寒

熟艾 《别录》微温

石流黄 《本经》温，《别录》大热

乌梅 《别录》平

枳实 《本经》寒，《别录》微寒

龙骨 《本经》平，《别录》微寒

干姜 《本经》温，《别录》大热

黄芩 《本经》平，《别录》大寒

附子 《本经》温，《别录》大热

藜芦 《本经》寒，《别录》微寒

云实 《本经》温

阿胶 《本经》平，《别录》微温

陟厘 《别录》大温

蜡 《本经》微温

石榴皮 《别录》平

大便不通

大黄 《本经》寒，《别录》大寒

石蜜 《本经》平，《别录》微温

牛胆 《别录》大寒

巴豆 《本经》温，《别录》生温、熟寒

麻子 《本经》平

猪胆 《别录》微寒

小便淋

滑石 《本经》寒，《别录》大寒

白茅根 《本经》寒

榆皮 《本经》平

葶苈 《本经》寒，《别录》大寒

麻子 《本经》平

石蚕 《本经》寒

胡燕屎《本经》平

乱发《别录》微温

冬葵子及根《本经》寒

瞿麦《本经》寒

石韦《本经》平

蒲黄《本经》平

虎魄《别录》平

蜥蜴《本经》寒

衣鱼《本经》温

小便利

牡蛎《本经》平，《别录》微寒

鹿茸《本经》温，《别录》微温

漏芦《本经》寒，《别录》大寒

鸡脽胵《别录》微寒

龙骨《本经》平，《别录》微寒

桑螵蛸《本经》平

土瓜根《本经》寒

鸡肠草《别录》微寒

溺血

戎盐《本经》寒

龙骨《本经》平，《别录》微寒

干地黄《本经》寒

蒲黄《本经》平

鹿茸《本经》温，《别录》微温

消渴

白石英《本经》微温

伏神《别录》平

黄连 《本经》寒,《别录》微寒

栝楼根 《本经》寒

枸杞根 《别录》大寒

箽竹叶 《别录》大寒

葛根 《本经》平

芦根 《别录》寒

冬瓜 《别录》微寒

牛乳 《别录》微寒

桑根白皮 《本经》寒

石膏 《本经》微寒,《别录》大寒

麦门冬 《本经》平,《别录》大寒

知母 《本经》寒

茅根 《本经》寒

小麦 《别录》微寒

土瓜根 《本经》寒

李根 《别录》大寒

菰根 《别录》大寒

马乳 《别录》冷

羊乳 《别录》温

黄疸

茵陈蒿 《本经》平,《别录》微寒

紫草 《本经》寒

生鼠 《别录》微温

猪屎 《别录》寒

栝楼 《本经》寒

黄芩 《别录》大寒

枝子 《本经》寒,《别录》大寒

白鲜 《本经》寒

大黄 《本经》寒,《别录》大寒

瓜蒂 《本经》寒

秦艽《本经》平

上气咳嗽

麻黄《本经》温，《别录》微温

白前《别录》微温

紫菀《本经》温

款冬花《本经》温

细辛《本经》温

半夏《本经》平，《别录》生微寒、熟温

桃人《本经》平

射干《本经》平，《别录》微温

百部根《别录》微温

贝母《本经》平，《别录》微寒

杏人《本经》温

橘皮《本经》温

桂心《别录》大热

五味子《本经》温

蜀椒《本经》温，《别录》大热

生姜《别录》微温

紫苏子《别录》温

芫花《本经》温，《别录》微温

干姜《本经》温，《别录》大热

皂荚《本经》温

呕吐

厚朴《本经》温，《别录》大温

人参《本经》微寒，《别录》微温

麦门冬《本经》平，《别录》微寒

生姜《别录》微温

鸡子《别录》微寒

甘竹叶《别录》大寒

橘皮《本经》温

半夏《本经》平，《别录》生微寒、熟温

白芷《本经》温

铅丹《本经》微寒

薤白《本经》温

痰饮

大黄《本经》寒，《别录》大寒

芒消《别录》大寒

柴胡《本经》平，《别录》微寒.

前胡《别录》微寒

细辛《本经》温

厚朴《本经》温，《别录》大温

枳实《本经》寒，《别录》微寒

半夏《本经》平，《别录》生微寒、熟温

甘竹叶《别录》大寒

甘遂《本经》寒，《别录》大寒

伏苓《本经》平

芫花《本经》温，《别录》微温

术《本经》温

旋覆华《本经》温

人参《本经》微寒，《别录》微温

橘皮《本经》温

生姜《别录》微温

荛华《本经》寒，《别录》微寒

宿食

大黄《本经》寒，《别录》大寒

朴消《本经》寒，《别录》大寒

术 《本经》温

厚朴 《本经》温，《别录》大温

曲 《别录》温

槟榔 《别录》温

巴豆 《本经》温，《别录》生温、熟寒

柴胡 《本经》平，《别录》微寒

桔梗 《本经》微温

皂荚 《本经》温

蘗 《别录》温

腹胀满

射香 《本经》温

人参 《本经》微寒，《别录》微温

干姜 《本经》温，《别录》大热

厚朴 《本经》温，《别录》大温

枳实 《本经》寒，《别录》微寒

皂荚 《本经》温

卷柏 《本经》温

甘草 《本经》平

术 《本经》温

百合 《本经》平

菴䕡子 《本经》微寒，《别录》微温

桑根白皮 《本经》寒

大豆黄卷 《本经》平

心腹冷痛

当归 《本经》温，《别录》大温

芍药 《本经》平，《别录》微寒

干姜 《本经》温，《别录》大热

蜀椒 《本经》温，《别录》大热

吴茱萸 《本经》温，《别录》大热

术 《本经》温

礜石 《本经》大热，《别录》生温、熟热

人参 《本经》微寒，《别录》微温

桔梗 《本经》微温

桂心 《别录》大热

附子 《本经》温，《别录》大热

乌头 《本经》温，《别录》大热

甘草 《本经》平

肠鸣

丹参 《本经》微寒

海藻 《本经》寒

桔梗 《本经》微温

昆布 《别录》寒

心下满急

伏苓 《本经》平

半夏 《本经》平，《别录》生微寒、熟温

生姜 《别录》微温

橘皮 《本经》温

枳实 《本经》寒，《别录》微寒

术 《本经》温

百合 《本经》平

心烦

石膏 《本经》微寒，《别录》大寒

杏人 《本经》温

伏苓 《本经》平

通草 《本经》平

竹沥《别录》大寒

鸡子《别录》微寒

甘草《本经》平

尿《别录》寒

滑石《本经》寒,《别录》大寒

枝子《本经》寒,《别录》大寒

贝母《本经》平,《别录》微寒

李根《别录》大寒

乌梅《别录》平

豉《别录》寒

知母《本经》寒

积聚癥瘕

空青《本经》寒,《别录》大寒

芒消《别录》大寒

粉锡《本经》寒

狼毒《本经》平

附子《本经》温,《别录》大热

苦参《本经》寒

鳖甲《本经》平

赭魁《别录》平

鮀甲《本经》微温

莞华《本经》温,《别录》微温

朴消《本经》寒,《别录》大寒

石流黄《本经》温,《别录》大热

大黄《本经》寒,《别录》大寒

巴豆《本经》温,《别录》生温、熟寒

乌头《本经》温,《别录》大热

柴胡《本经》平,《别录》微寒

蜈蚣《本经》温

白马溺《别录》微寒

礜石 《本经》大热，《别录》生温、熟热

鬼疰尸疰

雄黄 《本经》平寒，《别录》大温

金牙 《别录》平

马目毒公 《本经》温，《别录》微温

徐长卿 《本经》温

狸骨 《别录》温

獭肝 《别录》平

白僵蚕 《别录》平

白盐 《别录》寒

丹沙 《本经》微寒

野葛 《本经》温

女青 《本经》平

虎骨 《别录》平

鹳骨 《别录》大寒

芫青 《别录》微温

鬼臼 《本经》温，《别录》微温

惊邪

雄黄 《本经》平寒，《别录》大温

紫石英 《本经》温

龙齿 《本经》平

防葵 《本经》寒

升麻 《别录》平、微寒

人参 《本经》微寒，《别录》微温

桔梗 《本经》微温

远志 《本经》温

鬼箭 《本经》寒

小草 《本经》温

紫菀《别录》温

鮀甲《本经》微温

犀角《本经》寒，《别录》微寒

伏苓《本经》平

丹沙《本经》微寒

伏神《别录》平

龙胆《本经》寒，《别录》大寒

马目毒公《本经》温，《别录》微温

射香《本经》温

沙参《本经》微寒

白薇《本经》平，《别录》大寒

柏实《本经》平

鬼督邮《别录》平

卷柏《本经》温，《别录》平、微寒

零羊角《本经》寒，《别录》微寒

丹雄鸡《本经》微温，《别录》微寒

羖羊角《本经》温，《别录》微寒

蚱蝉《本经》寒

癫痫

龙齿角《别录》平

防葵《本经》寒

白敛《本经》平，《别录》微寒

雷丸《本经》寒，《别录》微寒

白僵蚕《别录》平

蛇蜕《本经》平

白马目《本经》平

蚱蝉《本经》寒

豚卵《本经》温

熊胆《别录》寒

牛黄《本经》平

牡丹 《本经》寒，《别录》微寒

茛苕子 《本经》寒

钩藤 《别录》微寒

蛇床子 《本经》平

蜣螂 《本经》寒

铅丹 《本经》微寒

白狗血 《别录》温

猪牛犬等齿 《别录》平

喉痹痛

升麻 《别录》平、微寒

杏仁 《本经》温

棘针 《别录》寒

百合 《本经》平

莽草 《本经》温

细辛 《本经》温

射干 《本经》平，《别录》微温

蒺藜子 《本经》温，《别录》微寒

络石 《本经》温，《别录》微寒

䈽竹叶 《别录》大寒

苦竹叶 《别录》大寒

噎病

羚羊角 《本经》寒，《别录》微寒

竹茹 《别录》微寒

芦根 《别录》寒

舂杵头细糠 《别录》平

通草 《本经》平

头垢 《别录》微寒

牛齝 《别录》平

鲠

狸头骨《别录》温

鸱鸺骨《别录》微寒

獭骨《别录》平

齿痛

当归《本经》温，《别录》大温

细辛《本经》温

芎䓖《本经》温

莽草《本经》温

蛇床子《本经》平

莨菪子《本经》寒

车下李根《别录》寒

雄雀屎《别录》温

独活《本经》平

蜀椒《本经》温，《别录》大热

附子《本经》温，《别录》大热

矾石《本经》寒

生地黄《别录》大寒

鸡舌香《别录》微温

马悬蹄《本经》平

口疮

黄连《本经》寒，《别录》微寒

龙胆《本经》寒，《别录》大寒

大青《别录》大寒

石蜜《本经》平，《别录》微温

酥《别录》微寒

檗木《本经》寒

升麻《别录》平、微寒

苦竹叶《别录》大寒

酪《别录》寒

豉《别录》寒

吐唾血

羚羊角《本经》寒，《别录》微寒

戎盐《本经》寒

艾叶《别录》微温

生地黄《别录》大寒

蛴螬《本经》微温，《别录》微寒

伏龙肝《别录》微温

白胶《本经》平，《别录》温

柏叶《别录》微温

水苏《本经》微温

大、小蓟《别录》温

饴糖《别录》微温

黄土《别录》平

鼻衄血

矾石《本经》寒

虾蟆蓝（《本经》天名精名虾蟆蓝）寒

大蓟《别录》温

桑耳《本经》平

猬皮《本经》平

蓝《本经》寒

烧乱发《别录》微温

蒲黄《本经》平

鸡苏（《本经》水苏名鸡苏）微温

艾叶《别录》微温

竹茹《别录》微寒

溺垽《别录》平

狗胆《本经》平

鼻齆

通草《本经》平

桂心《别录》大热

薰草《别录》平

细辛《本经》温

蕤核《本经》温，《别录》微寒

瓜蒂《本经》寒

耳聋

磁石《本经》寒

葱涕《别录》平

白鹅膏《别录》微寒

络石《本经》温，《别录》微寒

昌蒲《本经》温，《别录》平

雀脑《别录》平

鲤鱼脑《别录》温

白颈蚯蚓《本经》寒，《别录》大寒

鼻息肉

藜芦《本经》寒，《别录》微寒

地胆《本经》寒

白狗胆《别录》平

矾石《本经》寒

通草《本经》平

目赤热痛

黄连《本经》寒，《别录》微寒

石胆《本经》寒

曾青《本经》小寒

檗木《本经》寒

荠子《别录》温

鸡子白《别录》微寒

田中螺《别录》大寒

菥蓂子《本经》微温

蕤核《本经》温，《别录》微寒

空青《本经》寒，《别录》大寒

决明子《本经》平，《别录》微寒

枝子《本经》寒，《别录》大寒

苦竹叶《别录》大寒

鲤鱼胆《本经》寒

车前子《本经》寒

目肤翳

秦皮《本经》微寒，《别录》大寒

真珠《别录》寒

石决明《别录》平

马目毒公《本经》温，《别录》微温

青羊胆《别录》平

菟丝子《本经》平

细辛《本经》温

贝子《本经》平

射香《本经》温

伏翼《本经》平

蛴螬汁《本经》微温，《别录》微寒

声音哑

昌蒲《本经》温，《别录》平

孔公蘖 《本经》温

苦竹叶 《别录》大寒

石钟乳 《本经》温

皂角 《本经》温

麻油 《别录》微寒

面皯疱

菟丝子 《本经》平

熊脂 《本经》微寒，《别录》微温

藁本 《本经》温，《别录》微寒

枝子 《本经》寒，《别录》大寒

白瓜子 《本经》平，《别录》寒

射香 《本经》温

女萎 《本经》平

木兰 《本经》寒

紫草 《本经》寒

发秃落

桑上寄生 《本经》平

桑根白皮 《本经》寒

桐叶 《本经》寒

雁肪 《本经》平

松叶 《别录》温

鸡肪

秦椒 《本经》温，《别录》生温、熟寒

麻子 《本经》平

猪膏 《别录》微寒

马鬐膏 《别录》平

枣根

荆子 《本经》微寒，《别录》温

灭瘢

鹰屎白《别录》平

衣鱼《本经》温

白僵蚕《别录》平

金疮

石胆《本经》寒

地榆《本经》微寒

王不留行《别录》平

钓樟根《别录》温

狗头骨《别录》平

蔷薇《本经》温，《别录》微寒

艾叶《别录》微温

白头翁《本经》温

石灰《本经》温

踒折

生鼠《别录》微温

生地黄《别录》大寒

乌鸡骨《别录》平

生龟《别录》平

乌雄鸡血《别录》平

李核人《别录》平

瘀血

蒲黄《本经》平

羚羊角《本经》寒，《别录》微寒

大黄《本经》寒，《别录》大寒

朴消《本经》寒，《别录》大寒

桃人《本经》平

茅根《本经》寒

虻虫《本经》微寒

蜚蠊《本经》寒

虎魄《别录》平

牛膝《别录》平

干地黄《本经》寒

紫参《本经》寒，《别录》微寒

虎杖《别录》微温

䗪虫《本经》寒

水蛭《本经》平，《别录》微寒

火灼

柏白皮《别录》微寒

盐《本经》寒

井底泥《别录》寒

黄芩《本经》平，《别录》大寒

枝子《本经》寒，《别录》大寒

生胡麻《本经》平

豆酱《别录》寒

醋《别录》温

牛膝《别录》平

痈疽

络石《本经》温，《别录》微寒

白敛《本经》平，《别录》微寒

通草《本经》平

白及《本经》平，《别录》微寒

半夏《本经》平，《别录》生微寒、熟温

蔷薇《别录》微寒

虾蟆 《本经》寒

伏龙肝 《别录》微温

黄芪 《本经》微温

乌喙 《别录》微温

败酱 《本经》平，《别录》微寒

大黄 《本经》寒，《别录》大寒

玄参 《本经》微寒

鹿角 《本经》温，《别录》微温

土蜂子 《本经》平

甘蔗 《别录》大寒

恶疮

雄黄 《本经》平、寒，《别录》大温

粉锡 《本经》寒

矾石 《本经》寒

蛇床子 《本经》平

水银 《本经》寒

白敛 《本经》平，《别录》微寒

檗木 《本经》寒

蘽菌 《本经》平，《别录》微温

青葙子 《本经》微寒

楝实 《本经》寒

狼跋 《别录》寒

虎骨 《别录》平

菌茹 《本经》寒，《别录》微寒

石灰 《本经》温

铁浆 《别录》平

雌黄 《本经》平，《别录》大寒

石流黄 《本经》温，《别录》大热

松脂 《本经》温

地榆 《本经》微寒

蛇衔 《本经》微寒

漏芦 《本经》寒，《别录》大寒

占斯 《别录》温

莽草 《本经》温

白及 《本经》平，《别录》微寒

及己 《别录》平

桐叶 《本经》寒

猪肚 《别录》微温

藜芦 《本经》寒，《别录》微寒

狸骨 《别录》温

漆疮

蟹 《别录》寒

苦芺 《别录》微寒

鼠查 微温

秫米 《别录》微寒

吴茱萸 《本经》温，《别录》大热

鸡子白 《别录》微寒

井中苔、萍 《别录》大寒

杉材 《别录》微温

瘿瘤

小麦 《别录》微寒

昆布 《别录》寒

半夏 《本经》平，《别录》生微寒、熟温

通草 《本经》平

连翘 《本经》平

海蛤 《本经》平

海藻 《本经》寒

文蛤 《别录》平

贝母《本经》平，《别录》微寒

松萝《本经》平

白头翁《本经》温

生姜《别录》微温

瘘疮

雄黄《本经》平寒，《别录》大温

常山《本经》寒，《别录》微寒

侧子《别录》大热

昆布《别录》寒

王不留行《别录》平

地胆《本经》寒

礜石《本经》大热，《别录》生温、熟热

狼毒《本经》平

连翘《本经》平

狸骨《别录》温

斑猫《本经》寒

鳖甲《本经》平

五痔

白桐叶《本经》寒

猬皮《本经》平

黄芪《本经》微温

萹蓄《本经》平

猪悬蹄《本经》平

脱肛

鳖头《别录》平

铁精《别录》微温

蜗牛《别录》寒

卷柏《本经》温,《别录》平、微寒

东壁土《别录》平

生铁《别录》微寒

匜

青葙子《本经》微寒

蚺蛇胆《别录》寒

大蒜《别录》温

苦参《本经》寒

蝮蛇胆《别录》微寒

戎盐《别录》寒

蛔虫

薏苡根《本经》微寒

干漆《本经》温

吴茱萸《本经》温,《别录》大热

雚菌《本经》平,《别录》微温

楝根《别录》微寒

艾叶《别录》微温

寸白

槟榔《别录》温

贯众《本经》微寒

雷丸《本经》寒,《别录》微寒

橘皮《本经》温

石榴根《别录》平

芜荑《别录》平

狼牙《本经》寒

青葙子《本经》微寒

吴茱萸根《本经》温,《别录》大热

榧子《别录》平

虚劳

丹砂《本经》微寒

石钟乳《本经》温

白石英《本经》微温

龙骨《本经》平，《别录》微寒

黄芪《本经》微温

伏神《别录》平

薯预《本经》温，《别录》平

沙参《本经》微寒

玄参《本经》微寒

肉苁蓉《本经》微温

泽泻《本经》寒

芍药《本经》平，《别录》微寒

远志《本经》温

牡蛎《本经》平，《别录》微寒

白棘《本经》寒

巴戟天《本经》微温

杜仲《本经》平，《别录》温

桑螵蛸《本经》平

石南《本经》平

地肤子《本经》寒

麦门冬《本经》平，《别录》微寒

菟丝子《本经》平

枸杞子《别录》微寒

枸杞根《别录》大寒

胡麻《本经》平

空青《本经》寒，《别录》大寒

紫石英《本经》温

磁石《本经》寒

伏苓 《本经》平

干地黄 《本经》寒

天门冬 《本经》平，《别录》大寒

石斛 《本经》平

人参 《本经》微寒，《别录》微温

五味子 《本经》温

续断 《本经》微温

牡丹 《本经》寒，《别录》微寒

牡桂 《本经》温

当归 《本经》温，《别录》大温

五加皮 《本经》温，《别录》微寒

覆盆子 《别录》平

牛膝 《别录》平

柏实 《本经》平

石龙芮 《本经》平

桑根白皮 《本经》寒

车前子 《本经》寒

干漆 《本经》温

蛇床子 《本经》平

大枣 《本经》平

麻子 《本经》平

葛根 《本经》平

阴痿

白石英 《本经》微温

巴戟天 《本经》微温

五味子 《本经》温

地肤子 《本经》寒

白马茎 《本经》平

原蚕蛾 《别录》热

雀卵 《别录》温

阳起石 《本经》微温

肉苁蓉 《本经》微温

蛇床子 《本经》平

铁精 《别录》微温

菟丝子 《本经》平

狗阴茎 《本经》平

阴癀

海藻 《本经》寒

狸阴茎 《别录》温

蜘蛛 《别录》微寒

鼠阴 《别录》平

铁精 《别录》微温

狐阴茎 《别录》微寒

蒺藜 《本经》温，《别录》微寒

囊湿

五加皮 《本经》温，《别录》微寒

檗木 《本经》寒

庵䕡子 《本经》微寒，《别录》微温

牡蛎 《本经》平，《别录》微寒

槐枝

虎掌 《本经》温，《别录》微寒

蛇床子 《本经》平

泄精

韭子 《别录》温

鹿茸 《本经》温，《别录》微温

桑螵蛸 《本经》平

泽泻 《本经》寒

獐骨 《别录》微温

白龙骨 《本经》平,《别录》微寒

牡蛎 《本经》平,《别录》微寒

车前子叶 《本经》寒

石榴皮 《别录》平

好眠

通草 《本经》平

马头骨 《别录》微寒

荼茗 《别录》微寒

孔公孽 《本经》温

牡鼠目 《别录》平

不得眠

酸枣人 《本经》平

细辛 《本经》温

榆叶 《别录》平

腰痛

杜仲 《本经》平,《别录》温

狗脊 《本经》平,《别录》微温

鳖甲 《本经》平

菝葜 《别录》平温

萆薢 《本经》平

梅实 《本经》平

五加皮 《本经》温,《别录》微寒

爵床 《本经》寒

妇人崩中

石胆 《本经》寒

赤石脂《别录》大温

龙骨《本经》平，《别录》微寒

白僵蚕《别录》平

乌贼鱼骨《本经》微咸

桑耳《本经》平

檗木《本经》寒

艾叶《别录》微温

鳖甲《本经》平

白胶《本经》平，《别录》温

阿胶《本经》平，《别录》微温

鹿茸《本经》温，《别录》微温

马通《别录》微温

干地黄《本经》寒

禹馀粮《本经》寒，《别录》平

牡蛎《本经》平，《别录》微寒

蒲黄《本经》平

牛角䚡《本经》温

紫葳《本经》微寒

生地黄《别录》大寒

白茅根《本经》寒

鮀甲《本经》微温

马蹄《别录》平

丹雄鸡《本经》微温，《别录》微寒

鬼箭《本经》寒

大、小蓟根《别录》温

伏龙肝《别录》微温

代赭《本经》寒

月闭

鼠妇《本经》微温，《别录》微寒

虻虫《本经》微寒

蛴螬《本经》微温，《别录》微寒

狸阴茎《别录》温

牡丹《本经》寒，《别录》微寒

占斯《别录》温

阳起石《本经》微温

白垩《本经》温

䗪虫《本经》寒

水蛭《本经》平，《别录》微寒

桃人《本经》平

土瓜根《本经》寒

牛膝《别录》平

虎杖《别录》微温

桃毛《本经》平

铜镜鼻《本经》平

无子

紫石英《本经》温

阳起石《本经》微温

桑螵蛸《本经》平

秦皮《本经》微寒，《别录》大寒

石钟乳《本经》温

紫葳《本经》微寒

艾叶《别录》微温

卷柏《本经》温，《别录》平、微寒

安胎

紫葳《本经》微寒

桑上寄生《本经》平

乌雌鸡《本经》温

阿胶《本经》平，《别录》微温

白胶 《本经》平，《别录》温

鲤鱼 《别录》寒

葱白 《别录》平

生地黄 《本经》大寒

堕胎

雄黄 《本经》平、寒，《别录》大温

水银 《本经》寒

朴消 《本经》寒，《别录》大寒

溲疏 《本经》寒，《别录》微寒

巴豆 《本经》温，《别录》生温、熟寒

牛黄 《本经》平

牡丹 《本经》寒，《别录》微寒

桂心 《别录》大热

䕡茹 《本经》寒，《别录》微寒

鬼箭 《本经》寒

薏苡人 《本经》微寒

附子 《本经》温，《别录》大热

乌头 《本经》温，《别录》大热

侧子 《别录》大热

地胆 《本经》寒

芫青 《别录》微温

水蛭 《本经》平，《别录》微寒

䗪虫 《本经》寒

蛴螬 《本经》微温，《别录》微寒

蜥蜴 《本经》寒

蟹爪 《别录》寒

雌黄 《本经》平，《别录》大寒

粉锡 《本经》寒

飞生虫 《别录》平

大戟 《本经》寒，《别录》大寒

野葛《本经》温

藜芦《本经》寒，《别录》微寒

牛膝《别录》平

皂荚《本经》温

羊踯躅《本经》温

槐子《本经》寒

瞿麦《本经》寒

天雄《本经》温，《别录》大温

乌喙《别录》微温

蜈蚣《本经》温

斑猫《本经》寒

葛上亭长《别录》微温

虻虫《本经》微寒

蝼蛄《本经》寒

猬皮《本经》平

蛇蜕《本经》平

芒消《别录》大寒

难产

槐子《本经》寒

滑石《本经》寒，《别录》大寒

蒺藜《本经》温，《别录》微寒

酸浆《本经》平，《别录》寒

蝼蛄《本经》寒

生鼠肝《别录》平

弓弩弦《别录》平

败酱《本经》微寒，《别录》平

蛇蜕《本经》平

桂心《别录》大热

贝母《本经》平，《别录》微寒

皂荚《本经》温

蚱蝉 《本经》 寒

鼯鼠 《本经》 微温

乌雄鸡冠血 《别录》 温

马衔 《别录》 平

榆皮 《本经》 平

产后病

干地黄 《本经》 寒

败酱 《本经》 微寒，《别录》 平

地榆 《本经》 微寒

秦椒 《本经》 温，《别录》 生温、熟寒

泽兰 《本经》 微温

大豆 《别录》 平

下乳汁

石钟乳 《本经》 温

蛴螬 《本经》 微温，《别录》 微寒

土瓜根 《本经》 寒

猪四足 《别录》 小寒

漏芦 《本经》 寒，《别录》 大寒

栝楼 《本经》 寒

狗四足 《别录》 平

中蛊

桔梗 《本经》 微温

马目毒公 《本经》 温，《别录》 微温

斑猫 《本经》 寒

葛上亭长 《别录》 微温

鬼督邮 《别录》 平

败鼓皮 《别录》 平

鬼臼《本经》温，《别录》微温

犀角《本经》寒，《别录》微寒

芫青《别录》微温

射罔《别录》大热

白蘘荷《别录》微温

蓝实《本经》寒

解　毒

蛇虺百虫毒，雄黄、巴豆、射香、丹沙、干姜。

蜈蚣毒，桑汁及煮桑根汁。

蜘蛛毒，蓝青、射香。

蜂毒，蜂房、蓝青汁。

狗毒，杏仁、矾石、韭根、人屎汁。

恶气瘴毒，犀角、羚羊角、雄黄、射干。

风肿毒肿，沉香、木香、薰陆香、鸡舌香、射香、紫檀香。

百药毒，甘草、荠苨、大小豆汁、蓝汁、蓝实。

射罔毒，蓝汁、大小豆汁、竹沥、大麻子汁、六畜血、贝齿屑、蕳根屑、蚯蚓屎、藕芰汁。

野葛毒，鸡子清、葛根汁、甘草汁、鸭头热血、猪膏。

斑猫、芫青毒，猪膏、大豆汁、戎盐、蓝汁。盐汤煮猪膏、巴豆。

狼毒毒，杏仁、蓝汁、白敛、盐汁、木占斯。

踯躅毒，枝子汁。

巴豆毒，煮黄连汁、大豆汁、生藿汁、昌蒲屑汁、煮寒水石汁。

藜芦毒，雄黄、煮葱汁、温汤。

雄黄毒，防己。

甘遂毒，大豆汁。

蜀椒毒，葵子汁、桂汁、豉汁、人溺、冷水、土浆、食蒜、鸡毛烧吸烟及水调服。

半夏毒，生姜汁、煮干姜汁。

礜石毒，大豆汁、白鹅膏。

芫花毒，防己、防风、甘草、桂汁。

乌头、天雄、附子毒，大豆汁、远志、防风、枣肌、饴糖。

莨菪毒，荠苨、甘草汁、犀角、蟹汁。

马刀毒，清水。

大戟毒，昌蒲汁。

桔梗毒，白粥。

杏人毒，蓝子汁。

诸菌毒，掘地作坑，以水沃中，搅令浊，俄顷饮之。

防葵毒，葵根汁。

野芋毒，土浆、人粪汁。

鸡子毒，淳醋。

铁毒，磁石。

食诸肉马肝漏脯中毒，生韭汁、韭根烧末、烧猪骨末、头垢、烧犬屎酒服豉汁亦佳。

食金银毒，服水银数两即出，鸭血、鸡子汁、水淋鸡屎汁。

食诸鱼中毒，煮橘皮、生芦苇根汁、大豆汁、马鞭草汁、烧末鲛鱼皮、大黄汁、煮朴消汁。

食蟹中毒，生藕汁、煮干蒜汁、冬瓜汁。

食诸菜毒，甘草、贝齿、胡粉三种末水和服之。

小儿溺，乳汁服二升佳。

饮食中毒心烦满，煮苦参汁饮之，令吐出即止。

服石药中毒，白鸭屎汁、人参汁。

服药过剂闷乱者，吞鸡子黄、蓝汁、水和胡粉、地浆、蘘荷汁、粳米粉汁、豉汁、干姜、黄连屑、饴糖、水和葛粉饮。

服药食忌例

有术，勿食桃、李及雀肉、胡荽、大蒜、青鱼鲊等物。

有藜芦，勿食狸肉。

有巴豆，勿食芦笋羹及野猪肉。

有黄连、桔梗，勿食猪肉。

有地黄，勿食芜荑。

有半夏、昌蒲，勿食饴糖及羊肉。

有细辛，勿食生菜。

有甘草，勿食菘菜，又勿食海藻。

有牡丹，勿食生胡荽。

有商陆，勿食犬肉。

有常山，勿食生葱生菜。

有空青、朱沙，勿食生血物。

有伏苓，勿食醋物。

有鳖甲，勿食苋菜。

有天门冬，勿食鲤鱼。

服药不可多食生胡荽，及蒜杂生菜，又不可食诸滑物果实等，又不可多食肥猪、犬肉、油腻、肥羹鱼脍、腥臊等物。

服药通忌见死尸及产妇淹秽事。

凡药不宜入汤酒者

朱沙　雄黄　云母　阳起石　钟乳　银屑　孔公孽　礜石　矾石　石硫黄　铜镜鼻　白垩　胡粉　铅丹　卤碱　石灰　藜灰

右十七种石类

野葛　狼毒　毒公　鬼臼　莽草　巴豆　踯躅　莨蓎　皂荚　藋菌　藜芦　菌茹　贯众　狼牙　芜荑　雷丸　鸢尾　蒺藜　女菀　菜耳　紫葳　薇衔　白及　牡蒙　飞廉　蛇衔　占斯　辛夷　石南　虎掌　枳实　虎杖　芦根　羊桃　麻勃　苦瓠　瓜蒂　陟厘　云实　狼跋　槐子　地肤子　青葙子　蛇床子　茺蔚子　蒴藋子　王不留行　菟丝子

右四十八种草木类

蜂子　蜜蜡　白马茎　狗阴茎　雀卵　鸡子　雄鹊　伏翼　鼠妇　樗鸡　萤火　蠮螉　僵蚕　蜈蚣　蜥蜴　斑猫　芫青　亭长　地胆　蛀虫　蜚蠊　蝼蛄　马刀　赭魁　虾蟆　蜗牛　生鼠　生龟　诸鸟　兽虫鱼膏骨髓胆　血屎溺

右廿九种虫兽类

73

寻万物之性①，皆有离合，虎啸风生，龙吟云起，磁石引针，虎魄拾芥，漆得蟹而散，麻得漆而涌，桂得葱而软，树得桂而枯，戎盐累卵，獭胆分杯②。其气爽有相关感，多如此类，其理不可得而思之③。至于诸药，尤能递为利害，先圣既明言其④说，何可不详而避之。时人为方，皆多漏略。若旧方已有，此病亦应改除。假如⑤两种相当，就其轻重，择可除⑥而除之。伤寒赤散，吾恒⑦不用藜芦。断下黄连丸，亦去其干姜而施之，无不效。何忽强以相憎，苟令共事乎，相反为害，深于相恶。相恶者，谓彼虽恶我，我无忿心，犹如牛黄恶龙骨，而龙骨⑧得牛黄更良，此有以相制伏⑨故也。相反者，则彼我交仇，必不宜合。今画家用雌黄、胡粉相近，便自黯妒。粉得黄则⑩黑，黄得粉亦变，此盖相反之征⑪也。药理既昧，所以不效⑫，人多轻之。今案，方处疗⑬，恐不必卒能⑭寻究本草，更复抄出其事在此，览略看之，易可知验。而《本经》有直云茱萸、门冬者，无以辨其⑮山、吴、

①　自"寻万物之性"起，讲畏恶七情药例。按，《集注》《医心方》和《千金方》《证类》均有畏恶七情药例。但前二书在药物分类上虫兽不辨、草木不分，《新修》认为它们是错误的，故前二书所载畏恶七情药例不能用。后二书在药物分类上，虽符合《新修》要求，但在数目上与其有差别，《证类》的畏恶七情药例载药231种，《千金方》的畏恶七情药例载药197种。《证类》注明其中有34种是宋代人增的，如从231种中，剔除34种，也是197种。这就提示《新修》的畏恶七情药例所载之药应为197种。

又《千金方》药物排列次序和《新修》一样，而《证类》药物排列次序不同于《新修》。例如，伏翼、天鼠矢，《证类》将之排在禽部，而《千金方》将之排在虫鱼部，《新修》也将之排在虫鱼部。根据这些理由，本书以《千金方》的畏恶七情药例为本书的畏恶七情药例。

②　戎盐累卵，獭胆分杯：《集注》原脱，据《证类》补。

③　之：《集注》原脱，据《证类》补。

④　言其：《证类》作"有所"。

⑤　如：《集注》原作"令而"，据《证类》改。

⑥　可除：《证类》脱此2字。

⑦　恒：《证类》作"常"。

⑧　而龙骨：《集注》原重复此3字，据《证类》删。

⑨　相制伏：《证类》脱"相"字。

⑩　则：《证类》作"即"。

⑪　征：《证类》作"证"。

⑫　不效：《集注》原脱，据《证类》补。

⑬　疗：《集注》原作"治"，据《证类》改。

⑭　恐不必卒能：《证类》作"必恐卒难"。

⑮　其：《证类》脱"其"字。

天、麦之异，咸宜各题其条。人有乱误处，譬如海蛤之与鮀甲，畏恶正同。又①诸芝使署预，署预复使紫芝。计无应如此，不知何者是非？亦宜②并记，当更③广检④正之。又《神农本草经》相使，止⑤各一种，兼以《药对》参之，乃有两三，于事亦无嫌。其有云相得共疗某病者，既非妨避之禁，不复疏出。

玉石上部

玉泉畏款冬花。

玉屑恶鹿角。

丹沙恶磁石，畏咸水。

曾青畏菟丝子。

石胆水英为使，畏牡桂、菌桂、芫花、辛夷、白薇。

云母泽泻为使，畏鮀甲，反流水，恶徐长卿。

钟乳蛇床子为使，恶牡丹、玄石、牡蒙，畏紫石英、蘘草。

朴消畏麦句姜。

消石萤火为使，恶苦参、苦菜，畏女菀。

芒消石韦为使，恶麦句姜。

矾石甘草为使，恶牡蛎。

滑石石韦为使，恶曾青。

白石英恶马目毒公。

紫石英长石为使，畏扁青、附子，不欲鮀甲、黄连、麦句姜。

赤石脂恶大黄，畏芫花。

黄石脂曾青为使，恶细辛，畏蜚蠊。

白石脂燕屎为使，恶松脂，畏黄芩。

太一禹余粮杜仲为使，畏贝母、昌蒲、铁落。

---

① 又：《证类》作"又有"。

② 宜：《证类》作"且"。

③ 更：《集注》原作"便"，据《证类》改。

④ 检：《证类》作"验"。

⑤ 止：《证类》作"正"。

玉石中部

水银畏磁石。

殷孽恶防己，畏术。

阳起石桑螵蛸为使，恶泽泻、菌桂、雷丸、蛇蜕，畏菟丝子。

凝水石畏地榆，解巴豆毒。

石膏鸡子为使，恶莽草、毒公。

磁石柴胡为使，畏黄石脂，恶牡丹、莽草、杀铁毒。

玄石恶松脂、柏子仁、菌桂。

理石滑石为使，畏麻黄。

孔公孽木兰为使，恶细辛。

玉石下部

青琅玕得水银良，畏乌鸡骨，杀锡毒。

礜石得火良，棘针为使，恶虎掌、毒公、鹜屎、细辛，畏水。

特生礜石火炼之良，畏水。

方解石恶巴豆。

代赭畏天雄。

大盐漏芦为使。

草药上部

六芝署预为使，得发良，恶恒山，畏扁青、茵陈蒿。

天门冬垣衣、地黄为使，畏曾青。

麦门冬地黄、车前为使，恶款冬、苦瓠，畏苦参、青蘘。

术防风、地榆为使。

女萎萎蕤畏卤咸。

干地黄得麦门冬、清酒良，恶贝母，畏芜荑。

昌蒲秦艽、秦皮为使，恶地胆、麻黄。

远志得伏苓、冬葵子、龙骨良，杀天雄、附子毒，畏真珠、蜚蠊、藜芦、齐蛤。

泽泻畏海蛤、文蛤。

署预紫芝为使，恶甘遂。

菊花术、枸杞根、桑根白皮为使。

甘草术、干漆、苦参为使，恶远志，反甘遂、大戟、芫花、海藻。

人参伏苓为使，恶溲疏，反藜芦。

石斛陆英为使，恶凝水石、巴豆，畏白僵蚕、雷丸。

牛膝恶萤火、龟甲、陆英，畏白前。

细辛曾青、桑根为使，恶狼毒、山茱萸、黄芪，畏滑石、消石，反藜芦。

独活豚实为使。

柴胡半夏为使，恶皂荚，畏女菀、藜芦。

菴䕡子荆子、薏苡人为使，恶细辛、干姜。

薪蓂子得荆子、细辛良，恶干姜、苦参。

龙胆贯众为使，恶防葵、地黄。

菟丝子得酒良，署预、松脂为使，恶䕬菌。

巴戟天覆盆子为使，恶朝生、雷丸、丹参。

防风恶干姜、藜芦、白敛、芫花，杀附子毒，畏草薢。

络石杜仲、牡丹为使，恶铁落，畏昌蒲、贝母。

黄连黄芩、龙骨、理石为使，恶菊花、芫花、玄参、白鲜，畏款冬，胜乌头，解巴豆毒。

蒺藜子乌头为使。

沙参恶防己，反藜芦。

丹参畏咸水，反藜芦。

天名精垣衣为使。

决明子蓍实为使，恶大麻子。

芎穷白芷为使，恶黄连。

续断地黄为使，恶雷丸。

黄芪恶龟甲。

杜若得辛夷、细辛良，恶柴胡、前胡。

蛇床子恶牡丹、巴豆、贝母。

茜根畏鼠姑。

飞廉得乌头良，恶麻黄。

薇衔得秦皮良。

五味子苁蓉为使，恶萎蕤，胜乌头。

草药中部

当归恶䕡茹，畏昌蒲、海藻、牡蒙。

秦艽昌蒲为使。

黄芩山茱萸、龙骨为使，恶葱实，畏丹沙、牡丹、藜芦。

芍药须丸为使，恶石斛、芒消，畏消石、鳖甲、小蓟，反藜芦。

干姜秦椒为使，恶黄连、黄芩、天鼠粪，杀半夏、莨菪毒。

藁本恶䕡茹。

麻黄厚朴为使，恶辛夷、石韦。

葛根杀野葛、巴豆、百药毒。

前胡半夏为使，恶皂荚，畏藜芦。

贝母厚朴、白薇为使，恶桃花，畏秦艽、礜石、莽草，反乌头。

栝楼枸杞为使，恶干姜，畏牛膝、干漆，反乌头。

玄参恶黄芪、干姜、大枣、山茱萸，反藜芦。

苦参玄参为使，恶贝母、漏芦、菟丝子，反藜芦。

石龙芮大戟为使，畏蛇蜕、吴茱萸。

狗脊草薢为使，恶败酱。

石韦滑石、杏人、射干为使，得昌蒲良。

草薢薏苡为使，畏葵根、大黄、柴胡、牡蛎、前胡。

瞿麦蘘草、牡丹为使，恶桑螵蛸。

白芷当归为使，恶旋覆华。

紫菀款冬为使，恶天雄、瞿麦、雷丸、远志、藁本，畏茵陈。

白薇恶黄芪、大黄、大戟、干姜、干漆、大枣、山茱萸。

紫参畏辛夷。

淫羊藿署预为使。

款冬花杏仁为使，得紫菀良，恶皂荚、消石、玄参，畏贝母、辛夷、麻黄、黄芩、黄连、黄芪、青葙。

白鲜恶桑螵蛸、桔梗、茯苓、草薢。

牡丹畏菟丝子、贝母、大黄。

防己殷孽为使，恶细辛，畏草薢，杀雄黄毒。

女菀畏卤咸。

泽兰防己为使。

地榆得发良，恶麦门冬。

海藻反甘草。

草药下部

大黄黄芩为使。

桔梗节皮为使，畏白及、龙胆、龙眼。

甘遂瓜蒂为使，恶远志，反甘草。

天雄远志为使，恶腐婢。

芫花决明为使，反甘草。

泽漆小豆为使，恶薯预。

大戟反甘草，畏昌蒲、芦草、鼠屎。

钩吻半夏为使，恶黄芩。

黎芦黄连为使，反细辛、芍药、五参，恶大黄。

乌头、乌喙莽草为使，反半夏、栝楼、贝母、白敛、白及，恶藜芦。

附子地胆为使，恶蜈蚣，畏防风、甘草、黄芪、人参、乌韭、大豆。

亭苈榆皮为使，得酒良，恶僵蚕、石龙芮。

半夏射干为使，恶皂荚，畏雄黄、生姜、干姜、秦皮、龟甲，反乌头。

虎掌蜀漆为使，畏莽草。

贯众藋菌为使。

蜀漆栝楼为使，恶贯众。

恒山畏玉札。

牙子芫荑为使，恶地榆、枣肌。

白敛代赭为使，反乌头。

白及紫石英为使，恶理石，畏李核、杏仁。

蕳茹甘草为使，恶麦门冬。

藋菌得酒良，畏鸡子。

荩草畏鼠妇。

夏枯草土瓜为使。

狼毒大豆为使，恶麦句姜。

鬼臼畏垣衣。

木药上部

伏苓、伏神马蔺为使，恶白敛，畏牡蒙、地榆、雄黄、秦芁、龟甲。

柏实牡蛎、桂、瓜子为使，恶菊花、羊蹄、诸石、面、曲。

杜仲畏蛇蜕、玄参。

干漆半夏为使，畏鸡子，今又忌油脂。

蔓荆子恶乌头、石膏。

牡荆实防风为使，恶石膏。

五加皮远志为使，畏蛇蜕、玄参。

黄檗恶干漆。

辛夷芎穷为使，恶五石脂，畏昌蒲、蒲黄、黄连、石膏、黄环。

酸枣仁恶防己。

槐子天雄、景天为使。

木药中部

厚朴干姜为使，恶泽泻、寒水石、消石。

山茱萸蓼实为使，恶桔梗、防风、防己。

吴茱萸蓼实为使，恶丹参、消石、白垩，畏紫石英。

秦皮大戟为使，恶吴茱萸。

占斯解狼毒毒。

枝子解踯躅毒。

秦椒恶栝楼、防葵，畏雌黄。

桑根白皮续断、桂心、麻子为使。

木药下部

黄环鸢尾为使，恶伏苓、防己。

石南五加皮为使。

巴豆芫花为使，恶蘘草，畏大黄、黄连、藜芦，杀斑猫毒。

蜀椒杏人为使，畏橐吾、附子、防风。

栾华决明为使。

雷丸荔实、厚朴为使，恶葛根。

溲疏漏芦为使。

皂荚柏实为使，恶麦门冬，畏空青、人参、苦参。

兽上部

龙骨得人参、牛黄良，畏石膏。

龙角畏干漆、蜀椒、理石。

牛黄人参为使，恶龙骨、地黄、龙胆、蜚蠊，畏牛膝。

白胶得火良，畏大黄。

阿胶得火良，畏大黄。

兽中部

犀角松脂为使，恶藋菌、雷丸。

羖羊角菟丝子为使。

鹿茸麻勃为使。

鹿角杜仲为使。

兽下部

麋脂畏大黄，恶甘草。

虫鱼上部

蜜蜡恶芫花、齐蛤。

蜂子畏黄芩、芍药、牡蛎。

牡蛎贝母为使，得甘草、牛膝、远志、蛇床良，恶麻黄、吴茱萸、辛夷。

桑螵蛸畏旋覆花。

龟甲恶沙参、蜚蠊。

海蛤蜀漆为使，畏狗胆、甘遂、芫花。

虫鱼中部

伏翼苋实、云实为使。

猬皮得酒良，畏桔梗、麦门冬。

蛴螂恶硫黄、斑猫、芜荑。

䗪虫畏皂荚、昌蒲。

鳖甲恶矾石。

蛴螬蜚虫为使，恶附子。

乌贼鱼骨恶白敛、白及。

蟹杀莨菪毒、漆毒。

鮀鱼甲蜀漆为使，畏狗胆、甘遂、芫花。

天鼠屎恶白敛、白薇。

露蜂房恶干姜、丹参、黄芩、芍药、牡蛎。

虫鱼下部

蛇蜕畏磁石及酒。

蛞蝓畏羊角、石膏。

斑猫马刀为使，畏巴豆、丹参、空青，恶肤青。

地胆恶甘草。

马刀得水良，得火良。

果上部

大枣杀乌头毒。

果下部

杏人得火良，恶黄芪、黄芩、葛根，解锡、胡粉毒，畏蘘草。

菜上部

冬葵子黄芩为使。

菜中部

葱实解藜芦毒。

米上部

麻蕡、麻子畏牡蛎、白薇，恶伏苓。

米中部

大豆及黄卷恶五参、龙胆，得前胡、乌喙、杏仁、牡蛎良，杀乌头毒。

大麦食蜜为使。

酱杀药毒、火毒。

右一百九十七种，有相制使，其余皆无。

立冬之日①，菊、卷柏先生时，为阳起石、桑螵蛸凡十物使，主二百草为之长。

立春之日，木兰、射干先生，为柴胡、半夏使，主头痛四十五节。

立夏之日，蜚蠊先生，为人参、伏苓使，主腹中七节，保神守中。

夏至之日，豕首、茱萸先生，为牡蛎、乌喙使，主四肢三十二节。

立秋之日，白芷、防风先生，为细辛、蜀漆使，主胸背二十四节。

右此五条出《药对》中，义旨渊深，非俗所究，虽莫可遵用，而是主统之本，故亦载之②。

《新修本草》序例卷下第二

---

① 自"立冬之日"起，讲《药对》岁物药品。

② 右此五条……载之：这段文字，《纲目》作"禹锡曰"。据敦煌出土《集注》载，此文为陶弘景所撰。

玉石等部上品　卷第二

1　玉泉	2　玉屑	3　丹沙
4　空青	5　绿青	6　曾青
7　白青	8　扁青	9　石胆
10　云母	11　石钟乳	12　朴消
13　消石	14　芒消	15　矾石
16　滑石	17　紫石英	18　白石英

19　青石、赤石、黄石、白石、黑石脂　　20　太一禹馀粮

21　石中黄子_{新附}　　22　禹馀粮

右玉石部合廿二种十八种《神农本经》，三种《名医别录》，一种新附。

1　玉泉

味甘，平，无毒。主五[1]脏百病，柔[2]筋强骨，安魂魄[3]，长肌肉，益气[4]，利血脉[5]，疗妇人带下十二病，除气癃，明耳目[6]。**久服耐寒暑，不饥渴，不老神仙**[7]，轻身长年。**人临死服五斤，死**[8]**三年色不变。一名玉札**[9]。生蓝田山谷，采无时[10]。

畏款冬花。　蓝田在长安东南，旧出美玉，此当是玉之精华，白[11]者质色明澈，可消之为水，故名玉泉。今人无复的识者，惟通呼为玉尔[12]。张华又云，服玉用蓝田谷玉白色者；此物平常服之，则应神仙，有人临死服五斤，死经三年，其色不变。古来发冢见尸如生者，其身腹内外，无不大有金玉。汉制王公葬，皆用珠襦玉匣，是使不朽故也。炼服之法，亦应依《仙经》服玉法，水屑随宜，虽曰性平，而服玉者亦多乃[13]发热如寒食散状。金玉既天地重宝，不比余石，若未深解节度，勿轻用之。　　[谨案]玉泉者，玉之泉液也，以仙室玉池中者为上，其以法化为玉浆者，功劣于自然液也。

【校注】

[1]　**主五**　"主"原作"治"。唐因避高宗李治讳，当时医书中"治"均改为"主"或"疗"。《御览》脱"五"字。

[2]　**柔**　森本"考异"云，《顿医钞》作"和"。

[3]　**魄**　《御览》脱此字。

[4]　**益气**　《御览》无此2字。

[5]　**利血脉**　《纲目》《食货典》注为《本经》文，并移此文在"久服耐寒暑"之前。

[6]　**目**　《品汇》脱此字。

[7]　**久服……神仙**　柯《大观》、玄《大观》、《大全》皆刻为黑字《别录》文。又文中"耐寒暑"的"耐"，《御览》作"能忍"。按，《御览》引"耐"多作"能"，"能""耐"古本草通用。

［8］**死** 《纲目》脱此字。

［9］**礼** 《御览》卷988作"澧"，卷805作"醴"；《顿医钞》作"礼"；《初学记》作"桃"。

［10］**生蓝田山谷，采无时** 柯《大观》无此文。

［11］**白** 《纲目》脱此字。

［12］**惟通呼为玉尔** 《纲目》作"通一为玉尔"。

［13］**乃** 柯《大观》、玄《大观》脱此字。

2 玉屑

味甘，平，无毒。主除胃中热、喘息、烦满，止渴，屑如麻豆服之。久服轻身长年。生蓝田，采无时。

恶鹿角。 此云玉屑，亦是以玉为屑，非应别一种物也。《仙经》服谷玉，有捣如米粒，乃以苦酒辈[1]，消令如泥，亦有合为浆者。凡服玉，皆不得用已成器物，及冢中玉璞也。好玉出蓝田，及南阳徐善亭部界中，日南、卢容水中，外国于阗、疏勒诸处皆善。《仙方》名玉为玄真，洁白如猪膏，叩之鸣者，是真也。其比类甚多相似，宜精别之。所以燕石入笥[2]，卞氏长号也。 ［谨案］饵玉，当以消作水者为佳。屑如麻豆服之[3]，取其精润脏腑，滓秽当完出也。又为粉服之者，即使人淋壅。屑如麻豆，其义殊深[4]。

【校注】

［1］**辈** 《纲目》作"浸"。

［2］**笥** 玄《大观》作"筒"。

［3］**之** 柯《大观》作"食"。

［4］**深** 其后，《纲目》衍"化水法，在淮南三十六水法中"。

3 丹沙

味甘，微寒，无毒。主身体五脏百病，养精神，安魂魄，益气，明目，通血脉，止烦满，消渴，益精神，悦泽人面，**杀精魅**[1]**邪恶鬼**[2]，除中恶、腹痛、毒气、疥瘘、诸疮。**久服通神明不老**，轻身神仙。**能化为汞**，作末名真朱，光色如云母，可析[3]者良。生符陵山谷，采无时[4]。

恶磁石，畏咸水。 案，此化为汞及名真朱者，即是今朱砂也。俗医皆别取武都仇池雄黄夹[5]雌黄者，名为丹沙。方家亦往往俱用，此为[6]谬矣。符陵是涪州，接巴郡南，今无复采者。乃出武陵、西川诸蛮夷中，皆通属巴[7]地，故谓之巴沙。《仙经》亦用越沙，即出广州临漳者，此二处并好，惟须光明莹澈[8]为佳。如云母片者，谓云母沙。如樗蒲[9]子，紫石英形者，谓马齿沙，亦好。如大小豆及大块圆滑者，谓豆沙。细末碎者，谓末沙。此二种粗，不入药用，但可画用尔。采[10]

沙皆凿坎入数丈许。虽同出一郡县，亦有好恶。地有水井，胜火井也。炼饵之法，备载《仙方》[11]，最为长生之宝。 ［谨案］丹沙大略二种，有土沙、石沙。其土沙，复有块沙、末沙，体并重而色黄黑，不任画用，疗疮疥亦好，但不入心腹之药尔，然可烧之，出水银乃多。其石沙便有十数种[12]，最上者[13]光明沙，云一颗别生一石龛内，大者如鸡卵，小者如枣栗，形似芙蓉，破之如云母，光明照澈，在龛中石台上生，得之[14]者，带之辟恶为上，其次或出石中，或出水内，形块大者如拇指，小者如杏仁，光明无杂，名马牙沙，一名无重沙，入药及画俱善，俗间亦少有之。其有磨嵯[15]、新井、别井、水井、火井、芙蓉、石末、石堆、豆末等沙，形类颇相似，入药及画，当择去其杂土石，便可用矣。别[16]有越沙，大者如拳，小者如鸡鹅[17]卵，形虽大，其杂土石不如细明净者。经言末之名真朱，谬矣。岂有一物而以全、末为殊名者也。

【校注】

[1] **精魅** 森本"考异"云：《顿医钞》脱此2字。

[2] **邪恶鬼** "邪"，《新修》原作"耶"，据《千金翼》《证类》改。"鬼"，森本作"气"。

[3] **析** 《纲目》作"拆"。

[4] **生符陵山谷，采无时** 《本草经疏》无此文。

[5] **夹** 《图经衍义》、柯《大观》作"夾"。

[6] **方家亦往往俱用，此为** 《纲目》无此文。

[7] **巳** 玄《大观》作"已"。

[8] **惟须光明莹澈** "惟"，玄《大观》作"帷"。"澈"，武田本《新修》作"彻"。

[9] **蒲** 柯《大观》、玄《大观》作"蒱"。

[10] **采** 《纲目》作"朱"。

[11] **炼饵之法，备载《仙方》** 《纲目》改作"《仙方》炼饵"。

[12] **种** 《纲目》作"品"。

[13] **者** 其后，《纲目》增"为"字；《和名类聚钞》增"谓之"2字。

[14] **之** 玄《大观》、人卫《政和》、《纲目》《图经衍义》作"此"；商务《政和》作"北"。

[15] **嵯** 《纲目》作"笙"。

[16] **别** 人卫《政和》作"南"。

[17] **鹅** 《纲目》作"鸭"。

4 空青

味甘、酸，寒、大寒，无毒。主青[1]盲、耳聋，明目，利九窍，通血脉，养精神，益肝气[2]，疗目赤痛，去肤翳，止泪出，利水道，下乳汁，通关节，破坚积。久服轻身延年[3]不老[4]，令人不忘，志高、神仙。能化铜、铁、铅、锡作金[5]。生益州山谷[6]及越嶲山有铜处。铜精熏则生空青，其腹中空。三月中旬采，亦无时。

越巂属益州。 今出铜官者，色最鲜深，出始兴者弗如，益州诸郡无复有，恐久不采之故也。凉州西[7]平郡有空青山，亦甚多。今空青但[8]圆实如铁珠，无空腹者，皆凿土石中取之。又以合丹成，则化铅为金矣。诸石药中，惟此最贵。医方乃稀用之，而多充画色，殊为可惜。 ［谨案］此[9]物出铜处有，乃兼诸青，但空青为难得。今出蔚州、兰州、宣州、梓州，宣州者最好，块段细，时有腹中空者。蔚州、兰州者，片块大，色极深，无空腹者[10]。

【校注】

[1] **青** 孙本作"青"。

[2] **益肝气** 《纲目》注为《本经》文。

[3] **年** 问本、黄本作"季"。按，"年""季"古本草通用。

[4] **不老** 《御览》脱此2字。

[5] **能化铜、铁、铅、锡作金** 《图经衍义》脱此文；《御览》《艺文类聚》脱"铁""锡"2字；《纲目》注此文为《别录》文。

[6] **生益州山谷** 《艺文类聚》作"生山谷"，并将之置于"久服"之前。狩本、顾本无此文。

[7] **西** 《纲目》作"高"。

[8] **但** 《大观》作"俱"。

[9] **此** 商务《政和》作"凡"。

[10] **者** 其后，《纲目》衍"陶氏所谓圆实如铁珠者乃白青也"。按，此文原出于"白青"条陶弘景注，非"空青"条注。

5 绿青[1]

味酸，寒，无毒。主益气，疗鼽鼻[2]，止泄痢。生山之阴穴中，色青白。

此即用画绿[3]色者，亦出空青中，相带挟。今画[4]工呼为碧青，而呼空青作绿青，正[5]反矣。 ［谨案］绿青即扁青也，画工呼为石录。其碧青即白青也，不入画用。

【校注】

[1] **绿青** 《纲目》注为《本经》文，其他各本皆注为《别录》文。又《纲目》"绿青"条气味下脱"酸寒无毒"4字。

[2] **疗鼽鼻** "鼽"，《大观》《图经衍义》《品汇》皆注"音求"。《纲目》将此3字置于"止泄痢"之后。

[3] **画绿** "画"字，《新修》原似"昼"之繁体，"昼"中之"日"写作"田"。以下"今画""画工""画用"之"画"同此。今据《证类》改。

[4] **今画** 《新修》原作"分画"，据《证类》改。

[5] **正** 其后，《纲目》衍"相"字。

6 曾青[1]

味酸，小寒，无毒。主目痛，止泪出、风痹，利关节，通九窍，破癥坚、积聚，养肝阳，除寒热，杀白虫，疗头风、脑中寒，止烦渴，补不足，盛阴气。**久服轻身不老。能化金铜**[2]。生蜀中山谷及越巂[3]，采无时。

畏[4]菟丝子。　此说与空青同山，疗体亦相似。今铜官更无曾青，惟出始兴。形累累如黄连相缀，色理小[5]类空青，甚难得而贵，《仙经》少用之。化金之法，事同空青[6]。　〔谨案〕曾青出蔚州、鄂州，蔚州者好，其次鄂州[7]，余州并不任用。

【校注】

[1] 人卫《政和》将本条全文刻为黑字《别录》文，无白字《本经》的标记。

[2] **能化金铜**　《纲目》注为《别录》文，其他各本注为《本经》文。

[3] **生蜀中山谷及越巂**　《御览》作"生蜀郡名山，其山有铜者，曾青出其阳，青者铜之精"。"山谷"，《艺文类聚》作"益州"。

[4] **畏**　《医心方》作"恶"。

[5] **小**　《纲目》作"相"。

[6] **化金之法，事同空青**　《纲目》作"化金之事，法同空青"。

[7] **其次鄂州**　《纲目》作"鄂州者次之"。

7 白青

味甘、酸、咸[1]**，平，无毒。主明目，利九窍，耳聋，心下邪**[2]**气，令人吐，杀诸毒三虫。久服通神明，轻身延年不老**[3]。可消为铜剑，辟五兵。生[4]豫章山谷，采无时。

此医方不复用，市人亦[5]无卖者，惟《仙经》卅六水方中时有须处。铜剑之法，具在《九元子术》中。　〔谨案〕陶所云：今空青，圆如铁珠，色白而腹不空者，是也。研之色白如碧，亦谓之碧青，不入画用。无空青时，亦用之，名鱼目青，以形似鱼目故也[6]。今出简州、梓州者好。

【校注】

[1] **酸、咸**　《图经衍义》作"咸、酸"。

[2] **邪**　《新修》原作"耶"，据《千金翼》《证类》改。

[3] **延年不老**　《纲目》脱此4字；《御览》脱"不老"2字。

[4] **生**　《御览》作"出"。

［5］**人亦** 《纲目》脱此2字。

［6］**名鱼目青，以形似鱼目故也** 《和名类聚钞》引苏敬曰："白青一名鱼目青，似鱼目，故以名之。"

8 扁青

味甘，平，无毒。主目痛明目，折跌[1]**痈肿，金创**[2]**不瘳，破积聚，解毒气**[3]**，利精神，**去寒热风痹，及丈夫茎中百病，益精。**久服轻身不老。**生朱崖山谷武都、朱提，采无时。

《仙经》俗方都无用者。朱崖郡先属交州，在南海中，晋代省之，朱提郡今属宁州[4]。［谨案］此即前条陶谓绿青也是。朱崖巴[5]南及林邑、扶南舶上来者，形块大如拳，其色又青，腹中亦时有空者；武昌者，片块小而色更佳；兰州、梓州者，形扁作片，而色浅也。

【校注】

［1］**跌** 玄《大观》注"音迭"；成化《政和》、万历《政和》、商务《政和》作"跌"。

［2］**创** 《千金翼》《证类》《纲目》《品汇》、顾本、狩本、徐本作"疮"；《新修》、孙本、问本、黄本、周本作"创"。按，"疮""创"古本草通用。

［3］**解毒气** 《御览》卷988作"辟毒"。

［4］**《仙经》……宁州** 《纲目》改作"朱提音殊匙，在南海中，《仙经》俗方都无用者"。

［5］**巴** 《纲目》作"巳"。

9 石胆

味酸，辛，寒，有毒。主明目目痛，金创[1]**，诸痫痓，女子阴蚀痛，石淋，寒热，崩中下血，诸邪**[2]**毒气，令人有子，**散癥积，咳逆上气，及鼠瘘恶疮。**炼饵服之，不老**[3]**，久服，增寿神仙**[4]**。能化铁为铜，成**[5]**金银。一名毕石，**一名黑石[6]，一名碁[7]石，一名铜勒。生羌道山谷羌里句[8]青山。二月庚子、辛丑日采[9]。

水英为之使，畏牡[10]桂、菌桂、芫[11]花、辛夷、白薇。 《仙经》有[12]用此处，俗方甚少，此药殆绝。今人时有采者，其色青绿，状如琉璃而有白文，易破折。梁州、信都无复有，俗用乃以青色矾石当之，殊无仿佛。《仙经》一名立制石。 ［谨案］此物出铜处有，形似曾青，兼绿相间，味极酸、苦，磨铁作铜色，此是真者。陶云色似琉璃，此乃绛矾。比来亦用绛矾为石胆[13]，又以醋揉青矾为之，并伪矣。真者出蒲州虞乡县东亭谷窟及薛集窟中，有块如鸡卵者为真。

【校注】

[1] **创** 《新修》、森本、问本作"创"，其他各本皆作"疮"。

[2] **邪** 《新修》原作"耶"，据《千金翼》《证类》改。

[3] **炼饵服之，不老** 《御览》移此文于"成金银"之后。"服"，《御览》作"食"。

[4] **久服，增寿神仙** 玄《大观》、柯《大观》、《大全》刻为黑字《别录》文，人卫《政和》、商务《政和》、成化《政和》、万历《政和》、《纲目》、森本、顾本、孙本等皆注为《本经》文，应以人卫《政和》等为是。

[5] **成** 其前，《御览》《纲目》有"合"字。

[6] **黑石** "黑"，《和名》作"墨"。《纲目》注"黑石"2字为《本经》文，其他各本皆注为《别录》文。

[7] **蓉** 《和名》作"基"。

[8] **句** 《新修》原作"勾"，据《千金翼》《证类》改。

[9] **生羌道……辛丑日采** 《纲目》改作"生秦州羌道山谷大石间，或羌里句青山，二月庚子、辛丑日采。其为石也，青色多白文，易破，状似空青。能化铁为铜，合成金银"。该文中"其为……空青"15字，《新修》《千金翼》《证类》俱无，但《御览》卷987"石胆"条所引《本经》条文有。

[10] **牡** 其后，《图经衍义》衍"丹"字。

[11] **芜** 成化《政和》、商务《政和》作"羌"。

[12] **有** 《纲目》作"时"。

[13] **亦用绛矾为石胆** 《纲目》改作"人亦以充之"。

10 云母

味甘，平，无毒。主身皮[1]**死肌、中风寒热，如在车船**[2]**上，除邪**[3]**气，安五脏，益子精，明目**，下气，坚肌，续绝，补中，疗五劳七伤，虚损少气，止痢。**久服轻身延年**，悦泽不老，耐寒暑，志高神仙。**一名云珠，色多赤。一名云华，五色具。一名云英，色多青。一名云液，色多白。一名云沙，色青黄**[4]**。一名磷石，色正白。生太山山谷齐、庐山，及琅玡北定山石间，二月采**[5]。

泽泻为之使，畏鲖[6]甲，反[7]流水，恶徐长卿[8]。 案，《仙经》云母乃有八种：向日视之，色青白多黑者名云母，色黄白多青名云英，色青黄[9]多赤名云珠，如冰[10]露乍黄乍白名云沙，黄白晶晶名云液，皎然纯白明澈名磷石，此六种并好服，而各有时月；其黯黯纯黑，有文斑斑如铁者名云胆，色杂黑而强肥者名地涿，此二种并不可服。炼之有法，惟宜精细；不尔，入腹大害人。今虚劳家丸散用之，并只捣筛，殊为未允[11]。琅玡在彭城东北，青州亦有。今江东惟用庐山者为胜，以沙土养之，岁月生长。今炼之用矾石则柔烂，亦便是相畏之效。百草上露，乃胜东流水，亦用五月茅屋溜水。

【校注】

[1] **皮** 《纲目》作"痹"。

[2] **牟船** 《本经疏证》作"舟车"。

[3] **邪** 《新修》原作"耶"，据《千金翼》《证类》改。

[4] **色青黄** 《和名》作"色多黄"。

[5] **一名云珠……二月采** 《纲目》改作"云母生太山山谷、齐山、庐山及琅琊北定山石间，二月采之，云华五色具，云英色多青，云珠色多赤，云液色多白，云沙色青黄，磷石色正白"。又《纲目》"云母"条"释名"项下，对"磷石"脱漏标记。

[6] **鳢** 《证类》《纲目》《本经疏证》作"鮀"，《新修》《集注》作"鳢"，应以《新修》等为是。

[7] **反** 《新修》《证类》作"及"，《纲目》作"东"，《集注》《医心方》作"反"，应以《集注》等为是。

[8] **恶徐长卿** 《新修》原脱，据《集注》《医心方》《千金翼》补。

[9] **黄** 《纲目》作"白"。

[10] **冰** 《纲目》作"沐"。

[11] **今虚劳……珠为未允** 《纲目》脱此文。

11 石[1]钟乳

味甘，温，无毒。主咳逆上气，明目，益精[2]，安五脏，通百节，利九窍，下乳汁，益气，补虚损，疗脚弱疼冷，下焦伤[3]竭，强阴。久服延年益寿，好颜色，不老，令人有子。不练服之，令人淋。一名公[4]乳，一名芦石，一名夏石。生少室山谷及太山，采无时。

蛇床为之使，恶牡丹、玄石、牡蒙，畏紫石英、蘘草。　少室犹连嵩山也。第一出始兴，而江陵及东境名山石洞亦皆有。惟通中轻薄如鹅翎管，碎之如爪甲，中无雁齿，光明者为善。长挺乃有一二尺者。色黄，以苦酒洗刷则白。《仙经》用之少[5]，而俗方所重，亦甚贵[6]。　［谨案］钟乳第一始兴，其次广、连、澧、朗、郴等州者，虽厚而光润可爱，饵之并佳。今峡[7]州、青溪、房州三洞出者，亚于始兴。自[8]余非其土地，不可轻服。多发淋渴，止可捣筛，白练裹之，合诸药草浸酒服之。陶云钟乳一、二尺者，谬说。

【校注】

[1] **石** 《医心方》《真本千金方》脱此字。

[2] **明目，益精** 《御览》移此文于"咳逆"之前。

[3] **伤** 《千金翼》作"肠"。

[4] **公** 其前，《御览》《纲目》衍"留"字。

[5] **用之少** 《纲目》作"少用"。

[6] **亦甚贵** 《纲目》脱此3字。

[7] **峡** 《纲目》作"陕"。

[8] **自** 《纲目》作"其"。

12 朴消

味苦[1]、辛，**寒、大寒，无毒。主百病，除寒热邪**[2]**气，逐六腑积聚、结固留**[3]**癖、胃中食饮热结，破留血、闭绝，停痰**[4]**痞满，推陈致新。能化七十二种石。炼饵服之，轻身神仙。**炼之白如银，能寒能热，能滑能涩，能辛，能苦[5]，能咸能酸，入地千岁[6]不变，色青白者佳，黄者伤人，赤者杀人。一名消石朴。生益州山谷有咸水之阳[7]，采无时[8]。

畏[9]麦句姜。　今出益州北部故汶山郡、西川、蚕陵二县界，生山崖上，色多青白，亦杂黑斑。俗[10]人择取白软者，以当消石用之，当烧令汁沸出，状如矾石也[11]。《仙经》惟云消石能化他石。今此亦云能化石，疑必相似，可试之。　　〔谨案〕此物有二种：有纵理、缦[12]理，用之无别。白软者，朴消苗也，虚软少力，炼为消石，所得不多，以当消石，功力大劣也。

【校注】

[1] **苦** 《纲目》注为《别录》文，其他各本注为《本经》文。

[2] **邪** 《新修》原作"耶"，据《千金翼》《证类》改。按，"耶"为"邪"古写法。

[3] **固留** 《御览》无此2字。

[4] **痰** 《新修》原作"淡"，据《千金翼》《证类》改。按，"痰""淡"古本草通用。

[5] **能苦** 《纲目》脱此2字。

[6] **岁** 《纲目》作"年"。

[7] **生益州……之阳** 《御览》作"生山谷之阴，有咸苦之水，状如芒消而粗"。

[8] **色青白……采无时** 《纲目》改作"生益州山谷，有咸水之阳，采无时，色青白者佳，黄者伤人，赤者杀人，又曰芒消生于朴消"。又《本经逢原》认为"朴消"条与"消石"条的主治文相互错简。

[9] **畏** 《纲目》作"恶"。

[10] **俗** 《纲目》作"土"。

[11] **今出益州……矾石也** 《纲目》将此文并入"消石"条中。

[12] **缦** 《新修》原作"缓"，据《证类》改。

13 消石

味苦[1]、辛，**寒、大寒，无毒。主五脏积热、胃胀闭**[2]**，涤去蓄结饮食，推陈致新，除邪**[3]**气，**疗五脏十二经脉中百二十疾、暴伤寒、腹中大热，止烦满消渴，利小便及瘘蚀疮。**炼之如膏，久服轻身。**天地至神之物，能化成十二种石[4]。**一名芒消**[5]。生益州山谷及武都、陇西、西羌，采无时。

萤火[6]为之使，恶苦参、苦菜，畏女菀。 疗病亦与朴消相似，《仙经》多用此消化诸石，今无正识别此者。顷来寻访，犹云与朴消同山[7]，所以朴消名消石朴也，如此则非一种物。先时[8]有人得一种物，其色理与朴消大同小异，朏朏如握盐雪不冰，强[9]烧之，紫青烟起，仍成灰，不停沸如朴消，云是真消石也。此又云一名芒消，今芒消乃是练朴消作之。与后皇甫说同，并未得核研其验，须试效，当更证记[10]尔。化消石法，在三十六水方中。陇西属[11]秦州，在长安西羌中。今宕昌以北[12]诸山有咸土处皆有之。 ［谨案］此即芒消是也。朴消一名消石朴，今练粗恶朴消，淋取汁煎，练作芒消，即是消石。《本经》一名芒消，后人更出芒消条，谬矣[13]。

【校注】

［1］**苦** 其前，《御览》有"酸"字。

［2］**胀闭** "胀"，孙本、问本、周本、黄本作"张"，《证类》《千金翼》《品汇》《纲目》《本草经疏》《本草经解》、森本、狩本、顾本作"胀"，应以《证类》等为是。"闭"，《图经衍义》作"间"。

［3］**邪** 《新修》原作"耶"，据《千金翼》《证类》改。

［4］**能化成十二种石** "成"，《纲目》《本经逢原》《品汇》作"七"，又《本经逢原》根据此文，认为"消石"条与"朴消"条的主治文相互错简。

［5］**一名芒消** 人卫《政和》、商务《政和》、《大全》《纲目》注为《别录》文，孙本、顾本不取此4字为《本经》文，柯《大观》、玄《大观》、森本注为《本经》文。按，《证类》"消石"条"唐本注"云："本经一名芒消"；同书"芒消"条陶弘景注云："《神农本经》……消石名芒消"。据此"一名芒消"应为《本经》文。

［6］**萤火** 《新修》《证类》《纲目》皆作"火"，无"萤"字；《集注》《医心方》作"萤火"；应以《集注》等为是。

［7］**顷来寻访，犹云与朴消同山** 《纲目》改作"或云与朴消同出"。

［8］**先时** 《纲目》脱此2字，玄《大观》作"先特"。

［9］**盐雪不冰，强** "盐"，《新修》原脱，据《证类》补。"不冰强"，《纲目》脱此3字。

［10］**记** 《新修》原作"起"，据《证类》改。

［11］**属** 《政和》作"蜀"。

［12］**北** 柯《大观》作"北"，人卫《政和》作"此"。

［13］**疗病亦与……谬矣** 经与《新修》《证类》相校，发现《纲目》"消石"条所援引的"弘景曰""恭曰"（即"唐本注"）大都经修改删节。

14 芒消

味辛、苦，大寒。主五脏积聚，久热、胃闭，除邪[1]气，破留血，腹中痰实结搏[2]，通经脉，利大小便及月水，破五淋，推陈致新。生于朴消。

石韦为之使，畏[3]麦句姜。　案，《神农本经》无芒消，只有消石，名芒消尔。后名医别载此说[4]，其疗与消石正同，疑此即是消石。旧出宁州，黄白粒大，味极辛、苦。顷来宁州道断都绝。今医家多用煮炼作者，色全白，粒细，而味不甚烈。此云生于朴消，则作者亦好。又皇甫士安解散消石大凡说云：无朴消可用消石，生山之阴，盐之胆也。取石脾与消石，以水煮之，一斛得三斗，正白如雪，以水投中即消，故名消石。其味苦，无毒。主消渴热中，止烦满[5]，三月采于赤山。朴消者，亦生山之阴，有盐咸苦之水，则朴消生于其阳。其味苦无毒，其色黄白，主疗热，腹[6]中饱胀，养胃消谷，去邪气，亦得水而消，其疗与消石小异。按如此说，是取芒消合煮，更成为真消石，但不知石脾复是何物？本草乃有石脾、石肺，人无识者，皇甫既是安定人，又明医药，或当详。炼之[7]以朴消作芒消者，但以暖汤淋朴消，取汁清澄煮之减半，出着木盆中[8]，经宿即成，状如白石英，皆六道也，作之忌杂人临视[9]。今益州人复炼矾石作消石，绝柔白，而味犹是矾石尔。孔氏解散方又云：熬炼消石令沸定汁尽。如此，消石犹是有汁也。今仙家须之，能化他石，乃用于理第一。　　［谨案］晋宋古[10]方，多用消石，少用芒消，近代诸医但用芒消，鲜[11]言消石，岂古人昧于芒消也。《本经》云生于朴消，朴消一名消石朴，消石一名芒消，理既明白，不合重出之。

【校注】

[1] 邪　《新修》原作"耶"，据《证类》改。

[2] 痰实结搏　"痰"，《新修》作"淡"，据《千金翼》《证类》改。按，"痰""淡"古本草通用。"实"，《本草经疏》作"食"；"搏"，柯《大观》、玄《大观》、《图经衍义》作"博"。

[3] 畏　《新修》《证类》作"恶"，《集注》《医心方》作"畏"，应以《集注》等为是。

[4] 后名医别载此说　《纲目》作"后《名医别录》载此说"。

[5] 满　玄《大观》作"蒲"。

[6] 腹　《新修》原作"肠"，商务《政和》亦作"肠"，据《证类》改。

[7] 本草……炼之　《纲目》无此文。

[8] 但以……着木盆中　《纲目》作"用暖汤淋汁煮之，着木盆中"。"着"，《证类》作"著"。

[9] 状如……临视　《纲目》无此文。

[10] 古　玄《大观》作"石"。

[11] 鲜　《新修》原作"斜"，据《证类》改。

15　矾[1]石

味酸[2]，寒，无毒。主寒热，泄痢，白沃，阴蚀，恶疮[3]，目痛，坚骨齿[4]，除固热在骨髓，去鼻中息肉。炼饵服之[5]，轻身不老，增年[6]。岐伯云：久服伤人骨。能使铁为铜[7]。一名羽硟[8]，一名羽泽。生河西山谷，及陇西武都、石门，采无时。

甘草为之使，恶牡[9]蛎。　今出益州北部西川，从河西来。色青白，生者名马齿矾。已练成绝[10]白，蜀人又[11]以当消石名白矾。其黄黑者名鸡屎矾，不入药，惟堪镀作以合熟[12]铜。投苦酒中，涂铁皆作铜色。外虽铜色，内质不变。《仙经》单饵之，丹方亦用。俗中合药，皆先火熬令沸燥，以疗齿痛，多即坏齿，是伤骨之证，而云坚骨齿，诚为疑也[13]。　［谨案］矾石有五种：青矾、白矾、黄矾、黑矾、绛矾[14]，然白矾多入药用；青黑二矾，疗疳及诸疮；黄矾亦疗疮生肉，兼染皮用之；其绛矾本来绿色，新出窟未见风者，正如琉璃，陶及今人谓之石胆，烧之赤色，故名绛矾矣，出瓜州[15]。

【校注】

［1］矾　《新修》《和名》《医心方》、森本作"樊"，孙本据郭璞注《山海经》引作"湼"，据《千金翼》《御览》《证类》《纲目》改。

［2］酸　其前，《御览》有"咸"字。

［3］疮　孙本作"创"。

［4］坚骨齿　《御览》作"坚骨"，孙本作"坚筋骨齿"。

［5］服之　《御览》作"久服"。

［6］增年　问本、黄本作"增季"，《御览》无此2字。

［7］能使铁为铜　《纲目》移其于"采无时"之后。

［8］硅　狩本、《和名》作"湼"。

［9］牡　成化《政和》、商务《政和》作"壮"。

［10］绝　《纲目》作"纯"。

［11］又　玄《大观》脱此字。

［12］熟　《新修》原作"热"，据《证类》改。

［13］《仙经》……疑也　《纲目》无此文。

［14］矾石有五种：青矾、白矾、黄矾、黑矾、绛矾　《和名类聚钞》引苏敬曰："矾石有青矾、黑矾、绿矾、黄矾、白矾五种。"

［15］新出窟……出瓜州　《纲目》改为"烧之乃赤，故名绛矾"。

16　滑石

味甘，寒[1]、大寒，无毒。主身热、泄澼，女子乳难，癃闭，利小便，荡胃中积聚寒热，益精气，通九窍六腑津液，去留结，止渴，令人利中。**久服轻身，耐饥，长年。**一名液石，一名共石，一名脱[2]石，一名番石。生赭[3]阳山谷，及太山之阴，或掖北白山，或卷山[4]，采无时。

石韦为之使，恶曾[5]青。　滑石色正白，《仙经》用之以为泥。又有冷石，小青黄，性并冷利，亦能熨油污衣物[6]。今出湘州、始安郡诸处。初取软如泥，久渐坚强，人多以作冢[7]中明器物，并散热人用之，不正入方药[8]。赭[9]阳县先属南阳，汉哀帝置，明《本经》所注郡县，必是后汉时也[10]。掖县属青州东莱，卷县属司州荥阳。　　[谨案]此石所在皆有。岭南始安出者，白如凝脂，极软滑[11]。其出掖县者，理粗质青白[12]黑点，惟可为器，不堪入药。齐州南山神通寺南谷亦大有，色青白不佳，至于滑腻，犹胜掖县者[13]。

【校注】

[1] **味甘，寒**　《本草经解》改作"气寒味甘无毒"。"甘"，《御览》作"苦"。

[2] **脱**　《本草和名》《和名类聚钞》作"脆"。

[3] **赭**　《御览》作"棘"。

[4] **或掖北白山，或卷山**　两个"或"字，《新修》原作"惑"，据《千金翼》《证类》改。

[5] **曾**　玄《大观》作"会"。

[6] **又有冷石……油污衣物**　《纲目》移其于"司州荥阳"之后。

[7] **冢**　《纲目》作"家"。

[8] **并散热人用之，不正入方药**　《纲目》脱此文。

[9] **赭**　《新修》原作"诸"，据《证类》改。

[10] **汉衰……时也**　《纲目》无此文。

[11] **滑**　其后，《和名类聚钞》衍"故以名之"。

[12] **白**　《纲目》作"有"。

[13] **至于滑腻，犹胜掖县者**　《纲目》改作"而滑腻则胜"。

17　紫石英[1]

味甘、辛，温[2]，**无毒**[3]。**主心腹咳**[4]**逆邪**[5]**气，补不足，女子风寒在子宫，绝孕十年**[6]**无子**，疗上气心腹痛，寒热邪气结气，补心气不足，定惊悸，安魂魄，填下焦，止消渴，除胃中久寒，散痈肿，令人悦泽。**久服温中，轻身延年。**生太山山谷，采无时。

长石为之使[7]，得伏苓、人参、芍药共疗心中结气；得天雄、昌蒲共疗霍乱。畏扁青、附子，不欲鳢[8]甲、黄连、麦句姜。　今第一用太山石，色重澈，下有根。次出雹零山，亦好。又有南城石，无根。又有青绵石，色亦重黑，不[9]明澈。又有林邑石，腹里必有一物如眼。吴兴石四面才有紫色，无光泽。会稽诸暨石，形色如石榴子。先时并杂用，今丸散家采择，惟太山最胜，余处者，可作丸酒饵[10]。《仙经》不正用，而为俗方所重也[11]。

【校注】

[1] **英**　《真本千金方》脱此字。

[2] **味甘、辛，温**　《本草经解》作"气温，味甘"。

[3] **无毒**　《本草经解》注为《本经》文。

　　［4］咳　《御览》作"呕"，

　　［5］邪　《新修》原作"耶"，据《证类》改。

　　［6］年　问本、黄本作"季"。

　　［7］使　成化《政和》、商务《政和》作"便"。

　　［8］不欲鳕　"不欲"，《纲目》改作"恶"。"鳕"，《证类》《图经衍义》《纲目》《本经疏证》作"鲍"，《新修》《集注》作"鳕"，应以《新修》等为是。

　　［9］不　《纲目》脱此字。

　　［10］今丸散家……可作丸酒饵　《纲目》改作"今惟采太山最胜"。

　　［11］而为俗方所重也　《纲目》改作"而俗方重之"。

18　白石英

　　味甘、辛[1]，**微温，无毒。主消渴，阴痿不足，咳**[2]**逆，胸膈间久寒**[3]，　**益气，除风湿痹**[4]，疗肺痿，下气，利小便，补五脏，通日月光。**久服轻身长年，耐寒热。**生华阴山谷，及太山，大如指，长二、三寸，六面如削，白澈有光[5]。其黄端白棱名黄石英，赤端名赤石英，青端名青石英，黑端名黑石英[6]。二月采，亦无时。

　　恶马目毒公。　今医家用新安所出，极细长白澈者；寿阳八公山多大者，不正用之。《仙经》大小并有用，惟须精白无瑕杂者。如此说，则大者为佳。其四色英，今不复用。　［谨案］白石英所在皆有，今泽州、虢州、洛州山中俱出虢州者大，径三四寸，长五六寸。今通以泽州者为胜也。

【校注】

　　［1］甘、辛　玄《大观》作"四三"。

　　［2］咳　《御览》作"呕"。

　　［3］胸膈间久寒　《御览》脱"胸"字；并移此文于"除风湿痹"之后。"间"，孙本、问本、周本、黄本均作"闲"。

　　［4］除风湿痹　《御览》脱"风"字。玄《大观》作"除二山痹"。

　　［5］澈有光　"澈"，《图经衍义》作"微"。"光"字后，《纲目》衍"长五六寸者弥佳"。

　　［6］其黄端白棱名黄石英，赤端名赤石英，青端名青石英，黑端名黑石英　《纲目》改作"其黄端白棱，名黄石英；赤端白棱，名赤石英；青端赤棱，名青石英；黑泽有光，名黑石英"。《御览》作"黄石英，形如白石英，黄色如金在端者是。赤石英，形如白石英，赤端，故赤泽有光，味苦，补心气。青石英，形如白石英，青端赤后者是。黑石英，形如白石英，黑泽有光"。

19　青石、赤石、黄石、白石、黑石脂

　　味甘，平。主黄疸，泄痢[1]，**肠澼**[2]，**脓血，阴蚀，下血，赤白，邪气，痈**

肿，疽痔，恶疮^[3]，头疡，疥瘙。久服补髓，益气，肥健，不饥，轻身，延年。五石脂各随五色，补五脏。生南山之阳山谷中。

青石脂，味酸，平，无毒。主养肝胆气，明目，疗黄疸，泄痢^[4]，肠澼^[5]，女子带下百病，及疽痒，恶疮^[6]。久服补髓，益气，不饥，延年。生齐区山及海崖，采无时。赤石脂，味甘、酸、辛，大温，无毒。主养心气，明目，益精，疗腹痛，泄^[7]澼，下痢赤白，小便利，及痈疽疮痔，女子崩中漏下，产难，胞衣不出^[8]。久服补髓，好颜色，益智，不饥，轻身延年。生济南，射阳，及^[9]太山之阴，采^[10]无时。

恶大黄，畏芫花。　　［谨案］此石济南太山不闻出者，今虢州卢氏县、泽州陵川县及慈州吕乡县并有，色理鲜腻，宜州诸山亦有。此五石脂中，又有石骨，似骨，如玉坚润，服之力胜钟乳。

黄石脂，味苦，平，无毒。主养脾气，安五脏，调中，大人小儿泄痢肠澼，下脓血，去白虫，除黄疸，痈疽虫。久服轻身延年。生嵩高山，色如莺雏，采无时。

曾青为之使，恶细辛，畏蜚蠊。

白石脂，味甘、酸，平，无毒。主养肺气，厚肠，补骨髓，疗五脏惊悸不足，心下烦，止腹痛下水，小肠澼热溏，便脓血，女子崩中，漏下，赤白沃，排痈疽疮痔。久服安心，不饥，轻身长年。生太山之阴，采无时。

得厚朴并米汁饮，止便脓。燕屎^[11]为之使，恶松脂，畏黄芩。　　［谨案］白石脂，今出慈州诸山，胜于余处者。太山左侧，不闻有之。

黑石脂，味咸，平，无毒。主养肾气，强阴，主阴蚀疮，止肠澼泄痢，疗口疮咽痛。久服益气，不饥，延年。一名石涅，一名石墨。出颍^[12]川阳城，采无时。

此五石脂如《本经》，疗体亦相似。《别录》各条，所以具载，今俗用赤石、白石二脂尔。《仙经》亦用白石脂，以涂丹釜。好者出吴郡，犹与赤石脂同源。赤石脂多赤而色好，惟可断下，不入五石散用。好者亦出武陵、建平、义阳。今五石散皆用义阳者，出郢县界东八十里，状如豚脑，色鲜红可爱，随采随^[13]复而生，不能断痢，而不用之。余三色脂有，而无正用，黑石脂乃可画用尔。

［谨案］义阳即申^[14]州也，所出者，名桃花石，非五色脂，色如桃花，久服肥人。土人亦以疗下利，旧出苏州余杭山大有，今不收采尔。

【校注】

［1］**痢**　《新修》作"利"。

［2］**澼**　孙本作"癖"。下同。

［3］**疮**　问本、周本、黄本作"创"。

［4］**痢**　《新修》作"利"。

［5］**澼**　孙本作"癖"。下同。

［6］疮　问本、周本、黄本作"创"。

［7］泄　《纲目》作"肠"。

［8］出　《本草经疏》作"下"。

［9］及　《纲目》作"又"。

［10］采　其前，《纲目》衍"并"字。

［11］燕屎　万历《政和》、《本经疏证》作"鹰屎"，《千金翼》作"燕粪"，《医心方》作"鸡矢"，《新修》作"燕屎"，应以《新修》为是。

［12］颖　《新修》、万历《政和》、商务《政和》作"类"，玄《大观》、柯《大观》、人卫《政和》、成化《政和》、《图经衍义》作"颖"，应以《大观》等为是。

［13］随　人卫《政和》脱此字。

［14］申　《新修》原作"中"，据《证类》改。

20　太一禹[1]馀粮

味甘，平，无毒。主咳逆上气，癥瘕，血闭，漏下，除邪气[2]，肢节不利[3]，大饱绝力身重。久服耐[4]寒暑，不饥，轻身，飞行千里，神仙。一名石脑。生太山山谷，九月采。

杜仲为之使，畏贝母、昌蒲、铁落。　今人惟总呼为太一禹馀粮，自专是禹馀粮尔，无复识太一者，然疗体亦相似，《仙经》多用之，四镇丸亦总名太一禹馀粮[5]。　［谨案］太一馀粮及禹馀粮，一物而以精、粗为名尔。其壳如[6]瓷，方圆不定，初在壳中未凝结者，犹是黄水，名石中黄子。久凝乃有数色，或青或白，或赤或黄。年多变赤，因赤渐紫。自赤及紫[7]，俱名太一。其诸色通谓馀粮。今太山不见采得者，会稽、王屋、泽、潞州诸山皆有之[8]。

【校注】

［1］禹　《新修》《证类》《纲目》、孙本、顾本皆脱，《集注》《医心方》《真本千金方》、森本皆有"禹"字，应以《集注》等为是。

［2］除邪气　"除"，孙本、问本作"馀"。"邪"，《新修》原作"耶"，据《千金翼》《证类》改。《御览》脱"气"字。又《大全》注"邪气"2字为《别录》文。

［3］肢节不利　《纲目》注为《本经》文。

［4］耐　《御览》作"能忍"。

［5］今人……总名太一禹馀粮　《纲目》以苏颂《本草图经》部分注文和禹馀粮的部分陶弘景注代替此文。

［6］如　《证类》作"若"。

［7］自赤及紫　《纲目》作"紫及赤者"。

［8］会稽、王屋、泽、潞州诸山皆有之　"泽"字后，《大观》衍"州"字。"之"字后，《纲目》衍"陶云：黄赤色，疑是太一，然无壳裹，殊非的称"。按，此文原属于"禹馀粮"条下《新修》注文。

21　石中黄子

味甘，平，无毒。久服轻身延年，不老。此属余粮壳中，未成余粮黄浊水也。出余粮处有之。陶云：芝品中有石中黄子，非也[1]。　新附

【校注】

[1]　**陶云……非也**　《纲目》无此文。

22　禹馀粮

味甘，寒、平，无毒。主咳逆，寒热、烦满，下[1]赤白，血闭、癥瘕、大[2]热，疗小腹痛结烦疼。炼饵服之，不饥，轻身延年[3]。一名白馀粮。生东海池泽，及山岛中[4]或[5]池泽中。

今多出东阳，形如鹅鸭卵，外有壳重叠，中有黄细末如蒲黄，无沙者为佳。近年茅山凿地大得之，极精好，乃有紫华靡靡[6]。《仙经》服食用之。南人又呼平泽中有一种藤，叶如菝葜，根作块有节，似菝葜而色赤，根形[7]似署预，谓为禹馀粮。言昔禹行山乏食，采此以充粮，而弃其馀，此云白馀粮也，生池泽复有仿佛。或疑今石者，即是太一也。张华云：池多蓼者，必有馀粮，今庐江间便是也。适有人于铜官采空青于石坎，大得黄赤色石，极似今之馀粮，而色过赤好，疑此是太一也。彼人呼为雌黄，试涂物，正如雄黄色尔。　　［谨案］陶云：黄赤色石，疑是太一。既无壳裹，未是馀粮，疑谓太一，殊非的称[8]。

【校注】

[1]　**下**　其后，《御览》衍"痢"字；森本据《御览》补"痢"。

[2]　**大**　《千金翼》作"太"。

[3]　**炼饵服之，不饥，轻身延年**　《御览》作"久服轻身"。

[4]　**及山岛中**　孙本注为《本经》文，其他各本注为《别录》文。

[5]　**或**　《新修》原作"惑"，据《千金翼》《证类》改。

[6]　**乃有紫华靡靡**　《纲目》改作"状如牛黄，重重甲错，其佳处乃紫色靡靡如面，嚼之无复磣"。按，此文原出苏颂《本草图经》，李时珍移注于此。

[7]　**根形**　《纲目》改作"味"。

[8]　**言昔……殊非的称**　《纲目》删节后移注"太一禹馀粮"条下。

《新修本草》　玉石等部上品卷第三

玉石等部中品　卷第四

23 金屑	24 银屑	25 **水银**
26 **雄黄**	27 **雌黄**	28 **殷孽**
29 **孔公孽**	30 石脑	31 **石流黄**
32 阳起石	33 **凝水石**	34 **石膏**
35 **磁石**	36 玄石	37 **理石**
38 长石	39 **肤青**	40 **铁落**
41 铁	42 生铁	43 罢铁
44 **铁精**	45 光明盐_{新附}	46 绿盐_{新附}
47 密陀僧_{新附}	48 紫矿、麒麟竭_{新附}	49 桃花石_{新附}
50 珊瑚_{新附}	51 石花_{新附}	52 石床_{新附}

右玉石部合卅种十六种《神农本经》，六种《名医别录》，八种新附。

23　金屑

味辛，平，有毒。主镇精神，坚骨髓，通利五脏，除邪毒气[1]，服之神仙。生益州[2]，采无时。

金之所生，处处皆有，梁、益、宁三州及建晋多有[3]，出水沙中，作屑，谓之生金。辟恶而有毒，不炼服之杀人。建、晋[4]亦有金沙，出石中，烧熔鼓铸为埚[5]，虽[6]被火亦未熟，犹须更炼。又[7]高丽、扶南及西域外国成器，金[8]皆[9]炼熟可服。《仙经》以醯[10]、蜜及猪肪、牡[11]荆、酒辈炼饵柔软，服之神仙。亦以合水银作丹沙[12]外，医方都无用，当是犹虑其毒害[13]故也。《仙方》名金为太真[14]。

【校注】

[1] **除邪毒气**　《纲目》《食货典》改作"邪气"。"邪"，《新修》原作"耶"，据《证类》改。

[2] **州**　武田本《新修》作"翔"。

[3] **有**　《新修》原脱，据《证类》补。

[4] **建、晋**　《证类》《纲目》作"建安、晋平"，《新修》作"建、晋"，应以《新修》为是。

[5] **烧熔鼓铸为埚**　《新修》、武田本《新修》原作"烧辙下之为饼"，据《证类》改。

[6] **虽**　《新修》原作"裧"，据《证类》改。

[7] **又**　《证类》《纲目》《图经衍义》皆脱。

[8] **金**　《证类》《纲目》《图经衍义》皆脱。

[9] **皆**　《新修》原作"階"，据《证类》改。

[10] **醯**　人卫《政和》、《大观》《纲目》作"醯"，商务《政和》作"醯"。

[11] **牡**　《新修》作"狂"，武田本《新修》作"杜"，据《证类》改。

[12] **沙**　《新修》原脱，据《证类》补。

[13] **犹虑其毒害**　"其"，《新修》原作"某"，据《证类》改。又此5字《证类》改作"虑其有毒"。

[14] **《仙方》名金为太真** 《纲目》无此文。"太真",《新修》作"大正",武田本《新修》作"大真之",据《证类》改。

24 银屑

味辛,平,有毒。主安五脏,定心神,止惊悸,除邪[1]气,久服轻身长年。生永昌,采无时。

银之[2]所出处,亦与金同,但皆是生石中耳[3]。炼饵法亦相似[4]。今医方合[5]镇心丸用之,不可正服[6]尔。为屑当以水银磨令[7]消也。永昌本属益州。今[8]属宁州,绝远不复宾附[9]。《仙经》又有服炼[10]法,此当无正主疗,故不为《本草》所载。古者[11]名金为[12]黄金,银为白金,铜为赤金[13]。今铜[14]有生熟,炼[15]熟者柔赤,而本草并无用。今铜青及大钱[16]皆入方用,并是生铜,应在下品之例也。 〔谨案〕银之与金,生不同处,金又兼出水中[17]。方家[18]用银屑,当取见成银薄,以水银消之为泥。合[19]消石及盐研为粉,烧出水银,淘[20]去盐石,为粉极细,用之乃[21]佳。不得已乃[22]磨取屑耳。且银所在皆有,而以虢州者为胜,此外多锡[23]秽为劣。高丽作帖者,云非银[24]矿所出,然色青不如虢州者。又有黄银,《本草[25]》不载,俗云[26]为器辟恶,乃为瑞[27]物也。

【校注】

[1] **邪** 《新修》原作"耶",据《千金翼》《证类》改。

[2] **之** 《新修》原脱,据《证类》补。

[3] **但皆是生石中耳** 《新修》原脱"生"字,据《证类》补。又此句《纲目》改作"但是生土中也"。

[4] **相似** 《纲目》作"似金"。

[5] **合** 商务《政和》作"土",《纲目》脱"合"字。

[6] **服** 《新修》、武田本《新修》皆脱,据《证类》补。

[7] **磨令** 《证类》《纲目》作"研令",《新修》作"磨金",武田本《新修》作"磨令",应以武田本《新修》为是。

[8] **今** 《新修》原作"令",据《证类》改。

[9] **绝远不复宾附** 《新修》、武田本《新修》有此文,其他各本无之。

[10] **炼** 《新修》原作"珠",据《证类》改。

[11] **古者** 《新修》原作"右旧",据《证类》改。

[12] **为** 《新修》原作"乌",据《证类》改。

[13] **银为白金,铜为赤金** 《新修》原作"银为白银,铜为赤铜",据《证类》改。

[14] **铜** 《新修》原作"银",据《证类》改。

[15] **炼** 《新修》原作"陈",据《证类》改。

[16] **钱** 《新修》原作"铜铁",据《证类》改。

[17] **中** 其后，《新修》原衍"处"字，据《证类》删。

[18] **家** 《新修》原脱，据《证类》补。

[19] **合** 《新修》原作"令"，据武田本《新修》、《证类》改。

[20] **淘** 《新修》、武田本《新修》原作"誂"，据《证类》改。

[21] **乃** 《新修》原作"及"，据《证类》改。

[22] **巳乃** 《证类》作"巳"，《纲目》作"只"。

[23] **锡** 《纲目》作"铅"。

[24] **银** 《新修》原作"食"，据《证类》改。

[25] **草** 《证类》作"经"。

[26] **云** 《新修》原作"出"，据《证类》改。

[27] **瑞** 《新修》原误作"端"，据《证类》改。

25 水银

味辛，寒，有毒。主疥瘙[1]，痂疡，白秃，杀皮肤中虫[2]虱，堕胎，除热。以傅男子阴，阴消无气。杀金银铜锡毒，熔化还复为丹。久服神仙，不死。一名汞。生符陵平土，出于丹沙。

畏磁石。 今水银有生熟。此云生符陵平土者，是出朱沙腹中，亦别出沙地，皆青白色，最胜。出于丹沙者，是今烧粗末朱沙所得，色小白浊，不及生者。甚[3]能消化金银，便[4]成泥，人以镀物是也。还复为丹，事出《仙经》。酒和日曝，服之长生。烧时飞著釜上灰，名汞粉，俗呼为水银灰，最能去虱。 〔谨案〕水银出于朱沙，皆因热气，未闻朱沙腹中自出之者。火烧飞取，人皆解法。南人又蒸取之，得水银少于火烧[5]，而朱沙[6]不损，但色少变黑耳。

【校注】

[1] **疥瘙** 玄《大观》、人卫《政和》、《大全》《图经衍义》《本草经疏》、孙本、问本、周本、狩本作"疥瘙"，成化《政和》、万历《政和》、商务《政和》、《品汇》《纲目》、黄本作"疹瘘"，《新修》、森本作"疥瘙"，应以《新修》等为是。

[2] **虫** 《证类》《图经衍义》《纲目》《本草经疏》皆脱。

[3] **甚** 《新修》原作"其"，据《证类》改。

[4] **便** 《新修》原作"便"，《证类》作"使"。

[5] **得水银少于火烧** 《证类》《纲目》作"得水银虽少"。

[6] **而朱沙** 《新修》原作"而是未沙"，据《证类》改。

26 雄黄

味苦、甘，平，寒[1]、大温，有毒。主寒热，鼠瘘，恶疮[2]，疽[3]痔，死

肌。疗[4]疥虫，蟨疮，目[5]痛，鼻中息肉，及绝筋，破骨，百节中大风，积聚，癖气，中恶，腹痛，鬼疰，**杀精物，恶鬼，邪气，百虫，毒肿**[6]，**胜五兵**，杀诸蛇虺毒，解藜芦毒[7]，悦泽人面。**炼食之**[8]，**轻身神仙**。饵服之，皆飞入人脑[9]中，胜鬼神，延年益寿，保中不饥。得铜可作金。**一名黄食**[10]**石**。生武都山谷、敦煌山[11]之阳，采无时[12]。

炼服雄黄[13]法，皆在《仙经》中，以铜为金，亦出《黄白术》中。晋末已[14]来，氐羌中纷扰[15]，此物绝不复通，人间时有三、五两，其价如金。合丸皆用石门、始兴[16]石黄之好者尔。始以齐初凉[17]州互[18]市微有所得，将至都下[19]，余[20]最先见于使人陈典藏处[21]，捡获见十余片[22]，伊辈不识此物是何等，见有撲夹雌黄，或谓是[23]丹沙，五禾语并更[24]属觅，于是渐渐而来[25]，好者作鸡冠色，不臭而坚实。若点[26]黑及虚软者不好也。武都、氐羌是为仇池。宕昌亦有，与仇池正同而小劣。敦煌在凉州西数千里，所出者未尝得来，江东不知，当复云何？此药最要，无所不入也[27]。　　[谨案]出石门名石黄者，亦是雄黄，而通名[28]黄食石。而石[29]门者最为劣耳，宕昌、武都者为佳，块方数寸，明澈如鸡[30]冠，或以为枕，服之辟恶。其青黑[31]坚者，不入药用。若火烧飞之而精小，疗疮疥煨用[32]亦无嫌。又云[33]恶者名熏黄，用熏疗疮疥，故名之，无别熏黄也。贞[34]观年中，以宕州新出，有得方数尺者，但重脆，不可全[35]致之耳。

【校注】

[1] **平，寒**　森本、顾本脱此2字。

[2] **疮**　孙本、问本、周本、黄本作"创"。

[3] **瘅**　《新修》、武田本《新修》原作"痎"，据《证类》《千金翼》改。

[4] **疗**　《新修》原脱，据《千金翼》《证类》补。

[5] **目**　玄《大观》、《大全》、成化《政和》、商务《政和》作"自"，其他各本皆作"目"。

[6] **肿**　《证类》《品汇》《纲目》《本草经疏》《本经疏证》、孙本、顾本皆脱，《新修》、武田本《新修》、森本有"肿"字。

[7] **解藜芦毒**　《品汇》脱此4字。

[8] **之**　其后，《纲目》《品汇》衍"者"字。

[9] **脑**　《新修》、武田本《新修》原作"臆"，据《千金翼》《证类》改。

[10] **食**　《纲目》作"金"。

[11] **山**　《本经疏证》脱此字。

[12] **时**　《新修》原作"特"，据《证类》改。

[13] **雄黄**　《证类》《纲目》脱此2字。

[14] **已**　《新修》原脱，据《证类》补。

[15] **扰**　《新修》原作"绞"，据《证类》改。

[16] **石门、始兴**　《新修》原作"天门始与"，据《证类》改。

[17] 凉 《新修》原作"梁",据《证类》改。

[18] 互 《新修》原作"平",据《证类》改。

[19] 将至都下 《新修》原作"将下至都",据《证类》改。

[20] 余 《新修》原作"人未",据《证类》改。

[21] 使人陈典藏处 "人",《新修》原作"至",据《证类》改。

[22] 片 《新修》原作"斤",据《证类》改。

[23] 或谓是 《新修》原作"惑谓",据《证类》改。

[24] 五禾语并更 《证类》作"示吾吾乃示语并又"。

[25] 来 《新修》原作"不",据《证类》改。

[26] 点 《证类》作"黯"。

[27] 炼服雄黄法……无所入也 《纲目》引录时将此陶弘景注文大加删节,使之面目全非。

[28] 名 商务《政和》作"石"。

[29] 石 《新修》原脱,据《证类》补。

[30] 鸡 《新修》原脱,据《证类》补。

[31] 黑 《新修》原作"恶",据《证类》改。

[32] 若火烧飞之而精小,疗疮疥煨用 《证类》作"若火飞之,而疗疮"。

[33] 云 《新修》原作"去",据《证类》改。

[34] 贞 商务《政和》作"正"。

[35] 全 《新修》原作"金",据《证类》改。

27 雌黄[1]

味辛、甘,平,大寒,有毒。主恶疮[2],头秃,痂疥,杀毒虫虱,身痒,邪[3]气,诸毒。蚀鼻中[4]息肉,下部蜃疮,身面白驳[5],散皮肤死肌,及恍惚邪气,杀蜂蛇毒。**炼之,久服轻身增年,不老,**令人脑[6]满。生武都山谷,与雄黄同山生。其阴山有金,金精熏则生雌黄,采无时。

今雌黄出武都仇池者,谓为武都仇池黄,色小赤。出[7]扶南林邑者,谓昆仑黄,色如金,而似云母甲错,画[8]家所重。依此言,既有雌雄之名,又同山之阴阳,于合药便当以武都为胜,用之既希,又贱于昆仑。《仙经》无单服法[9],惟以合丹沙[10]、雄黄共飞炼为丹耳。金精是[11]雌黄,铜精是[12]空青,而服[13]空青反胜于雌黄,其意难了也。

【校注】

[1] 黄 其后,《御览》衍"石金"2字。

[2] 疮 孙本作"创"。

[3] 邪 《新修》原作"耶",据《证类》改。

[4] 蚀鼻中 "蚀",森本注为《本经》文。"中",《纲目》作"内"。

[5] **面白驳** "面"，《千金翼》作"而"。"驳"，《纲目》作"驳"。

[6] **令人脑** 《新修》原作"金人臕"，据武田本《新修》、《千金翼》《证类》改。

[7] **出** 《证类》脱此字。

[8] **画** 武田本《新修》作"尽"。

[9] **法** 《新修》原脱，据《证类》补。

[10] **沙** 《新修》原脱，据《证类》补。

[11] **是** 《新修》原脱2个"是"字，据《证类》补。

[12] **是** 《新修》原脱2个"是"字，据《证类》补。

[13] **而服** 《新修》原作"服而"，据《证类》改。

28　殷蘖

味辛，温，无毒。主烂伤瘀血，泄痢，寒热，鼠瘘，癥瘕[1]，结气。脚冷疼弱[2]。一名姜石，钟乳根也。生赵国山谷，又梁山及南海，采无时。

恶术、防己[3]。　赵国属冀州，此即今人所呼孔公蘖[4]，大如牛羊角，长一二尺左右[5]，亦出始兴[6]。　[谨案] 此即石堂下孔公蘖根也，盘结如姜，故名姜石。俗[7]人乃以孔公蘖为之，误矣。

【校注】

[1] **瘕** 《新修》原脱，据《证类》补。

[2] **脚冷疼弱** 《纲目》注为《本经》文。"弱"字后，《纲目》引有《日华子本草》"熏筋骨弱并痔瘘及下乳汁"，并注为《别录》文。

[3] **恶术、防己** 《证类》《纲目》作"恶防己，畏术"，《新修》作"恶木防己"，《集注》作"恶术、防己"，应以《集注》为是。

[4] **赵国属冀州，此即今人所呼孔公蘖** 《新修》原作"赵国属鱼公蘖"，据《证类》改。

[5] **大如牛羊角，长一二尺左右** 《纲目》无此文。

[6] **兴** 《新修》原作"与"，据《证类》改。

[7] **俗** 《新修》原作"往"，据《证类》改。

29　孔公蘖

味辛，温，无毒。主伤食不化，邪结气[1]恶，疮[2]疽瘘痔，利九窍，下乳汁。疗男子阴疮，女子阴蚀，及伤[3]食病，恒[4]欲眠睡。一名通石，殷蘖根也，青黄色。生梁山山谷。

木兰为之使，恶细辛。　梁山属冯翊郡，此即今[5]钟乳床也，亦出始兴，皆大块折[6]破之。凡钟乳之类，三种同一体，从石室上汁溜积久盘结者，为钟乳床，即此孔公蘖也。其次长小[7]宠坎者，为殷孽，今人呼为孔公孽[8]。殷孽复溜，轻好者为钟乳。虽同一类，而疗[9]体为异，贵贱悬[10]殊。此二孽不堪丸散，人[11]皆捣末酒渍饮之，疗[12]脚弱。其前诸疗，恐宜水煮为汤[13]也。案，今三种同根，而所生各异[14]处，当是随其土地为胜尔[15]。　[谨案]此孽次于钟乳，如牛羊角者，中尚孔通，故名通石。《本经》[16]误以为殷孽之根，陶依《本经》以为今人之误，其实是也[17]。

【校注】

[1] **主伤食不化，邪结气**　《御览》脱"伤""结气"3字。"邪"，《新修》原作"耶"，据《证类》改。

[2] **疮**　孙本、问本、周本、黄本作"创"。

[3] **伤**　《新修》原脱，据《千金翼》《证类》补。

[4] **恒**　《证类》《纲目》作"常"，此因避讳"恒"字而改。

[5] **今**　《新修》原作"令"，据《证类》改。

[6] **折**　《证类》《纲目》作"打"。

[7] **其次长小**　《证类》作"其次以小"，《纲目》作"其以次小"。

[8] **今人呼为孔公孽**　《纲目》改作"大如牛羊角，长一二尺，今人呼此为孔公孽也"。

[9] **疗**　《新修》原作"疮"，据《证类》改。

[10] **悬**　《证类》作"相"。

[11] **人**　《新修》原作"又"，据《证类》改。

[12] **疗**　其前，《证类》衍"甚"字，《新修》、武田本《新修》皆无"甚"字。

[13] **为汤**　《新修》原作"一为阳"，据《证类》改。

[14] **异**　《证类》《纲目》脱此字。

[15] **尔**　《新修》原作"合耳"，据《证类》改。

[16] **《本经》**　《纲目》作"《别录》"。

[17] **陶依……其实是也**　《纲目》作"而俗犹呼为孔公孽是也"。"其实是也"，《新修》原脱，据《证类》补。

30　石脑

味甘，温，无毒。主风寒虚损，腰脚疼痹，安五脏，益[1]气。一名石饴饼。生名山土石[2]中，采无时。

此石亦钟乳之类，形如曾青而白色黑斑，软脆[3]易破，今茅山东及西平山并有，凿土堪[4]取之。俗方不见用，《仙经》有刘君导仙散用之。又《真诰》云[5]：李整采服，疗风痹虚损，而得长生也。

[谨案]隋[6]时有化公者，所服亦名石脑，出徐州宗[7]里山，初在[8]烂石中，入土一丈已下得之，大如鸡卵，或如枣许，触著即散如面，黄白色，土人号为握雪礜石，云服之长生。与李整相会也。

113

【校注】

[1] **益** 《新修》原脱，据《千金翼》《证类》补。

[2] **石** 《纲目》脱此字。

[3] **软脆** 《证类》脱“脆”字，《纲目》作“而软”。

[4] **堪** 《证类》《纲目》作“龛”。

[5] **《真诰》云** “诰”，《新修》原作“诸”，据《证类》改。“云”，《证类》作“曰”。

[6] **隋** 《新修》原作“随”，据《证类》改。

[7] **宗** 《证类》作“宋”。

[8] **在** 《新修》原作“有”，据《证类》改。

31 石[1]流黄

味酸，温、大热[2]，有毒。**主妇人阴蚀，疽**[3]**痔，恶血，坚筋骨，除头秃。**疗心腹积聚[4]，邪气冷癖在胁，咳逆上气，脚冷疼弱无力，及鼻衄，恶疮，下部䘌疮，止[5]血，杀疥虫。**能化金银铜**[6]**铁奇物。**生东海牧羊山谷[7]中，及太山、河西山，矾石液也[8]。

东海郡属北徐州，而箕[9]山亦有。今第一出扶[10]南林邑，色如鹅子初出壳，名[11]昆仑黄。次出外国，从蜀中来，色深而煌煌。俗方用之疗脚弱及痼冷甚良。《仙经[12]》颇用之。所化奇物，并是《黄白术》及合[13]丹法。此云矾石液，今南方则无矾石，恐不必尔[14]。

【校注】

[1] **石** 《医心方》《真本千金方》脱此字。

[2] **温、大热** 《御览》脱“温”字。“大”，玄《大观》、成化《政和》、万历《政和》、商务《政和》作“太”。

[3] **疽** 《新修》原作“疸”，据《证类》改。

[4] **坚筋骨，除头秃。疗心腹积聚** 《新修》原脱“骨”“除”“疗”3字，据《证类》补。“积”，《新修》、武田本《新修》原作“精”，据《证类》改。

[5] **止** 《新修》原作“心”，据《证类》改。

[6] **银铜** 《新修》原作“铜银”，据《千金翼》《证类》改。

[7] **牧羊山谷** “羊”，《新修》原作“阳”，据《千金翼》《证类》改；《纲目》误作“牛”。又《御览》脱“山”字。

[8] **太山、河西山，矾石液也** 《新修》原作“大山及河西樊石也液”，据《千金翼》《证类》改。“太山”，《纲目》作“太行”。

[9] **北徐州，而箕** “北”“箕”，《新修》原作“此”“下”，据《证类》改。

[10] **扶** 《新修》、武田本《新修》原作“快”，《纲目》作“湖”，据《证类》改。

[11] **初出壳，名** “出”“名”，《新修》原作“生”“石”，据《证类》改。

[12] **经** 《新修》原作"姓",据《证类》改。

[13] **合** 《新修》原作"今",据《证类》改。

[14] **恐不必尔** 《新修》原作"次不女尔已",据《证类》改。

32 阳起石

味咸[1]**,微温,无毒。主崩中漏下,破子**[2]**脏中血,癥瘕**[3]**结气,寒热,腹痛,无子,阴阳痿不合**[4]**,补不足。**疗[5]男子茎头寒,阴下湿痒,去臭汗[6],消水肿。久服不饥,令[7]人有子。**一名白石,一名石生**[8]**,一名羊起石,云母**[9]根也。生齐山山谷及琅玡或云山、阳起山[10],采无时。

桑螵蛸为之使,恶泽泻、菌桂、雷丸、蛇蜕皮,畏菟丝子[11]。 此所出即与云母同,而甚似云母,但厚实耳[12]。今用乃出益州,与矾石同处,色小黄黑即[13]矾石。云母根未知何者是[14]?俗用乃希。《仙经》亦服之。 [谨案]此石以白色、肌理似殷孽,仍夹带云母绿润[15]者为良,故《本经》一名白石;今乃用纯黑[16]如炭者,误矣。云母条中,既云黑者名云胆,又名地涿[17],服之损人,黑阳起石必为恶矣。《经》言生齐山,齐山在齐州历城西北五六里,采访[18]无阳起石,阳起石乃在齐山西北六七里[19]卢山出之。《本经》云:或云山。云,卢字讹矣[20]。今太山、沂州惟有黑者,其[21]白者独出齐州也。

【校注】

[1] **咸** 《御览》作"酸"。

[2] **崩中漏下,破子** "中"字后,《御览》有"补足内孽"4字。《御览》移"漏下"2字于"腹痛"之后。"破子",《御览》无此2字。

[3] **癥瘕** "瘕",《新修》原作"瘦",据《千金翼》《证类》改。《御览》无"癥瘕"2字。

[4] **阴阳痿不合** 《证类》《纲目》《品汇》《本草经疏》《本经疏证》、孙本、顾本作"阴痿不起",《御览》作"阴阳不合",《新修》、森本作"阴阳痿不合",应以《新修》等为是。

[5] **疗** 《新修》原脱,据《证类》补。

[6] **汗** 《新修》原作"汁",据《千金翼》《证类》改。

[7] **令** 《新修》原作"金",据武田本《新修》《证类》改。

[8] **石生** 《新修》原脱"石"字,据《千金翼》《证类》补。《纲目》对"石生"2字脱漏"别录"标记。

[9] **母** 《新修》、武田本《新修》误作"舟",据《千金翼》《证类》改。

[10] **或云山、阳起山** "或",《新修》原作"惑",据《证类》改。《纲目》脱漏"阳起山"3字。

[11] **菌桂、雷丸……菟丝子** "菌""雷""丝",《新修》原作"兰""雪""熊",据《证类》改。

[12] **而甚似云母,但厚实耳** "甚""厚",《新修》原作"是""原",据《证类》改。"实",

《纲目》作"异"。

[13] 即 《纲目》作"但"。

[14] 是 《新修》原脱，据《证类》补。

[15] 绿润 "绿"，商务《政和》《纲目》作"滋"。"润"，《新修》原作"酒"，据《证类》改。

[16] 乃用纯黑 "乃"，《证类》作"有"，《纲目》脱此字。"黑"，《新修》原作"里"，据《证类》、武田本《新修》改。

[17] 又名地涿 "涿"，《新修》原作"豚"，据《证类》改。《纲目》脱此4字。

[18] 历城西北五六里，采访 《纲目》改作"西北"2字。"北"，《新修》原作"此"，据《证类》改。

[19] 在齐山西北六七里 《证类》脱"在"字。"北六"，《新修》原作"比方"，据《证类》改。

[20] 卢字讹矣 "卢"，《纲目》作"庐"。"讹"，《新修》原作"记"，据《证类》改。

[21] 太山、沂州惟有黑者，其 "太""沂"，《新修》、武田本《新修》原作"大""近"，据《证类》改。"黑"，《新修》原作"里"，据武田本《新修》《证类》改。"其"，《新修》原脱，据《证类》补。

33 凝水石

味辛、甘，寒、大寒，无毒。**主身热，腹中积聚邪气**[1]**，皮中如火烧烂**[2]**，烦满，水**[3]**饮之。**除时气热盛，五脏伏热，胃中热，烦满，口渴[4]，水肿，少腹痹[5]。**久服**[6]**不饥。一名白水**[7]石，一名寒水石，一名凌水石，色如云母，可析[8]者良，盐之精也。生常山山谷，又中水县及邯郸。

解巴豆毒，畏地榆。 常山即恒山[9]，属并州。中水县属河[10]间郡。邯郸即是[11]赵郡，并属冀州城[12]。此处地皆咸卤，故云盐精，而碎之亦似朴消也。此石末置水中，夏月能为冰[13]者佳。 [谨案] 此石有两种，有纵理、横理，以横理色清明者为佳[14]。或云纵理为寒水石[15]，横理为凝水石[16]。今出同州韩城，色青黄[17]，理如云母为良；出澄城者，斜[18]理文色白为劣也。

【校注】

[1] 积聚邪气 "积""邪"，《新修》、武田本《新修》作"精""耶"，据《千金翼》《证类》改。

[2] 皮中如火烧烂 《御览》无此6字。"烂"，《证类》《图经衍义》《纲目》《品汇》、孙本、顾本、《本草经疏》《本经疏证》皆脱，《新修》、森本有之。

[3] 水 《御览》无此字。

[4] 口渴 《证类》《纲目》、武田本《新修》、《图经衍义》《品汇》《本草经疏》《本经疏证》

作"止渴"，《新修》作"口渴"，应以《新修》为是。

[5] **少腹痹** 《本经疏证》作"小便痹"。"少"，《证类》《图经衍义》《品汇》《纲目》《本草经疏》作"小"，《新修》、武田本《新修》作"少"。

[6] **久服** 《御览》无此2字。

[7] **白水** 《新修》、武田本《新修》作"泉"，其他各本皆作"白水"。从下文"一名寒水石，一名凌水石"来看，应从其他各本为是。

[8] **析** 《证类》《千金翼》《图经衍义》《本经疏证》作"析"，《新修》《纲目》作"折"。

[9] **即恒山** 《证类》脱此3字。

[10] **河** 《新修》原作"何"，据《证类》改。

[11] **邯郸即是** 《新修》原脱"邯"字，据《证类》补。又《证类》脱"是"字。

[12] **并属冀州城** 《纲目》无此文。"属"，《新修》原脱，据《证类》补。

[13] **冰** 《新修》原作"水"，据武田本《新修》、《证类》改。

[14] **以横理色清明者为佳** 《证类》《纲目》脱"以横理"3字。"清"，《新修》、武田本《新修》作"青"，据《证类》改。"佳"，《纲目》作"上"。

[15] **石** 《新修》原脱2个"石"字，据《证类》补。

[16] **石** 《新修》原脱2个"石"字，据《证类》补。

[17] **黄** 《纲目》作"横"。

[18] **出澄城者，斜** 《新修》原作"证城者针"，据《证类》改。

34 石膏

味辛、甘，微寒、大寒，无毒。主中风寒热，心下逆气[1]**惊喘，口干舌**[2]**焦，不能息，腹中**[3]**坚痛，除邪鬼，产乳，金疮。** 除时气，头痛，身热，三焦大热，皮肤热[4]，肠胃中膈热[5]，解肌发汗，止消渴，烦逆，腹胀，暴气喘息，咽热，亦可作浴[6]汤。一名细[7]石，细理白泽者良，黄者令人淋。生齐山山谷及齐卢山、鲁蒙山，采无时。

鸡子为之使，恶莽草、毒公[8]。 二郡之山，即青州、徐州也。今出钱塘县狱[9]地中，雨后时时自[10]出，取之皆方[11]如碁子，白澈最佳[12]。比难得，皆用灵隐山者[13]。彭城者亦好。近道多有而大块[14]，用之不及彼土[15]。《仙经》不须此。 [谨案] 石膏、方解石大体相似，而以未破者为异。今市人以方解石代[16]石膏，未见有真石膏也。石膏生于石旁，其方解石不因石生[17]，端然独处，大者如升，小者若拳，或在土中，或生溪水，其上[18]皮随土及水苔色，破之方解，大者方尺。今人以此为石膏，疗风去热虽同[19]，解肌发汗不如真[20]者也。

【校注】

[1] **气** 《御览》脱此字。

[2] **舌** 孙本、问本、周本作"苦"，《御览》脱此字。

［3］**中** 《新修》原脱，据《证类》补。

［4］**皮肤热** 《新修》原脱此3字，据《证类》补。

［5］**膈热** 《证类》《图经衍义》《本草经疏》《本经疏证》作"膈气"，《纲目》作"结气"。

［6］**浴** 《新修》原作"洛"，据《千金翼》《证类》改。

［7］**细** 《纲目》作"细理"2字。

［8］**毒公** 《证类》《纲目》《本经疏证》作"马目毒公"，《集注》《新修》《千金翼》《医心方》作"毒公"，应以《集注》等为是。

［9］**狱** 《新修》作"狱"，《证类》作"皆在"。

［10］**自** 《新修》原脱，据《证类》补。

［11］**皆方** 《证类》脱"方"字，《纲目》脱"皆方"2字。

［12］**佳** 《新修》原作"住"，据《证类》改。

［13］**比难得，常用灵隐山者** 《证类》《纲目》皆无此文。

［14］**块** 《新修》原作"愧"，据武田本《新修》《证类》改。

［15］**土** 《新修》原作"主"，《纲目》作"也"，据武田本《新修》改。

［16］**石膏……人以方解石代** 《新修》原脱此文，据《证类》补。

［17］**生** 《证类》作"而生"。

［18］**小者若拳，或在土中，或生溪水，其上** "拳""或""或"，《新修》原作"举""惑""惑"，据《证类》改。"上"，《证类》作"土"。

［19］**虽同** 《新修》原作"杂因"，据《证类》改。

［20］**真** 《新修》原作"页"，据《证类》改。

35　磁石

味辛、咸，寒，无毒。主周痹风湿，肢节中痛，不可持物，洗洗酸痟[1]**，除大热，烦满及耳聋。**养肾脏，强骨气，益精，除烦，通关节，消痈肿鼠瘘，颈核喉[2]痛，小儿惊痫，炼水饮之。亦令人[3]有子。**一名玄**[4]**石，一名处石。生大**[5]**山川谷及慈山山阴，有铁处**[6]**则生其阳，采无时。

柴胡为之使，杀铁毒[7]，恶牡丹、莽草，畏[8]黄石脂。　今南方亦有，其[9]好者，能悬吸针，虚连三、四、五[10]为佳，杀铁物毒，消金[11]。《仙经》《丹方》《黄白术》中[12]多用也。

【校注】

［1］**痟** 《大全》、万历《政和》、《纲目》《本草经疏》、顾本、徐本作"消"，《新修》、武田本《新修》、《千金翼》、玄《大观》、柯《大观》、成化《政和》、商务《政和》、人卫《政和》、《品汇》《本经续疏》作"痟"，应以《新修》等为是。按，《周礼·天官疾医》注："痟，酸削也。"

［2］**喉** 《新修》原作"唯"，据《千金翼》《证类》改。

［3］**亦令人** 《本经续疏》脱"亦"字。"人"，《新修》原脱，据《证类》补。

[4]　**玄**　孙本、问本、周本、黄本作"元"，此因讳"玄"改"元"。

[5]　**大**　《证类》《图经衍义》《本经续疏》《纲目》作"太"，《新修》、武田本《新修》作"大"，应以《新修》为是。

[6]　**处**　原作者，据《千金翼》《证类》改。

[7]　**杀铁毒**　《千金方》脱此文。

[8]　**畏**　成化《政和》、万历《政和》、商务《政和》作"是"。

[9]　**其**　《证类》脱此字。

[10]　**四、五**　《证类》脱"五"字，《纲目》脱"四、五"2字。

[11]　**杀铁物毒，消金**　《纲目》无此文。《证类》脱"物"字。

[12]　**中**　《新修》原脱，据《证类》补。

36　玄石

味咸，温，无毒。主大人小儿惊痫，女子绝孕，少腹寒[1]痛，少精，身重。服之令人有子。一名玄水石，一名处石。生太山之阳[2]，山阴有铜。铜者雌，玄石[3]者雄。

恶松脂、柏子[4]、菌桂。　《本经》磁石，一名玄石。《别录》各一种[5]。今案，其一名处石，名既同，疗体又相似，而寒温[6]铜铁及畏恶有异。俗中既不复用，无识其形者[7]，不知与磁石相类否[8]？　[谨案]此物，铁液也，但不能拾针，疗体如经方，劣于磁石[9]。磁石中有细孔，孔中黄赤[10]色，初破好者，能连十针，一斤铁刀亦被回转[11]。其无孔，光泽纯黑者[12]，玄石也，不能悬针也[13]。

【校注】

[1]　**寒**　《证类》《纲目》《图经衍义》《品汇》作"冷"。

[2]　**生太山之阳**　《新修》原作"生山阳"，据《千金翼》《证类》改。

[3]　**玄石**　《新修》作"玄石"，《大观》《千金翼》、商务《政和》作"玄"，人卫《政和》作"黑"，《纲目》作"铁"，应以《新修》等为是。

[4]　**柏子**　玄《大观》作"柏实"，《图经衍义》作"柏实"，《大全》作"相实"。

[5]　**《别录》各一种**　《新修》原作"别银各种"，《纲目》改作"《别录》又出玄石"，现据《证类》改。

[6]　**名既同，疗体又相似，而寒温**　《新修》作"既同瘴疗软体又相似而寒湿"，武田本《新修》作"既同瘤体又相似而寒湿"，据《证类》改。

[7]　**俗中既不复用，无识其形者**　《纲目》作"俗方不用，亦无识者"。

[8]　**否**　《新修》原作"不"，据《证类》改。

[9]　**但不能拾针，疗体如经方，劣于磁石**　《证类》脱"方"字；《纲目》改作"但不能拾，疗体亦劣于磁石"，并移此文于"玄石也"之后。

[10] **赤**　《新修》原作"亦"，据《证类》改。

[11] **能连十针，一斤铁刀亦被回转**　《纲目》改作"能拾铁吸针"。

[12] **光泽纯黑者**　《新修》原作"先泽绝里"，据《证类》改。

[13] **不能悬针也**　"悬"，《证类》作"吸"。《纲目》脱此5字。

37　理石

　　味辛、甘，寒、大寒，无毒。主身热，利胃，解烦，益精，明目，破积聚，去三虫[1]。除营卫中去[2]来大热，结热，解烦毒，止消渴，及中风痿痹。一名立制石，一名肌石，如石膏，顺理而细。生汉中山谷及[3]卢山，采无时[4]。

　　滑[5]石为之使，畏[6]麻黄。　汉中属梁州，卢山属青州。今出宁州。俗用亦希，《仙经》时须[7]，亦呼为长理石。石胆一名立制石[8]，今此又名立制，疑必相乱类[9]。　〔谨案〕此石夹两石间如石脉，打用之，或在土中重叠而生。皮黄[10]赤，肉白，作针[11]理文，全不似石膏。汉中人取酒浸服[12]，大疗癖，令人肥悦。市人或刮[13]去皮，以代寒水石，并州[14]以当礜石，并是假伪。今卢山亦无此[15]物，见出襄州西沉[16]水侧也。

【校注】

[1] **去三虫**　《新修》原脱"三"字，据《千金翼》《证类》补。"去"，《纲目》作"杀"。

[2] **去**　《新修》原脱，据《千金翼》《证类》补。

[3] **及**　《新修》原脱，据《千金翼》《证类》补。

[4] **时**　其后，《新修》原衍"及"字，据《千金翼》《证类》删。

[5] **滑**　《新修》原作"消"，据《集注》《千金方》《证类》改。

[6] **畏**　《大观》《大全》《政和》《品汇》《纲目》作"恶"。

[7] **须**　《纲目》脱此字，据《新修》补。

[8] **石**　《纲目》脱此字，《证类》亦脱此字，据《新修》补。

[9] **乱类**　《新修》原作"礼类"，据商务《政和》改。人卫《政和》《大观》脱"乱"字，《纲目》脱"类"字。

[10] **皮黄**　《新修》原脱"皮"字，据武田本《新修》、《证类》补。"黄"，《纲目》作"正"。

[11] **针**　《证类》作"斜"，《新修》、武田本《新修》《纲目》皆作"针"。

[12] **酒浸服**　"浸"，《证类》作"渍"。"酒浸"，《纲目》作"渍酒"。"服"字后，武田本《新修》有"大"字。

[13] **刮**　其后，《证类》《纲目》有"削"字。

[14] **并州**　《新修》有"州"字，《证类》无。

[15] **此**　《新修》原脱，据《证类》补。

[16] **沉**　《新修》作"沉"，《纲目》作"泛"，《证类》作"汍"。

38　长石

味辛、苦，寒[1]**，无毒。主身热，胃中结气**[2]**，四肢寒厥，利小便，通血脉，明目，去**[3]**翳眇，去**[4]**三虫，杀蛊**[5]**毒。止消渴，下气，除胁肋肺间邪气。久服不饥。**一名方石，一名土石，一名直石，理如马齿，方而润泽，玉[6]色。生长子山谷及太山[7]、临淄，采无时。

长子县属上党郡[8]，临淄县属青州。俗方及《仙经》并无用此者也。　　〔谨案〕此石状同石膏而厚大[9]，纵理而长，文似马齿，今均州辽坂山有之，土[10]人以为理石者，是长石也。

【校注】

[1] **寒**　《御览》脱此字。

[2] **胃中结气**　《纲目》注为《本经》文，其他各本皆注为《别录》文。

[3] **去**　《新修》原作“目”，据《千金翼》《证类》改。

[4] **去**　《证类》《图经衍义》《品汇》《纲目》作“下”。

[5] **蛊**　《图经衍义》作“虫”。

[6] **玉**　《新修》原作“王”，据武田本《新修》、《证类》《千金翼》改。

[7] **山**　其后，《新修》原有“及”字，据《千金翼》《证类》删。

[8] **郡**　《纲目》无此字。

[9] **状同石膏而厚大**　“同”“厚”，《新修》原作“周”“原”，据《证类》改。

[10] **土**　《新修》原作“主”，据《证类》改。

39　肤青[1]

味辛[2]**、咸，平**[3]**，无毒。主蛊毒、毒蛇、菜肉诸毒，恶疮**[4]。不可久服，令人瘦[5]。一名推青[6]，一名推石。生益州川谷。

俗方及《仙经》并无用此者，亦相与不复识之[7]。

【校注】

[1] **肤青**　《纲目》作“绿肤青”。

[2] **味辛**　《纲目》注为《别录》文。

[3] **平**　人卫《政和》、《纲目》注为《别录》文，其他各本注为《本经》文。

[4] **主蛊毒、毒蛇、菜肉诸毒，恶疮**　“及”，《新修》作“毒”，《千金翼》《证类》作“及”。又《纲目》注此11字为《别录》文，其他各本注为《本经》文。“蛊”，《纲目》作“虫”。

[5] **瘦**　《纲目》作“瘆”。

[6] **一名推青**　“推”字后，《新修》衍“推”字，据《千金翼》《证类》删。又人卫《政和》

注此 4 字为《本经》文，其他各本注为《别录》文。

　[7] **并无用此者，亦相与不复识之**　《证类》无"之"字。又此文《纲目》改作"无用，人亦不识"。

40　铁落

味辛、甘，平，无毒。主风热恶疮，痒痂疮痂，疠气在皮肤中。除胸膈中热[1]气，食[2]不下，心[3]烦，去黑子。一名铁液，可以染皂。生牧羊平泽及祊[4]城，或析城[5]，采无时。

【校注】

　[1] **热**　《新修》原脱，据《千金翼》《证类》补。

　[2] **食**　其前，《新修》衍"余"字，据《千金翼》《证类》删。

　[3] **心**　《证类》《图经衍义》《品汇》《纲目》《本经续疏》作"止"，《新修》作"心"，应以《新修》为是。

　[4] **祊**　《新修》原作"枋"，据《证类》改。

　[5] **或析城**　《新修》原脱，据《证类》补。"析"，《纲目》作"折"。

41　铁

主坚肌耐[1]**痛。**

【校注】

　[1] **耐**　《新修》原作"能"，据《千金翼》《证类》改。

42　生铁

微寒。主疗下部及脱肛。

43　罡铁

味甘，平[1]，无毒。主金创，烦满热中，胸膈中气塞[2]，食不化。一名跳铁。

【校注】

　[1] **平**　《证类》脱此字。

　[2] **中气塞**　《证类》《纲目》脱"中"字。"塞"，《新修》《图经衍义》作"寒"，据《千金

44 铁精

平[1]，微温。**主明目，化铜。**疗惊悸，定心气，小儿风痫，阴溃[2]，脱肛。

铁落，是染皂铁浆。生铁，是不被[3]镽、铛、釜之类者。鑃铁，是杂炼生镰，作刀、鈯[4]者。铁精[5]，出锻灶中，如尘[6]紫色，轻者为佳，亦以摩莹铜器用也。　[谨案]单言铁者，镰[7]铁也。铁落是锻家烧铁赤沸，砧[8]上锻之，皮甲落者也。甲乙子卷阳厥条言之[9]，夫诸铁[10]疗病，并不入丸[11]散，皆煮取浆[12]用之。若以浆为铁落，钢生[13]之汁，复谓何等？落是铁皮，落液黑于余铁[14]。陶谓可以染皂，云是铁浆，误矣。又铁屑炒使极[15]热，投酒中饮酒，疗贼风痓[16]。又裹以熨腋[17]，疗胡臭有验[18]。

【校注】

[1] **平**　《新修》原脱，据《千金翼》《证类》补。

[2] **阴溃**　《新修》原作"除颏"，据《千金翼》《证类》改。

[3] **被**　《证类》作"破"。

[4] **生镰，作刀、鈯**　"镰"，《证类》作"鎙"，《纲目》作"镽"。"鈯"，《证类》《纲目》作"镰"。

[5] **铁精**　"精"字后，《纲目》有"铁之精华也"。

[6] **尘**　《新修》原脱，据《证类》补。

[7] **镰**　《证类》作"鎙"。

[8] **沸，砧**　《新修》原作"佛砧"，据《证类》改。

[9] **甲乙子卷阳厥条言之**　《证类》《纲目》无此文。

[10] **铁**　《纲目》作"药"。

[11] **丸**　《纲目》脱此字。

[12] **浆**　《纲目》作"汁"。

[13] **生**　《纲目》作"浸"。

[14] **落液黑于余铁**　"落"，《证类》《纲目》作"滋"。"铁"字后，《纲目》衍"故又名铁液"。

[15] **极**　《新修》原脱，据《证类》补。

[16] **痓**　《新修》原脱，据《证类》补。

[17] **腋**　《大观》、商务《政和》作"液"。

[18] **疗胡臭有验**　《新修》原作"疗胡有"，据《证类》改。

45 光明盐

味咸、甘，平，无毒。主头面诸风，目赤痛，多眵泪。生盐州五原，盐池下

凿[1]取之。大者如升[2]，皆正方光[3]澈。一名石盐。新附

【校注】

[1] **凿** 《新修》原脱，据《千金翼》《证类》补。

[2] **升** 《新修》原作"千"，据《证类》改。

[3] **光** 《新修》原作"充"，据《证类》改。

46 绿盐

味咸、苦、辛，平，无毒。主目赤泪出[1]，肤翳眵暗。

云以光明盐、硇沙、赤[2]铜屑，酿之为块，绿色[3]。真者，出焉耆国，水中石下[4]取之，状若扁青、空青，为眼药之要。 新附

【校注】

[1] **出** 《新修》原脱，据《千金翼》《证类》补。

[2] **赤** 《新修》原作"亦"，据武田本《新修》《证类》改。

[3] **云以光明盐……绿色** 《纲目》改作"今人以光明盐、硇沙、赤铜屑酿之为块，绿色以充之"，并将之移在"眼药之要"之后。

[4] **石下** 《新修》原脱，据《证类》补。

47 密陀僧

味咸、辛，平，有小[1]毒。主久利，五痔，金创[2]，面上瘢黩，面膏药用之。

形似黄龙齿而坚重，亦有白色者，作理石文，出波斯国。一名没多僧，并胡言也。 新附

【校注】

[1] **小** 《新修》原作"少"，据《千金翼》《证类》改。

[2] **创** 《证类》《图经衍义》《品汇》《本草经疏》《纲目》作"疮"。

48 紫矿、麒麟竭[1]

味甘、咸，平，有小[2]毒。主五脏邪气，带下，止[3]痛，破积血，金创，生肉[4]。与麒麟竭二物大同小异。

紫色如胶，作赤䐶[5]皮及宝钿，用为假[6]色，亦以胶宝物。云蚁于海畔树藤皮中为之。紫矿树名渴䐶[7]，麒麟竭树名渴留，喻[8]如蜂造蜜，研[9]取用之。《吴录》谓之赤胶者。 新附

【校注】

[1] **紫矿、麒麟竭** "麒",武田本《新修》作"骐"。《纲目》将此条析为"紫矿""麒麟竭"两条,"紫矿"条被列在卷39虫部,"麒麟竭"条被列在卷34木部,两条所述主治内容相同,但"麒麟竭"条下衍"心腹卒痛"4字。

[2] **小** 《新修》原作"少",据《千金翼》《证类》改。

[3] **止** 《新修》原作"心",据《证类》改。

[4] **肉** 《纲目》作"肌"。

[5] **廉** 《新修》原脱,据《证类》补。

[6] **假** 《新修》原作"锻",据《证类》改。

[7] **廪** 《证类》《纲目》《图考长编》作"凛"。

[8] **喻** 《图考长编》作"正"。

[9] **研** 《证类》《图考长编》作"斫"。

49 桃花石

味甘,温,无毒。主大肠[1]中冷脓血利。久服令人肌热能食[2]。

出申[3]州钟山县,似赤石脂,但舐之不著舌者为真[4]。 新附

【校注】

[1] **肠** 《新修》原作"腹",据《千金翼》《证类》改。

[2] **肌热能食** "肌热",《纲目》作"肥悦",系从《蜀本草》;《新修》作"肌热"。"食",《新修》原脱,据《千金翼》《证类》补。

[3] **申** 《新修》原作"甲",据《证类》改。

[4] **但舐之不著舌者为真** 《新修》原作"但不着舌",《纲目》改作"但舐之不著舌者是也",现据《证类》改。

50 珊瑚

味甘,平,无毒。主宿血[1],去目中翳。鼻衄,末吹鼻中[2]。生南海。

似玉红润,中多有孔,亦有无孔者[3]。又从波斯国及师子国来。 新附

【校注】

[1] **主宿血** 《纲目》作"消宿血",并移在"目中翳"之后。

[2] **鼻衄,末吹鼻中** 《纲目》作"为末吹鼻,止鼻衄"。又"末",《新修》原作"未",据《证类》改。

[3] **似玉红润,中多有孔,亦有无孔者** 《纲目》脱此文。

51　石花

味甘，温，无毒。酒渍服，主[1]腰脚风冷，与殷孽同[2]。一名乳花。

三月、九月采之。乳水滴水上[3]，散如霜雪者。出乳穴堂中水内[4]。　新附

【校注】

[1] **主**　《新修》原作"至"，据《千金翼》《证类》改。

[2] **同**　其后，《纲目》衍"功"字。

[3] **乳水滴水上**　《纲目》作"乳水滴石上"。

[4] **水内**　《证类》《纲目》脱此2字。

52　石床[1]

味甘，温，无毒。酒渍服，与殷孽同。一名同石[2]，一名乳床，一名逆石。

陶云[3]孔公孽，即乳床[4]，非也。二孽在上，床、花在下[5]，性体虽同，上下有别。钟乳水滴下凝积，生如笋状，渐长，久与上乳相接为柱[6]也。出钟乳堂中，采无时。　新附

【校注】

[1] **床**　《新修》原作"林"，据《本草和名》《千金翼》《证类》改。

[2] **一名同石**　《证类》脱此4字。《纲目》作"一名石笋"。

[3] **云**　《证类》作"谓"。

[4] **床**　《新修》原作"林"，据武田本《新修》《证类》改。

[5] **二孽在上，床、花在下**　《纲目》作"殷孽、孔公孽在上，石床、石花在下"。

[6] **柱**　《新修》原作"佳"，据《证类》改。

《新修本草》玉石等部中品卷第四

玉石等部下品　卷第五

右玉石部合卅一种十二种《神农本经》，九种《名医别录》，十种新附。

53　青琅玕

味辛，平，无毒。主身痒，火疮，痛伤[1]，白秃，**疥瘙，死肌。**浸淫在皮肤中。煮炼服之，起阴气，可化为丹。**一名石珠，一名青珠。**生蜀郡[2]平泽，采无时。

杀锡毒，得水银良，畏乌鸡骨[3]。　此即《蜀都赋》所称[4]青珠、黄环者也。黄环乃是草，苟取名类，而种族为乖[5]。琅玕亦是昆山上[6]树名，又《九真经》中太[7]丹名也。此石今亦无用，惟以疗手足逆胪耳[8]。化丹之事，未的见其术。　　[谨案] 琅玕，乃有数种[9]色，是琉[10]璃之类，火齐宝也[11]。且琅玕五色[12]，其以青者入药为胜，今出巂[13]州以西乌白蛮中及[14]于阗国也。

【校注】

[1] **火疮，痛伤**　"火"，《新修》原作"大"，据武田本《新修》、《千金翼》《证类》改。"疮"，孙本、问本、黄本作"创"。"伤"，《纲目》作"疡"。

[2] **一名石珠，一名青珠。生蜀郡**　《纲目》注"石珠"为《别录》文，对"青珠"脱漏标记。"生"字前，《纲目》《食货典》衍"石阑干"3字。

[3] **畏乌鸡骨**　《新修》《千金翼》《证类》脱"乌"字，据《集注》补。《医心方》误作"畏乌头"。

[4] **所称**　《新修》原作"洧"，据《证类》改。

[5] **黄环乃是……为乖**　《纲目》无此文。

[6] **昆山上**　"昆"字后，《纲目》衍"仑"字。"上"，《新修》原作"土玉"，据《证类》改。

[7] **太**　《证类》《纲目》作"大"。

[8] **耳**　《证类》《纲目》无此字。

[9] **种**　《新修》原脱，据《证类》补。

[10] **琉** 《新修》原作"陷"，据《证类》改。

[11] **火齐宝也** 《新修》原作"大厮王也"，据《证类》改。

[12] **且琅玗五色** 《纲目》无此文。"且"，《新修》原脱，据《证类》补。

[13] **蒿** 《纲目》作"隽"。

[14] **及** 《新修》原作"乃"，据《证类》改。

54 礜石

味辛、甘，大热[1]、生温、熟寒[2]，有毒。**主寒热，鼠瘘，蚀疮**[3]**，死肌，风痹，腹中坚癖邪气，除热**[4]。明目，下气，除膈中热，止消渴，益肝气，破积聚，痼冷腹痛，去鼻中息肉。久服令人筋挛。火炼百日，服一刀圭。不炼服，则杀人[5]及百兽。一名青分[6]石，一名立制石，一名固羊石，一名白礜石，一名大[7]白石，一名泽乳，一名食盐。生汉中[8]山谷及少室，采无时。

得火良，棘[9]针为之使，恶毒公、鸐矢[10]、虎掌、细辛，畏水也。 今蜀[11]汉亦有，而好者出南康南野溪，及彭[12]城界中、洛阳城南堑[13]，常取少室[14]。生礜石内水中，令水不冰，如此则生亦大热[15]。今以黄土泥包[16]，炭火烧之，一日[17]一夕则解碎，可用，疗冷结为良[18]。丹方及黄白术皆[19]多用此，善能柔金[20]。又湘东新宁县及零陵[21]皆有白礜石。[谨案] 此[22]石能拒火，久烧但解散，不可夺其坚。今[23]市人乃取洁白细理石当之，烧即为灰，非也。此药攻击积聚痼冷之病为良[24]，若以余物代之，疗病无效，正为此也。今汉川武当西辽坂名礜石谷，此即是其真出处[25]。少室亦有，粒理细[26]不如汉中者。

【校注】

[1] **味辛、甘，大热** 《新修》原脱"味"字，据《千金翼》《证类》补。"甘"，《图经衍义》作"目"。"大热"，《御览》无此2字。

[2] **寒** 《证类》《图经衍义》《纲目》作"热"。

[3] **疮** 《纲目》脱此字。

[4] **癖邪气，除热** 柯《大观》、玄《大观》、《大全》、森本、狩本注为《本经》文；成化《政和》、万历《政和》、商务《政和》、人卫《政和》注为《别录》文；孙本、问本、黄本、周本不取此5字为《本经》文；《纲目》注前3字为《本经》文，后2字为《别录》文；顾本依《纲目》取前3字为《本经》文；本书以《大观》等为正。"癖"，《新修》原脱，据《证类》补。又"热"字后，《御览》有"气"字。

[5] **服一刀圭。不炼服，则杀人** 《新修》原作"服刀恙、杀人"，据《千金翼》《证类》改。

[6] **分** 《纲目》、黄本作"介"。

[7] **大** 《千金翼》、成化《政和》、万历《政和》、商务《政和》、人卫《政和》、《图经衍义》《纲目》作"太"，《新修》、玄《大观》、柯《大观》作"大"，应以《新修》等为是。

[8] **一名食盐。生汉中** "盐"，《新修》原作"监"，据《千金翼》《证类》改。"食"，《纲

目》作"石"。"生"，孙本作"出"。"中"字后，《御览》衍"气"字。

[9] **棘** 《新修》原作"枣"，据《集注》《千金方》《证类》改。

[10] **毒公、鸷矢** "毒公"，《证类》《纲目》作"马目毒公"，《集注》《新修》《千金方》作"毒公"，应以《新修》等为是。"鸷"，《新修》原作"鸷"，据《证类》改。

[11] **蜀** 商务《政和》作"属"。

[12] **彭** 《新修》原作"敖"，据《证类》改。

[13] **洛阳城南堑** "洛阳城"，《纲目》作"汶阳县"。"堑"，《新修》原作"担"，据《证类》改。

[14] **常取少室** 《纲目》作"又湖东新宁及零陵皆有"。《新修》无"常"字。

[15] **如此则生亦大热** 《纲目》改作"如此说，则生者性亦大热矣"。

[16] **今以黄土泥包** 《新修》原作"今人黄主埋芭"，据《证类》改。

[17] **一日** 《新修》原作"百"，据《证类》改。

[18] **疗冷结为良** 《纲目》无此文。

[19] **丹方及黄白术皆** "方"，《纲目》作"房"。"术"，《新修》原脱，据《证类》补。《证类》脱"皆"字。

[20] **善能柔金** 《证类》脱"善"字，并移此文于"皆有白礜石"之后。

[21] **湘东新宁县及零陵** "湘"，《纲目》作"湖"。"县"，《证类》《纲目》无此字。"零"，《新修》原作"雯"，据《证类》改。

[22] **此** 《新修》原脱，据《证类》补。

[23] **今** 《新修》原作"令"，据《证类》改。

[24] **攻击积聚痼冷之病为良** 《新修》原作"为改击积聚固令之良"，据《证类》改。

[25] **西辽坂名礜石谷，此即是其真出处** 《新修》原作"西辽以名礜石各即是真出处"，据《证类》改。

[26] **理细** 《证类》作"细理"。

55 特生礜石

味甘，温，有毒。主明目，利[1]耳，腹内绝寒，破坚[2]结及鼠瘘，杀百虫恶兽。久服延年，一名苍礜石，一名礜石[3]，一名鼠毒。生西城，采无时[4]。

火炼之良，畏水。 旧云鹳巢中者最佳，鹳恒[5]入水冷，故取以壅卵令热。今不可得。惟用出汉中者，其外形紫赤色，内白如霜，中央有臼，形状如齿者佳。《大散方》云[6]：出荆州新城郡防陵县，练白色[7]为好。用之亦先以[8]黄土包烧之一日，亦可内斧孔[9]中烧之，合玉壶诸丸多用此[10]。《仙经》不云特[11]生，则止是前白礜石耳。 〔谨案〕陶所说特生，云中如齿白形者是。今出梁州，北[12]马道成[13]涧中亦有之。形块小于白礜石而脆[14]，粒大数倍，乃如小豆许。白[15]礜石粒细若粟米耳[16]。

【校注】

[1] **利** 《新修》原脱，据《千金翼》《证类》补。

[2] **坚** 《新修》原脱，据《千金翼》《证类》补。

[3] **一名礜石** 《证类》无此4字。"礜"，《纲目》作"苍"。

[4] **生西城，采无时** "西城"，《新修》原作"血城"，据《千金翼》《证类》改。"城"，人卫《政和》作"域"。"采无时"，《新修》原脱，据《千金翼》《证类》补。

[5] **恒** 《新修》原作"垣"，《证类》《纲目》作"常"，现据武田本《新修》改。

[6] **《大散方》云** 《纲目》无此文。"云"字后，《证类》衍"又"字。

[7] **练白色** "练"，《证类》《纲目》作"缥"。"色"，《纲目》作"赤"。

[8] **先以** 《新修》原作"光"，据《证类》改。

[9] **孔** 《新修》原作"空"，据《证类》改。

[10] **合玉壶诸丸多用此** "合"，《纲目》作"今"。《纲目》脱"多用此"3字。《证类》脱"多"字。

[11] **特** 《新修》原作"时"，据《证类》改。

[12] **北** 《新修》原作"此"，据武田本《新修》、《证类》改。

[13] **戍** 《新修》原作"或"，据武田本《新修》、《证类》改。

[14] **石而脆** 《新修》原脱"石"字，据《证类》补。"脆"，《证类》《纲目》作"肌"。

[15] **白** 《新修》原作"曰"，据《证类》改。

[16] **耳** 其后，《纲目》有"今房陵、汉川、均州、荆州与白礜石同处，有色者，是也"。

56 握雪礜石

味甘，温，无毒。主痼冷，积聚[1]，轻身延年。多服[2]令人热。

出徐州西宗[3]里山。入土丈[4]余，生烂土石间[5]，黄白色，细软[6]如面。一名花公石[7]，一名石脑，炼服别有法[8]。　新附

【校注】

[1] **聚** 《千金翼》无此字。

[2] **服** 《证类》《纲目》作"食"。

[3] **宗** 《证类》《纲目》作"宋"。

[4] **丈** 《新修》原作"大"，据《证类》改。

[5] **生烂土石间** 《纲目》作"于烂土石间得之"。《证类》脱"生"字。

[6] **软** 《纲目》作"散"。

[7] **花公石** 《证类》作"化公石"，《纲目》作"化石"。

[8] **炼服别有法** 《纲目》作"服之长生"。

57　方解石

味苦、辛，大寒[1]，无毒。主胸中留热、结气，黄疸，通血脉，去蛊毒。一名黄石。生方山，采无时。

恶巴豆。　案，《本经》长石一名方石，疗体亦相似，疑是此也。　　[谨案] 此石性冷，疗热不减石膏也[2]。

【校注】

[1] 寒　《新修》原作"温"，据《千金翼》《证类》改。

[2] 此石性冷，疗热不减石膏也　《纲目》不用此文，另以石膏的《新修》注充之。"减"，《新修》、武田本《新修》原作"咸"，据《证类》改。

58　苍石

味甘，平[1]，有毒。主寒热，下气，瘘蚀，杀飞禽鼠[2]。生西城[3]，采无时。

俗中不复用。莫识其状。　　[谨案] 特生礜石，一名苍礜石。而梁州时生，亦有青者。今防陵、汉川与白礜石同处，有色青者[4]，并毒杀禽兽，与礜石同。汉中人亦取[5]以毒鼠，不入方用。此石出梁州、均州、房州，与二礜石同处，特生、苍石并生西城，西城在汉川金州是也[6]。

【校注】

[1] 平　其后，《新修》衍"无毒"2字，据《千金翼》《证类》删。

[2] 飞禽鼠　《千金翼》《证类》脱"飞"字。"鼠"，《千金翼》《证类》《纲目》作"兽"。

[3] 味甘……生西城　《纲目》将此文并在"特生礜石"条下。"城"，《纲目》作"域"。

[4] 者　《新修》原脱，据《证类》补。

[5] 取　《纲目》脱此字。

[6] [谨案] ……金州是也　《纲目》将此文并在"特生礜石"条下。

59　土阴[1]孽

味咸，无毒。主妇人阴蚀，大热，干痂。生高山崖上之阴，色白如脂，采无时。

此犹似钟乳、孔[2]公孽之类，故亦有孽名，但在崖上耳，今时有之，但不复采用耳。　　[谨案] 此即土乳是也。出渭州鄣县三交驿西北坡[3]平地土[4]窟中，见有六十余坎[5]昔人采处。

土[6]人云：服之亦同[7]钟乳，而不发热。陶及《本经》俱云在崖上，此说非也。今渭州不复采用也[8]。

【校注】

[1] **阴**　《新修》作"阴"，《纲目》作"殷"。

[2] **孔**　《新修》原脱，据《证类》补。

[3] **北坡**　《新修》原作"此岐"，据武田本《新修》、《证类》改。

[4] **土**　人卫《政和》、《纲目》作"上"。

[5] **坎**　《新修》原作"次"，据武田本《新修》、《证类》改。

[6] **土**　《新修》原作"主"，据《证类》改。

[7] **亦同**　《新修》原作"曰"，据《证类》改。

[8] **陶及《本经》俱云……用也**　《纲目》作"陶及本草云，生崖上，非也"。

60　代赭[1]

味苦、甘[2]，寒，无毒。主鬼疰，贼风，蛊毒，杀精物恶鬼，腹中毒邪[3]气，女子赤沃漏下。带下百病，产难，胞衣不出，堕胎，养血气，除五脏血脉中热、血痹、血瘀，大人小儿惊气入腹及阴痿不起。**一名须丸**出姑幕者名须丸，出代郡者名代赭，一名血师。生齐国山谷，赤红青色，如鸡冠有泽，染爪[4]甲不渝者良，采无时。

畏天雄。　旧说云是代郡城门下土。江东久绝[5]，顷魏国所献，犹是彼[6]间赤土耳，非复真物，此于[7]俗用乃疏，而为丹[8]方之要，并与戎盐、卤咸皆是急须。　［谨案］此石多从代州来，云山中采得，非城门下土，又言生齐代山谷[9]。今齐州亭山出赤石，其色有赤红青者。其赤者，亦如鸡冠，且[10]润泽，土人惟采以丹楹柱，而紫色且[10]暗，此物与代州出者相似，古来用之。今灵州鸣沙县界河北[11]，平地掘深四[12]五尺得者，皮上赤滑，中紫如鸡肝，大胜齐、代所出[13]者。

【校注】

[1] **赭**　其后，《本经疏证》、顾本衍"石"字。

[2] **甘**　《新修》原脱，据《证类》补。人卫《政和》注"甘"字为《本经》文，其他各本注为《别录》文。

[3] **腹中毒邪**　"腹"，《本草经解》作"肠"。"邪"，《新修》原作"耶"，据《千金翼》《证类》改。

[4] **爪**　《本经疏证》作"指"。

[5] **城门下土。江东久绝**　"土"，《纲目》作"赤土也"。"久"，《新修》原作"之"，据武田

本《新修》、《证类》改。

[6] **彼** 《新修》原作"後"，据武田本《新修》、《证类》改。

[7] **顷魏国……此于** 《纲目》无此文。

[8] **丹** 《证类》《纲目》作"仙"。

[9] **又言生齐代山谷** 《纲目》无此文。"代"，《证类》作"地"。

[10] **且** 《新修》原作"旦"，据《证类》改。

[11] **北** 《新修》原作"此"，商务《政和》作"比"，据《大观》改。

[12] **四** 《新修》原作"曰"，据《证类》改。

[13] **所出** 《新修》原脱此2字，据《证类》补。

61　卤咸[1]

味苦、咸，寒[2]，无毒。主大热，消渴，狂烦，除邪，及吐下蛊毒[3]，柔肌肤[4]。去五脏肠[5]胃留热，结气，心下坚，食已呕逆，喘满，明目，目痛。生河东盐池[6]。

云是煎盐釜下凝滓[7]。　〔谨案〕卤咸既生河东，河东盐不釜煎，明非凝滓也[8]。此是碱土名卤咸，今人熟皮用之，字作古陷反[9]，斯则于碱地掘取之[10]。

【校注】

[1] **咸** 孙本、《御览》《北堂书钞》作"盐"。

[2] **味苦、咸，寒** 《纲目》注为《别录》文；《大观》注"苦""寒"为《本经》文，注"咸"为《别录》文。"咸"，人卫《政和》注为《本经》文，其他各本注为《别录》文。

[3] **除邪，及吐下蛊毒** "邪"，《新修》原作"耶"，据武田本《新修》、《千金翼》《证类》改。"吐"，《新修》、武田本《新修》、森本有"吐"字，其他各本皆无此字。"蛊毒"，《北堂书钞》作"毒虫"。

[4] **肤** 其后，《御览》有"一名寒石"4字。

[5] **肠** 《新修》原作"腹"，据《千金翼》《证类》改。

[6] **盐池** 森本、《纲目》作"池泽"，《新修》、武田本《新修》、《千金翼》《证类》作"盐池"。

[7] **云是煎盐釜下凝滓** "云"字前，《纲目》有"今俗不复见卤咸，疑是黑盐"。"滓"，《新修》原作"泽"，据《证类》改。"滓"字后，《纲目》衍"二说未详"4字。

[8] **也** 其后，《纲目》有"又疑是黑盐，皆不然"。

[9] **字作古陷反** 《证类》《纲目》无此5字。

[10] **斯则于碱地掘取之** 《纲目》改作"于碱地掘取"。

62　大盐[1]

令人吐。生[2]邯郸及河东**池泽[3]**。味甘、咸，寒，无毒。主肠胃结热，喘逆，吐胸中病[4]。

漏芦为之使。 ［谨案］大盐即河东印[5]盐也，人之常食者，是形粗于末[6]盐，故以大别之也。

【校注】

［1］本条全文，《千金翼》《证类》作"大盐，味甘、咸，寒，无毒。主肠胃结热喘逆，胸中病，令人吐。生邯郸及河东池泽"。

［2］**生** 《森本》注此字为《本经》文。

［3］**池泽** 《森本》注此2字为《本经》文。

［4］**主肠胃结热，喘逆，吐胸中病** 《纲目》《食货典》注为《本经》文，其他各本注为《别录》文。"吐"，《新修》有此字，其他各本无之。

［5］**印** 《新修》原作"郎"，据《证类》改。

［6］**末** 《新修》、武田本《新修》原作"未"，《纲目》作"食"，现据《证类》改。

63 戎盐

主明目、目痛[1]，**益气，坚肌骨**[2]，**去毒虫**[3]。味咸，寒，无毒[4]。疗心腹痛，溺血，吐血，齿舌血出。一名胡盐。生胡盐山，及西羌北[5]地，及酒泉福禄城东南角。北海青，南海赤[6]。十月采。

今俗中不复见卤咸，惟魏国所献虏盐[7]，即是河东大[8]盐，形[9]如结冰，圆强，味咸、苦，夏月小润液。虏中盐[10]乃有九种：白盐，食盐[11]，常食者；黑盐，疗腹胀气满；胡盐，疗耳聋目[12]痛；柔盐，疗马脊疮[13]；又有赤盐、駮盐、臭盐、马齿盐[14]四种，并不入食。马齿即大盐，黑盐疑是卤咸，柔盐疑是戎盐[15]，而此戎盐又名胡盐，兼疗眼痛[16]，二、三相乱。今戎盐虏中甚有，从凉州来，芮芮河南使及北部胡客从敦煌来[17]，亦得之，自是希少尔[18]。其形作块片，或如鸡鸭卵，或如菱米，色紫白，味不甚咸，口尝气臭[19]，正如臛鸡子臭者言是真[20]。又河南盐池泥中，自有[21]凝盐如石片，打破皆方[22]，青黑色，善疗马脊疮，又疑此或是。盐虽多种，而戎盐、卤咸最为要用。又巴东朐䏶县北岸[23]大有盐井，盐水自凝生粥子盐，方[24]一二寸，中央突张如伞形，亦有方如石膏、博棋者。李云戎盐味苦、臭，是海潮水浇山石，经久盐凝著石取之。北海者青，南海者紫赤。又云卤咸即是人煮盐釜底凝强盐滓，如此二说并未详[25]。 ［谨案］陶称卤咸，疑是黑盐，此是醶土[26]，议如前说，其戎盐即胡盐。沙州名为秃登盐，廓州名为阴土盐[27]，生河岸山坡[28]之阴土石间，块大小不常，坚[29]白似石，烧之不鸣炸[30]者。

【校注】

［1］**目痛** 《御览》无此文。

［2］**坚肌骨**　《御览》无此文。"坚"，《新修》、狩本作"监"，玄《大观》、《大全》作"紧"，《千金翼》、柯《大观》、成化《政和》、万历《政和》、商务《政和》、人卫《政和》、《纲目》、孙本、森本作"坚"，应以《千金翼》等为是。

［3］**虫**　《新修》《御览》作"虫"，其他各本皆作"盘"。

［4］**味咸，寒，无毒**　《证类》《本草经疏》《本经疏证》移此文于"主明目"之前。

［5］**北**　《新修》原作"此"，玄《大观》作"比"，据《千金翼》《证类》改。

［6］**福禄城东南角。北海青，南海赤**　《新修》原作"禄福城东南海赤"，据《千金翼》《证类》改。

［7］**所献房盐**　《新修》原作"献处监"，据《证类》改。

［8］**大**　《新修》原脱，据《证类》补。

［9］**形**　《新修》原作"刑"，据《证类》改。

［10］**房中盐**　《新修》原作"处中监"，据《证类》改。"房"字前，《纲目》衍"史书言"3字。

［11］**盐**　《新修》原脱，据《证类》补。

［12］**目**　《新修》原脱，据《证类》补。

［13］**疮**　《新修》原作"疗"，据《证类》改。

［14］**驳盐、臭盐、马齿盐**　"驳"，《纲目》作"驳"。"臭盐、马齿盐"，《新修》原作"臭马齿"，据《证类》改。

［15］**戎盐**　《新修》重出"戎盐"，据《证类》删。

［16］**兼疗眼痛**　"兼疗"，《证类》作"并主"。"痛"，《新修》原作"疗"，据《证类》改。《纲目》无此4字。

［17］**北部胡客从敦煌来**　"北""敦"，《新修》原作"此""鄜"，据《证类》改。

［18］**芮芮河……希少尔**　《纲目》改作"亦从敦煌来"。

［19］**臭**　《新修》原作"息"，据《证类》改。

［20］**言是真**　《证类》脱"是"字，《纲目》作"乃真"。

［21］**有**　柯《大观》作"然"。

［22］**皆方**　"皆"，柯《大观》作"四"。《纲目》脱"方"字。

［23］**北岸**　商务《政和》作"比岸"，《纲目》作"北崖"。

［24］**粥子盐，方**　"粥"，《纲目》作"伞"。"方"，《纲目》脱此字。

［25］**又巴东……未详**　《新修》原脱，据《证类》补。《纲目》引此时有删节。

［26］**土**　《新修》原作"主"，据《证类》改。

［27］**阴土盐**　《新修》原作"生盐"，据《证类》改。

［28］**坡**　《证类》《纲目》作"坂"。

［29］**坚**　《新修》原作"盐"，据《证类》改。

［30］**炸**　《纲目》作"炉"。按，《字书》云"炉，音宅，裂也"；"炸音吒，火声也"。

64　白垩

味苦、辛，温，无毒。主女子寒热，癥瘕，月[1]闭，积聚，阴肿痛，漏下，无子[2]。止泄痢[3]。不可久服，伤五脏，令人羸瘦[4]。一名白善[5]。生邯郸山谷，采无时。

此即今画用者[6]，甚多而贱，俗方亦希，《仙[7]经》不须也。　　［谨案］胡居士言，始兴小桂县晋阳乡有白善[8]。

【校注】

［1］**月**　孙本作"目"。

［2］**阴肿痛，漏下，无子**　《政和》《纲目》《品汇》注为《别录》文，孙本、顾本亦不取此文为《本经》文，《大观》《大全》、森本、狩本注为《本经》文，应以《大观》等为是。

［3］**止泄痢**　《纲目》脱"止"字。

［4］**不可久服，伤五脏，令人羸瘦**　《纲目》无此文。"伤"，《新修》原作"复"，据《千金翼》《证类》改。

［5］**善**　其后，《御览》《纲目》衍"土"字。

［6］**此即今画用者**　"今"，《新修》原作"令"，据《证类》改。"画"，《纲目》作"画家"。

［7］**仙**　《新修》原作"似"，据《证类》改。

［8］**［谨案］……白善**　《新修》原脱，据《证类》补。

65　铅丹

味辛，微寒。主咳[1]**逆，胃反，惊痫，癫**[2]**疾，除热，下气。止小便利**[3]**，除毒热脐挛，金疮溢血**[4]**。炼化还成九光**[5]**，久服通神明**[6]**。生蜀郡平泽**[7]**。一名铅华**[8]**，生于铅。**

即今熬铅所作黄丹画用者，俗方亦希用[9]，惟《仙经》涂丹釜所须此[10]。云化成九光者，当谓九光丹以为釜耳，无别变炼法[11]。　　［谨案］丹、白二粉俱炒锡作，今经称铅丹，陶云熬铅，俱误也[12]。

【校注】

［1］**咳**　孙本、问本作"土"，《千金翼》《证类》《品汇》《纲目》、顾本作"吐"，《新修》、森本作"咳"，应以《新修》等为是。

［2］**癫**　《图经衍义》脱此字。

［3］**便利**　"便"，《新修》原作"使"，据武田本《新修》、《千金翼》《证类》改。《纲目》脱"利"字。

［4］**溢血**　《纲目》作"血溢"。

［5］**九光**　"九"，《新修》原作"丸"，据武田本《新修》、《千金翼》《证类》改。"光"，黄本作"元"。

［6］ **神明**　《御览》作"神仙"。

［7］ **生蜀郡平泽**　《千金翼》《证类》《本经疏证》列在"生于铅"之后。

［8］ **铅华**　《纲目》未注明出典。

［9］ **俗方亦稀用**　《纲目》脱"亦"字。"用"，《新修》原脱，据《证类》补。

［10］ **涂丹銎所须此**　"涂"，《新修》原脱，据《证类》补。《纲目》无"此"字。

［11］ **无别变炼法**　《纲目》作"无别法也"。

［12］ **［谨案］……误也**　《纲目》无此文。

66　粉锡

味辛，寒，无毒。主伏尸毒螫，杀三虫。去鳖瘕[1]，疗恶疮，堕胎[2]，止小便利。一名解[3]锡。

即今化铅所作胡粉也。其有金色者[4]，疗尸虫弥良[5]，而谓之粉锡，事与经乖[6]。　　［谨案］铅丹、胡粉，实用锡造[7]。陶今又言化铅作之，经云粉锡，亦为深误[8]。

【校注】

［1］ **瘕**　《新修》原作"瘦"，据《千金翼》《证类》改。

［2］ **堕胎**　《纲目》列在"止小便利"之后。"堕"，《新修》原作"随"，据《千金翼》《证类》改。

［3］ **解**　《御览》作"鲜"。

［4］ **其有金色者**　"其有"，《纲目》作"胡粉"。"者"，《新修》原脱，据《证类》补。

［5］ **弥良**　《新修》原作"称即"，据《证类》改。

［6］ **事与经乖**　《纲目》作"以与今乖"。

［7］ **铅丹、胡粉，实用锡造**　《新修》原作"胡实粉用造"，据《证类》改。"锡"，《纲目》作"炒锡"。

［8］ **作之，经云粉锡，亦为深误**　《证类》《纲目》作"误矣"。

67　锡铜镜鼻[1]

主女子血闭，癥瘕，伏肠[2]，绝孕，及[3]伏尸邪气。生桂阳山谷。

此物与胡粉异类，而今共条。当以其非正成具一药，故以附见锡品中也[4]。古无纯以铜[5]作镜者，皆用锡[6]杂之。《别录》用铜镜鼻，即是今破古铜镜鼻尔，用之当烧令赤内酒中饮之[7]。若置醯[8]中出入百过，亦[9]可捣也。铅与锡，《本经》云生桂阳[10]。今[11]乃出临贺，临贺[12]犹是分桂阳所置。铅与锡虽相似，而入用大异[13]。　　［谨案］临贺出者名铅，一名白镴，惟此一处资天下用。其锡出银[14]处皆有之。

【校注】

[1] **锡铜镜鼻** 《新修》、武田本《新修》原作"锡镜铜鼻"，据《千金翼》《证类》改。森本、狩本脱"铜"字。

[2] **癥瘕，伏肠** 《新修》原作"瘦伏腹"，据《千金翼》《证类》改。"肠"，《纲目》作"阳"。

[3] **及** 《新修》原脱，据《证类》补。

[4] **当以其非正成具……中也** 《纲目》无此文。"正"，《证类》作"止"。"具"，《证类》无"具"字。

[5] **纯以铜** "纯"，《新修》原作"绝"，据《证类》改。"铜"，《新修》原作"锡"，据《证类》改。

[6] **锡** 《新修》原作"铜"，据《证类》改。

[7] **烧令赤内酒中饮之** "令"，《新修》原作"今"，据《证类》改。又《纲目》无"饮之"2字。

[8] **醯** 《新修》原作"锰"，据《证类》改。

[9] **百过，亦** 《纲目》作"百遍乃"。"亦"，《新修》原作"赤"，据《证类》改。

[10] **铅与锡，《本经》云生桂阳** 《新修》原作"锡及锡《本经》云蜀郡柱阳"，据《证类》改。

[11] **今** 其后，《证类》衍"则"字。

[12] **临贺** 《新修》原作"临临贺贺"，据《证类》改。

[13] **铅与锡……大异** 《纲目》无此文。

[14] **银** 《新修》原脱，据《证类》补。

68　铜弩牙

主妇人产难[1]，血闭，月水不通，阴阳隔塞[2]。

此即今人所用射者耳[3]，取烧赤内酒中[4]，饮汁，亦以添之[5]，得古者弥胜，制镂多巧也[6]。

【校注】

[1] **产难** 《纲目》作"难产"。

[2] **塞** 《新修》原作"寒"，据《证类》改。

[3] **此即今人所用射者耳** 《纲目》作"铜弩牙治诸病"。

[4] **烧赤内酒中** 《新修》原脱"赤""中"，据《证类》补。

[5] **亦以添之** 《证类》《纲目》无此文。

[6] **制镂多巧也** 《证类》《纲目》无此文。

69　金牙[1]

味咸，无毒。主鬼疰[2]、毒蛊、诸疰。生蜀郡，如金色者良。

今出蜀汉，似粗金，而大小方皆如棋子[3]。又有铜牙亦相似，但色黑，内色小浅，不入药用。金牙惟以合酒[4]、散及五疰丸，余方不甚须此也[5]。　　[谨案] 金牙离本处入土水中，久皆色黑，不可谓之铜牙也。此出汉中，金牙湍湍两岸入石间，打出者，内则金色，岸崩入水，年久者[6]皆黑。近南山溪谷茂州、维州[7]，亦有胜于汉中也。

【校注】

[1] 金牙　《纲目》作"金牙石"。

[2] 疰　《新修》原脱，据《千金翼》《证类》补。

[3] 而大小方皆如棋子　《证类》作"大如碁子"，《纲目》作"大如棋子而方"。

[4] 金牙惟以合酒　《纲目》作"金牙惟酒"。

[5] 不甚须此也　《纲目》作"少用"。

[6] 内则金色，岸崩入水，年久者　"则"，《证类》作"即"。"崩"，《证类》作"摧"，《纲目》作"颓"。"年"，《证类》《纲目》无此字。

[7] 溪谷茂州、维州　《新修》原作"洛谷茂州洳州"，据《证类》改。

70　石灰[1]

味辛，温。主疽疡，疥瘙，热气，恶疮，癞[2]疾，死肌，堕眉，杀[3]痔虫，去黑子息肉。疗[4]髓骨疽。一名恶灰，一名希灰。生中山川[5]谷。

中山属代郡。今近山生石，青白色，作灶烧竟，以[6]水沃之，则热蒸而解末矣[7]。性至烈，人以度酒饮之，则腹痛下痢，疗金疮[8]亦甚良。俗名石垩。古今多以构冢[9]，用捍水而辟虫。故古冢中水，以洗诸恶疮[10]，皆即差也。　　[谨案]《别录》及今人用疗金疮[11]、止血大效。若五月五日采蘩蒌、葛叶、鹿活草、槲[12]叶、地黄叶、芍药叶、苍耳叶、青蒿叶，合石灰捣，为团如鸡卵，暴干末之，疗诸疮[13]生肌极[14]神验。

【校注】

[1] 石灰　《纲目》注为《本经》中品，《新修》《千金翼》《证类》将其列入下品。

[2] 癞　《大全》作"痫"。

[3] 杀　《新修》原脱，据《证类》补。

[4] 疗　《新修》原脱，据《证类》补。

[5] 川　孙本作"山"。

[6] 以　《新修》原脱，据《证类》补。

[7] **则热蒸而解末矣** "则"，《证类》作"即"。"末"，《新修》原作"未"，据《证类》改。

[8] **疮** 《新修》原作"疗"，据《证类》改。

[9] **多以构冢** 《新修》原脱"多"字，据《证类》补。"冢"，《新修》原作"家"，据《证类》改。

[10] **故古冢中水，以洗诸恶疮** "故"，《新修》原误作"之"字，据《证类》补。"冢"，《新修》原作"豖"，据《证类》改。《纲目》《证类》脱"以""恶"2字。

[11] **疮** 《新修》原作"疗"，据《证类》改。

[12] **槲** 《新修》原作"櫰"，据《证类》改。

[13] **疮** 《新修》原作"疗"，据《证类》改。

[14] **极** 《证类》作"大"，《纲目》作"大妙"。

71　冬灰

味[1]辛，微温。主黑子，去疣、息肉，疽[2]蚀，疗瘑。一名藜灰。生方谷川泽。

此即今浣衣黄灰耳，烧诸蒿藜积聚炼作之，性烈[3]，又荻灰尤烈。欲消黑痣疣赘，取此三种灰水和蒸以点之即去，不可广用[4]，烂人皮肉[5]。　　〔谨案〕桑薪灰，最入药用，疗黑子疣赘[6]功胜冬灰[7]。用煮小豆[8]，大下水肿。然冬灰本是藜灰，余草不真。又有青蒿灰，烧蒿作之。柃灰，烧[9]木叶作。并入染用，亦堪蚀恶肉[10]。柃灰一作苓字。

【校注】

[1] **味** 《新修》原脱，据《千金翼》《证类》补。

[2] **疽** 玄《大观》作"疸"。

[3] **性烈** 《证类》《纲目》作"性亦烈"。

[4] **用** 《新修》原作"则"，据《证类》改。

[5] **欲消黑痣……烂人皮肉** 《纲目》无此文。

[6] **赘** 《新修》原作"自"，据《证类》改。

[7] **〔谨案〕……冬灰** 《纲目》无此文。

[8] **用煮小豆** "用"，《新修》原脱，据《证类》补。《纲目》无"小"字。

[9] **烧** 《新修》原脱，据《证类》补。

[10] **蚀恶肉** "蚀"，《新修》原作"食"，据《证类》改。《新修》原脱"肉"字，据《证类》补。

72　锻灶灰

主癥瘕坚积，去邪恶气。

此即今锻铁灶中灰尔，兼得铁力[1]。以疗暴癥水有效[2]。　　〔谨案〕二车丸用之[3]。

【校注】

[1] **灶中灰尔，兼得铁力**　《新修》原脱前 7 字，据武田本《新修》、《证类》补。"力"字后，《纲目》衍"故也"2 字。

[2] **以疗暴癥水有效**　《纲目》注出处为"唐本注"。"水"，《证类》作"大"，《纲目》无此字。

[3] **二车丸用之**　《纲目》作"古方二车丸中用之"。

73　伏龙肝

味辛，微温。主妇人崩中，吐下[1]血，止咳逆，止血，消痈肿[2]毒气。

此灶中对釜月下黄土也，取捣筛合糊涂主痈甚效[3]。以灶有神，故号为伏龙肝，并亦迁隐其名耳。今人又用广州盐城屑，以疗漏血瘀血，亦是近月之土，兼得[4]火烧之义也。

【校注】

[1] **下**　《证类》《纲目》脱此字。

[2] **止血，消痈肿**　《纲目》作"醋调涂痈肿"。

[3] **取捣筛合糊涂主痈甚效**　《纲目》无此文。"萌涂"，《新修》原作"朋途主"，据《证类》改。

[4] **近月之土，兼得**　"月"，《新修》作"日"，《证类》作"耳"，《纲目》作"月"，应以《纲目》为是。按，"月"指釜而言。"兼"，《纲目》作"益"。"得"，《新修》原脱，据《证类》补。

74　东壁土

主下部蜃[1]疮，脱肛。

此屋之东壁上[2]土耳，当取东壁之东边[3]，谓恒先见日光[4]，刮取用之[5]。亦疗小儿风齐[6]，又可除油污衣书[7]，胜石灰、滑石。　　[谨案]此土摩干、湿二癣，极有效[8]。

【校注】

[1] **蜃**　《证类》《纲目》脱此字。其下《新修》衍"字有"2 字，据《千金翼》《证类》删。

[2] **上**　《新修》原脱，据《证类》补。

[3] **当取东壁之东边**　《纲目》无此文。"壁"，《新修》原作"骒"，据《证类》改。

[4] **恒先见日光**　"恒"，《证类》《纲目》作"常"。"光"，《新修》原作"先乱"，据《证类》改；《纲目》无"光"字。

[5] **刮取用之**　《纲目》作"故尔"。

[6] **亦疗小儿风齐**　"儿"，《新修》原作"叟"，从《证类》改。《纲目》作"疗小儿脐风"。

[7] **污衣书** "污"，《纲目》作"垢"。《证类》《纲目》脱"书"字。

[8] **极有效** 《纲目》作"极效"，《证类》作"极有效也"。

75 硇沙

味咸、苦辛，温，有毒。不宜多服。主积聚，破结血，烂胎，止痛，下气，疗咳嗽[1]宿冷，去恶肉，生好肌。柔金银，可为焊[2]药。出西戎，形如朴[3]消，光净者良。驴马药亦用之[4]。 新附

【校注】

[1] **嗽** 《新修》原作"嗷"，据《千金翼》《证类》改。

[2] **焊** 《新修》原作"汗"，据《证类》《千金翼》改。

[3] **朴** 《证类》《图经衍义》《纲目》《本草经疏》作"牙"。

[4] **驴马药亦用之** 《纲目》改作"亦入驴马药用"。《本草经疏》《本草逢原》无此文。

76 胡桐泪

味咸、苦，大寒，无毒。主大毒热，心腹烦满，水和服之，取吐。又主牛马急黄，马[1]黑汗，水研二三[2]两，灌之，立差。又为金银焊[3]药。出肃州川[4]西平泽及山谷中，形似黄矾而坚实，有夹烂木[5]者，云是胡桐树滋[6]，沦入土[7]，石碱卤地作之。其树高大，皮叶似白杨、青桐、桑辈，故名胡桐。木堪器用，一[8]名胡桐律。律、泪声讹也。西域[9]传云：胡桐似桑而曲[10]。 新附

【校注】

[1] **马** 《证类》《千金翼》《纲目》《品汇》《图考长编》《本草经疏》无此字。

[2] **二三** 《证类》《纲目》《图考长编》作"三二"。

[3] **焊** 《新修》原作"汗"，据《千金翼》《证类》改。

[4] **川** 《证类》《纲目》《品汇》《图考》作"以"，《新修》、武田本《新修》作"川"，应以《新修》等为是。

[5] **木** 《新修》原作"本"，据《千金翼》《证类》改。

[6] **桐树滋** "桐"，玄《大观》作"祠"。"滋"，《纲目》《图考长编》作"脂"。

[7] **土** 《新修》原作"主"，《大全》作"士"，据《千金翼》《证类》改。"土"字后，《图考长编》有"中"字。

[8] **一** 《证类》《图考长编》作"又"。

[9] **域** 《新修》、武田本《新修》原作"城"，据《千金翼》《证类》改。

[10] **曲** 《新修》、武田本《新修》原作"回"，据《千金翼》《证类》改。

77 姜石

味咸，寒，无毒。主热豌豆疮，丁毒等肿。生土石间，状如姜，有五种，色白者最良，所在有之[1]，以烂不碜者好[2]，齐州[3]历城东者良[4]。　新附

【校注】

[1] **所在有之**　《纲目》移此4字于"生土石间"之前。

[2] **好**　《纲目》作"良"。

[3] **州**　《纲目》作"城"。

[4] **良**　《图经衍义》作"佳"，《纲目》作"好，采无时"。

78 赤铜屑

以醋和如麦饭[1]，袋盛，先刺腋下脉去[2]血，封之，攻腋臭神效[3]。又熬使极热，投酒[4]中，服五合，日三，主贼风反折。又烧赤铜五斤，内酒二斗中百遍，服同前，主贼风甚验[5]。　新附

【校注】

[1] **饭**　《新修》原作"饮"，据《证类》改。

[2] **去**　《千金翼》作"出"。

[3] **攻腋臭神效**　"攻"，《新修》原作"改"，据《千金翼》《证类》改。《纲目》无"攻腋臭"3字。

[4] **酒**　《新修》原作"须"，据《千金翼》《证类》改。

[5] **又烧赤铜……甚验**　《纲目》作"或以五斤烧赤，纳二斗酒中百遍，如上服之"。

79 铜鲱石

味酸，寒，有小[1]毒。主丁肿恶疮，马驴[2]脊疮，臭腋，石上水磨取汁涂臭腋[3]，其丁肿末之，傅疮上良[4]。　新附

【校注】

[1] **小**　《新修》原作"少"，据《千金翼》《证类》改。

[2] **马驴**　《证类》《千金翼》《纲目》作"驴马"。"驴"，《新修》、武田本《新修》作"胪"，据《千金翼》《证类》改。

［3］**涂臭腋** 《证类》作"涂之"，《纲目》作"臭腋，磨汁涂之"。

［4］**末之，傅疮上良** "末"，《新修》原作"未"，据《证类》改。《纲目》作"为末傅之"。又《纲目》在此条"集解"下引有"恭曰"等文，按，其文原出于《开宝本草》，《纲目》误为"恭曰"。

80 白瓷[1]屑

平，无毒。主妇人带下、白崩，止呕吐逆[2]，破血，止血。水磨，涂疮灭瘢。广州者[3]良，余皆不如。　新附

【校注】

［1］**瓷** 其后，《证类》《纲目》有"瓦"字。

［2］**逆** 《证类》《图经衍义》《品汇》《纲目》无此字。

［3］**广州者** "广"，《证类》《纲目》作"定"。《新修》原脱"者"字，据《千金翼》《证类》补。

81 乌古瓦[1]

寒，无毒。以水煮及渍汁饮，止消渴。取屋上年久[2]者良。　新附

【校注】

［1］**瓦** 《新修》原作"九"，据《千金翼》《证类》改。

［2］**久** 《证类》《纲目》作"深"。

82 石燕

以水煮汁饮之。主淋有效，妇人难产[1]，两手各把一枚，主产难立验[2]。出零陵。

俗云因雷雨则[3]从石穴中出，随雨飞坠者，妄也。永州祁阳县西北百一十五里[4]土冈上，掘深[5]丈余取之。形似蚶而小[6]，坚重如石也。　新附

【校注】

［1］**妇人难产** 《新修》原脱，据《千金翼》《证类》补。

［2］**立验** 《新修》原脱，据《千金翼》《证类》补。

［3］**雷雨则** 《新修》原作"零"，据《证类》改。

［4］**西北百一十五里** 《纲目》作"西北一十里有"。"北"，《新修》原作"此"，据《证

类》改。

[5] **上，掘深**　《新修》原脱"上""深"，据《证类》补。

[6] **小**　《新修》原脱，据《证类》补。

83　梁上尘

主腹痛，噎[1]，中恶，鼻衄，小儿软疮。　　新附

【校注】

[1] **噎**　《纲目》作"噎膈"。

《新修本草》玉石等部下品卷第五

草部上品之上　卷第六

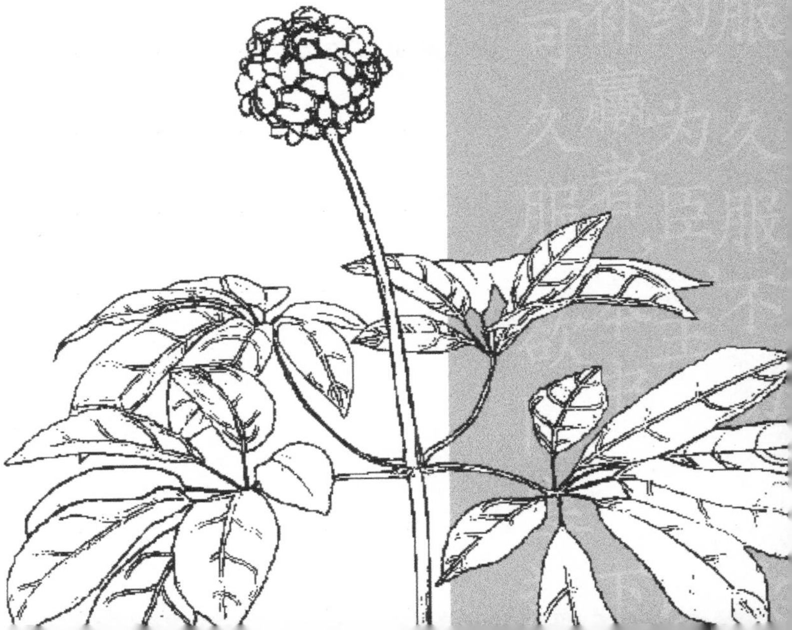

右草部上品之上合四十种卅九种《神农本经》，一种《名医别录》。

84 青芝

味酸，平。主明目[1]，补肝气，安精魂，仁恕。久食[2]轻身不老，延年[3]神仙[4]。一名龙芝[5]。生太山[6]。

［谨案］不忘强志。

【校注】

［1］**目** 万历《政和》作"日"。

［2］**久食** 《御览》作"食之"。

［3］**延年** 《御览》无此2字。

［4］**仙** 其后，《图经衍义》有"不忘强志"4字。

［5］**一名龙芝** 《纲目》注为《别录》文，其他各本皆注为《本经》文。

［6］**山** 其后，森本衍"山谷"2字。

85 赤芝

味苦，平。主胸腹[1]结，益心气，补中，增智慧[2]，不忘。久食轻身不老，延年[3]神仙。一名丹芝。生霍山。

南岳本是衡山，汉武帝始以小霍山代之，非正[4]也。此则应生衡山也。 ［谨案］安心神。

【校注】

［1］**腹** 《证类》作"中"，《千金翼》作"腹"。

［2］**智慧** 成化《政和》、万历《政和》、商务《政和》、《品汇》《图考》、孙本、黄本、顾本作"慧智"，柯《大观》、玄《大观》、《大全》、人卫《政和》、《纲目》、森本、狩本作"智慧"，应以《大观》等为是。

151

［3］年　黄本、问本作"季"。

［4］正　商务《政和》作"山"，《纲目》无此字。

86　黄芝

味甘，平。主心腹五邪，益脾气，安神，忠信[1]和乐。久食轻身不老，延年神仙。一名金芝。生嵩[2]山。

【校注】

［1］信　顾本作"和"。

［2］嵩　其后，《御览》衍"高"字。

87　白芝

味辛，平。主咳逆上气，益肺气，通利口鼻，强志意，勇悍，安魄。久食轻身不老，延年神仙。一名玉芝。生华山[1]。

【校注】

［1］山　其后，森本衍"山谷"2字。

88　黑芝

味咸，平。主癃，利水道，益肾气，通九窍，聪察。久食轻身不老，延年神仙。一名玄[1]芝。生恒[2]山。

［谨案］五芝，《经》云：皆以五色生于五岳，诸方所献，白芝未必华山，黑芝又非常岳。且芝[3]多黄白，稀有黑青者，然紫芝最多，非五芝类。但芝自难得，纵获一、二，岂得终久服耶？

【校注】

［1］玄　孙本、问本、黄本作"元"，此因讳"玄"改"元"。

［2］恒　《千金翼》《证类》《纲目》作"常"，此因讳"恒"改"常"。

［3］芝　商务《政和》、《纲目》脱此字。

89　紫芝

味甘，温。主耳聋，利关节，保神，益精气[1]，坚筋骨，好颜色。久服轻身不老，延年[2]神仙[3]。一名木芝。生高夏山谷。六芝皆无毒，六月、八月采。

署预为之使，得发良，得麻子人[4]、白瓜子、牡桂共益人，恶恒山，畏扁青、茵陈蒿。　案，郡县无高夏名，恐是山名尔。此六芝皆仙草之类，俗所稀见，族种甚多，形色环异，并载《芝草图》中。今俗所用紫芝，此是朽树木株上所生，状如木檽，名为紫芝，盖止疗痔，而不宜以合诸补丸药也。凡得芝草，便正尔食之，无余节度，故皆不云服法也。

【校注】

[1] 气　顾本脱此字。

[2] 年　问本、黄本作"季"。

[3] 神仙　《证类》原脱，据《御览》增。

[4] 人　成化《政和》、万历《政和》、商务《政和》皆作"仁"。按，明版《证类》，凡植物种子内的核仁皆作"仁"；而人卫《政和》皆作"人"。

90　赤箭[1]

味辛，温。主杀鬼精物，蛊毒[2]恶气，消痈肿，上肢满疝[3]，下血。久[4]服益气力，长阴肥健，轻身增年[5]。一名离母，一名鬼督邮。生陈仓、川[6]谷、雍州及太山少室。三月、四月、八月采根，曝干。

陈仓属雍州扶风郡。案，此草亦是芝类。云茎赤如箭杆，叶生其端。根如人足，又云如芋，有十二子为卫。有风不动，无风自摇。如此，亦非俗所见，而徐长卿亦名鬼督邮。又复有鬼箭，茎有羽，其[7]疗并相似，而益人[8]乖异，恐并非此赤箭。　[谨案] 此芝类，茎似箭杆，赤色。端有花、叶，远看如箭有羽[9]。根皮肉汁与天门冬同，惟无心脉。去根五六寸，有十余子卫，似芋。其实似[10]苦楝子，核作五六棱，中肉如面，日曝则枯萎也。得根即生噉之，无干服法也[11]。

【校注】

[1] 赤箭　《御览》作"鬼督邮"。

[2] 蛊毒　森本作"治蛊毒"，《御览》作"治虫"。

[3] 疝　《纲目》《图考》作"寒疝"。

[4] 久　商务《政和》作"义"。

[5] 轻身增年　《纲目》注为《别录》文。《御览》脱"增年"2字，并移"轻身"于"久服"之后。

[6] 川　黄本作"山"。

[7] 其　《图考》作"主"，《纲目》作"其主"。

[8] 人　《图考》《纲目》作"大"。

[9] 远看如箭有羽　《和名类聚钞》引苏敬《图经本草》注云："赤箭远看似箭有羽，故以名

之。"羽"字后，《纲目》衍"四月开花"4字。

[10] **其实似** 《纲目》改作"结实似枯"。

[11] **[谨案]……服法也** 《纲目》将此文某些句子的位置换置了。

91 天门冬

味苦、甘，平、大寒，无毒。主诸暴风湿偏痹，强骨髓，杀三虫，去伏尸。保定肺气，去寒热，养肌肤，益气力[1]，利小便，冷而能补。**久服轻身益气，延年，不饥**[2]。一名颠勒。生奉高山谷。二月、三月、七月、八月采根，曝干。

垣衣、地黄为之使，畏曾青。 奉高，太山下县名也。今处处有，以高地大根味甘者为好。张华《博物志》[3]云：天门冬逆捋[4]有逆刺。若叶滑者名絺休[5]，一名颠棘。可以浣缣，素白如绒（纻类）。金城[6]人名为浣草。擘其根，温汤中挼之，以浣衣胜灰。此非门冬相似尔。案，如此说，今人所采，皆是有刺者，本名颠勒，亦粗相似，以浣垢衣则净。《桐君药录》又云：叶有刺，蔓生，五月花白，十月实黑，根连[7]数十枚。如此殊相乱，而不复更有门冬，恐门冬自一种，不即是浣草耶？又有百部，根亦相类，但苗异尔。门冬蒸剥去皮，食之甚甘美，止饥。虽曝干，犹脂润，难捣。必须薄切，曝于日中，或火烘之也。俗人呼苗为棘刺，煮作饮乃宜人，而终非真棘刺尔。服天门冬，禁食鲤鱼[8]。 [谨案]此有二种：苗有刺而涩者，无刺而滑者，俱是门冬。俗云颠刺、浣草者，形貌諁之。虽作数名，终是一物。二根浣垢俱净，门冬、浣草，互名之也[9]。

【校注】

[1] **益气力** 《纲目》《草木典》脱此文。

[2] **不饥** "饥"，玄《大观》作"饱"。《纲目》《本草经解》注"不饥"为《本经》文。

[3] **张华《博物志》** 今本《博物志》未见此文。《纲目》引文和《证类》引文亦不尽同。

[4] **捋** 商务《政和》作"将"。

[5] **休** 商务《政和》、《纲目》作"体"，《御览》、人卫《政和》、柯《大观》、玄《大观》作"休"。按，《证类》援引苏颂《本草图经》亦作"休"。

[6] **金城** 《纲目》作"今越"，各种版本《证类》均作"金城"。但《证类》援引苏颂《本草图经》作"越"。

[7] **连** 《纲目》脱此字。

[8] **门冬蒸……禁食鲤鱼** 《纲目》无此文。又《纲目》所引"弘景曰"之文，已被李时珍化裁，与《证类》引文不同。

[9] **也** 其后，《纲目》衍"諁音命，目之也"。

92 麦门冬

味甘，平、微寒，无毒。主心腹结气，伤[1]**中、伤饱**[2]**，胃络脉绝**[3]**，羸瘦**

短气[4]。身重、目黄，心下支满，虚劳客热，口干燥渴，止呕吐，愈痿蹶，强阴益精，消谷调中，保神，定肺气，安五脏，令人肥健，美颜色，有子。**久服轻身不老，不饥**[5]。秦名羊[6]韭，齐名爱韭，楚名马[7]韭，越名羊蓍[8]，一名禹葭，一名禹馀粮。叶如韭，冬夏长生。生函谷川谷及堤坂肥土石间久废处。二月、三月[9]、八月、十月采，阴干。

地黄、车前为之使，恶款冬、苦瓠，畏苦参、青蘘。　函谷，即秦关。而麦门冬异于羊韭之名矣。处处有，以四月采[10]，冬月作实如青珠，根似穬麦，故谓麦门冬，以肥大者为好。用之汤泽抽去心，不尔令人烦，断谷家为要。二门冬润时并重，既燥即轻，一斤减四五两尔[11]。

【校注】

[1] **伤**　人卫《政和》作"肠"，其他各本皆作"伤"。
[2] **伤饱**　《御览》无此2字，《顿医钞》脱"饱"字。
[3] **胃络脉绝**　《御览》脱"络"字。"脉"，《本经疏证》作"血"。
[4] **羸瘦短气**　《御览》无此文。
[5] **久服轻身不老，不饥**　《本经疏证》注为《别录》文，其他各本注为《本经》文。"不老不饥"，《御览》作"不饥不老"。"饥"，顾本作"肌"。
[6] **羊**　《纲目》《草本典》作"乌"。
[7] **马**　《和名》作"乌"。
[8] **越名羊蓍**　"蓍"，《纲目》《草木典》作"韭"，《御览》作"荠"。《图考长编》脱此文。
[9] **三月**　《纲目》《草木典》脱此文。
[10] **采**　《纲目》作"采根"。
[11] **函谷……五两尔**　《纲目》引此文时已做删改。

93　术

味苦、甘，温，无毒。主风寒，湿痹，死肌，痉疸，止汗，除热，消食。主大风在身面，风眩头痛，目泪出，消痰水，逐皮间风水结肿，除心下急满，及[1]霍乱、吐下不止，利腰脐间血，益津液，暖胃，消谷，嗜食。**作煎饵，久服轻身延年，不饥。一名山蓟**[2]，一名山姜，一名山连。生郑山山谷、汉中、南郑。二月、三月、八月、九月采根，曝干。

防风、地榆为之使。　郑山，即[3]南郑也。今处处有。以蒋山、白山、茅山者为胜。十一月、十二月、正月、二月[4]采好，多脂膏而甘。《仙经》云：亦能除恶气，弭灾疹。丸散煎饵并有法[5]。其苗又可作饮，甚香美，去水[6]。术乃有两种：白术叶大有毛而作桠，根甜而少膏，可作丸散用；赤术叶细无桠，根小苦而多膏，可作煎用。昔刘涓子接取其精而丸之，名守中金丸，可以长生[7]。东境术大而无气烈，不任用。今市人卖者，皆以米粉涂令白，非自然，用时宜刮去之。

【校注】

[1] 及 《纲目》《草木典》脱此字。

[2] 久服轻身延年，不饥。一名山蓟 《艺文类聚》卷81引《本经》曰："术，一名山蓟，久服不饥，轻身延年，生郑山。""延年"，问本、黄本作"延季"。"山蓟"，《和名》作"山荆"，《香要钞》作"山蓟"。

[3] 即 《图考》脱此字。

[4] 正月、二月 《纲目》无此文。

[5] 《仙经》云……并有法 《纲目》无此文。

[6] 去水 《纲目》无此文。

[7] 昔刘涓子接取……可以长生 《纲目》无此文。"接"，《图考长编》作"援"。

94 女萎、萎蕤[1]

味甘，平[2]**，无毒。主中风暴热，不能动摇，跌**[3]**筋结肉，诸不足。**心腹结气，虚热、湿毒，腰痛，茎中寒，及目痛眦烂泪出。**久服去面黑皯**[4]**，好颜色，润泽，轻身不**[5]**老。**一名莹，一名地节，一名玉竹，一名马薰[6]。生太山山[7]谷及丘陵。立春后采，阴干。畏卤咸。

案，《本经》有女萎无萎蕤。《别录》无女萎有萎蕤，而为用正同[8]，疑女萎即萎蕤也[9]，惟名异尔。今处处有，其根似黄精而小异。服食家亦用之。今市人别用一种物，根形状如续断茎，味至苦，乃言是女青根，出荆州。今疗下痢方，多用女萎，而此[10]都无止泄之说，疑必非也。萎蕤又主[11]理诸石，人服石不调和者，煮汁饮之[12]。 ［谨案］女萎功用及苗蔓，与萎蕤全别，列在中品。今《本经》朱书是女萎能效，墨字乃萎蕤之效[13]。

【校注】

[1] 萎蕤 《纲目》注此2字为《本经》文。

[2] 平 《御览》作"辛"。

[3] 跌 孙本、问本、黄本作"趺"。

[4] 皯 《千金翼》作"酐"，孙本、问本、黄本作"皯"。

[5] 不 《御览》作"能"。

[6] 一名马薰 《纲目》脱此文。

[7] 山 《御览》、森本作"川"。

[8] 为用正同 "为"，《纲目》作"功"。柯《大观》脱"正"字。

[9] 疑女萎即萎蕤也 柯《大观》作"如此女萎即应是萎蕤也"，并移此文于"惟名异尔"之后。

[10] 此 《图考长编》作"北"。

[11] 主 柯《大观》作"主能"。

［12］**今市人……煮汁饮之**　《纲目》无此文。

［13］**墨字乃蒌蕤之效**　《纲目》作"故《别录》墨书乃蒌蕤功效也"。"效"，柯《大观》作"功"。

95　黄精

味甘，平，无毒。主补中益气，除风湿，安五脏。久服轻身延年，不饥[1]。一名重楼，一名菟竹，一名鸡格，一名救穷[2]，一名鹿竹。生山谷，二月采根[3]，阴干。

今处处有。二月始生，一枝多叶，叶状似竹而短，根似蒌蕤。蒌蕤根如荻根及昌蒲，概节而平直；黄精根如鬼臼[4]、黄连，大节而不平。虽燥，并柔软有脂润[5]。俗方无用此，而为《仙经》所贵。根、叶、华、实皆可饵服，酒散随宜，俱在断谷方中。黄精[6]叶乃与钩吻相似，惟茎不紫、花不黄为异，而人多惑之。其类乃殊，遂致死生之反，亦为奇事。　　［谨案］黄精肥地生者，即大如拳；薄地生者，犹如拇指。蒌蕤肥根，颇类[7]其小者，肌理形色，都大[8]相似。今以鬼臼、黄连为比，殊无仿佛。又黄精叶似柳叶[9]及龙胆、徐长卿辈而坚。其钩吻蔓生[10]，殊非此类。

【校注】

［1］**饥**　其后，《本经疏证》衍"黄帝曰，太阳之草，名曰黄精，饵之可以长生"。按，此文原出于张华《博物志》。

［2］**救穷**　《纲目》作"救穷草"。

［3］**生山谷，二月采根**　《图经衍义》作"一名蒌蕤，一名仙人余粮，一名垂珠，一名马箭，一名白及。生山谷，今南北皆有之，以嵩山茅山者为佳，二月、三月采"。按，此文原出于苏颂《本草图经》。

［4］**白**　商务《政和》作"白"。

［5］**柔软有脂润**　《纲目》脱"软"字。《图考长编》脱"润"字。

［6］**黄精**　《纲目》作"其"。

［7］**类**　《纲目》作"同"。

［8］**都大**　《图考》《纲目》作"大都"。

［9］**叶**　人卫《政和》、商务《政和》《纲目》脱此字，《大观》有之。

［10］**生**　其后，《纲目》有"叶如柿叶"4字。

96　干[1]地黄

味甘、苦，寒，无毒。主折跌、绝筋[2]、伤中[3]，逐血痹，填骨髓，长肌肉。作汤除寒热、积聚，除痹。主男子五劳七伤，女子伤中、胞漏、下血、破恶血、溺血，利大小肠，去胃中宿食，饱力断绝，补五脏内伤不足，通血脉，益气力，利耳目。**生者尤**[4]**良。**生[5]地黄，大寒。主妇人崩中血不止，及产后血上薄心闷绝，伤身胎动下血，胎不落；堕坠，踠折，瘀血，留血，衄鼻[6]，吐血，皆捣饮之。**久服轻身不老。一名地髓**[7]，一名苄，一名芑。生咸阳川泽黄土地者佳。二月、八月采根，阴干。

得麦门冬、清酒良，恶贝母，畏芜荑。　咸阳即长安也。生渭城者乃有子实[8]，实如小麦。淮南七精散用之。中间以彭城干地黄最好，次历阳，今用江宁板桥者为胜。作干者有法，捣汁和蒸，殊用工意；而此直云阴干，色味乃不相似，更恐以蒸作为失乎？大贵时乃取[9]牛膝、萎蕤作之，人不能别。《仙经》亦服食，要用其华[10]；又善生根，亦主耳暴聋、重听。干者粘湿，作丸散用，须烈日曝之，既燥则斤两大减，一斤才得十两散耳，用之宜加量也[11]。

【校注】

[1] **干**　《御览》无此字。

[2] **主折跌、绝筋**　《纲目》移此文于"除痹"之后。"跌"，孙本、问本作"趺"。

[3] **中**　《图考长编》脱此字。

[4] **尤**　《本草经疏》作"犹"。

[5] **生**　玄《大观》作"主"。

[6] **衄鼻**　《本草经疏》作"鼻衄"。

[7] **髓**　《本经疏证》作"随"。

[8] **子实**　柯《大观》作"实子"。

[9] **大贵时乃取**　《纲目》作"人亦以"。

[10] **华**　柯《大观》作"叶"。

[11] **《仙经》……加量也**　《纲目》无此文。

97　昌蒲[1]

味辛，温，无毒。主风寒湿痹，咳逆上气，开心孔，补五脏，通九窍，明耳目，出音声。主耳聋，痈疮，温肠胃，止小便利[2]，四肢湿痹，不得屈伸，小儿温疟，身积热不解，可作浴汤。**久服轻身，**聪耳明目[3]**，不忘，不迷惑**[4]**，延年**[5]，益心智，高志不老[6]。**一名昌阳**[7]。生[8]上洛池泽及蜀郡严道。一寸九节者良。露根不可用[9]。五月、十二月采根，阴干。

秦皮、秦艽为之使，恶地胆、麻黄。　上洛郡属梁州，严道县在蜀郡。今乃处处有，生石碛上，概节为好。在下湿地，大根者名昌阳，止主风湿，不堪服食。此药甚去虫并蚤虱，而今都不言之[10]。真昌蒲叶有脊，一如剑刃[11]，四月、五月亦作小厘华也。东间溪侧[12]又有名溪荪者，根形气色极似石上昌蒲，而叶正如蒲，无脊。俗人多呼此为石上昌蒲者，谬矣。此止主咳逆，亦断蚤虱尔，不入服御[13]用。《诗》咏多云兰荪，正[14]谓此也。

【校注】

[1] 本条，成化《政和》、万历《政和》、商务《政和》、《大全》诸本，对《本经》文、《别录》文均未做标记。

[2] **主耳聋，痈疮，温肠胃，止小便利** 《纲目》《草木典》《本草经解》注为《本经》文。

[3] **聪耳明目** 《千金翼》《大观》《本经续疏》同此，《政和》脱"明"字，《图考长编》作"聪明耳目"，《纲目》《草木典》脱漏此4字。

[4] **惑** 孙本、问本、黄本作"或"。

[5] **年** 问本、黄本作"季"。

[6] **益心智，高志不老** 《纲目》《草木典》《本草经解》注为《本经》文。

[7] **昌阳** 《纲目》注为《别录》文。

[8] **生** 其前，《御览》有"生石上"3字。

[9] **用** 其后，《图经衍义》有"一名尧韭，今处处有之，生石碛上"。按，此文部分属于陶弘景注，误入正文。

[10] **止主风湿……不言之** 《纲目》无此文。

[11] **刃** 《图考长编》作"刀"。

[12] **侧** 《纲目》作"泽"。

[13] **御** 《纲目》作"食"。

[14] **正** 《纲目》作"芷"。

98　远志[1]

味苦，温，无毒。主咳逆伤中，补不足，除邪气，利九窍，益智慧[2]，**耳目聪明，不忘，强志，倍力**。利丈夫，定心气，止惊悸，益精，去心下膈气，皮[3]肤中热，面目黄。**久服轻身不老**[4]，好颜色，延年[5]。**叶名小草**[6]，主益精，补阴气，止虚损，梦泄。**一名棘菀**[7]，**一名葽绕**[8]，一名细草。　生太山及宛朐川[9]谷。四月采根、叶，阴干。

得伏苓、冬葵子、龙骨良，杀天雄、附子毒，畏真珠、藜芦、蜚蠊、齐蛤[10]。　案，药名无齐蛤，恐是百合。宛朐[11]县属兖州济阴郡，今犹从彭城北兰陵来。用之打[12]去心取皮，今用一斤正[13]得三两皮尔，市者加量之。小草状似麻黄而青。远志亦入仙方药[14]用。　　[谨案]《药录》卷下有齐蛤，即齐蛤元有，不得言无，今陶云恐是百合，非也[15]。

【校注】

[1] **志** 其后，《大全》有"为君"2字。

[2] **智慧** 《香药钞》《药种钞》《长生疗养方》作"慧智"，《千金翼》作"智惠"。

[3] **皮** 其前，《草木典》衍"除"字。

[4] **老** 《御览》作"忘"。

［5］**好颜色，延年** 《纲目》无此文。

［6］**叶名小草** "叶"，《纲目》作"苗"。"小"，《顿医钞》作"少"。

［7］**菀** 《本草和名》《千金翼》作"苑"。

［8］**绕** 《本经续疏》作"尧"。

［9］**川** 黄本作"山"。

［10］**蛤** 《集注》作"蝎"。

［11］**宛朐** 商务《政和》作"冤句"。

［12］**打** 商务《政和》、《图考长编》作"可"，《纲目》无此字。

［13］**正** 《大观》《图考长编》《纲目》作"止"。

［14］**药** 《纲目》无此字。

［15］**［谨案］……非也** 《纲目》无此文。

99 泽泻

味甘、咸，寒，无毒。主风寒湿痹，乳难，消水[1]，养五脏，益气力，肥健。补虚损五劳[2]，除五脏痞满[3]，起阴气，止泄精、消渴、淋沥，逐膀胱三焦停水。**久服耳目聪明，不饥，延年[4]，轻身，面生光，能[5]行水上。**扁鹊云：多服病人眼[6]。**一名水泻，一名及泻，一名芒芋，一名鹄泻。生汝南池泽。五月、六月[7]、八月采根[8]，阴干。畏海蛤、文蛤。叶，味咸，无毒。主大风，乳汁不出，产难，强阴气。久服轻身。五月采。实，味甘，无毒。主风痹、消渴，益肾气，强阴，补不足，除邪湿。久服面生光，令人无子。九月采。

汝南郡属豫州。今近道亦有，不堪用。惟用汉中、南郑、青代[9]，形大而长，尾间必有两歧为好。此物易朽蠹，常须密藏之。叶狭长，丛生诸浅水中[10]。《仙经》服食断谷皆用之。亦云身轻，能步行水上。 ［谨案］今汝南不复采用[11]，惟以泾州、华州者为善也。

【校注】

［1］**乳难，消水** "乳"，商务《政和》作"孔"。"消水"，《纲目》《本草经解》移"消水"于"肥健"之后。

［2］**五劳** 《纲目》无此2字。

［3］**除五脏痞满** 《纲目》《草木典》脱"除"字。《图考长编》脱"满"字。

［4］**年** 黄本、问本作"秊"。

［5］**能** 《香字钞》作"步"。

［6］**扁鹊云：多服病人眼** 《纲目》无此文。

［7］**五月、六月** 《图考长编》作"五六月"；成化《政和》、万历《政和》、《大全》《本经疏证》作"五月"，脱"六月"2字；《纲目》作"五月采叶"，脱"六月"2字。

［8］**根** 其后，《纲目》有"九月采实"4字。

[9] **青代** 人卫《政和》作"青弋"，商务《政和》《图考长编》作"靑代"，《纲目》作"青州代州者"。

[10] **叶狭长，丛生诸浅水中** 《纲目》改作"丛生浅水中，叶狭而长"。

[11] **用** 《纲目》无此字。

100 署预[1]

味甘，温、平，无毒。主伤中，补[2]**虚赢，除寒热邪气**[3]**，补中，益气力，长肌肉**[4]。主头面游风、风头[5]眼眩，下气，止腰痛，补[6]虚劳羸瘦，充五脏，除[7]烦热，强阴[8]。**久服耳目聪明，轻身，不饥，延年。**一名山芋，秦楚名玉延，郑越名土薯。生嵩高山谷[9]。二月、八月采根，曝干。

紫芝为之使，恶甘遂。 今近道处处有[10]，东山、南江皆多掘取食之以充粮。南康间最大而美，服食亦用之。 [谨案]署预，日干捣细，筛为粉，食之大美，且愈疾而补。此有两种：一者白而且佳；一者青黑，味亦[11]不美。蜀道者尤良。

【校注】

[1] **署预** 《品汇》《草木典》作"山药"。按，寇宗奭《本草衍义》"山药"条云："上一字犯英庙讳，下一字曰预，唐代宗名豫，故改下一字为药，今人遂呼为山药。"所谓"英庙讳"即是北宋第五个皇帝英宗赵曙之讳，凡遇"曙"或与"曙"音相同的字如"树"，都改用别的字。"唐代宗名豫"即唐朝代宗李豫，凡遇"豫"字亦改用别的字。

[2] **补** 《御览》脱此字。

[3] **除寒热邪气** 《御览》作"除邪气寒热"，并移之于"长肌肉"之后。

[4] **肉** 其后，《艺文类聚》有"除邪气"3字。

[5] **风头** 《大观》、成化《政和》、万历《政和》、商务《政和》、《品汇》《纲目》《本经疏证》作"头风"，《千金翼》、人卫《政和》作"风头"，应以《千金翼》等为是。

[6] **补** 《草木典》作"治"。

[7] **除** 《品汇》脱此字。

[8] **强阴** 《品汇》脱此2字。《纲目》《草木典》《本草经解》误注为《本经》文。

[9] **谷** 《艺文类聚》脱此字。

[10] **有** 其后，《大观》《图考长编》有"之"字。

[11] **亦** 《纲目》作"殊"。

101 菊花[1]

味苦、甘，平，无毒。主风[2]**头眩、肿痛，目欲脱，泪出，皮肤死肌，恶风，湿痹。**疗腰痛去来陶陶，除胸中烦热，安肠胃，利五脉，调四肢。**久服利血气，轻**

身耐老，延年。一名节华[3]，一名日精，一名女节[4]，一名女华[5]，一名女茎，一名更生，一名周盈，一名傅延年，一名阴成[6]。生雍州川泽及田野。正月采根，三月采叶，五月采茎，九月采花，十一月采实，皆阴干。

术[7]、枸杞根、桑根白皮为之使。　菊有两种：一种茎紫气香而味甘，叶可作羹食者，为真[8]；一种青茎而大，作蒿艾气，味苦不堪食者，名苦薏，非真。其华[9]正相似，惟以甘苦别之尔。南阳郦县最多，今近道处处有，取种之便得。又有白菊[10]，茎叶都相似，惟花白，五月取。亦主风眩，能令头不白。《仙经》以菊为妙用，但难多得，宜常服之尔。

【校注】

[1] **花**　孙本作"华"。按，"花""华"古通用。

[2] **风**　《纲目》《本草经解》、顾本作"诸风"，《大观》《大全》《千金翼》作"风头"。

[3] **华**　万历《政和》、成化《政和》、商务《政和》、《大全》、柯《大观》、《图经衍义》《本草经疏》作"花"。

[4] **节**　《本草和名》作"郎"。

[5] **华**　《图经衍义》作"花"。

[6] **一名傅延年，一名阴成**　《御览》作"一名傅公，一名延年，一名阴成"。

[7] **术**　万历《政和》、成化《政和》、商务《政和》、《本经疏证》作"水"。

[8] **为真**　《纲目》作"为真菊"。

[9] **华**　商务《政和》、《纲目》《图考长编》作"叶"。

[10] **白菊**　《御览》引《本经》曰："菊有筋菊，有白菊、黄菊……一名白花，一名朱嬴，一名女菊。其菊有两种：一种紫茎气香，而味甘美，叶可作羹，为真菊；一种青茎而大，作蒿艾气，味苦不堪食名苦薏，非真菊也。"按，此文部分是陶弘景《集注》的注文。由此可见《御览》所言《本经》文似包含《集注》文而言，并非全是《本经》文。

102　甘草

味[1]甘，平，无毒。**主五脏六腑寒热邪气，坚筋骨，长肌肉，倍力[2]，金疮尰[3]，解毒**，温中下气，烦满短气，伤脏咳嗽，止渴，通经脉，利血气[4]，解百药毒，为九土之精，安和[5]七十二种石，一千二百种草。**久服轻身延年[6]**。一名密甘，一名美草，一名蜜草，一名蕗草[7]。生河西川谷积沙山及上郡。二月、八月除日采根，曝干，十日成。

术、干漆、苦参为之使，恶远志，反大戟、芫花、甘遂、海藻四物。　河西、上郡不复通市。今出蜀汉中，悉从汶山诸夷[8]中来。赤皮、断理，看之坚实者，是抱罕草，最佳。抱罕，羌地名[9]。亦有火炙干者，理多虚疏。又有如鲤鱼肠者，被刀破，不复好。青州间亦有，不如。又有紫甘草，细而实，乏[10]时可用。此草最为众药之主，经方少不用者，犹如香中有沉香也。国老即帝师之称，虽非君，为君所宗，是以能安和草石而解诸毒也[11]。

【校注】

[1] **味** 其前，《证类》有"国老"2字。

[2] **倍力** 《纲目》作"倍气力"。

[3] **尰** 《本经疏证》作"肿"。

[4] **血气** 《本经疏证》作"气血"。

[5] **和** 《本草经疏》作"利"。

[6] **年** 黄本、问本作"季"。

[7] **草** 《本草和名》脱此字。

[8] **爽** 《纲目》作"地"。

[9] **羌地名** 《纲目》作"乃西羌地名"。

[10] **乏** 商务《政和》作"之"。

[11] **此草……毒也** 《纲目》无此文。

103　人参

味甘，微寒、微温，无毒。主补五脏，安精神，定魂魄，止惊悸，除邪气[1]**，
明目，开心，益智。** 疗肠胃中冷，心腹[2]鼓痛，胸胁逆满，霍乱吐逆，调中，止消
渴，通血脉，破[3]坚积，令人不忘。**久服轻身延年**[4]。一名人衔[5]，一名鬼盖，
一名神草，一名人微，一名土精，一名血参。如[6]人形者有神。生上党山谷及辽
东[7]。二月、四月、八月上旬采根，竹刀刮，曝干，无令见风。

伏苓为之使，恶溲疏，反藜芦[8]。　上党郡在冀州西南。今魏国所献即是[9]，形长而黄，状
如防风，多润实而甘。俗用不入服[10]乃重百济者，形细而坚白，气味薄于上党。次用高丽，高丽
即是[11]辽东。形大而虚软，不及百济。百济今臣属高丽，高丽所献，兼有两种，止应择取之尔。
实用[12]并不及上党者，其为药切要，亦与甘草同功[13]，而易蛀蚛[14]。惟内器中密封头，可经
年不坏。人参生[15]一茎直上，四五叶[16]相对生，花紫色。高丽人作《人参赞》曰：三桠五叶，
背阳向阴。欲来求我，椵[17]树相寻。根树叶[18]似桐甚大，阴广，则多生阴地[19]，采作甚有法。
今近山亦有，但作之不好。　[谨案] 陶说人参，苗乃是荠苨、桔梗，不悟高丽赞也。今潞州、平
州、泽州、易州、檀州、箕州、幽州、妫州并出。盖以其山连亘相接，故皆有之也[20]。

【校注】

[1] **安精神，定魂魄，止惊悸，除邪气** 《御览》作"安定精神魂魄，除邪止惊"。

[2] **腹** 成化《政和》、万历《政和》、商务《政和》、《大全》作"痛"。

[3] **破** 《草木典》作"补"。

［4］**年** 黄本、问本作"季"。

［5］**衒** 《本草和名》作"衒"，《顿医钞》作"术"。

［6］**如** 《纲目》作"根如"。

［7］**东** 其后，《图经衍义》衍"高丽潞州泽易檀箕幽妨等州并出，盖以其山相连接，故皆有之，次出海东新罗国，又出勃海河东诸州及泰州皆有之，又河北、闽中来者俱不及上党者佳"。按，此文系后人注文，并非原书所有。

［8］**芦** 其后，商务《政和》、《图经衍义》《大全》有"又云马蔺为使，恶卤咸"。

［9］**今魏国所献即是** 《纲目》作"今来者"。

［10］**俗用不入服** 《纲目》作"俗"。

［11］**即是** 《纲目》作"地近"。

［12］**百济今臣属……实用** 《纲目》无此文。

［13］**其为药……同功** 《纲目》移此文在"发明"项下。

［14］**而易蛀蚛** 《大观》作"易奇中"。

［15］**人参生** 《纲目》作"其草"。

［16］**叶** 《纲目》、商务《政和》脱此字。

［17］**椵** 《证类》《纲目》均用此字，并谓"椵音贾"。按，《宣室志》云："翁谓赵生曰：吾段氏子，家于山西大木下。生寻其迹，果有椵树蕃茂。发其下，得人参，甚肖翁形。"据此则"椵"当作"椵"，音段。

［18］**叶** 《纲目》脱此字。

［19］**阴地** 《纲目》无此2字。

［20］**［谨案］……之也** 《纲目》作"人参见用多是高丽百济者，潞州太行紫团山所出者，谓之紫团参"。

104 石斛

味甘，平，无毒。主伤中，除痹，下气，补五脏虚劳羸瘦，强阴。益精[1]，补内绝不足，平胃气，长肌肉，逐皮肤邪热痱气，脚膝疼冷痹弱。**久服厚肠胃，轻身延年**[2]，定志除惊。**一名林兰，一名禁生**[3]，一名杜兰，一名石蓫。生六安山谷水旁石上。七月、八月采茎，阴干。

陆英为之使，恶凝[4]水石、巴豆，畏姜蚕、雷丸。 今用石斛，出始兴。生石上，细实，桑灰汤[5]沃之，色如金，形似蚱蜢髀者为佳。近道亦有，次宣城间[6]。生栎树[7]上者，名木斛。其茎形[8]长大而色浅。六安属庐江，今始安亦出木斛，至虚长[9]，不入丸散，惟可为酒渍煮汤用尔。俗方最以补虚，疗脚膝。 ［谨案］作干石斛，先以酒洗，捋蒸炙[10]成，不用灰汤。今荆襄及汉中、江左又有二种：一者[11]似大麦，累累相连，头生一叶，而性冷[12]；一种大如雀髀[13]，名雀髀斛，生酒渍服，乃言胜干者。亦如麦斛，叶在茎端，其余斛如竹，节间生叶也[14]。

【校注】

［1］**益精** 《纲目》《草木典》《本草经解》注为《本经》文。

［2］**久服厚肠胃，轻身延年** 《御览》脱"厚""轻身延年"5字。"年"，黄本、问本作"季"。又《纲目》《草木典》注"轻身延年"为《别录》文。

［3］**禁生** 《纲目》注为《本经》文。

［4］**凝** 玄《大观》作"疑"。

［5］**汤** 《纲目》脱此字。

［6］**次宣城间** 《图考长编》作"次于宣城，宣城"，《纲目》作"次于宣城者"。

［7］**生栎树** 《纲目》作"其生栎木"。

［8］**形** 《纲目》作"至虚"。

［9］**六安……虚长** 《纲目》无此文。

［10］**灸** 商务《政和》作"九"，《纲目》《图考长编》作"暴"。

［11］**者** 《纲目》作"种"。

［12］**冷** 其后，《纲目》有"名麦斛"3字。

［13］**一种大如雀髀** 《纲目》作"一种茎大如雀髀，叶在茎头"。

［14］**［谨案］……生叶也** 《纲目》录此文时曾加化裁。

105 牛膝 为君

味苦、酸，平[1]**，无毒。主寒**[2]**湿痿痹，四肢拘挛，膝痛不可屈伸**[3]**，逐血气，伤热火烂，堕胎。**疗伤中少气，男子阴消，老人失溺，补中续绝，填骨髓，除脑中痛及腰脊痛，妇人月水不通，血结，益精，利阴气，止发白[4]。**久服轻身耐**[5]**老。一名百倍。生河内川谷及临朐。二月、八月、十月采根，阴干。

恶萤火、陆[6]英、龟甲，畏白[7]前。　今出近道蔡州者，最长[8]大柔润，其茎有节，似牛膝，故以为名也[9]。乃云有雌雄，雄者茎紫色而节大为胜尔[10]。　［谨案］诸药，八月已前采者，皆日干、火干乃佳，不尔渑烂黑黯。其十月已后至正月，乃可阴干[11]。

【校注】

［1］**酸，平** "酸"，成化《政和》、万历《政和》、商务《政和》、《图考长编》注为《本经》文，人卫《政和》注为《别录》文。"平"，《大观》、森本注为《本经》文，人卫《政和》、商务《政和》《图考长编》注为《别录》文。又"平"，《御览》作"辛"。

［2］**寒** 其前，《御览》有"伤"字。

［3］**伸** 顾本脱此字。

［4］**填骨髓……止发白** 《纲目》《草木典》重行组合为"益精，利阴气，填骨髓，止发白，除脑中痛及腰脊痛，妇人月水不通，血结"。

［5］**耐** 《御览》作"能"。

［6］陆　《图经衍义》作"阴"

［7］白　《千金方》卷1"序例"作"车"。

［8］长　人卫《政和》作"良"，商务《政和》作"长"。

［9］似牛膝，故以为名也　《纲目》移此文在"释名"项下。

［10］乃云有雌雄，雄者茎紫色而节大为胜尔　《纲目》改作"茎紫节大者为雄，青细者为雌，以雄为胜"，《图考长编》作"乃云有雌雄者，茎紫色而节大为胜尔"。

［11］［谨案］……阴干　《纲目》无此文。

106　卷[1]柏

味辛、甘，温[2]**、平、微寒，无毒。主五脏邪气，女子阴中寒热痛，癥瘕、血闭、绝**[3]**子。**止咳逆，疗脱肛，散淋结，头中风眩，痿蹶，强阴益精。**久服轻身和颜色，令人好容体**[4]**。一名万岁**[5]，一名豹足，一名求股，一名交时。生常山山谷石间。五月、七月采，阴干。

今出近道。丛生石土上，细叶似柏，卷屈状[6]如鸡足，青黄色。用之，去下近石有沙土处[7]。

【校注】

［1］卷　《图经衍义》作"眷"。

［2］温　《纲目》《草木典》注为《别录》文。"温"字后，孙本衍"生山谷"3字。

［3］绝　《品汇》脱此字。

［4］令人好容体　"体"，成化《政和》、万历《政和》、商务《政和》、《纲目》《本草经疏》《本经续疏》《图考长编》作"颜"，《大观》、人卫《政和》作"体"，应以《大观》等为是。又《品汇》无此5字。

［5］万岁　《纲目》注为《别录》文。

［6］卷屈状　《纲目》作"屈藏"。

［7］石有沙土处　《纲目》作"沙石处"，《图考长编》作"土石有沙土处"。

107　细辛

味辛，温，无毒。主咳逆[1]，**头痛，脑动，百节拘挛，风湿痹痛，死肌。**温中，下气，破痰，利水道，开胸中[2]，除喉痹，齆鼻[3]，风痫、癫疾[4]，下乳结，汗[5]不出，血不行，安五脏，益肝胆，通精气。**久服明目，利九窍，轻身长年**[6]。一名小[7]辛。生华阴山谷。二月[8]、八月采根，阴干。

曾青、桑[9]根为之使，得当归、芍药、白芷、芎䓖、牡丹、藁本、甘草共疗妇人，得决明、鲤鱼胆、青羊肝共疗目痛。恶狼毒、山茱萸、黄芪，畏消石、滑石，反[10]藜芦。　今用东阳临海者，形段乃好，而辛烈不及华阴、高丽者。用之去其头节。人患口臭者，含之多效[11]，最能除痰明目也[12]。

【校注】

[1] **逆** 其后，《纲目》《本草经解》有"上气"2字。

[2] **中** 其后，《纲目》《草木典》《图考长编》有"滞结"2字。

[3] **除喉痹，齆鼻** "喉"，《图经衍义》脱此字。"鼻"字后，《纲目》《草木典》衍"不闻香臭"4字。

[4] **癫疾** 《本草经疏》脱此2字。

[5] **汗** 《千金翼》作"汁"。

[6] **年** 黄本、问本作"季"。

[7] **小** 《御览》作"少"。

[8] **月** 其后，《图经衍义》衍"及"字。

[9] **桑** 《千金方》《大观》《大全》《政和》作"枣"，《医心方》《集注》作"桑"。按，唐代抄本，"桑"写成"枀"，"枣"写成"枣"，盖因字形相似而舛误，应以《集注》等为是。

[10] **反** 《本经疏证》作"及"。

[11] **人患口臭者，含之多效** 《纲目》作"含之，去口臭"。

[12] **最能除痰明目也** 《纲目》无此文。

108 独活

味苦、甘[1]，平、微温，无毒。**主风寒所击，金疮**[2]**止痛，贲豚，痫痓**[3]，**女子疝瘕。**疗诸贼风，百节痛风无久新者[4]。**久服轻身耐老。一名羌活，一名羌青，一名护羌使者**，一名胡王使者[5]，**一名独摇草。**此草[6]得风不摇，无风自动[7]。生雍州[8]川谷，或陇西南安。二月、八月采根，曝干。

豚[9]实为之使。 药名无豚实，恐是蠡实。此州郡县并是羌地[10]。羌活形细而多节，软润，气息极猛烈。出益州北部[11]、西川为独活，色微白，形虚大，为用亦相似，而小不如。其一茎直上，不为风摇，故名独活。至易蛀，宜密器藏之。 [谨案]疗风宜用独活，兼水宜用羌活。

【校注】

[1] **甘** 成化《政和》、万历《政和》、商务《政和》、《图考长编》《本经疏证》注为《本经》文，人卫《政和》、《大观》《大全》、孙本注为《别录》文。

[2] **疮** 森本作"创"。

[3] **贲豚，痫痓** "贲"，《纲目》《本草经解》作"奔"。"痓"，《本草经解》、森本作"痉"。

[4] **无久新者** 《纲目》作"无问久新"。

[5] **胡王使者** 《纲目》注为《吴普本草》文。

[6] **此草** 《图考长编》脱此2字。

[7] **动** 《图考长编》作"摇动"。

[8] **雍州** 《御览》作"益州"。

[9] **豚** 《集注》作"蠡"。

[10] **地** 《证类》作"活",据《纲目》改。

[11] **部** 《纲目》作"都"。

109 升麻[1]

味甘、苦,平[2]**、微寒,无毒。主解**[3]**百毒,杀百精**[4]**老物殃鬼,辟温疫**[5]**,瘴气,邪气,蛊毒**[6]。入口皆吐出,中恶腹痛,时气毒疠,头痛寒热,风肿诸毒,喉痛口疮。**久服不夭,轻身长年**[7]。**一名周麻**[8]。生益州山谷。二月、八月采根,日干。

旧出宁州者第一,形细而黑,极坚实,顷无复有[9]。今惟出益州,好者细削,皮青绿色,谓之鸡骨升麻。北部间[10]亦有,形又虚大,黄色。建平间[11]亦有,形大味薄,不堪用。人言是落新妇根,不必尔[12]。其形自[13]相似,气色非也。落新妇亦解毒,取[14]叶挼作小儿汤浴,主惊忤。

【校注】

[1] 本条全文,《大观》《政和》《品汇》《图考长编》注为《别录》文;顾本不录"升麻"为《本经》文,盖亦视之为《别录》文;《纲目》《草木典》《本草经解》注为《本经》文。《御览》引《本经》曰:"升麻,一名周升麻,味甘、辛。生山谷。主辟百毒,杀百老殃鬼,辟温疾障稚毒蛊,久服不矢(矢,疑系夭之误),生益州。"本书以《御览》所引者为《本经》文,《御览》未引者为《别录》文。

[2] **平** 孙本作"辛"。

[3] **解** 《御览》作"辟"。

[4] **精** 孙本脱此字。

[5] **疫** 孙本、《御览》作"疾"。

[6] **瘴气,邪气,蛊毒** 孙本作"障邪毒蛊",森本作"障邪蛊毒",《御览》作"障稚蛊毒"。《本经疏证》将前2字注为《本经》文,后4字注为《别录》文。

[7] **轻身长年** 森本、《本经疏证》注为《本经》文,《御览》无此文。

[8] **一名周麻** 《御览》作"一名周升麻"。

[9] **顷无复有** 《纲目》无此文。"顷",商务《政和》作"顿"。

[10] **间** 《纲目》脱此字。

[11] **间** 《纲目》脱此字。

[12] **不必尔** 《纲目》作"不然也"。

[13] **自** 《纲目》脱此字。

[14] **取** 《大观》作"收"。

110　茈胡为君[1]

味苦，平、微寒，无毒。主心腹，去肠胃中结气[2]**，饮食积聚，寒热邪气，推陈致新。**除伤寒心下烦热，诸痰热结实，胸中邪逆[3]，五脏间游气，大肠停积水胀，及湿痹拘挛，亦可作浴汤。**久服轻身，明目，益精。**一名地薰，一名山菜，一名茹草[4]，叶一[5]名芸蒿，辛香可食。生洪农川谷及宛朐，二月、八月采根，曝干。

得伏苓、桔梗、大黄、石膏、麻子仁、甘草、桂，以水一斗煮取四升，入消石三方寸匕，疗伤寒，寒热头痛，心下烦满[6]。半夏为之使，恶皂荚，畏女菀、藜芦。　今出近道，状如前胡而强。《博物志》云：芸蒿叶似邪蒿，春秋有白蒻，长四五寸，香美可食，长安及河内并有之。此柴胡疗伤寒第一用[7]。　　[谨案]茈是古柴字。《上林赋》云：茈姜。及《尔雅》云：藐[8]，茈草。并作茈字。且此草，根紫色，今太常用茈胡是也。又以木代[9]系，相承呼为茈胡。且检诸本草，无名此者。伤寒大小柴胡汤，最为痰气之要，若以芸蒿根为之，更作茨音[10]，大谬矣。

【校注】

[1] **为君**　《千金翼》刻成大字，不作注文。

[2] **去肠胃中结气**　"去"，《御览》作"祛"，《纲目》、顾本、森本、狩本、《本草经解》无此字。《御览》脱"中"字。"结气"，《本经疏证》作"积气"。

[3] **逆**　《草木典》作"气"。

[4] **一名山菜，一名茹草**　《纲目》注"山菜""茹草"为《吴普本草》文。"一名茹草"，《本草和名》作"一名茹草叶"。

[5] **一**　玄《大观》脱此字。

[6] **得伏苓……心下烦满**　《图经衍义》脱此文。

[7] **用**　《图考长编》脱此字。

[8] **藐**　《纲目》脱此字。

[9] **代**　商务《政和》作"伐"。

[10] **更作茨音**　《纲目》无此文。

111　防[1]**葵**

味辛、甘、苦，寒，无毒。主疝瘕肠泄，膀胱热结，溺不下，咳逆，温疟[2]**，癫痫，惊邪狂走。**疗五脏虚气，小腹支满，胪胀，口干，除肾邪，强志。**久服坚骨髓，益气轻身。**　中火者不可服，令人恍惚见鬼。**一名梨盖，一名房慈**[3]，一名爵离，一名农果，一名利茹[4]，一名方盖。生临淄川谷，及嵩高、太山、少室。三月三日采根，曝干。

北信断[5]，今用建平间[6]者，云本与狼毒同根，犹如三建，今其形亦相似，但置水中不沉尔，而狼毒陈久亦不能[7]沉矣。　　[谨案] 此药上品，无毒，久服主邪气惊狂之患[8]。其根叶似葵花子根，香味似防风，故名防葵[9]。采依时者，亦能沉水，今乃用枯朽狼毒当之，极为谬矣。此物亦稀有，襄阳、望楚、山东及兴州西方有之。其兴州采得，乃胜南者，为邻蜀土[10]也。

【校注】

[1] **防**　《本草和名》《御览》、孙本作"房"。

[2] **温疟**　《纲目》作"湿痹"。

[3] **房慈**　《纲目》作"房苑"。按，"房苑"是《吴普本草》所用的药名。

[4] **利茹**　《纲目》注为《吴普本草》文。

[5] **北信断**　《纲目》无此文。

[6] **间**　《纲目》无此字。

[7] **能**　《图考长编》脱此字。

[8] **患**　《大观》作"要"，《图考长编》作"恶"。

[9] **其根叶似葵花子根，香味似防风，故名防葵**　《和名类聚钞》引苏敬《图经本草》注云："防葵叶似葵，味似防风，故以名之。""其根"，《图考长编》作"其茎"。

[10] **土**　《纲目》作"地"。

112　蓍实[1]

味苦、酸，平，无毒。主益[2]气，充肌肤，明目，聪慧先知。久服[3]不饥，不老，轻身。生少室山谷。八月、九月采实，日干。

[谨案] 此草，所在有之，以其茎为筮[4]。陶误用楮实为之。《本经》云：味苦。楮实味甘，其楮实移在木部也[5]。

【校注】

[1] **蓍实**　"蓍"，《医心方》、森本作"蓍"。《草木典》脱"实"字。

[2] **益**　其前，森本有"阴痿水肺"4字。

[3] **服**　顾本作"肌"。

[4] **以其茎为筮**　《和名类聚钞》引苏敬《图经本草》注云："蓍，灵草，蒿属，以其茎为蓍筮者也。"

[5] **其楮实移在木部也**　《纲目》作"今正之"。

113　菴蕳[1]子

味苦，微寒、微温，无毒。主五脏瘀血，腹中水气，胪胀[2]留热，风寒湿痹，

身体诸[3]痛。疗心下坚，膈中寒热，周痹，妇人月水不通，消食，明目。**久服轻身延年[4]，不老，驺[5]骦食之神仙**。生雍州川[6]谷，亦生上党及道旁。十月采实，阴干。

荆实、薏苡为之使。　状如蒿艾之类，近道处处有。《仙经》亦时用之，人家种此辟蛇也。

【校注】

[1] **菴蔄子**　"蔄"，《医心方》作"芦"。《御览》脱"子"字。

[2] **胪胀**　"胪"，万历《政和》作"肿"。"胀"，孙本、问本、黄本、周本作"张"。

[3] **诸**　《图考长编》作"俱"。

[4] **延年**　黄本、问本作"延季"，《御览》无此2字。

[5] **驺**　《千金翼》作"驱"。

[6] **川**　《御览》作"山"。

114　薏苡人[1]

味甘，微寒[2]，无毒。主筋急[3]拘挛，不可屈伸，风湿痹[4]，下气。除筋骨邪气不仁，利肠胃，消水肿，令人能食。久服轻身益气[5]。其根，下三虫[6]。一名解蠡，一名屋菼，一名起[7]实，一名赣[8]。生真定平泽及田野。八月采实，采根无时。

真定县属常山郡，近道处处有，多生人家[9]。交趾者子最大，彼土呼为𥣡珠。马援大取将还[10]，人谗以为真珠也。实重累者为良。用之取中仁[11]。今小儿病蛔虫[12]，取根煮汁糜食之甚香，而去蛔虫大效。

【校注】

[1] **人**　《医心方》、森本作"子"。

[2] **微寒**　《千金翼》作"温"。

[3] **急**　《千金翼》脱此字。

[4] **风湿痹**　"风"字前，《千金翼》《纲目》《图考长编》《本草经解》《本经疏证》有"久"字。"痹"，玄《大观》作"瘅"。

[5] **气**　《千金翼》作"力"。

[6] **其根，下三虫**　"根"，《千金翼》作"生根"。"三"，《图经衍义》作"二"。

[7] **起**　《纲目》《图考长编》作"芑"。

[8] **赣**　《纲目》作"赣米"。

[9] **处处有，多生人家**　《纲目》作"处处多有，人家种之"。

[10] **马援大取将还**　《纲目》作"故马援在交趾饵之，载还为种"。

［11］**用之取中仁**　《纲目》作"取仁用"。

［12］**今小儿病蛔虫**　《纲目》无此文。

115　车前子[1]

味甘、咸，寒，无毒[2]。主气癃，止痛，利水道小便，除湿痹。男子伤中，女子淋沥，不欲食，养肺，强阴，益精，令人有子，明目疗赤痛。**久服轻身耐老。**叶及根，味甘、寒。主金疮，止血，衄鼻，瘀血，血瘕，下血，小便赤，止烦下气，除小虫。**一名当道，**一名芣苢，一名虾蟆衣，一名牛遗[3]，一名胜舄[4]。生真定[5]平泽丘陵阪道中。五月五日采，阴干。

人家及路旁甚多，其叶捣取汁服，疗泄精甚验。子性冷利，《仙经》亦服饵之，令人身轻，能跳越岸谷[6]，不[7]老而长生也。《韩诗》乃言芣苢是木，似李，食其实，宜子孙，此为谬矣。［谨案］今出开州者为最。

【校注】

［1］**子**　《御览》作"实"。

［2］**无毒**　商务《政和》、孙本、黄本、《图考长编》注为《本经》文，《大观》、人卫《政和》、《本经续疏》注为《别录》文。

［3］**牛遗**　"牛"，《大全》作"生"。"遗"，《御览》作"舌"。

［4］**胜舄**　"胜"，《纲目》作"马"。"舄"，《本经续疏》作"留"。

［5］**真定**　《本经续疏》作"正定"。

［6］**岸谷**　《大观》《图考长编》脱此2字。

［7］**不**　其前，《大观》《图考长编》衍"面容"2字。

116　菥蓂子[1]

味辛，微温，无毒。主明目，目痛，泪出，除痹，补五脏，益精光。疗心腹腰痛。**久服轻身不老。一名蓂菥[2]，**一名大蕺，一名马辛[3]，一名大荠。生咸阳川[4]泽及道旁。四月、五月采，曝干。

得荆实、细辛良，恶干姜、苦参。　今处处有之，人乃[5]言是大荠子，俗用[6]甚稀。　［谨案］《尔雅》云是大荠，然验其味甘而不辛也。

【校注】

［1］**菥蓂子**　"菥"，《医心方》作"析"。《本草和名》脱"子"字。

［2］**一名蓂菥**　《纲目》无此文。

[3] **一名马辛** 《纲目》脱标记。

[4] **川** 《图考长编》作"山"。

[5] **乃** 商务《政和》作"方"。

[6] **俗用** "俗",《图考长编》作"方"。"用",《大观》作"方"。

117　茺蔚子

味辛、甘，微温、微寒，无毒[1]。**主明目益精，除水气**。疗血逆大热，头痛，心烦。**久服轻身**。茎，**主瘾疹痒**[2]，**可作浴汤**。一名益母[3]，一名益明，一名大札[4]，一名贞蔚。生海滨池泽，五月采。

今处处有。叶如荏，方茎，子形细长三棱[5]。方用亦稀。　　[谨案]捣茺蔚茎，敷丁肿，服汁使丁肿毒内消[6]。又下子死腹中，主产后血胀闷，诸杂毒肿、丹游等肿。取汁如豆滴耳中，主聤耳。中虺蛇毒敷之良。

【校注】

[1] **无毒** 《纲目》注为《本经》文。

[2] **痒** 《纲目》脱此字。

[3] **一名益母** 《图考长编》无此文。"母"字后，《本草经疏》衍"草"字。

[4] **大札** 《纲目》作"火杴"。

[5] **三棱** 《纲目》作"有三棱"。

[6] **服汁使丁肿毒内消** 《纲目》作"捣汁服主浮肿下水，消恶毒疗肿乳痈"。

118　木香[1]

味辛，温[2]，**无毒。主邪气，辟毒疫温鬼，强志，主淋露**。疗气劣，肌中偏寒，主气不足，消毒，杀鬼精物、温疟、蛊毒，行药之精[3]。**久服不梦寤魇寐**[4]。轻身致神仙[5]。一名蜜香[6]。生永昌山谷。

此即青木香也。永昌不复贡，今皆从外国舶上来，乃云大秦国。以疗毒肿，消恶气，有验。今皆用合香，不入药用。惟制蛀虫丸用之，常能煮以沐浴，大佳尔。　　[谨案]此有二种，当以昆仑来者为佳，出西胡来者不善。叶似羊蹄而长大，花如菊花，其实黄黑，所在亦有之[7]。

【校注】

[1] **木香** 《图考长编》作"青木香"。

[2] **温** 人卫《政和》、《图考长编》注为《别录》文，柯《大观》注云："据《御览》当作白字。"

[3] **疗气劣……行药之精** 《纲目》《草木典》重行组合为"消毒，杀鬼精物，温疟，蛊毒气劣，气不足，肌中偏寒，引药之精"。"劣"，玄《大观》作"少"。"行"，《纲目》《草木典》《图考长编》作"引"。

[4] **寐** 《香药钞》作"窹"。

[5] **轻身致神仙** 《纲目》无此文。

[6] **蜜香** 《御览》作"木蜜香"。

[7] **之** 其后，《纲目》衍"功用极多，陶云不入药用，非也"；《图考长编》衍"今案，别本注云：叶似署预而根大，花紫色，功效极多，为药之要用。陶云不入药用，非也"。按，《纲目》《图考长编》所衍文，皆因误以《开宝本草》注文为《新修》注文。

119 龙胆[1]

味苦，寒[2]、大寒，无毒。主骨间[3]寒热，惊痫[4]，邪气，续绝伤，定五脏，杀蛊毒。除胃中伏热，时气[5]温热，热泄下痢，去肠中小虫[6]，益肝胆气，止惊惕。**久服益智，不忘，轻身耐老[7]。一名陵游[8]。**生齐朐山谷及宛朐，二月、八月、十一月[9]、十二月采根，阴干。

贯众为之使，恶防葵、地黄。　今出近道，吴兴为胜。状[10]似牛膝，味甚苦，故以胆为名[11]。

【校注】

[1] 本条正文，商务《政和》全作黑字，无《本经》《别录》等标记。又《证类》将龙胆列入上品，而《纲目》将龙胆注为"《本经》中品"。

[2] **寒** 《大全》、成化《政和》、万历《政和》、商务《政和》、《本草经疏》《图考长编》、顾本作"涩"，《千金翼》《大观》、人卫《政和》、《本经疏证》、森本、狩本作"寒"，应以《千金翼》等为是。

[3] **间** 孙本、问本、黄本、周本作"闲"。

[4] **痫** 《图经衍义》作"痟"。

[5] **气** 《图经衍义》作"节"。

[6] **虫** 《千金翼》《图考长编》作"蛊"。

[7] **久服益智，不忘，轻身耐老** 《纲目》《草木典》注为《别录》文。

[8] **陵游** 《本草和名》作"凌淤"。《纲目》对"陵游"未注文献来源。

[9] **十一月** 《本经续疏》无此文。

[10] **状** 《纲目》作"根状"。

[11] **故以胆为名** 《纲目》无此文。

120 菟丝子[1]

味辛、甘，平，无毒。主续绝伤，补不足，益气力肥健[2]。汁去面野[3]。养肌，强阴，坚筋骨，主[4]茎中寒，精自出，溺有余沥，口苦，燥渴，寒血为积。**久服明目，轻身延年[5]**。**一名生菟芦，一名菟缕，一名蓎蒙，一名玉女[6]，一名赤网[7]，一名菟累**。生朝鲜川泽[8]田野，蔓延草木之上，色黄而细为赤网，色浅而大为菟累[9]。九月采实，曝干。

得酒良，署预、松脂为之使，恶雚菌，宜丸不宜煮。　田野墟落中甚多，皆浮生篮、纻麻、蒿上。旧言下有伏苓，上生菟丝，今不必尔[10]。其茎挼以浴小儿[11]，疗热痱用。其实，先须酒渍之一宿，《仙经》、俗方并以为补药。

【校注】

[1] **菟丝子**　《医心方》作"菟系子"。

[2] **健**　《纲目》《本草经解》、顾本作"健人"。

[3] **汁去面䵟**　《纲目》作"苗研汁涂面，去面䵟"。"䵟"，孙本作"肝"，《长生疗养方》作"点"。

[4] **主**　《千金翼》作"生"。

[5] **久服明目，轻身延年**　《纲目》《草木典》注为《别录》文。

[6] **玉女**　《纲目》注文献来源为《尔雅》。

[7] **网**　成化《政和》、万历《政和》、商务《政和》、《纲目》《图考长编》作"纲"，《大观》、人卫《政和》、《本经续疏》作"网"。

[8] **川泽**　《御览》、森本作"山谷"。

[9] **累**　其后，《纲目》《草木典》有"功用并同"4字。

[10] **旧言下有伏苓，上生菟丝，今不必尔**　《纲目》无此文。"不"，《图考长编》作"未"。

[11] **其茎挼以浴小儿**　《纲目》作"苗挼碎煎汤，浴小儿"。

121　巴戟天

味辛、甘，微温，无毒。主大风邪气，阴痿不[1]起，强筋骨，安五脏，补中，增志，益气。疗头面游风，小[2]腹及阴中相引痛，下气[3]，补五劳，益精，利男子。生巴郡及下邳山谷。二月、八月采根，阴干。

覆盆子为之使，恶朝生、雷丸、丹参。　今亦用建平、宜都者，状[4]如牡丹而细，外赤内黑，用之打去心。　[谨案]巴戟天苗，俗方名三[5]蔓草。叶似茗，经冬不枯，根如连珠，多者良，宿根青色，嫩根白紫，用之亦同。连珠肉厚者为胜。

【校注】

[1] **不**　其后，《顿医钞》衍"发"字。

[2] **小**　《本草经疏》作"少"。

[3] **下气** 《纲目》《草木典》无此2字。

[4] **状** 《纲目》作"根状"。

[5] **三** 商务《政和》作"二"。

122 白英[1]

味甘，寒，无毒。主寒热，八疸[2]，消渴，补中益气。久服轻身延年[3]。 一名谷菜[4]，一名白草。生益州山谷。春采叶，夏采茎，秋采花，冬采根。

诸方药不用。此乃有蔛菜[5]，生水中，人蒸食之。此乃生出谷，当非是。又有白草，叶作羹饮，甚疗劳，而不用根华[6]。益州乃有苦菜，土人专食之，皆充健无病，疑或是此。 ［谨案］此鬼目草也。蔓生，叶似王瓜，小长而五桠。实圆，若龙葵子，生青，熟紫黑，煮汁饮，解劳[7]。东人谓之白草。陶云白草，似识之，而不的[8]辨。

【校注】

[1] **白英** 《本草和名》《医心方》、森本作"白莫"。按，古抄本"英""莫"字形相似易舛误。日本抄本多作"白莫"，中国本草文献多作"白英"。《御览》作"榖菜"。又本条全文，成化《政和》、万历《政和》、商务《政和》、《品汇》均未加《本经》《别录》等标记。

[2] **疸** 人卫《政和》作"疸"。

[3] **年** 黄本、问本作"季"。

[4] **谷菜** 《纲目》注为《别录》文。"谷"，《御览》作"榖"。

[5] **此乃有蔛菜** 《纲目》脱"乃"字。"蔛"，《纲目》作"斛"。

[6] **生水中……不用根华** 《纲目》无此文。"华"，《图考长编》无此字。

[7] **劳** 《大观》《图考长编》作"毒"。

[8] **的** 《纲目》作"力"。

123 白蒿

味甘，平[1]，无毒。主[2]五脏邪气，风寒湿痹，补中益气，长毛发令黑，疗心悬[3]，少食常饥。久服轻身，耳目聪明不老。生中山川泽，二月采[4]。

蒿类甚多，而俗中不闻呼白蒿者，方药家既不用，皆无复识之，所主疗既殊佳[5]，应更加研访。服食七禽散云：白兔食之，仙。与前菴蕳子同法耳。 ［谨案］《尔雅》：蘩音烦，皤音婆蒿[6]，即白蒿也。此蒿叶粗于青蒿[7]，从初生至枯[8]，白于众蒿，欲似细艾者，所在有之也。

【校注】

[1] **甘，平** 《千金翼》作"苦，辛"。

［2］**主** 《千金翼》作"养"。

［3］**悬** 孙本、问本、黄本、周本作"县"。

［4］**生中山川泽，二月采** 《千金翼》无此文；人卫《政和》、商务《政和》将其刻成小字注文；柯《大观》、玄《大观》《图经衍义》将其刻成大字正文。

［5］**佳** 《图考长编》作"自"。

［6］**《尔雅》：蘩音烦，皤音婆蒿** 《和名类聚钞》引苏敬《图经本草》注云："白蒿，一名蘩皤蒿。"

［7］**此蒿叶粗于青蒿** 邢昺《尔雅疏》云："本草曰：白蒿。唐本注云：此蒿叶粗于青蒿。"《纲目》作"上有白毛错涩，粗于青蒿"。

［8］**枯** 《纲目》作"秋"。

《新修本草》 草部上品之上卷第六

草部上品之下　卷第七

右草部上品之下合卅八种卅四种《神农本经》，二种《名医别录》，二种新附。

124　肉苁[1]蓉

味甘、酸、咸，微温，无毒。主五劳七伤，补中，除茎中寒热痛[2]，养五脏，强阴，益精气，多子，疗妇人癥瘕。除膀胱邪气、腰痛，止[3]痢。**久服轻身。**生河西山谷及代郡雁门。五月五日采，阴干。

代郡雁门属并州，多马处便有，言是野马精落地所生。生时似肉，以作羊肉羹，补虚乏极佳，亦可生啖。芮芮[4]河南间至多。今第一出陇西，形扁广[5]，柔润，多花而味甘。次出北国者，形短[6]而少花。巴东、建平间亦有，而不如[7]也。　　〔谨案〕此注论草苁蓉，陶未见肉者。今人所用亦草苁蓉刮去花，用代肉尔。《本经》有肉苁蓉，功力殊胜。比来医人，时有用者[8]。

【校注】

[1]　苁　《医心方》《本草和名》、森本作"纵"，孙本、问本、黄本、周本作"松"。

[2]　痛　《御览》脱此字。

[3]　止　万历《政和》作"上"。

[4]　芮芮　《纲目》脱此2字。

[5]　广　《纲目》作"黄"。

[6]　短　《图考长编》作"似"。

[7]　如　《纲目》作"嘉"。

[8]　用代肉尔……时有用者　《纲目》作"代肉苁蓉，功力稍劣"。

125　地肤子[1]

味苦，寒，无毒[2]。主膀胱热，利小便，补中，益精气。去皮肤中热气，散恶疮疝瘕，强阴。**久服耳目聪明，轻身耐老，**使人润泽[3]。**一名地葵**[4]，一名地麦[5]。生荆州平泽及田野。八月、十月采实，阴干。

今田野间亦多，皆[6]取茎苗为扫帚。子微细，入补丸散用，《仙经》不甚须[7]。　　[谨案]地肤子，田野人名为地麦草，叶细茎赤，多出熟田中，苗极弱，不能胜举。今云堪为扫帚，恐人未识之。《别录》云：捣绞取汁[8]，主赤白痢，洗目[9]，去热暗、雀盲、涩痛。苗灰主痢亦善[10]。北人亦名涎衣草。

【校注】

[1] **子**　《本草和名》脱此字。

[2] **无毒**　《纲目》注为《本经》文。

[3] **使人润泽**　《纲目》《草木典》在"去皮肤中热气"之后。

[4] **葵**　《御览》作"蔡"。

[5] **一名地麦**　《御览》作"一名地脉，一名地华"；玄《大观》、《本经续疏》作"一名地裂"。

[6] **皆**　《图考长编》作"俗"。

[7] **须**　《大观》、商务《政和》、《纲目》《图考长编》作"用"。

[8] **捣绞取汁**　《纲目》作"捣汁服"。

[9] **洗目**　《纲目》作"煎水洗目"。

[10] **苗灰主痢亦善**　《纲目》作"烧灰亦善"。

126　忍冬

味甘，温，无毒。主寒热身肿。久服轻身，长年益寿。十二月采，阴干[1]。

今处处皆有，似藤生，凌[2]冬不凋，故名忍冬。人惟取煮汁以酿酒，补虚疗风。《仙经》少用。此既长年益寿，甚[3]可常采服。凡易得之草，而人多不肯为之，更求难得者，是贵远贱近，庸人之情乎？　　[谨案]此草藤生，绕覆草木上。苗茎赤紫色，宿者[4]有薄白皮膜之。其嫩茎[5]有毛，叶似胡豆，亦上下有毛。花白蕊紫。今人或以络石当之，非也。

【校注】

[1] **十二月采，阴干**　《本草经疏》无此文。

[2] **凌**　《大观》作"更"。

[3] **甚**　《纲目》无此字。

[4] **者**　《纲目》作"蔓"。

[5] **茎**　《纲目》均作"蔓"。

127　蒺藜子

味苦、辛，温、微寒[1]，无毒。主恶血，破癥结[2]积聚，喉痹，乳难。身体风痒，头痛，咳逆，伤肺，肺痿，止烦，下气。小儿头疮，痈肿，阴癀，可作摩粉。其叶，主风痒，可煮以浴[3]。**久服长肌肉，明目，轻身。一名旁通，一名屈人，一名止行，一名犲羽[4]，一名升推[5]**，一名即[6]梨，一名茨。生冯翊平泽或道旁。七月、八月采实，曝干。

乌头为之使。　多生道上[7]，而叶布地，子有刺，状如菱而小。长安最饶，人行多著木屐。今军家乃铸铁作之，以布敌路[8]，亦呼蒺藜[9]。《易》云：据于蒺藜，言其凶伤。《诗》云：墙有茨，不可扫也。以刺梗秽也。方用甚希耳。

【校注】

[1] **寒** 　《纲目》作"温"。

[2] **破癥结** 　《纲目》作"破癥瘕"，《图考长编》作"破癥瘕结"。

[3] **其叶，主风痒，可煮以浴** 　《纲目》无此文。

[4] **犲羽** 　《纲目》作"休羽"。

[5] **推** 　《御览》作"雅"。"推"字后，《御览》有"一名君水香"。

[6] **即** 　《大全》、成化《政和》、万历《政和》、商务《政和》作"蒺"。

[7] **多生道上** 　《纲目》作"多生道上及墙上"。

[8] **路** 　《图考长编》作"地"。

[9] **亦呼蒺藜** 　《纲目》作"名铁蒺藜"。

128　防风

味甘、辛，温，无毒[1]。主大风头眩痛，恶风，风邪，目盲无所见，风行周身，骨节疼痹[2]，烦满[3]。胁痛胁[4]风，头面去来，四肢挛急，字乳金疮内痉[5]。**久服轻身。**叶，主中风热汗出。**一名铜芸[6]**，一名茴草[7]，一名百枝，一名屏风，一名蕳[8]根，一名百蜚[9]。生沙苑川泽及邯郸、琅玡、上蔡。二月、十月采根，曝干。

得泽泻、蒿本疗风，得当归、芍药、阳起石、禹馀粮疗妇人子脏风，杀附子毒，恶[10]干姜、藜芦、白敛、芫花，畏草薢[11]。　郡县无名沙苑。今第一出彭城、兰陵，即近琅玡者。郁州百市亦得之[12]。次出襄阳、义阳县界，亦可用，即近上蔡者。惟实而脂润，头节坚如蚯蚓头者为好。俗用疗风最要，道方时用。　[谨案] 今出齐州、龙山最善，淄州、兖州、青州者亦佳。叶似牡蒿、附子苗等。《别录》云：叉头者，令人发狂；叉尾者，发[13]痼疾。子似胡荽而大，调食用之香，而疗风更优也[14]。沙苑在同州南，亦出防风，轻虚不如东道者。陶云无沙苑，误矣。襄阳、义阳、上蔡，元无防风，陶乃妄注尔[15]。

【校注】

[1] **无毒** 《纲目》、孙本注为《本经》文。

[2] **痹** 《纲目》《本草经解》、徐本、《御览》作"痛"。

[3] **烦满** 《纲目》《草木典》注为《别录》文。《本草经解》脱此2字。

[4] **胁** 《纲目》《草木典》脱此字。

[5] **痉** 《图经衍义》作"茎"。

[6] **一名铜芸** 《本经疏证》注为《别录》文。

[7] **茵草** 《本草和名》作"因草"。

[8] **蕑** 《图经衍义》作"简"。

[9] **百蕚** 《纲目》注为《吴普》文。

[10] **恶** 《医心方》作"不欲"。

[11] **葽草蘼** 《证类》原脱,据掌禹锡引《新修》文补。

[12] **百市亦得之** "百",《证类》作"互"。"得",《纲目》作"有"。

[13] **发** 《纲目》作"发人"。

[14] **子似胡荽而大,调食用之香,而疗风更优也** 《纲目》作"子疗风更优,调食之"。

[15] **襄阳、义阳……陶乃妄注尔** 《纲目》无此文。

129 石龙刍

味苦,微寒、微温,无毒。主心腹邪气,小便不利,淋闭,风湿,鬼疰,恶毒。 补内虚不足,疗痞满,身无润泽,出汗,除茎中热痛,杀鬼疰恶毒气[1]。**久服补虚赢,轻身,耳目聪明,延年**[2]。**一名龙须,一名草**[3]**续断,一名龙珠**[4],一名龙华,一名悬莞,一名草毒[5]。九节多味[6]者,良。生梁州山谷湿地。五月、七月采茎,曝干。

茎青细相连,实赤,今出近道水石处,似东阳龙须;以作席者,但多节尔。 [谨案]《别录》云:一名方宾,主疗蛔虫,及不消食尔[7]。

【校注】

[1] **杀鬼疰恶毒气** 《纲目》《草木典》无此文。

[2] **年** 黄本、问本作"季"。

[3] **草** 《御览》《本草和名》脱此字。

[4] **一名龙珠** 《大观》《大全》《本经续疏》注为《别录》文,其他各本俱作《本经》文。

[5] **一名草毒** 《纲目》无此文。

[6] **味** 《纲目》作"珠"。

[7] **主疗蛔虫,及不消食尔** 《纲目》作"疗蛔虫肿不消食"。

130　络石[1]

味苦，温、微寒，无毒。主风热，死肌，痈伤，口干，舌焦，痈肿不消，喉舌肿不通[2]，**水浆不下。**大惊入腹，除邪气，养肾，主腰髋痛，坚筋骨，利关节。**久服轻身，明目，润泽，好颜色，不老，延年**[3]，通神。**一名石鲮**[4]，一名石蹉，一名略石，一名明石，一名领石，一名悬石。生太山川谷，或石山之阴，或高山岩石上，或生人间。正月采[5]。

杜仲、牡丹为之使，恶铁落，畏贝母、菖蒲。　不识此药，仙俗[6]方法都无用者，或云是石类。既云或生人间，则非石，犹如石斛等[7]，系石以为名尔。　　〔谨案〕此物，生阴湿处，冬夏常青，实黑而圆，其茎蔓延绕树石侧。若在石间者，叶细厚而圆短；绕树生者，叶大而薄。人家亦种之[8]，俗名耐冬，山南人谓之石血，疗产后血结，大良。以其包络石木而生，故名络石[9]。《别录》谓之石龙藤，主疗蝮蛇疮，绞取汁洗之，服汁亦去蛇毒心闷。刀斧伤诸疮，封之立差[10]。

【校注】

[1]　**络石**　《医心方》《本草和名》《御览》、森本作"落石"。玄《大观》脱"络"字。

[2]　**喉舌肿不通**　《大观》《政和》将前3字刻为白字《本经》文，后2字刻为黑字《别录》文；森本、孙本、顾本取前3字为《本经》文；《品汇》注此5字为《本经》文；《纲目》作"喉舌肿闭"，并注为《本经》文；《图考长编》作"主喘息不通"，并注为《别录》文。

[3]　**久服轻身，明目，润泽，好颜色，不老，延年**　《纲目》《草木典》注为《别录》文。

[4]　**石鲮**　《纲目》脱《本经》标记。

[5]　**或生人间。正月采**　"人"，《大观》作"木"。"间"字后，《图考长编》衍"墙屋上"3字。"正"，《纲目》《草木典》作"五"。

[6]　**仙俗**　《纲目》无此2字。

[7]　**等**　《纲目》无此字。

[8]　**种之**　《纲目》作"种之为饰"。

[9]　**以其包络石木而生，故名络石**　《和名类聚钞》引本草云："络石一名领石。苏敬曰，其草包石木而生，故以名之。"

[10]　**主疗蝮蛇……封之立差**　《纲目》对此文略加化裁。

131　千岁蘽汁

味甘，平，无毒。主补五脏，益气，续筋骨，长肌肉，去诸痹。久服轻身不饥，耐老，通神明。一名蘽芜。生太山川[1]谷。

作藤生，树[2]如葡萄，叶如[3]鬼桃，蔓延木上，汁白。今俗人方药都不复识用此[4]，《仙经》数处须之，而远近道俗，咸不识此，非甚是异物，正[5]是未研访寻识之尔。　　〔谨案〕即蘡薁藤汁也[7]，此藤有得千岁者，茎大如碗，冬惟叶凋，茎终不死。藤汁味甘，子味甘、酸，苗似葡萄，其茎主哕逆大善，伤寒后呕哕更良。

【校注】

[1] **川** 《纲目》作"山"。

[2] **树** 《纲目》无此字。

[3] **如** 《纲目》作"似"。

[4] **此** 《图考长编》作"而"。

[5] **正** 《图考长编》作"止"。

[6] **而远近道俗……识之尔** 《纲目》无此文。

[7] **[谨案]即蘡薁藤汁也** 《和名类聚钞》引苏敬曰："即今之蘡薁藤汁是也。"

132 黄连

味苦，寒、微寒，无[1]毒。主热气，目痛眦伤泪[2]出，明目，肠澼，腹痛，下痢，妇人阴中肿痛。五脏冷热，久下泄澼，脓血，止消[3]渴，大惊，除水利骨，调胃，厚肠，益胆，疗口疮。**久服令人不忘。一名王连。**生巫阳川谷及蜀郡太山[4]。二月、八月采。

黄芩、龙骨、理石[5]为之使，恶菊花、芫花、玄参、白鲜，畏款冬，胜乌头，解巴豆毒。 巫阳在建平。今西间者色浅而虚，不及东阳、新安诸县最胜。临海诸县者不佳。用之当布裹授[6]去毛，令如连珠。俗方多疗下痢及渴，道方服食长生。 [谨案]蜀道者粗大节平，味极浓苦，疗渴为最。江东者节如连珠，疗痢大善。今沣州者更胜。

【校注】

[1] **无** 《图经衍义》作"供"。

[2] **泪** 《图经衍义》作"此"；《千金翼》《本草经疏》《纲目》《本草经解》、徐本作"泪"，其他各本作"泣"。

[3] **消** 《图经衍义》作"烦"。

[4] **山** 其后，《纲目》《草木典》衍"之阳"2字。

[5] **理石** 《医心方》无此2字。

[6] **裹授** 《纲目》作"捼"。

133 沙参

味苦，微寒，无毒。主血积[1]惊气，除寒热，补中，益肺气。疗胃[2]痹心腹痛，结热邪气，头痛，皮间邪热，安五脏，补中[3]。**久服利人**[4]。**一名知母**[5]，一名苦心，一名志取，一名虎须，一名白参[6]，一名识美，一名文[7]希。生河内川谷及宛朐[8]般阳续山。二月、八月采根，曝干。

恶防己，反藜芦。　今出近道，丛生，叶似枸杞，根白实者佳。此沙参并人参、玄参、丹参、苦参[9]是为五参，其形不尽相类，而主疗颇同，故皆有参名。又有紫参，正名牡蒙，在中品[10]。

〔谨案〕紫参、牡蒙各是一物，非异名也[11]。今沙参出华州[12]为善。

【校注】

[1]　**积**　《本草经解》作"结"。

[2]　**胃**　《本草经疏》《本经续疏》作"胸"。

[3]　**补中**　《纲目》无此2字。

[4]　**久服利人**　《纲目》《草木典》注为《别录》文。

[5]　**知母**　《纲目》注为《别录》文。

[6]　**白参**　《纲目》注为《吴普本草》文。

[7]　**文**　《本草和名》作"久"。

[8]　**宛朐**　商务《政和》、《纲目》《图考长编》作"冤句"。

[9]　**玄参、丹参、苦参**　《证类》《图考长编》无此文。

[10]　**正名牡蒙，在中品**　《纲目》作"乃牡蒙也"。

[11]　**〔谨案〕……非异名也**　《纲目》无此文。

[12]　**州**　《纲目》作"山"。

134　丹参

味苦，微寒，无毒。主心腹邪气，肠鸣幽幽如走水，寒热，积聚，破癥[1]，**除瘕，止烦满，益气。**养[2]血，去心腹痼[3]疾结气，腰脊强脚痹，除风邪留热。久服利人。**一名郄**[4]**蝉草**，一名赤参，一名木羊乳[5]。生桐柏山[6]川谷及太山。五月采根，曝干。

畏咸水，反藜芦。　此桐柏山[7]，是淮水源所出之山，在义阳，非江东临海之桐柏也。今近道处处有，茎方有毛，紫花，时人呼为逐马。酒渍饮之，疗风痹[8]。道家时有用处，时人服之多眼赤，故应性热，今云微寒，恐为谬矣[9]。　　〔谨案〕此药，冬采良，夏采虚恶。

【校注】

[1]　**癥**　《图经衍义》作"瘕"。

[2]　**养**　《图经衍义》作"眷"。

[3]　**去心腹痼**　"去"，《本经续疏》作"主"。"痼"，《草木典》误作"痛"。

[4] **郄** 森本、问本、黄本、周本作"却"。

[5] **木羊乳** 《纲目》注为《吴普本草》文。

[6] **山** 《纲目》《草木典》无此字。

[7] **山** 《纲目》无此字。

[8] **疗风痹** 《纲目》作"疗风痹足软"。

[9] **道家时有……恐为谬矣** 《纲目》无此文。

135 王不留行[1]

味苦、甘,平[2],无毒。主金疮,止血,逐痛出刺,除风痹内寒[3]。止心烦,鼻衄,痈疽,恶疮,瘘乳,妇人难产[4]。**久服轻身,耐老,增寿[5]**。生太山山谷,二月、八月采。

今处处有。人言是蓼子,亦不耳。叶似酸浆,子似松子。而多人痈瘘方用之[6]。

【校注】

[1] **王不留行** 《纲目》注为《别录》上品。

[2] **平** 孙本、森本、顾本、卢本注为《本经》文,《大观》、商务《政和》、人卫《政和》作黑字《别录》文,应以《大观》等为是。

[3] **寒** 《纲目》《本经疏证》作"塞"。

[4] **难产** 《千金翼》作"产难"。

[5] **耐老,增寿** 《御览》作"能老"。自"主金疮"至"耐老增寿",《纲目》《草木典》注为《别录》文。

[6] **人言是蓼子……用之** 《纲目》重行组合为"叶似酸浆,子似松子,人言是蓼子,不尔,多入痈瘘方用"。

136 蓝实

味苦,寒,无毒。主解诸毒,杀蛊蚑[1]疰鬼螫毒。久服头不白,轻身。其叶汁,杀百药毒,解狼[2]毒、射罔毒。其茎叶,可以染青。生河内平泽。

此即今染缥碧所用者。至解毒,人卒不能得生蓝汁,乃浣[3]缥布汁以解之,亦善[4]。以汁涂五心又止烦闷。尖叶者为胜,其疗蜂螫毒。 〔谨案〕蓝实,有三种。一种围[5]径二寸许,厚三四分,出岭南,云疗毒肿,太常名此草为木蓝子,如陶所引乃是菘蓝,其汁抨普更切为淀者。案,《经》所用,乃是蓼蓝实也,其苗似蓼,而味不辛者。此草汁疗热毒,诸蓝非比,且[6]二种蓝,今并堪染,菘蓝为淀,惟堪染青;其蓼蓝不堪[7]为淀,惟作碧色尔。

【校注】

[1] **蚑** 《纲目》作"魅音其，小儿鬼也"。

[2] **狠** 《大观》作"很"。

[3] **浣** 商务《政和》、《图考长编》作"渍"。

[4] **至解毒……亦善** 《纲目》简化为"解毒不得生蓝汁，以青缣布渍汁亦善"。

[5] **围** 《纲目》作"叶圆"。

[6] **且** 商务《政和》作"目"。

[7] **不堪** 《纲目》无此2字。

137 景天

味苦、酸[1]**，平，无毒。主大热火疮**[2]**，身热烦，邪恶气。**诸蛊毒，痂疕，寒热风痹，诸不足。**花**[3]**，主女人漏下赤白，轻身明目**[4]。久服通神不老[5]。一**名戒火，一名火母**[6]**，一名救火，一名据火，一名慎火**[7]。生太山川谷。四月四日、七月七日采，阴干。

今人皆盆盛养之于屋上，云以辟火。叶可疗金疮止血，以洗浴小儿，去烦热惊气[8]。广州城外有一树，云大三四围，呼为[9]慎火树。江东者，甚细小[10]。方用亦希。其花入服食[11]。众药之名，此最为丽。

【校注】

[1] **酸** 《大观》《大全》刻作白字《本经》文。

[2] **疮** 孙本、问本、黄本、周本作"创"。

[3] **花** 孙本、问本、黄本、周本作"华"。

[4] **轻身明目** 《御览》作"明目轻身"。

[5] **久服通神不老** 《纲目》《草木典》无此文。

[6] **火母** 《御览》作"水母"。

[7] **一名慎火** 《御览》无此文。

[8] **气** 《大观》作"风"。

[9] **呼为** 《纲目》作"名"，商务《政和》作"子为"。

[10] **江东者，甚细小** 《纲目》无此文。

[11] **其花入服食** 《纲目》无此文。

138 天名精

味甘，寒，无毒。主瘀血，血瘕欲死，下血，止血，利小便，除小虫，去痹，除胸中结热，止烦渴[1]。逐水大吐下。久服轻身，耐老。一名麦句姜，一名虾蟆蓝，一名豕首，一名天门精，一名玉[2]门精，一名麶颠，一名蟾蜍兰，一名觐[3]。生平原川泽，五月采。

垣衣为之使。 此即今人呼为豨莶，亦名豨首。夏月捣[4]汁服之，以除热病。味至苦，而云甘，恐或非是。 ［谨案］鹿活草是也。《别录》一名天[5]蔓菁，南人名为地松，味甘、辛，故有姜称[6]；状如蓝，故名虾蟆蓝[7]，香气似兰，故名蟾蜍兰。主破血，生肌，止渴，利小便[8]，杀三虫，除诸毒肿，丁疮，瘘痔，金疮内射，身痒瘾疹不止者，揩之立已。其豨莶[9]苦而臭，名精乃辛而香，全不相类也。

【校注】

［1］**除小虫，去痹，除胸中结热，止烦渴** 成化《政和》、万历《政和》、商务《政和》、《图考长编》注为《别录》文，《大观》、人卫《政和》、《品汇》、森本注为《本经》文，应以《大观》等为是。"渴"，人卫《政和》误作黑字《别录》文。

［2］**玉** 《图经衍义》作"工"。

［3］**一名觐** 《纲目》无此文。

［4］**捣** 《纲目》作"杵"。

［5］**天** 商务《政和》作"夫"。

［6］**故有姜称** 《和名类聚钞》引苏敬《图经本草》注云："味甘辛，故有姜称也"。

［7］**故名蛤蟆蓝** 《纲目》作"而蛤蟆好居其下，故名蛤蟆蓝"。

［8］**止渴，利小便** 《纲目》作"止鼻衄"。

［9］**豨莶** 《纲目》作"豨首"。

139 蒲黄

味甘，平，无毒。**主心腹膀胱寒热，利小便，止血，消瘀血。久服轻身，益气力，延年**[1]神仙。生河东池泽，四月采[2]。

此即蒲厘花上黄粉也，伺其有，便拂取之[3]，甚疗血，《仙经》亦用此[4]。

【校注】

［1］**年** 问本、黄本作"季"。

［2］**采** 《纲目》作"采之"。

［3］**伺其有，便拂取之** 《纲目》无此文。

［4］**此** 《纲目》作"之"。

140 香蒲[1]

味甘，平，无毒。**主五脏心下邪气，口中烂臭，坚齿，明目，聪耳。久服轻**

身，耐[2]老。一名睢[3]，一名醮[4]。生南海池泽。

方药不复用，俗人无采，彼土[5]人亦不复识者。江南贡菁茅，一名香茅，以供宗庙缩酒。或云是薰草，又云是燕麦，此蒲亦相类耳。　　[谨案]此即甘蒲，作荐者，春初生，用[6]白为菹，亦堪蒸食。山南名此蒲为香蒲，谓昌蒲为臭蒲。陶隐居所引菁茅，乃三脊茅也。其燕麦、薰草、香茅，野俗皆识，都不为类此，并非例也[7]。蒲黄，即此香蒲花是也。

【校注】

[1] **蒲**　《医心方》作"蒲"。

[2] **耐**　《御览》《香药钞》作"能"。

[3] **一名睢**　《御览》作"一名睢蒲"。《图考长编》"香蒲"条，在《本经》栏下录此3字，在《别录》栏下亦录此3字。《纲目》无此文。

[4] **醮**　《纲目》作"醮石"，并注为《吴普本草》文。

[5] **彼土**　《纲目》作"南海"。

[6] **用**　《纲目》作"取"。

[7] **都不为类此，并非例也**　《纲目》作"都非香蒲类也"。

141 兰草[1]

味辛，平，无毒。主利水道，杀蛊毒，辟不祥。除胸中痰癖。久服益气，轻身，不老，通神明。一名水香。生大[2]吴池泽，四月、五月采。

方药俗人并不复识用。大吴即应是吴国尔，太[3]伯所居，故呼大吴。今东间[4]有煎泽草名[5]兰香，亦或是此也，生湿地[6]。李云[7]：是今人所种，似都梁香草[8]。　　[谨案]此是兰泽香草也。八月花白[9]，人间多种之，以饰庭池；溪水涧旁，往往亦有[10]。陶云不识，又言煎泽草，或称李云都梁香近之，终非的识也[11]。

【校注】

[1] **兰草**　《御览》作"草兰"。

[2] **大**　《纲目》《草木典》作"太"。下同。

[3] **太**　《大观》作"大"。

[4] **间**　《纲目》《图考长编》作"门"。

[5] **名**　《本草和名》作"一名"。

[6] **生湿地**　《纲目》无此2字。

[7] **李云**　《纲目》作"李当之云"。

[8] **似都梁香草**　《纲目》无"似"字。"草"字后，《纲目》有"泽兰亦名都梁香"。

[9] **八月花白**　《纲目》作"圆茎紫萼，八月花白，俗名兰香"。

[10] **溪水涧旁，往往亦有**　《纲目》作"生溪水旁"。

[11]　[谨案]……终非的识也　《纲目》引此文时略有化裁。

142　决明子[1]

味咸、苦、甘，平、微寒，无毒。主青盲，目淫[2]**，肤赤，白膜，眼赤痛**[3]**，泪出。疗唇口青。久服益精**[4]**光，轻身。生龙门川泽，石决明生豫章**[5]。十月十日采，阴干百日。

著实为之使，恶大麻子。　龙门乃在长安北。今处处有。叶如茳芏[6]，子形似马蹄，呼为马蹄决明。用之当捣碎。又别有草决明[7]，是萋蒿子，在下品中也。　　[谨案]石决明，是蚌蛤类，形似紫贝，附见别出在鱼兽条中，皆主明目，故并有决明之名。俗方惟以疗眼也，道术时须[8]。

【校注】

[1]　**子**　《医心方》《本草和名》脱此字。
[2]　**盲，目淫**　"盲"，玄《大观》作"音"。"淫"，万历《政和》作"涩"。
[3]　**赤痛**　"赤"，玄《大观》作"土"。《纲目》脱"痛"字。
[4]　**精**　《图经衍义》作"精"。
[5]　**石决明生豫章**　《纲目》无此文。
[6]　**芏**　《大观》作"芏"，人卫《政和》引陈藏器亦作"芏"，其他各本作"芒"。
[7]　**草决明**　《御览》引《本经》曰　"草决明，理目珠精。"
[8]　**[谨案]石决明……道术时须**　《纲目》无此文。

143　芎䓖

味辛，温，无毒。主中风入脑，头[1]**痛，寒痹，筋**[2]**挛缓急，金疮**[3]**，妇人血闭无子。**除脑中冷动，面上游风去来，目泪出，多涕唾，忽忽如醉，诸寒冷气，心腹坚痛，中恶，卒急肿痛，胁风痛[4]，温中内寒。一名胡穷，一名香果。其叶名蘼芜。生武功川谷斜谷西岭。三月、四月采根，曝干。

得细辛疗金疮止痛，得牡蛎疗头风[5]吐逆，白芷为之使，恶黄连[6]。　今惟出历阳[7]，节大茎细，状如马衔，谓之马衔芎䓖。蜀中亦有而细，人患齿根血出者，含之多差。苗名蘼芜，亦入药，别在下说。俗方多用，道家时须尔。胡居士云：武功去长安二百里，正长安西，与扶风、狄道相近。斜谷是长安西岭下，去长安一百八十里，山连接七百里[8]。　　[谨案]今出秦州，其人间种者，形块大，重实，多脂润。山中采者瘦细。味苦、辛。以九月、十月采为佳。今云三月、四月虚恶，非时也。陶不见秦地芎䓖，故云惟出历阳。历阳出者，今不复用[9]。

【校注】

[1] **脑，头** 《御览》作"头脑"。

[2] **筋** 森本脱此字。

[3] **疮** 孙本、问本、黄本、周本作"创"。

[4] **胁风痛** 《图考长编》无此文。

[5] **头风** 《大观》作"风头"。

[6] **恶黄连** "恶"，《纲目》《草木典》作"畏"。"连"字后，《纲目》衍"伏雌黄"3字。

[7] **今惟出历阳** "今"字前，《纲目》有"武功、斜谷西岭，俱近长安"。"阳"字后，《纲目》衍"处处亦有，人家多种之，叶似蛇床而香"，按，此文原属蘪芜的注文，《纲目》移注于此。

[8] **苗名蘪芜……七百里** 《纲目》无此文。

[9] **陶不见秦地……今不复用** 《纲目》简化为"其历阳出者不复用"，并移在"今出秦州"之后。

144　蘪芜

味辛，温，无毒。主咳逆，定惊气，辟邪恶，除蛊毒鬼疰，去三虫[1]**。久服通神。主身中老风，头中久风，风眩。一名薇芜**[2]**，一名茳**[3]**蓠，芎穷苗也。生雍州川泽及宛朐**[4]**。四月、五月采叶，曝干。**

今出历阳，处处亦有[5]，人家多种之，叶似蛇床而香。骚人借以为譬，方药用甚希。　　〔谨案〕此有二种：一种似芹叶，一种如蛇床。香气相似，用亦不殊尔。

【校注】

[1] **虫** 成化《政和》、万历《政和》、商务《政和》作"蛊"。

[2] **一名薇芜** 《纲目》注为《别录》文。

[3] **茳** 《政和》作"茫"。

[4] **宛朐** 商务《政和》、《纲目》作"冤句"。

[5] **亦有** 《纲目》无此2字。

145　续断

味苦、辛，微温，无毒。主伤寒[1]**，补不足，金疮痈伤**[2]**，折跌，续筋骨，妇人乳难。崩**[3]**中漏血，金疮血内漏，止痛，生肌肉及踠伤，恶血，腰痛，关节缓急。久服益气**[4]**力。一名龙豆**[5]**，一名属折，一名接骨，一名南草**[6]**，一名槐**[7]**。生常山山谷。七月、八月采，阴干。**

地黄为之使，恶雷丸。　　案，《桐君药录》云：续断生蔓延，叶细，茎如荏，大根本黄白有汁，七月、八月采根。今皆用茎叶，节节断，皮黄皱，状如鸡脚者，又呼为桑上寄生，恐皆非真[8]。时

193

人又有接骨树，高丈余许，叶似䕡蓲，皮主疗金疮，有此接骨名，疑或是[9]。而广州又有一藤名续断[10]，一名诺藤，断其茎，器承其汁饮之，疗虚损绝伤，用沐头，又长发。折枝插地即生，恐此又相类。李云[11]是虎蓟，与此大乖，而虎蓟亦自疗血尔。　　［谨案］此药，所在山谷皆有，今俗用者是。叶似苎而茎方，根如大蓟，黄白色。陶注者[12]，非也。

【校注】

［1］寒　《本草经疏》《本草经解》《图考长编》作"中"。

［2］金疮痈伤　"疮"，孙本、问本、周本、黄本作"创"。"伤"，《本草经解》《图考长编》作"疡"。

［3］崩　其前，《纲目》《草木典》衍"妇人"2字。

［4］气　《御览》无此字。

［5］龙豆　《纲目》注为《别录》文。

［6］南草　《纲目》脱《别录》标记。

［7］一名槐　《本草和名》作"一名槐生"，《纲目》脱此文。

［8］恐皆非真　此4字《纲目》置于"折枝插地即生"之后。

［9］有此接骨名，疑或是　《纲目》无此文。

［10］广州又有一藤名续断　《纲目》作"广州又有续断藤"。

［11］恐此又相类。李云　《纲目》作"恐皆非真，李当之云"。

［12］陶注者　《纲目》作"陶说"。

146　云实

味辛、苦，温，无毒。主泄痢肠澼[1]，杀虫[2]蛊毒，去邪恶结气，止痛，除寒[3]热。消渴。花，主见鬼精物[4]，多食令人狂走。杀精物，下水，烧之致鬼。久服轻身，通神明，益寿[5]。一名员实，一名云英，一名天豆[6]。生河间川谷。十月采，曝干。

今处处有，子细如葶苈子而小黑，其实亦类莨菪。烧之致鬼，未见其法术。　　［谨案］云实，大如黍及大麻子等，黄墨似豆，故名天豆[7]。丛生泽旁，高五六尺。叶如细槐，亦如苜蓿，枝间微刺。俗谓苗为草云母。陶云似葶苈，非也。

【校注】

［1］肠澼　《御览》作"胀癖"。

［2］虫　《千金翼》作"蛊"。

［3］寒　孙本无此字。

［4］花，主见鬼精物　"花"，孙本作"华"。《纲目》脱"物"字。

[5] **益寿** 《品汇》注为《本经》文。《纲目》无此2字。

[6] **一名天豆** 《纲目》注为《吴普本草》文。

[7] **故名天豆** 《和名类聚钞》引苏敬本草云："云实，一名天豆，色黄黑似豆，故以名之。"

147 黄芪

味甘，微温，无毒[1]。主痈疽，久败疮[2]，排脓止痛，大风癞疾，五痔鼠瘘，补虚，小儿百病。 妇人子脏风邪气，逐五脏间恶血，补丈夫虚损，五劳羸瘦，止渴，腹痛泄利，益气，利阴气。生[3]白水者冷，补。其茎、叶疗渴及筋挛，痈肿，疽疮。**一名戴糁，一名戴椹，一名独椹，一名芰[4]草，一名蜀脂，一名百本。生蜀郡山谷、白水、汉中。二月、十月采，阴干。**

恶龟甲。　第一出陇西、洮[5]阳，色黄白甜美，今亦难得。次用黑水宕昌者，色白肌肤[6]粗，新者，亦甘温补；又有蚕陵、白水者，色理胜蜀中者而冷补；又有赤色者，可作膏贴用，消痈肿[7]，俗方多用，道家不须。　[谨案]此物，叶似羊齿，或如蒺藜，独茎或作丛生[8]。今出原州及华原者最良，蜀汉不复采用之[9]。

【校注】

[1] **无毒** 《纲目》注为《本经》文。

[2] **疮** 孙本、问本、周本、黄本作"创"。

[3] **生** 《纲目》无此字。

[4] **芰** 《纲目》《本经疏证》作"芰"，《本草和名》作"艾"。

[5] **洮** 《政和》作"叼"，《大观》《纲目》《图考长编》作"洮"。

[6] **肤** 《纲目》《图考长编》作"理"。

[7] **消痈肿** 《纲目》无此文。

[8] **[谨案]此物……或作丛生** 《纲目》无此文。

[9] **用之** 其后，《纲目》有"宜州、宁州者亦佳"。按，此文原出于"蜀本《图经》"。

148 徐长卿

味辛，温，无毒。主鬼物百精蛊毒，疫疾[1]邪恶气，温疟[2]。久服强悍轻身。益气，延年。一名鬼督邮。生太山山谷及陇西，三月采。

鬼督邮之名甚多。今俗用徐长卿者，其根正如细辛，小短扁扁[3]尔，气亦相似。今狗脊散用鬼督邮，当取其强悍宜腰脚，所以[4]知是徐长卿，而非鬼箭、赤箭。　[谨案]此药，叶似柳，两叶相当，有光润[5]，所在川泽有之[6]。根如细辛，微粗长，而[7]有臊昔刀切气。今俗用代鬼督邮，非也。鬼督邮别[8]有本条，在下。

195

【校注】

[1] **疫疾** 《御览》作"疾疫"。

[2] **疟** 《御览》作"鬼"，成化《政和》、商务《政和》作"瘅"。

[3] **扁扁** 《大观》作"扁"。

[4] **所以** 《纲目》作"故"。

[5] **润** 《纲目》作"泽"。

[6] **所在川泽有之** 《纲目》在"叶似柳"之前。

[7] **而** 《纲目》作"黄色而"。

[8] **别** 《纲目》作"自"。

149 杜若

味[1]辛，微温，无毒。主胸胁下[2]逆气，温中，风入脑户，头肿痛，多涕、泪出[3]。眩倒目脘脘，止痛，除口臭气。**久服益精明目[4]，轻身，令人不忘[5]。一名杜衡**，一名杜莲，一名白莲，一名白苓[6]，一名若芝。生武陵川泽及宛朐。二月、八月采根，曝干。

得辛夷、细辛良，恶柴胡、前胡。 今处处有。叶似姜而有文理，根似高良姜而细，味辛香。又绝似旋蕾根，殆欲相乱，叶小异尔。《楚辞》云：山中人兮芳杜若。此者一名杜衡，今复别有杜衡，不相似[7]。 ［谨案］杜若[8]，苗似廉姜，生阴地[9]，根似高良姜，全少辛味。陶所注[10]旋蕾根，即真杜若也。

【校注】

[1] **味** 万历《政和》作"呀"。

[2] **下** 万历《政和》作"丁"。

[3] **多涕、泪出** 《纲目》脱"多""出"2字。

[4] **益精明目** 《艺文类聚》作"益气"。

[5] **令人不忘** 《纲目》注为《本经》文。

[6] **苓** 《图经衍义》作"苓"，《本草和名》作"苓"。

[7] **此者……不相似** 《纲目》无此文。"者"，《图考长编》作"也"，柯《大观》作"草"。

[8] **［谨案］杜若** 《纲目》作"今江湖多有之"。

[9] **生阴地** 《纲目》在"苗似廉姜"之前。

[10] **陶所注** 《纲目》作"陶云似"。

150 蛇床子

味苦[1]、辛、甘[2]，平，无毒。主妇人阴中肿痛[3]，男子阴痿湿痒，除痹气，利关节。癫痫，恶疮[4]。温中下气，令妇人子脏热，男子阴强。久服轻身，好颜色[5]，令人有子。一名蛇粟[6]，一名蛇米，一名虺床[7]，一名思益，一名绳毒，一名枣棘，一名墙蘼。生临淄川谷及田野。五月采实，阴干。

恶牡丹、巴豆、贝母。　近道田野墟落间甚多。花、叶正似蘼芜。　〔谨案〕《尔雅》一名盱[8]。

【校注】

[1]　苦　《本经疏证》脱此字。

[2]　辛、甘　《大观》《大全》注为《本经》文。

[3]　妇人阴中肿痛　《纲目》在"湿痹"之后。

[4]　癫痫，恶疮　"癫""疮"，孙本、问本、周本、黄本作"瘨""创"。自"主妇人"到"恶疮"，《大全》注为《别录》文。

[5]　好颜色　《纲目》注为《本经》文。

[6]　一名蛇粟　《大观》、森本、狩本、《纲目》注为《本经》文，商务《政和》、人卫《政和》注为《别录》文。

[7]　虺床　《纲目》注为《尔雅》文。"床"，万历《政和》、《本经疏证》作"状"。

[8]　〔谨案〕《尔雅》一名盱　《纲目》无此文。

151　茵陈蒿[1]

味苦，平[2]、**微寒，无毒。主风湿，寒热，邪气，热**[3]**结，黄疸。**通身发黄，小便不利，除头热，去伏瘕。**久服轻身益气耐**[4]**老，面白悦长年**[5]。白兔食之[6]，仙。生太山及丘陵坡[7]岸上。五月及立秋采，阴干。

今处处有，似蓬蒿而叶紧细。茎，冬不死，春又生[8]。惟入疗黄疸用[9]。《仙经》云：白蒿，白兔食之，仙。而今茵陈乃云此，恐是误尔。

【校注】

[1]　茵陈蒿　《御览》作"因尘"，脱"蒿"字。

[2]　平　《御览》脱此字。

[3]　热　《御览》脱此字。

[4]　耐　《御览》作"能"。

[5]　面白悦长年　《纲目》《本草经解》注为《本经》文。

[6]　白兔食之　《纲目》注为《本经》文。"兔"，《图经衍义》作"免"。

[7]　坡　《千金翼》《大观》《图考长编》作"坂"，孙本作"阪"，商务《政和》、人卫《政和》、《纲目》作"坡"。

［8］ **茎，冬不死，春又生** 《纲目》作"秋后茎枯，经冬不死，至春又生"。

［9］ **惟入疗黄疸用** 《纲目》无此文。

152 漏芦

味苦、咸[1]，**寒、大寒，无毒。主皮肤热**[2]，**恶疮**[3]，**疽痔，湿痹，下乳汁。**止遗溺，热气疮痒如麻豆，可作浴汤。**久服轻身益气，耳目聪明，不老延年**[4]。一名野兰。生乔山山谷。八月采根，阴干。

乔山应是黄帝所葬处，乃在上郡。今出近道亦有[5]，疗诸瘘疥，此久服甚益人，而服食方罕用之。今市人皆取苗用之。俗中取根，名鹿骊根，苦酒摩，以疗疮疥。 ［谨案］此药俗名荚蒿，茎叶似白蒿，花黄，生荚，长似细麻[6]，如筯许，有四五瓣，七月、八月后皆黑，异于众草蒿之类也。常用其茎叶及子，未见用根。其鹿骊，山南谓之木藜芦，有毒，非漏芦也[7]。

【校注】

［1］ **咸** 《政和》《图考长编》、孙本注为《本经》文，《大观》《本经续疏》注为《别录》文；森本、狩本、顾本不取"咸"字为《本经》文。

［2］ **热** 其后，《纲目》有"毒"字。

［3］ **疮** 孙本、问本、黄本、周本作"创"。

［4］ **年** 黄本、问本作"季"。

［5］ **今出近道亦有** 《纲目》作"及出近道"。

［6］ **花黄，生荚，长似细麻** 《大观》《图考长编》作"花黄，生荚端，茎长似细麻"；《纲目》作"花黄，生荚，长似细麻之荚"。

［7］ **也** 其后，《纲目》有"今人以马蓟似苦芺者为漏卢，亦非也"。按，此文是"飞廉"条下"唐本注"。

153 茜根

味苦，寒，无毒。主寒湿风痹，黄疸[1]，**补中。**止血，内崩，下血，膀胱不足，踒跌，蛊毒。久服益精气轻身。可以染绛。一名地血，一名茹藘，一名茅蒐，一名蒨。生乔山川谷[2]。二月、三月采根，曝干。

畏鼠姑。 此则[3]今染绛茜草也。东间诸处乃有而少，不如西多。今俗道经方不甚服用。此当以其为疗少而丰贱故也[4]。《诗》云：茹藘在坂者是。

【校注】

［1］ **疸** 孙本、问本、森本作"疸"。

[2] **川谷** 《纲目》作"山谷"。

[3] **则** 《纲目》作"即"。

[4] **今俗道经方……故也** 《纲目》无此文。

154 飞廉

味苦，平，无毒。主骨节热，胫重酸疼。头眩顶重，皮间邪风如蜂螫针刺，鱼子细起，热疮痈疽痔[1]，湿痹，止风邪咳嗽，下乳汁。**久服令人身轻**，益气明目不老。可煮可干[2]。一名漏芦，一名天荠，一名伏猪，**一名飞轻**[3]，一名伏兔，一名飞雉，一名木禾。生河内川泽。正月采根，七月、八月采花，阴干。

得乌头良，恶麻黄。 处处有。极似苦芙，惟叶下附茎，轻有皮起似箭羽，叶又多刻缺[4]，花紫色。俗方殆无用，而道家服其枝茎，可得长生，又入神枕方。今既别有漏芦，则非此别名尔[5]。

[谨案] 此有两种：一是陶证生平泽中者；其生山冈上者，叶颇相似，而无疏缺，且多毛，茎亦[6]无羽，根直下，更无旁枝。生则肉白皮黑，中有黑脉；日干则黑如玄参。用叶、茎及根，疗疳蚀杀虫，与平泽者俱有验。今俗以马蓟以[7]苦芙为漏芦，并非是也[8]。

【校注】

[1] **痈疽痔** 《大观》作"疽痔"。

[2] **干** 其后，《纲目》有"用"字。

[3] **一名飞轻** 成化《政和》、万历《政和》、商务《政和》、《纲目》注为《别录》文，《大全》、人卫《政和》注为《本经》文。

[4] **叶又多刻缺** 《纲目》作"惟叶多刻缺"，并移在"极似苦芙"之后。

[5] **则非此别名尔** 《纲目》作"则此漏卢乃别名尔"。

[6] **亦** 《纲目》作"赤"。

[7] **以** 《纲目》作"似"。

[8] **[谨案]……非是也** 《纲目》引此文时略有化裁。

155 营实[1]

味酸，温、微寒，无毒。主痈疽，恶疮[2]，**结肉，跌筋，败疮，热气，阴蚀不瘳，利关节。**久服轻身益气。根，止泄利腹痛，五脏客热，除邪逆气，疽癞[3]，诸恶疮，金疮伤挞，生肉复肌。**一名墙薇**[4]，**一名墙麻**[5]，**一名牛棘**[6]，一名牛勒，一名墙[7]蘼，一名山棘。生零陵川谷及蜀郡。八月、九月采，阴干。

营实即是墙薇子，以白花者为良。根亦可煮酿酒[8]，茎、叶亦可煮作饮。

【校注】

[1] **营实** 《御览》作"蔷薇"。"营",《图经衍义》作"芫"。

[2] **疮** 孙本、问本、黄本、周本作"创"。

[3] **疽癞** 《图经衍义》作"疽痈",《草木典》作"疽癫"。

[4] **墙薇** 《纲目》注为《别录》文。

[5] **墙麻** 《纲目》无此2字。

[6] **辣** 《御览》作"膝"。

[7] **墙** 《本草和名》作"芦"。

[8] **根亦可煮酿酒** 《纲目》在"可煮作饮"之后。"酒",《图考长编》脱此字。

156 薇衔

味苦,平、微寒,无毒。主风湿痹历节痛,惊痫吐舌,悸气,贼风,鼠瘘,痈肿。暴癥,逐水,疗痿蹶。久服轻身明目。一名麋[1]**衔,一名承膏,一名承肌**[2]**,一名无心**[3]**,一名无颠**[4]**。生汉中川泽及宛朐、邯郸。七月采茎、叶,阴干。**

得秦皮良。俗用亦少[5]。　　[谨案] 此草丛生,似茺蔚及白头翁。其叶有毛,茎赤[6],疗贼风大效[7],南人谓之吴风草。一名鹿衔草,言鹿有疾,衔此草,差。又有大、小二种:楚人犹谓大者为大吴风草,小者为小吴风草也。

【校注】

[1] **麋** 《御览》作"麇",《证类》作"糜",《千金翼》作"麋",应以《千金翼》为是。

[2] **承肌** 《纲目》注为《吴普本草》文。"肌",《本草和名》作"肥"。

[3] **无心** 《纲目》注为《吴普本草》文。

[4] **无颠** 《纲目》注为《吴普本草》文。

[5] **俗用亦少** 《纲目》无此文。

[6] **茎赤** 《纲目》作"赤茎"。

[7] **疗贼风大效** 《纲目》无此文。

157 五味子[1]

味酸,温,无毒。主益气,咳逆上气,劳伤羸瘦,补不足,强阴,益男子精。养五脏,除热,生阴中肌。一名会及[2]**,一名玄**[3]**及。生齐山山谷及代郡。八月采实,阴干。**

苁蓉为之使,恶萎蕤,胜乌头。　　今第一出高丽,多肉而酸、甜,次出青州、冀州,味过酸,其核并似猪肾。又有建平者,少肉,核形不相似,味苦,亦良。此药多膏润[4],烈日曝之,乃可捣筛。道方亦须用。　　[谨案] 五味,皮肉甘、酸,核中辛、苦,都有咸味,此则五味具也[5]。《本経^[6]》云：味酸，当以木为五行之先也。其叶似杏而大^[7]，蔓生木上。子作房如落葵，大如蘡子。一出蒲州及蓝田山中^[8]。

【校注】

[1] **子** 《医心方》《真本千金方》《本草和名》、森本、《和名类聚钞》无此字。

[2] **会及** 《纲目》未注明文献来源。

[3] **玄** 《图考长编》《草木典》作"元"，此因避清康熙皇帝玄烨的讳而改。

[4] **润** 《图考长编》作"味"。

[5] **五味……此则五味具也** 《和名类聚钞》引苏敬本草注曰 "五味，皮肉甘酸，扑中辛苦，都有咸味，故以名五味也"。"扑"，疑系"核"之误。

[6] **经** 其后，《纲目》有"但"字。

[7] **其叶似杏而大** 《纲目》在"蔓生木上"之后。

[8] **中** 其后，《纲目》有"今河中府岁贡之"。按，此文是《开宝本草》的注文，《纲目》误入于此。

158　旋花^[1]

味甘，温，无毒。主益气^[2]，去面皯^[3]黑色，媚好^[4]。其根，味辛^[5]，主腹中寒热邪气，利小便。久服不饥轻身^[6]。一名筋根花^[7]，一名金沸^[8]，一名美草。生豫州平泽。五月采，阴干。

东人呼为山姜，南人呼为美草，根似杜若，亦似高良姜。腹中冷痛，煮服甚效；作丸散服之，辟谷止饥。近有人从南还^[9]，遂用此术与人断谷，皆得半年^[10]百日不饥不瘦，但志浅嗜深，不能久服尔。其叶似姜，花赤色，殊^[11]辛美，子^[12]状如豆蔻。此旋花之名，即是其花也^[13]，今山东甚多。　［谨案］此即生平泽，旋葍是也。其根似筋，故一名筋根。旋花，陶所说真山姜尔。陶复于下品旋葍注中云：此根出河南，北国来，根似芎藭，惟膏中用。今复道似高良姜，二说自相矛盾。且此根味甘，山姜味辛，都非此类。其旋葍膏疗风，逐水止用花，言根亦无妨，然不可以杜若乱之也。又将旋葍花名金沸，作此别名非也。《别录》云：根，主续筋也^[14]。

【校注】

[1] **花** 孙本、问本、周本、黄本作"华"。

[2] **益气** 《纲目》在"媚好"之后。

[3] **去面皯** 《纲目》脱"去"字。"皯"，《纲目》作"皯"。

[4] **媚好** 《御览》作"令人悦泽"。

[5] **其根，味辛** 《御览》无此文。

[6] **利小便。久服不饥轻身** 《纲目》《草木典》注为《别录》文。"身"字后，《纲目》以陈

《新修本草》辑复

201

藏器《本草拾遗》文"续筋骨，合金疮"为《别录》文。

[7] **筋根花** 《御览》作"箭根"，《本草和名》作"荕根"，《纲目》作"筋根"，孙本作"筋根华"。

[8] **一名金沸** 《纲目》引《别录》曰："花，一名金沸。"按，此文应属《本经》文。

[9] **南还** 《纲目》作"江南还"。

[10] **年** 《纲目》脱此字。

[11] **殊** 《大观》《纲目》作"味"。

[12] **美，子** 《纲目》脱此2字。

[13] **之名，即是其花也** 《纲目》作"即其花也"。

[14] **[谨案]……主续筋也** 《纲目》节录其中部分内容，并与"旋覆花"条"唐本注"合而为一，和原文出入很大。

159 白兔藿

味苦，平，无毒。主蛇虺、蜂虿、猘狗、菜肉、蛊毒，鬼[1]**疰**，风疰，诸大毒不可入口者，皆消除之。又去血，可末着痛上，立消[2]。毒入腹者，煮饮之即解[3]。一名白葛。生交州山谷。

此药疗毒[4]，莫之与敌。而人不复用，殊不可解，都不闻有识之者[5]，想当似葛尔，须别。广访交州人，未得委悉[6]。 [谨案] 此草，荆、襄间山谷大有[7]，苗似萝摩，叶圆厚，茎俱有白毛，与众草异。蔓生，山南俗[8]谓之白葛，用疗[9]毒有效。而交广又有白花藤，生叶似女贞，茎叶俱无毛，花白，根似野葛，云大疗毒。而交州用根，不用苗，则非藿也。用叶苗者，真矣。二物所疗，并如经说，各自一物，下条载白花藤也[10]。

【校注】

[1] **鬼** 孙本、问本、黄本、周本脱此字。

[2] **消** 《纲目》《草木典》《图考长编》作"清"。

[3] **风疰，诸大毒……煮饮之即解** 《纲目》《草木典》注为《本经》文。

[4] **疗毒** 《纲目》作"解毒"。

[5] **殊不可解，都不闻有识之者** 《纲目》作"不闻识者"。

[6] **想当似葛尔……未得委悉** 《纲目》无此文。"似"，《图考长编》作"是"。

[7] **此草，荆、襄间山谷大有** 《纲目》作"荆襄山谷今有之"。

[8] **俗** 《纲目》作"人"。

[9] **用疗** 《纲目》作"用藿疗"。

[10] **生叶似女贞……白花藤也** 《纲目》简化为"亦解毒，用根不用苗"。

160 鬼督邮

味辛、苦、平，无毒。主鬼疰，卒忤，中恶，心腹邪气，百精毒，温疟，疫疾，强腰脚，益膂力。一名独摇草。

苗惟一茎，叶生茎端若伞，根如牛膝而细黑。所在有之，有必丛生[1]。今人以徐长卿代之，非也。 新附

【校注】

[1] **苗惟一茎……有必丛生** 《纲目》改作"鬼督邮所在有之。有必丛生，苗惟一茎，茎端生叶若伞状，根如牛膝而细黑"。

161 白花藤

味苦，寒，无毒。主解诸药、菜、肉中毒，酒渍服之[1]，丰虚劳风热[2]。生岭南、交州、广川平泽。苗似野葛，而白花，根皮厚肉白，其骨柔于野葛[3]。新附

【校注】

[1] **酒渍服之** 《纲目》作"渍酒"，无"服之"2字。

[2] **热** 《千金翼》作"势"。

[3] **而白花……柔于野葛** 《纲目》改作"叶似女贞，茎叶俱无毛而白花，其根似葛而骨柔，皮厚肉白，大疗毒，用根不用苗"。按，此文原是"白兔藿"的《新修》注文，《纲目》将其移于此。

《新修本草》草部上品之下卷第七

草部中品之上 卷第八

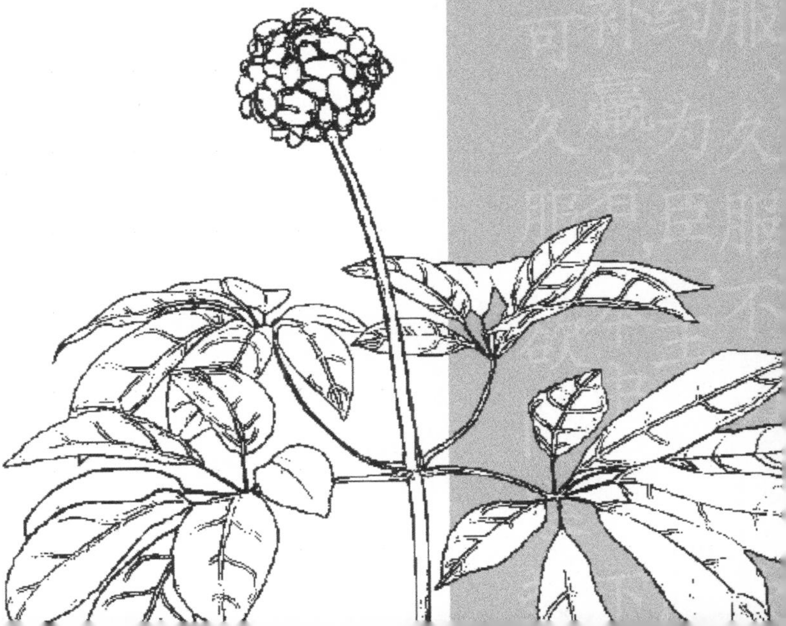

右草部中品之上合卅七种卅二种《神农本经》，四种《名医别录》，一种新附。

162 当归

味甘、辛，温、大温，无毒。主咳[1]**逆上气，温疟寒热洗洗**[2]**在皮肤中，妇人漏下绝子，诸恶疮**[3]**疡，金疮，煮**[4]**饮之。**温中止痛，除客血内塞，中风痓，汗不出，湿痹，中恶，客气虚冷，补五脏，生肌肉。**一名干归。生陇西川谷。二月、八月采根，阴干。**

恶䕡[5]茹，畏[6]昌蒲、海藻、牡蒙。今陇西叨[7]阳、黑水当归，多肉少枝气香，名马尾当归，稍难得[8]。西川北部当归，多根枝而细[9]。历阳所出，色白而气味薄[10]，不相似，呼为[11]草当归，阙少时乃用之。方家有云真当归，正谓[12]此，有好恶故也。俗用甚多。道方时须尔[13]。〔谨案〕当归苗，有二种于内：一种似大叶芎穷，一种似细叶芎穷，惟[14]茎叶卑下于芎穷也。今出当州、宕州、翼州、松州，宕州最胜[15]。细叶者名蚕头当归。大叶者名马尾当归。今用多是马尾当归，蚕头者不如此，不复用。陶称历阳者，是蚕头当归也[16]。

【校注】

[1] **咳** 《御览》脱此字。

[2] **洗洗** 《大全》《大观》、成化《政和》、万历《政和》、商务《政和》、孙本仅"洗"字。

[3] **疮** 孙本、黄本、问本、周本作"创"。

[4] **煮** 其后，《纲目》《本草经解》有"汁"字。

[5] **䕡** 《图经衍义》作"筒"。

[6] **畏** 玄《大观》误作"田氏"。

[7] **叨** 《大观》《图经衍义》《纲目》作"四"。

[8] **稍难得** 《纲目》无此文。"难"，《大观》作"艰"。

[9] **细** 《大观》作"小"。

[10] **薄** 《大观》作"短"。

[11] **为** 《大观》作"曰"。

[12] **谓** 《大观》作"言"。

[13] **方家有云……时须尔** 《纲目》无此文。

[14] **惟** 《大观》作"但"。

[15] **胜** 《大观》作"良"。

[16] **[谨案]……当归也** 《纲目》引此文时已加化裁。

163 秦艽[1]

味苦、辛，平、微温，无毒。主寒热邪气，寒湿风痹，肢[2]**节痛，下水，利小便。**疗风无问久新[3]，通身挛急。生飞鸟山谷。二月、八月采根，曝干。

昌蒲为之使。 飞鸟或是地名[4]，今出甘松、龙洞、蚕陵[5]，长大黄白色为佳。根皆作罗文相交，中多衔土，用之熟破除去[6]。方家多作秦胶字，与独活疗风常用，道家不须尔[7]。 [谨案] 今出泾州、鄜州、岐州者良。本作札，或作纠，作胶；正作艽也[8]。

【校注】

[1] **艽** 《千金翼》作"胶"。

[2] **肢** 《图经衍义》作"枝"。

[3] **久新** 《图经衍义》作"新久"。

[4] **飞鸟或是地名** 《纲目》无此文。

[5] **陵** 《纲目》《图考长编》作"咬"。

[6] **用之熟破除去** 《纲目》作"用宜破去"。

[7] **方家多……不须尔** 《纲目》无此文。

[8] **本作札……正作艽也** 《纲目》作"俗作秦胶，本名秦纠，与纠同"。

164 黄芩

味苦，平、大寒，无毒。主诸热黄疸[1]**，肠澼泄痢，逐水，下血闭**[2]**，恶疮，疽**[3]**蚀，火伤。**疗痰热，胃中热，小腹绞痛[4]，消谷，利小肠，女子血闭、淋露、下血，小儿腹痛。**一名腐肠，**一名空肠，一名内虚，一名黄文[5]，一名经芩，一名妒妇。其子主肠澼脓血。生秭[6]归川谷及宛朐。三月三日采根，阴干。

得厚朴、黄连止腹痛。得五味子、牡蒙、牡蛎，令人有子。得黄芪、白敛、赤小豆疗鼠瘘。山茱萸、龙骨为之使，恶葱实，畏丹沙[7]、牡丹、藜芦。 秭归属建平郡。今第一出彭城，郁州亦有之。圆者名子芩为胜。破者名宿芩，其腹中皆烂，故名腐肠，惟取[8]深色坚实者为好。俗方多用，道家不须。 [谨案] 叶细长，两叶相对，作丛生，亦有独茎者[9]。今出宜州、鄜州、泾州者佳，兖州者大实亦好，名豚尾芩也。

【校注】

[1] **诸热黄疸** "热"，《图经衍义》作"疾"。"疸"，玄《大观》作"疸"。

[2] **逐水，下血闭** "逐"，《图经衍义》作"月"。"闭"，《长生疗养方》脱此字。

[3] **疸** 《图考长编》作"疸"。

[4] **绞痛** 《图经衍义》作"涩痛"。

[5] **文** 《本草和名》作"久"。

[6] **秭** 《千金翼》作"秭"。

[7] **沙** 《集注》作"参"。

[8] **取** 《纲目》脱此字。

[9] **[谨案]……独茎者** 《纲目》无此文。

165 芍药

味苦、酸，平[1]**、微寒，有小毒。主邪气腹痛，除血痹，破坚积，寒热疝**[2]**瘕，止痛，利小便，益气。**通顺血脉，缓中，散恶血，逐贼血，去水气，利膀胱大小肠，消痈肿，时行寒热，中恶，腹痛，腰痛。一名白木[3]，一名余容，一名犁食，一名解仓[4]，一名铤[5]。生中岳[6]川谷及丘陵。二月、八月采根，曝干。

须[7]丸为之使，恶石斛、芒消，畏消石、鳖甲、小[8]蓟，反藜芦。 今出白山、蒋山、茅山最好，白而长大[9]，余处亦有而多赤，赤者小利。俗方以止痛，乃不减当归。道家亦服食之，又煮石用之[10]。

【校注】

[1] **平** 《御览》作"辛"。《大观》《本经疏证》注为《本经》文，人卫《政和》、商务《政和》、《图考长编》注为《别录》文。

[2] **疝** 《御览》脱此字。

[3] **木** 《千金翼》、万历《政和》、《图经衍义》《图考长编》《本经疏证》《纲目》作"术"，成化《政和》、商务《政和》、人卫《政和》、《大观》作"木"。

[4] **解仓** 《纲目》无此名。"仓"，《本草和名》作"食"。

[5] **铤** 《图考长编》作"铤"。

[6] **岳** 《图经衍义》作"嶽"。

[7] **须** 《千金方》《本经疏证》作"雷"。

[8] **小** 《医心方》作"山"。

[9] **大** 《纲目》作"尺许"。

[10] **俗方以……用之** 《纲目》无此文。

166 干姜

味辛，温[1]**、大热，无毒。主胸**[2]**满咳逆上气，温中，止血**[3]**，出汗，逐风**

湿痹，肠澼下痢。寒冷腹痛，中恶，霍乱，胀满，风邪诸毒，皮肤间结气，止唾血。**生者尤良。**疗风下气，止血，宣诸络脉，微汗。久服令眼暗[4]。**生姜，**味辛，微温。主伤寒头痛鼻塞，咳逆上气，止呕吐。**久服去臭气，通神明**[5]。生犍为川谷及荆州、扬州，九月采。

秦椒为之使，杀半夏、莨菪毒，恶黄芩、黄连[6]、天鼠粪[7]。 干姜今惟出临海、章安，两三村解作之[8]。蜀汉姜旧美，荆州有好姜，而并不能作干者。凡作干姜法，水淹三日毕[9]，去皮置流水中六日，更去皮[10]，然后晒干，置瓮缸中[11]，谓之酿也[12]。

【校注】

[1] **温** 《千金方》作"热"。

[2] **胸** 其后，《千金方》有"中"字。

[3] **止血** 《千金方》作"止漏血"。

[4] **疗风下气……令眼暗** 《纲目》无此文。

[5] **久服去臭气，通神明** 《品汇》注为《别录》文。

[6] **黄连** 《集注》无此2字。

[7] **粪** 《医心方》《集注》作"矢"。

[8] **两三村解作之** 《纲目》作"数村作之"。

[9] **毕** 《纲目》无此字。

[10] **去皮** 《纲目》作"刮去皮"。

[11] **瓮缸中** 《纲目》作"瓷缸中"，《图考长编》作"磁瓶中"。

[12] **谓之酿也** 《纲目》作"酿三日乃成"。"也"字后，《证类》还有"生姜"的陶弘景注和"唐本注"。该等注文原在"韭"条中，后被移并于"生姜"条下，此始于《开宝本草》。

167 藁本

味辛、苦，温、微温、微寒，无毒。主妇人疝瘕，阴中寒肿痛，腹中急，除风头[1]**痛，长肌肤，悦**[2]**颜色。**辟雾露润[3]泽，疗风邪亸曳，金疮，可作沐药面脂。实主风流四肢[4]。**一名鬼卿，一名地新，**一名微茎。生崇山山谷。正月、二月采根[5]，曝干，三十日成。

恶䕡茹。 俗中皆用芎䓖根须，其形气乃相类。而《桐君药录》说芎䓖苗似藁本，论说花实皆不同，所生处又异。今东山[6]别有藁本，形气甚相似，惟长大尔。 [谨案]藁本，茎、叶、根、味与芎䓖小别，以其根上苗下似藁根[7]，故名藁本[8]。 今出宕州者，佳也[9]。

【校注】

[1] **风头** 《本草经解》作"头风"。

[2] **悦** 孙本、问本、周本作"说"。

[3] **润** 《图经衍义》作"阔"。

[4] **风流四肢** 《纲目》作"风邪流入四肢"。

[5] **根** 《千金翼》作"乾"。

[6] **东山** 《纲目》《图考长编》作"山东"。

[7] **藁根** 《图考长编》作"薰禾根",《纲目》作"禾藁"。

[8] **故名藁本** 《和名类聚钞》引苏敬本草注云:"藁本根上苗下似藁,故以名之。"

[9] **佳也** 《图考长编》作"甚佳也"。

168 麻黄

味苦,温、微温,无毒。主中风伤寒头痛,温疟[1],发表出汗,去邪热气[2],止咳逆上气,除寒热,破癥[3]坚积聚。五脏邪气缓急,风胁痛,字乳余疾,止好唾[4],通腠理,疏伤寒头疼[5],解肌,泄邪恶气,消赤黑斑毒。不可多服,令人虚。一名卑相,**一名龙沙,**一名卑盐。生晋地及河东川谷[6]。立秋采茎,阴干令青。

厚朴为之使,恶辛夷、石韦。今出青州、彭城、荥阳、中牟者为胜,色青而多沫。蜀中亦有,不好。用之折除节[7],节止汗故也。先煮一两沸,去上沫[8],沫令人烦。其根亦止汗[9]。夏月杂粉用之。俗用疗伤寒,解肌第一[10]。 [谨案] 郑州、鹿台及关[11]中沙苑河旁沙洲上太多[12],其青徐者,今不复用。同州沙苑最多也[13]。

【校注】

[1] **疟** 《大全》作"瘄"。

[2] **邪热气** 《御览》作"热邪气"。

[3] **癥** 《御览》脱此字。

[4] **止好唾** "唾"疑系"睡"之误。按,麻黄含有麻黄碱,能兴奋中枢引起失眠,此与"止好睡"正相符。

[5] **疏伤寒头疼** 《纲目》《草木典》脱此文。"疼",《图考长编》作"痛"。

[6] **川谷** 《证类》脱此文,据《御览》补。

[7] **折除节** 《纲目》作"折去节根"。

[8] **先煮一两沸,去上沫** 《纲目》作"水煮十余沸,以竹片掠去上沫"。

[9] **其根亦止汗** 《纲目》作"根节能止汗故也"。

[10] **第一** 《纲目》作"第一药"。

[11] **关** 《纲目》作"闽"。

[12] **太多** 《大观》作"大多",《纲目》作"最多"。

[13] **同州沙苑最多也** 此句《纲目》移在"其青徐"之前。

169　葛根

味甘，平，无毒。主消渴，身大热，呕吐，诸痹[1]，起阴气，解诸[2]毒。 疗伤寒中风头痛，解肌发表出汗，开腠理，疗金疮，止痛[3]，胁风痛。生根汁，大寒，疗消渴[4]，伤寒壮热[5]。**葛谷，主疗下痢十岁已上。** 白葛，烧以粉疮，止痛断血[6]。叶，主金疮止血[7]。花，主消酒[8]。**一名鸡齐根，一名鹿藿，一名黄斤。生汶山川谷[9]。五月采根，曝干。**

杀野葛、巴豆、百药毒。　即今之葛根，人皆蒸食之。当取入土深大者，破而日干之。生者捣取汁饮之，解温病发热。其花并小豆花干末，服方寸匕[10]，饮酒不知醉。南康、庐陵间最胜，多肉而少筋，甘美。但为药用之，不及此间尔[11]。五月五日日[12]中时，取葛根为屑，疗金疮断血为要药，亦疗疟及疮，至良。　　[谨案] 葛谷，即是实尔，陶不言之[13]。葛虽除毒，其根入土五六寸已上者，名葛脰，脰颈[14]也，服之令人吐，以有微毒也。根末之，主猘狗啮，并饮其汁良[15]。蔓烧为灰[16]，水服方寸匕，主喉痹[17]。

【校注】

[1] **痹**　《图经衍义》作"痔"。

[2] **诸**　《御览》脱此字。

[3] **痛**　《纲目》《草木典》脱此字。

[4] **消渴**　《图经衍义》作"烦渴"。

[5] **生根汁……壮热**　《纲目》无此文。

[6] **白葛，烧以粉疮，止痛断血**　《证类》原脱，《纲目》亦脱，据《千金翼》补。

[7] **血**　其后，《纲目》《草木典》衍"接傅之"。

[8] **酒**　《本经疏证》作"渴"。

[9] **川谷**　《纲目》作"山谷"。

[10] **服方寸匕**　《纲目》无此文。

[11] **用之，不及此间尔**　《纲目》作"不及耳"。

[12] **日**　《纲目》脱此字。

[13] **[谨案]葛谷……陶不言之**　《纲目》作"《本经》葛谷，即是其实也"。"谷"，《图考长编》作"根"。

[14] **颈**　《大观》作"胫"。

[15] **根末之……其汁良**　《纲目》作"猘狗伤，捣汁饮，并末傅之"。

[16] **蔓烧为灰**　《纲目》作"蔓烧研"。

[17] **主喉痹**　《纲目》作"主卒喉痹"。

170 前胡

味苦，微寒，无毒。主痰满，胸胁中痞[1]，心腹结气，风头痛，去痰实[2]，下气。疗伤寒寒[3]热，推陈致新，明目益精。二月、八月采根，曝干。

半夏为之使，恶皂荚，畏藜芦。 前胡[4]似柴胡而柔软，为疗殆[5]欲同。而《本经》上品有柴胡而无此。晚来医乃用之，亦有畏恶，明畏恶非尽出《本经》也[6]。此近道皆有，生下湿地，出吴兴者为胜[7]。

【校注】

[1] 痞 《大观》作"痃"。
[2] 实 《纲目》《草木典》脱此字。
[3] 寒 《品汇》脱此字。
[4] 前胡 《纲目》作"根"。
[5] 殆 《纲目》《图考长编》作"治"。
[6] 亦有……《本经》也 《纲目》无此文。
[7] 此近道……为胜 此文《纲目》移在"似柴胡"之前。

171 知母

味苦，寒，无毒。**主消渴热中，除邪气，肢体浮肿，下水，补不足，益气。**疗伤寒久疟烦热，胁下邪气，膈中恶[1]，及风汗内疸[2]。多服令人泄。**一名蚳母，一名连母，一名野蓼[3]，一名地参，一名水参，一名水浚[4]，一名货母，一名蝭母，**一名女雷，一名女理，一名儿草，一名鹿列，一名韭逢，一名儿踵草，一名东[5]根，一名水须，一名沈燔[6]，一名薚，一名昌支[7]。生河内川谷。二月、八月采根，曝干。

今出彭城。形似昌蒲而柔润，叶至难死，掘出随生，须枯燥乃止。甚疗热结，亦疗疟热烦也[8]。

【校注】

[1] 恶 《图考长编》作"恶心"。
[2] 疸 《草木典》作"疸"。
[3] 野蓼 《纲目》注为《别录》文。
[4] 浚 万历《政和》、《本经疏证》作"浚"。
[5] 东 《本草和名》作"两木"。

[6] **燔** 其后，《纲目》有"苦心"2字。

[7] **一名昌支** 《纲目》无此文。

[8] **甚疗热结，亦疗疟热烦也** 《纲目》无此文。

172 大青

味苦，大寒，无毒。主疗时气头痛，大热口疮。三月[1]、四月采茎，阴干。

疗伤寒方多用此，《本经》又无[2]。今出东境及近道[3]，长尺许，紫茎[4]。除时行热毒，为良[5]。 〔谨案〕大青用叶兼茎，不独用茎也[6]。

【校注】

[1] **月** 《证类》《纲目》脱此字，据《千金翼》补。

[2] **疗伤寒方多用此，《本经》又无** 《纲目》无此文。

[3] **近道** 《纲目》作"边道"。

[4] **长尺许，紫茎** 《纲目》改作"紫茎，长尺许，茎叶皆用"。

[5] **为良** 《纲目》作"甚良"。

[6] **〔谨案〕……用茎也** 《纲目》无此文。

173 贝母

味辛、苦， 平、微寒，无毒[1]。**主伤寒烦热，淋沥邪气，疝瘕，喉痹乳难，金疮风痉。**疗腹中结实，心下满，洗洗恶风寒，目眩项直，咳嗽上气，止烦热渴，出汗，安五脏，利骨髓。**一名空草**[2]，一名药实，一名苦花[3]，一名苦菜，一名商草[4]，一名勒[5]母。生晋地。十月采根，曝干。

厚朴、白薇为之使，恶桃花，畏秦椒[6]、礜石、莽草，反[7]乌头。 今出近道[8]，形似聚贝子，故名贝母。断谷服之不饥[9]。 〔谨案〕此叶似大蒜，四月蒜熟时采，良。若十月，苗枯根亦不佳也。出润州、荆州、襄州者，最佳，江南诸州亦有。味甘、苦，不辛。按《尔雅》亦名莔也。

【校注】

[1] **无毒** 成化《政和》、万历《政和》、商务《政和》、《本经疏证》注为《本经》文，《大观》《大全》、人卫《政和》、孙本注为《别录》文。

[2] **空草** 《纲目》注为《别录》文。

[3] **花** 《本草和名》作"华"。

[4] **一名商草** 《纲目》无此文。"草"字后，《本草和名》有"一名蔽"。

　[5]　**勒**　《证类》《纲目》《图考长编》作"勒"，《本草和名》《千金翼》《图经衍义》作"勒"，应以《本草和名》等为是。

　[6]　**椒**　《证类》作"茮"，《集注》作"椒"。

　[7]　**反**　《草木典》作"及"。

　[8]　**今出近道**　《纲目》无此文。

　[9]　**断谷服之不饥**　《纲目》无此文。

174　栝楼根[1]

味苦，寒，无毒。主消渴身热，烦满大热，补虚安中，续绝伤[2]。除肠胃中痼热，八疸[3]身面黄，唇干口燥，短气，通月水，止小便利[4]。**一名地楼**，一名果裸，一名天瓜，一名泽姑。实，名黄瓜，主胸痹，悦泽人面。茎叶，疗中热伤暑。生弘农川谷及山阴地。入土[5]深者良。生卤地者有毒。二月、八月采根曝干，三十日成。

枸杞为之使，恶干姜，畏牛膝、干漆，反乌头。　　出近道，藤生，状如土瓜，而叶有叉。《毛诗》云：果赢之实，亦施于宇[6]。其实今以杂作手膏[7]，用根[8]，入土六七尺，大二三围者，服食亦用之。　　〔谨案〕今用根作粉，大宜服石，虚热人食之[9]。作粉如作葛粉法，洁白美好。今出陕州者，白实最佳[10]。

【校注】

　[1]　**根**　《医心方》《本草和名》《真本千金方》《御览》、森本无此字。

　[2]　**续绝伤**　《本经疏证》作"绝续伤"。

　[3]　**疸**　《图经衍义》作"疸"。

　[4]　**通月水，止小便利**　《纲目》《草木典》作"止小便利，通月水"。

　[5]　**入土**　"入"字前，《纲目》《草木典》有"根"字。"土"，商务《政和》作"上"。

　[6]　**《毛诗》云：果赢之实，亦施于宇**　《纲目》无此文。

　[7]　**其实今以杂作手膏**　《纲目》作"实入摩膏用"。"手"，《图考长编》作"摩"。

　[8]　**用根**　《纲目》无此2字。

　[9]　**大宜服石，虚热人食之**　《纲目》作"食之大宜虚热人"。"石"，《大观》作"及"。

　[10]　**佳**　《大观》作"胜"。

175　玄[1]参

味苦，咸，微寒，无毒。主腹中寒热积聚，女子产乳余疾，补肾气，令人目明[2]。疗暴中风伤寒，身热支满，狂邪忽忽不知人，温疟洒洒，血瘕，下寒血，除胸中气，下水，止烦渴，散颈下核，痈肿，心腹痛，坚癥，定五脏。久服补虚，明[3]目，强阴，益精。**一名重台，一名玄台，一名鹿肠**[4]**，一名正马，一名咸**[5]**，一名端。生河间川谷及宛朐。三月、四月采根，曝干。**

恶黄芪、干姜、大枣、山茱萸，反藜芦。　今出近道，处处有。茎似人参而长大。根甚黑，亦微香，道家时用，亦以[6]合香。　［谨案］玄参根苗并臭，茎亦不似人参。陶云道家亦以合香，未见其理也[7]。

【校注】

［1］**玄**　《本经续疏》《草木典》、孙本、问本、黄本、周本、《图考长编》作"元"，此因避清康熙皇帝玄烨的讳而改，下同。

［2］**目明**　《纲目》作"明目"。

［3］**明**　其前，《图考长编》衍"令人"2字。

［4］**一名玄台，一名鹿肠**　《纲目》注为《吴普本草》文。

［5］**咸**　《大全》作"减"。

［6］**以**　《图考长编》作"有"。

［7］**陶云道家……其理也**　《纲目》作"未见合香"。

176　苦参

味苦，寒，无毒。主心腹结气，癥瘕，积聚，黄疸[1]**，溺有余沥，逐水，除痈肿，补中，明目，止泪。**养肝胆气，安五脏，定志，益精，利九窍，除伏热，肠澼，止渴，醒酒，小便黄赤，疗恶疮[2]，下部䘌疮[3]，平胃气，令人嗜食轻身[4]。**一名水槐，一名苦蘵，　一名地槐，一名菟槐，一名骄**[5]**槐，一名白茎，一名虎麻，一名岑**[6]**茎，一名禄白**[7]**，一名陵郎。生汝南山谷及田野。三月、八月、十月采根，曝干。**

玄参为之使，恶贝母、漏芦、菟丝[8]，反藜芦。　今出近道，处处有。叶极似槐树[9]，故有槐名[10]。花黄，子作荚。根味至苦恶。病人酒渍饮之，多差。患疥者，一两服，亦除，盖能杀虫[11]。　［谨案］苦参以十月收其实，饵如槐子法[12]，久服轻身不老，明目有验。

【校注】

［1］**疸**　《图经衍义》作"疽"。

［2］**疗恶疮**　《图考长编》作"疮恶"。

［3］**疮**　《证类》原脱，据《千金翼》补。

［4］**平胃气，令人嗜食轻身**　《纲目》《草木典》在"安五脏"之后。

［5］**骄**　《千金翼》作"桥"。

［6］**岑**　《品汇》《纲目》作"芩"，《千金翼》作"禄"。

[7] **禄白** "禄"，《纲目》作"绿"。"白"，《大全》作"日"。

[8] **丝玄** 《大观》作"终"。

[9] **树** 《纲目》作"叶"。

[10] **故有槐名** 《纲目》无此文。

[11] **病人……能杀虫** 《纲目》作"渍酒饮，治疥杀虫"。

[12] **饵如槐子法** 《纲目》在"明目"之后。

177 石龙芮[1]

味苦，平[2]，无毒。**主风寒湿痹，心腹邪气，利关节，止烦满。**平肾胃气，补阴气不足，失精，茎冷。**久服轻身明目不老**，令人皮肤光泽，有子。**一名鲁果能，一名地椹**[3]，一名石熊[4]，一名彭根，一名天豆。生太山川泽石旁。五月五日采子，二月、八月采皮，阴干。

大戟为之使，畏蛇蜕、吴茱萸。 今出近道，子形粗，似蛇床子而扁，非真好者，人言是蓄[5]菜子尔。东山石上所生，其叶芮芮短小[6]，其子状如葶苈，黄色而味小辛，此乃实是也[7]。〔谨案〕今用者，俗名水堇。苗似附子，实如桑椹，故名地椹[8]。生下湿地，五月熟，叶、子皆味辛。山南者粒大如葵子。关中、河北者细如葶苈，气力劣于山南者。陶以细者为真，未为通论。又《别录》水堇云：主毒肿、痈疖疮、蛔虫、齿䘌[9]。

【校注】

[1] **芮** 《本草和名》《医心方》《和名类聚钞》作"芮"。

[2] **味苦，平** 《顿医钞》作"小辛苦"。

[3] **一名鲁果能，一名地椹** 《御览》作"地椹，一名石龙芮，一名食果能"。《纲目》注"鲁果能"为《别录》文。

[4] **石熊** 《证类》《纲目》作"石能"，据《本草和名》改。

[5] **蓄** 《纲目》《图考长编》作"蕾"。

[6] **小** 商务《政和》作"少"。

[7] **此乃实是也** 《纲目》作"此乃是真也"。

[8] **故名地椹** 《纲目》无此文。

[9] **《别录》……齿䘌** 《纲目》作"又曰：堇菜野生，非人所种。叶似蕺，花紫色"。

178 石韦

味苦、甘，平，无毒。主劳热邪气，五癃闭不通，利小便水道。止烦，下气，通膀胱满，补五劳，安五脏，去恶风，益精气。**一名石䗿，一名石皮。**用之[1]去黄毛，毛[2]射人肺，令人咳，不可疗。生华阴山谷石上，不闻水及人声者良。二月采叶，阴干。

滑石、杏仁、射干为之使，得昌蒲良。　蔓延石上，生叶如皮，故名石韦。今处处有，以不闻水声、人声者为佳[3]。出建平者，叶长大而厚。　　［谨案］此物丛生石旁阴处，不蔓延生[4]。生古瓦屋上，名瓦韦，用疗淋亦好也。

【校注】

[1] **用之**　《纲目》《草木典》作"凡用"。

[2] **毛**　《纲目》《草木典》脱此字。

[3] **人声者为佳**　商务《政和》作"及人声者为良"。

[4] **不蔓延生**　《纲目》作"亦不作蔓"。"生"，柯《大观》作"其"，《图考长编》脱此字。

179　狗脊

味苦、甘，平，微温，无毒。主腰[1] **背强，关机**[2] **缓急，周**[3] **痹寒湿，膝痛，颇**[4] **利老人。**疗失溺不节，男子[5]脚弱腰痛，风邪淋露，少气，目暗，坚[6]脊，利俯仰，女子伤中，关节重。**一名百枝**[7]，一名强膂，一名扶盖[8]，一名扶筋。生常山川谷。二月、八月采根[9]，曝干。

草薢为之使，恶败酱。　今山野处处有，与菝葜相似而小异。其茎叶小肥，其节疏，其茎大直，上有刺，叶圆有赤脉[10]。根凹凸龙牙[11]如羊角细强者是。　　［谨案］此药，苗似贯众，根长多歧，状如狗脊骨，其肉作青绿色[12]，今京下用者是。陶所说，乃有刺草薢，非狗脊也，今江左俗犹用之[13]。

【校注】

[1] **腰**　《御览》作"要"。

[2] **关机**　《本草经疏》、顾本、卢本作"机关急"。"关"，《御览》作"开"。

[3] **周**　《御览》作"风"。

[4] **颇**　《御览》无此字。

[5] **子**　《纲目》《草木典》作"女"。

[6] **坚**　《图经衍义》作"肩"。

[7] **枝**　《御览》作"丈"。

[8] **扶盖**　《纲目》无此2字。"扶"，《本草和名》作"快"，下同。

[9] **根**　《千金翼》脱此字。

[10] **赤脉**　《图考长编》作"脉赤色"。

[11] **根凹凸龙牙**　《纲目》作"根凸凹龙牙"。"牙"，商务《政和》作"笼"。

[12] **其肉作青绿色**　《纲目》作"而肉作青绿色，故以名之"。

[13] **今京下……犹用之**　《纲目》无此文。

180　萆薢[1]

味苦、甘，平，无毒。主腰背[2]**痛强，骨节风寒湿周痹，恶疮**[3]**不瘳，热气**。伤中恚怒，阴痿失溺，关节老血[4]，老人五缓。一名赤节。生真定山谷。二月、八月采根，曝干。

薏苡为之使，畏葵根[5]、大黄、柴胡、牡蛎、前胡。　今处处有，亦[6]似菝葜而小异，根大，不甚有角节，色小浅。　〔谨案〕此药有二种：茎有刺者，根白实；无刺者，根虚软，内[7]软者为胜，叶似署预，蔓生[8]。

【校注】

[1]　**薢**　《本草和名》《医心方》《真本千金方》、森本、狩本作"解"。

[2]　**背**　《纲目》《图考长编》《本草经解》作"脊"，《大全》作"皆"。

[3]　**疮**　孙本、问本、周本、黄本作"创"。

[4]　**关节老血**　《纲目》在"老人五缓"之后。

[5]　**根**　《大全》作"苗"。

[6]　**亦**　《纲目》作"根"。

[7]　**内**　《图考长编》作"以"。

[8]　**叶似署预，蔓生**　《纲目》作"蔓生，叶似署预"。

181　菝葜

味甘[1]**，平、温，无毒。主腰背寒痛，风痹，益血气，止小便利**。生山野。二月、八月采根，曝干。

此有三种，大略根苗并相类。菝葜茎紫，短小多细刺[2]，小减萆薢而色深，人用作饮。　〔谨案〕陶云三种[3]相类，非也。萆薢有刺者，叶粗相类，根不相类，萆薢细长而白[4]，菝葜根作块结，黄赤色，殊非狗脊之流也。

【校注】

[1]　**甘**　其后，《纲目》衍"酸"字。

[2]　**短小多细刺**　《纲目》作"而短小多刺"。

[3]　**种**　其后，《纲目》衍"乃狗脊、菝葜、萆薢"7字。

[4]　**白**　《纲目》作"白色"。

182　通草[1]

味辛、甘，平，无毒。主去恶虫[2]，除脾胃寒热，通[3]利九窍血脉关节[4]，令人[5]不忘。 疗脾疸，常欲眠，心烦，哕出音声，疗耳聋，散痈肿诸结不消，及金疮恶疮，鼠瘘，踒折，齆鼻，息肉，堕胎，去三虫。**一名附支，一名丁翁[6]**。生石城山谷及山阳。正月采枝，阴干。

今出近道。绕树藤生，汁白。茎有细孔，两头皆通。含一头吹之，则气出彼头者良。或云即薥藤茎。　［谨案］此物大者径三寸，每节有二三枝，枝头有五叶。其子长三四寸，核黑穰白，食之甘美。南人谓为燕覆[7]，或名乌覆[8]。今言薥藤，薥覆声相近尔[9]。

【校注】

［1］**通草**　按，今日所讲的通草，即五加科植物通脱木。古代本草所讲的通草，乃是木通。此条药名虽是"通草"，而条文内容是木通。《纲目》《草木典》《图考长编》仍沿旧例；《品汇》已改旧例，在"木通"条以"木通"为药名，在"通脱木"条，以"通草"为药名。

［2］**去恶虫**　《纲目》《本草经解》在"令人不忘"之后。

［3］**通**　《御览》无此字。

［4］**关节**　玄《大观》作"间节"。

［5］**令人**　《御览》脱此2字。

［6］**丁翁**　《纲目》注为《吴普本草》文。

［7］**燕覆**　《纲目》作"燕覆子"。

［8］**乌覆**　《纲目》作"乌覆子"。

［9］**今言……近尔**　《纲目》无此文。

183　瞿[1]麦

味苦、辛，寒，无毒。主关格诸癃结，小便不通，出刺，决痈肿，明目去翳[2]，破胎堕子，下闭血。 养肾气，逐膀胱邪逆，止霍乱，长毛发。**一名巨[3]句麦，一名大菊[4]**，一名大兰。生太山川谷[5]。立秋采实[6]，阴干。

襄草、牡[7]丹为之使，恶桑[8]螵蛸。　茎生细叶，花红紫赤[9]可爱，合子叶刈取之。子颇似麦[10]，故名瞿麦。此类乃有两种。一种微大，花边有叉桠，未知何者是？今市人皆用小者。复一种，叶广[11]相似而有毛，花晚而甚赤。案，《经》云采实，实中子至细[12]，燥熟[13]便脱尽，今市人惟合茎叶用，而实正空壳，无复子尔[14]。

【校注】

[1] **瞿** 《真本千金方》作"蘧"。

[2] **瞖** 《千金翼》、孙本、黄本、问本、周本作"翳"。

[3] **巨** 《本草和名》作"㠯"。

[4] **大菊** 《纲目》注为《尔雅》文。

[5] **川谷** 《纲目》作"山谷"。

[6] **实** 《纲目》脱此字。

[7] **牡** 玄《大观》作"牧"。

[8] **桑** 《证类》原脱，据《集注》补。

[9] **赤** 《纲目》作"赤色"。

[10] **麦** 其后，《纲目》衍"子"字。

[11] **广** 《纲目》《图考长编》作"茎"。

[12] **实中子至细** 《纲目》作"其中子细"。"实"，人卫《政和》无此字，《大观》有之。

[13] **熟** 《纲目》作"热"。

[14] **今市人……无复子尔** 《纲目》无此文。

184　败酱

味苦、咸，平、微寒，无毒。主暴热火疮[1]**赤气，疗瘑**[2]**，疽痔，马鞍热气。除痈肿，浮肿，结热**[3]**，风痹，不足，产后腹**[4]**痛。一名鹿肠**[5]**，一名鹿首，一名马草，一名泽败。生江夏川谷。八月采根，曝干**[6]**。**

出近道，叶似豨莶，根形似[7]柴胡，气如败豆酱[8]，故以为名。　　〔谨案〕此药不出近道，多生岗岭间。叶似水莨及薇衔，丛生，花黄，根紫，作陈酱色，其叶殊不似豨莶也。

【校注】

[1] **疮** 孙本、问本、黄本、周本作"创"。

[2] **瘑** 孙本、问本、黄本、周本作"搔"。

[3] **热** 《品汇》作"气"。

[4] **腹** 《证类》作"疾"，《千金翼》作"腹"，《本经疏证》作"产"，《草木典》脱此字。

[5] **肠** 《本草和名》作"腹"。

[6] **曝干** 《图考长编》作"阴干"。

[7] **似** 《纲目》作"如"。

[8] **气如败豆酱** 《御览》引《本经》曰："败酱似桔梗，其臭如败豆酱。"《纲目》作"根作陈败豆酱气"。

185　白芷[1]

味辛，温，无毒。主女人[2]**漏下赤白，血闭，阴肿**[3]**，寒热，风头**[4]**侵目泪**

出^[5]，**长肌肤**^[6]**润泽，可作面脂。**疗风邪，久渴，吐呕^[7]，两胁满，风痛^[8]，头眩，目痒，可作膏药面脂^[9]，润颜色^[10]。**一名芳香，**一名白茝，一名蒚，一名莞，一名苻离，一名泽芬。叶名萹麻^[11]，可作浴汤。生河东川谷下泽。二月、八月采根，曝干。

当归为之使，恶旋覆华。　今出近道，处处有，近下湿地^[12]，东间甚多。叶亦可^[13]作浴汤，道家以此香浴^[14]去尸虫^[15]，又用^[16]合香也。

【校注】

[1] **白茝**　孙本、黄本、问本、周本作"白茝"。又《纲目》注"白茝"为《本经》上品。

[2] **人**　《香字钞》《香药钞》作"子"。

[3] **肿**　其后，《香字钞》《香药钞》有"痛"字。

[4] **风头**　《纲目》《图考长编》《本草经解》作"头风"。

[5] **泪出**　"泪"，《香字钞》《香药钞》作"泣"。《本草经解》脱"出"字。

[6] **肤**　《本草经解》作"肉"。

[7] **久渴，吐呕**　"久渴"，《本草经疏》作"久泻"。"吐呕"，《本经疏证》作"呕吐"。

[8] **风痛**　《纲目》无此2字。

[9] **面脂**　《纲目》无此2字。

[10] **润颜色**　《纲目》作"润泽颜色"。《纲目》《本草经解》注为《本经》文。

[11] **名萹麻**　"名"，《图考长编》作"一名"。"萹麻"，《纲目》作"萹麻约"。

[12] **近下湿地**　《纲目》无此文。

[13] **亦可**　《纲目》脱此2字。

[14] **道家以此香浴**　《纲目》无此文。

[15] **去尸虫**　《纲目》注为《别录》文。

[16] **又用**　《纲目》作"叶可"。

186　杜衡

味辛，温，无毒。主风寒咳逆，香人衣体^[1]。生山谷。三月三日采根，熟洗，曝干。

根叶都似细辛，惟气小异尔。处处有之。方药少用，惟道家服之，令人身衣香。《山海经》云：可疗瘿^[2]。　〔谨案〕杜衡叶似葵^[3]，形如马蹄，故俗云马蹄香。生山之阴，水泽下湿地^[4]，根似细辛、白前等，今俗以及己代之，谬矣。及己独茎，茎端四叶，叶间白花，殊无芳气，有毒，服之令人吐，惟疗疮疥，不可乱杜衡也。

【校注】

[1] **香人衣体**　《纲目》作"作浴汤，香人衣体"。

[2] **《山海经》云：可疗瘿**　《纲目》无此文。

[3] **葵**　《纲目》《图考长编》作"槐"。

[4] **生山之阴，水泽下湿地**　《纲目》在"叶似葵"之前。

187　紫草

味苦，寒，无毒。主心腹邪气，五疸[1]**，补中益气，利九窍，通水道**[2]。 疗腹[3]肿胀满痛，以合膏，疗小儿疮及面皶。**一名紫丹**[4]**，一名紫芺**[5]。生砀山山谷及楚地。三月采根，阴干。

今出襄阳，多从南阳、新野来，彼人种之，即是今漆紫者，方药家都不复用。《博物志》云：平氏阳山紫草特好。魏国以[6]漆色殊黑。比年东山亦种，色小浅于北者[7]。　　［谨案］紫草，所在皆有。《尔雅》云：一名藐[8]，苗似兰香，茎赤节青，花紫白色，而实白[9]。

【校注】

[1] **疸**　《纲目》《图考长编》作"疳"。

[2] **通水道**　《纲目》《草木典》注为《别录》文。

[3] **腹**　《纲目》《草木典》脱此字。

[4] **紫丹**　《纲目》注为《别录》文。

[5] **芺**　孙本作"芺"。其后，《御览》有"一名地血"4字。

[6] **以**　《纲目》作"者"。

[7] **北者**　《图考长编》作"此者"。

[8] **《尔雅》云：一名藐**　《纲目》作"人家或种之"。

[9] **花紫白色，而实白**　《纲目》作"二月开花紫白色，结实白色，秋月熟"。

188　紫菀

味苦、辛，温，无毒。主咳[1]**逆上气，胸中寒热结气，去蛊毒**[2]**、痿蹷**[3]**，安五脏。**疗咳[4]唾脓血，止喘悸[5]，五劳体虚，补不足，小儿惊痫。一名紫蒨，一名青菀。生[6]房陵山谷及真定、邯郸。二月、三月采根，阴干。

款冬为之使，恶天雄、瞿麦、雷丸、远志、藁本，畏[7]茵陈蒿。　近道处处有，生[8]布地，花亦紫[9]，本有白毛，根甚柔细。有白者名白菀，不复用。　　［谨案］白菀，即女菀也，疗体与紫菀同[10]，无紫菀时，亦用白菀。陶云不复用，或是未悉[11]。

【校注】

[1] **咳** 《图经衍义》作"饮"。

[2] **蛊毒** 《图经衍义》作"劳伤"，《品汇》作"痰"。

[3] **瘚** 森本、顾本、《本经疏证》《图考长编》《本草经解》作"躄"。

[4] **咳** 《图经衍义》作"饮"。

[5] **悸** 《图经衍义》作"悖"。

[6] **生** 其后，《纲目》衍"汉中"2字。

[7] **畏** 《图经衍义》脱此字。

[8] **生** 《大观》作"主"，《纲目》作"其生"。

[9] **亦紫** 《纲目》作"紫色"。

[10] **同** 《纲目》作"相同"。

[11] **白菀。陶云……未悉** 《纲目》无此文。

189 白鲜[1]

味苦、咸，寒，无毒。主头风[2]，黄疸，咳逆，淋沥，女子阴中肿痛，湿痹死肌，不可屈伸起止行步。疗四肢不安，时行腹中大热，饮水，欲走[3]，大呼，小儿惊痫，妇人产后余[4]痛。生上谷川谷及宛朐。四月、五月采根，阴干。

恶桑[5]螵蛸、桔梗、伏苓、萆薢。　近道处处有，以蜀中者为良。俗呼为白羊鲜，气息正似羊膻，或名白膻[6]。　　［谨案］此药叶似茱萸，苗[7]高尺余，根皮白而心实，花紫白色。根宜二月采，若四月、五月采，便虚恶也。

【校注】

[1] **白鲜** 《千金方》作"白鲜皮"。

[2] **主头风** 《御览》作"主酒"。

[3] **欲走** 《大观》《大全》《本经续疏》脱此2字。

[4] **余** 其前，《大观》《大全》《本经续疏》有"欲走"2字。

[5] **桑** 《证类》《医心方》《纲目》脱此字，据《集注》补。

[6] **或名白膻** 《纲目》作"故又名白膻"。

[7] **苗** 《纲目》脱此字。

190 白薇

味苦、咸，平、大寒，无毒。主暴中风，身热肢满，忽忽不知人，狂惑邪气，寒热酸疼[1]，温[2]疟洗洗，发作有时。疗[3]伤中淋露，下水气，利阴气，益精。一名白幕，一名薇草，一名春草[4]，一名骨美[5]。久服利人。生平原川谷。三月三日采根，阴干。

恶黄芪、大黄、大戟[6]、干姜、干漆、山茱萸、大枣。　近道处处有。根状似牛膝而短小尔。方家用[7]，多疗惊邪、风狂、痊病[8]。

【校注】

[1] **痹**　孙本、问本作"痙"。

[2] **温**　柯《大观》作"溢"。

[3] **疗**　人卫《政和》误作白字《本经》文。

[4] **春草**　《纲目》注为《本经》文。

[5] **骨美**　《纲目》未注文献来源。

[6] **大黄、大戟**　《集注》《医心方》无此4字。

[7] **根状似……方家用**　《纲目》无此文。

[8] **痊病**　"痊"，《纲目》作"痙"。"病"字后，《纲目》注《药性论》文"百邪鬼魅"为陶弘景文。

191　菜耳实[1]

味苦、甘，温。叶，味苦、辛，微寒，有小毒。**主风头寒痛[2]，风湿周[3]痹，四肢拘[4]挛痛，去[5]恶肉死肌，膝[6]痛，溪毒。久服益气[7]，耳目聪明，强志轻身[8]。一名胡枲，一名地葵，一名葹，一名常思[9]。**生安陆川谷及六[10]安田野，实熟时采。

此是常思菜，伧人皆食之。以叶覆麦作黄衣者，一名羊负来。昔中国无此，言从外国逐羊毛中来[11]，方用亦甚稀。　〔谨案〕苍耳，三月已后、七月已前刈，日干为散[12]。夏，水服；冬，酒服[13]，主大风癫痫，头风湿痹，毒在骨髓[14]。日二服[15]，丸服二十、三十丸；散服一二匕。服满百日，病当出[16]如病疥，或痒[17]汁出，或斑驳[18]甲错皮起，后乃皮落[19]，肌如凝脂，令人省睡，除诸毒螫，杀疳[20]湿匶。久服益气，耳目聪明，轻身强志，主腰膝中风毒优良。忌食猪肉[21]、米泔，亦主猘狗毒[22]。

【校注】

[1] **菜耳实**　《医心方》《本草和名》、森本、《和名类聚钞》脱"实"字。《千金方》作"菜耳子"。

[2] **风头寒痛**　《本草经疏》作"风寒头痛"。

[3] **周**　《千金方》脱此字。

[4] **拘**　其后，《千金方》有"急"字。

[5] **去**　《证类》《纲目》原脱，据《千金方》补。

［6］膝　成化《政和》、万历《政和》、商务《政和》、《纲目》作"膝"，《品汇》作"漆"。

［7］主风头寒痛……久服益气　《纲目》注为陈藏器《本草拾遗》文。

［8］耳目聪明，强志轻身　《纲目》无此文。

［9］常思　《纲目》注为"弘景"文。《本草和名》作"常思菜"。

［10］六　《纲目》《草木典》作"大"。

［11］昔中国……中来　《纲目》无此文。

［12］三月巳后、七月巳前刈，日干为散　《纲目》改作"夏月采暴为末"。

［13］夏，水服；冬，酒服　《纲目》作"水服一二匕，冬月酒服"。

［14］髓　其后，《纲目》有"腰膝风毒"4字。

［15］日二服　商务《政和》、《纲目》作"日三服"。

［16］服满百日，病当出　《纲目》脱"服""当"2字。

［17］痒　《纲目》无此字。

［18］驳　《纲目》作"驳驳"。

［19］后乃皮落　《纲目》作"皮落则"。

［20］杀疳　《纲目》作"杀虫疳"。

［21］猪肉　《纲目》作"猪肉、马肉"。

［22］亦主猘狗毒　《纲目》无此文。

192　茅根[1]

味甘，寒，无毒。主劳伤虚羸，补中益气，除瘀血，血[2]闭，寒热，利小便，下五淋，除客热在肠胃，止渴，坚筋，妇人崩中。久服利人。其苗主下水[3]。一名兰[4]根，一名茹[5]根，一名地菅[6]，一名地筋，一名兼杜[7]。生楚地山谷田野，六月采根。

此即今白茅菅。《诗》云：露彼菅茅[8]。其根如渣芹甜美。服食此断谷甚良。俗方稀用，惟疗淋及崩中尔[9]。　［谨案］菅花，味甘，温，无毒。主衄血、吐血、灸疮[10]。

【校注】

［1］茅根　《纲目》《草木典》作"白茅"。

［2］血　《图考长编》《香药钞》脱此字。

［3］下水　《纲目》注为《别录》文。

［4］兰　《本草和名》《香药钞》、森本作"简"。

［5］茹　《本草和名》《香药钞》、森本作"茹"。

［6］菅　《大全》、成化《政和》、万历《政和》、商务《政和》、《品汇》作"管"。

［7］一名兼杜　《纲目》无此文。

［8］菅茅　商务《政和》作"管茅"。

[9] 服食此……崩中尔　《纲目》无此文。

[10] ［谨案］……炙疮　《纲目》无此文。

193　百合

味甘，平，无毒。主邪气腹胀[1]，**心痛，利大小便，补中益气**。除浮肿，胪[2]胀，痞满，寒热，通身疼痛，及乳难喉痹肿[3]，止涕泪。一名重箱[4]，一名重迈[5]，一名摩罗[6]，一名中逢花，一名强瞿。生荆州川谷。二月、八月采根，曝干。

近道处处有，根如胡蒜，数十片相累，人亦蒸煮食之。乃言初[7]是蚯蚓相缠结变作之，俗人皆呼为强仇，仇即瞿也，声之讹尔[8]，亦堪服食。　［谨案］此药有二种：一种细叶，花红白[9]色；一种叶大，茎长，根粗，花白，宜入药用。

【校注】

[1] 胀　孙本、问本、黄本、周本作"张"。

[2] 胪　《千金翼》作"膲"。

[3] 肿　《证类》《纲目》原脱，据《千金翼》补。

[4] 箱　《本草和名》作"匡"。

[5] 一名重迈　《证类》原脱，据《千金翼》补。《纲目》注此为《吴普本草》文。

[6] 摩罗　《本草和名》作"磨罗"。

[7] 言初　《纲目》作"云"，《图考长编》作"言和"。

[8] 俗人皆呼为强仇，仇即瞿也，声之讹尔　《纲目》无此文。

[9] 白　《纲目》无此字。

194　酸浆[1]

味酸[2]、平，寒，无毒。**主热烦满，定志益气，利水道，产难吞其实立产**[3]。一名醋浆[4]。生荆楚川泽及人家田园中。五月采，阴干。

处处人家[5]多有，叶[6]亦可食。子作房，房中有子如梅李大，皆[7]黄赤色。小儿食之，能除热[8]，亦主黄病[9]，多效。

【校注】

[1] 浆　《医心方》、孙本、黄本、问本、周本作"酱"。

[2] 味酸　《御览》无此 2 字。

[3] 产难吞其实立产　《纲目》注为《别录》文。"其实"，《纲目》作"之"。

[4] **醋浆** "醋"，《本草和名》、森本、《御览》作"酢"。"浆"，孙本、黄本、问本、周本作"酱"。

[5] **人家** 《纲目》无此2字。

[6] **叶** 其前，《纲目》有"苗似水茄而小"一句。

[7] **皆** 《图考长编》无此字。

[8] **能除热** 《纲目》无此文。

[9] **亦主黄病** 《纲目》作"捣汁服，治黄病"。

195 紫参

味苦、辛[1]**，寒、微寒，无毒。主心腹积聚，寒热邪气，通九窍**[2]**，利大小便**[3]。疗肠胃大热，唾血，衄血，肠中聚血，痈肿诸疮，止渴，益精。**一名牡蒙**，一名众戎，一名童肠，一名马行。生河西及宛朐[4]山谷，三月采根，火炙使紫色。

畏辛夷。 今方家皆呼为牡蒙，用之亦少。 ［谨案］紫参，叶似羊蹄，紫花青穗，皮[5]紫黑，肉红白，肉浅皮深。所在有之。牡蒙叶似及已而大，根长尺余，皮肉[6]亦紫色，根苗并不相似[7]。虽一名牡蒙，乃王孙也。紫参京下[8]见用者，是出蒲州也[9]。

【校注】

[1] **辛** 森本脱此字。

[2] **窍** 其后，《御览》有"治牛病"3字。

[3] **利大小便** 《御览》在"通九窍"之前。

[4] **朐** 其后，《御览》有"生林阳"3字。

[5] **皮** 其前，《纲目》有"其根"2字。

[6] **肉** 柯《大观》作"白"。

[7] **根苗并不相似** 《纲目》无"并"字。"似"，《图考长编》作"同"。

[8] **京下** 《纲目》作"长安"。

[9] **［谨案］紫参……是出蒲州也** 《纲目》引此时有修改。

196 女萎

味辛，温。主风寒洒洒，霍乱，泄痢，肠鸣游气上下无常，惊痫寒热百病，出汗。《李氏本草》云：止下，消食[1]。

其[2]叶似白敛，蔓生，花白，子细，荆襄之间名为女萎，亦名蔓楚，止痢有效[3]。用苗不用根，与萎蕤全别。今太常谬以为白头翁者是也。 新附

【校注】

[1]《李氏本草》云：止下，消食 《纲目》作"止下痢，消食。当之"，并将之移在"主风寒"之前。

[2] 其 《纲目》作"女萎"。

[3] 止痛有效 《纲目》无此文。

197 淫羊藿

味辛，寒，无毒。主阴痿，绝伤[1]**，茎中痛，利小便**[2]**，益气力**[3]**，强志。**坚筋骨，消瘰疬，赤痈，下部有疮洗出虫，丈夫久服，令人有[4]子。一名刚[5]前。生上郡阳山山谷。

署预为之使。 服此[6]使人好为阴阳。西川北部有淫羊，一日百遍合，盖食藿所致，故名淫羊藿[7]。 [谨案] 此草，叶形似小豆而圆薄，茎细亦坚，所在皆有[8]，俗名仙灵脾者是也。

【校注】

[1] 绝伤 《本草经疏》《图考长编》作"绝阳"，《御览》作"伤中"。

[2] 茎中痛，利小便 《御览》在"强志"之后。"茎"字前，《御览》有"除"字。

[3] 力 《御览》脱此字。

[4] 有 《政和》作"无"，柯《大观》作"有"。

[5] 刚 《御览》作"蜀"。

[6] 服此 《纲目》作"服之"。

[7] 故名淫羊藿 《和名类聚钞》"仙灵草"条引陶隐居注云"淫羊藿，羊食此藿，一日百遍，故以名之，一曰刚前"；又引苏敬曰"俗名仙灵毗草是也"。

[8] 所在皆有 《纲目》在"叶形似小豆"之前。

198 蠡实[1]

味甘，平、温，无毒。主皮肤寒热，胃中热气，风寒湿痹，坚筋骨，令人嗜食。止心烦满，利大小便，长肌肉[2]肥大。**久服轻身。花叶**[3]**去白虫，疗喉痹，**多服令人溏泄。一名荔实，**一名剧草，一名三坚，一名豕首。**生河东川谷，五月采实[4]，阴干。

方药不复[5]用，俗无识者，天名精亦名豕首也。 [谨案] 此即马蔺子也。《月令》云：荔挺出[6]。郑注云：荔，马薤也。《说文》云：荔似蒲，根可为刷[7]。《通俗文》一名马蔺。《本经》一名荔实[8]。子疗金疮、血内流、痈肿等病[9]，有效。

【校注】

［1］**蠡实** 《御览》作"豕首"。郭璞注《尔雅》引《本经》曰："蠡卢，一名诸蓝，今江东呼豨首"。

［2］**肉** 《证类》作"肤"，《千金翼》作"肉"。

［3］**花叶** 《纲目》作"花实及根叶"，森本作"华叶"。

［4］**实** 《图考长编》脱此字。

［5］**复** 《纲目》无此字。

［6］**荔挺出** 《纲目》作"仲冬荔挺出"。

［7］**《说文》云：荔似蒲，根可为刷** 《纲目》无此文。

［8］**《本经》一名荔实** 《纲目》作"本草谓之荔实"。

［9］**等病** 《纲目》无此2字。

《新修本草》草部中品之上卷第八

草部中品之下　卷第九

右草部中品之下合卅九种十四种《神农本经》，十三种《名医别录》，十二种新附。

199　款冬[1]

　　味辛、甘，温，无毒。主咳逆上气善喘，喉痹，诸惊痫，寒热，邪气。 消渴，喘息呼吸。一名橐吾[2]，一名颗东[3]，一名虎须[4]，一名菟奚[5]，一名氐冬。生常山山谷及上党水旁。十一月采花，阴干。

　　杏仁为之使，得紫菀良，恶皂荚、消石[6]、玄参，畏贝母[7]、辛夷、麻黄、黄芪、黄芩、黄连、青葙。　第一出河北，其形如宿莳未舒者佳，其腹里有丝。次出高丽百济，其花乃似大菊花。次亦出蜀北部宕昌，而并不如。其冬月在冰下生，十二月、正月旦取之。　　［谨案］今出雍州南山溪水及华州山谷涧间。叶似葵而大，丛生，花出根下。

【校注】

　　[1]　**款冬**　《证类》《纲目》作"款冬花"，《千金翼》《医心方》《御览》《本草和名》《和名类聚钞》无"花"字。

　　[2]　**吾**　《御览》作"石"。

　　[3]　**东**　《纲目》《本经疏证》《图考长编》作"冻"，成化《政和》、万历《政和》、商务《政和》作"涷"。

　　[4]　**须**　《千金翼》《顿医钞》作"发"。

　　[5]　**菟奚**　《艺文类聚》作"菟爰"。又《纲目》注此为《尔雅》文。

　　[6]　**消石**　玄《大观》作"芒消"。

　　[7]　**玄参，畏贝母**　《医心方》无"玄参""贝母"。

200　牡丹

　　味辛、苦，寒、微寒，无毒。主寒热[1]**，中风，瘛疭，痉，惊痫，邪气**[2]**，除癥坚瘀血留舍肠胃，安五脏，疗痈疮。** 除时气，头痛，客热，五劳，劳气，头腰痛，风噤，癫疾[3]。**一名鹿韭，一名鼠姑。**生巴郡山谷及汉中，二月、八月采根，阴干。

畏菟丝子、贝母、大黄。　今东间亦有，色赤者为好，用之去心。按鼠妇亦名鼠姑，而此又同，殆非其类，恐字误[4]。　〔谨案〕牡丹，生汉中。剑南所出者，苗似羊桃，夏生白花，秋实圆绿，冬实赤色，凌冬不凋，根似芍药，肉白皮丹。出汉、剑南[5]，土人谓之牡丹，亦名百两金，京下[6]谓之吴牡丹者，是真也。今俗用者，异于此，别有臊气也。

【校注】

[1] **热**　其后，《御览》有"症伤"2字。

[2] **瘨疝，痉，惊痫，邪气**　《御览》作"惊邪"。《纲目》《本草经解》脱"痉"字。

[3] **癫疾**　《纲目》《草木典》《图考长编》作"癞疾"。

[4] **用之去心……恐字误**　《纲目》无此文。

[5] **出汉、剑南**　"出"，柯《大观》作"山"。"汉"，人卫《政和》作"江"。《纲目》无此4字。

[6] **京下**　《纲目》作"长安"。

201　防己

味辛、苦，平、温，无毒。主风寒，温疟，热气，诸痫，除邪，利大小便。疗水肿，风肿[1]，去膀胱热，伤寒，寒热[2]邪气，中风手脚挛急，止泄，散痈肿，恶结，诸蜗疥癣，虫疮，通腠理，利九窍[3]。**一名解离**[4]，文如车辐理，解者良[5]。生汉中川谷，二月、八月采根，阴干。

殷孽为之使，杀雄黄毒，恶细辛，畏萆薢。　今出宜都、建平，大而青白色，虚软者好，黯黑冰[6]强者不佳。服食亦须之。是疗风水家[7]要药耳。　〔谨案〕防己，本出汉中者，作车辐解，黄实而香，其青白虚软者，名木[8]防己，都不任用。陶谓之佳者，盖未见汉中者尔[9]。

【校注】

[1] **风肿**　《本经疏证》在"散痈肿"之后。

[2] **伤寒，寒热**　《纲目》《草木典》作"伤寒热"。

[3] **通腠理，利九窍**　《纲目》《草木典》在"手脚挛急"之后。

[4] **解离**　《御览》作"石解"。

[5] **文如车辐理，解者良**　《纲目》《草木典》无此文。

[6] **黯黑冰**　《纲目》作"黑点木"，《图考长编》作"黯黑木"。

[7] **家**　柯《大观》作"气"，《纲目》无此字。

[8] **木**　人卫《政和》作"本"。

[9] **〔谨案〕防己……汉中者尔**　《纲目》无此文。

202　女菀[1]

味辛，温，无毒。主疗风寒洗洗[2]，霍乱，泄痢，肠鸣上下无常处，惊痫，寒热百疾。疗肺伤咳逆出汗，久寒在膀胱支满，饮酒夜食发病。一名白菀[3]，一名织女菀，一名茆[4]。生汉中川[5]谷或山阳，正月、二月采，阴干。

畏卤咸。　比来医方都无复用之。市人亦少有，便是欲绝[6]。别复有白菀似紫菀，非此之别名也[7]。　[谨案] 白菀即女菀，更无别者[8]，有名未用中浪[9]出一条，无紫菀时亦用之，功效相似也[10]。

【校注】

[1]　**菀**　《御览》作"苑"。

[2]　**风寒洗洗**　孙本脱"寒"字。"洗洗"，黄本作"洗"，玄《大观》、《大全》、狩本作"洗法"。

[3]　**菀**　《图经衍义》作"苑"。下同。

[4]　**一名茆**　《纲目》未注文献来源。

[5]　**川**　《纲目》作"山"。

[6]　**市人亦少有，便是欲绝**　《纲目》无此文。

[7]　**非此之别名也**　《纲目》作"恐非此也"。

[8]　**更无别者**　《纲目》无此文。

[9]　**浪**　《纲目》作"重"。

[10]　**无紫菀时……相似也**　《纲目》作"故陶说疑之，功与紫菀相似"。

203　泽兰

味苦[1]、甘，微温，无毒。主乳妇内衄[2]，中风余疾[3]，大腹水肿，身面四肢浮肿，骨节中水[4]，金疮痈肿疮脓[5]。产后金疮内塞。一名虎兰，一名龙枣[6]，一名虎蒲。生汝南诸[7]大泽旁，三月三日采，阴干。

防己为之使。　今处处有，多生下湿地。叶微香，可煎油，或生泽旁，故名泽兰，亦名都梁香[8]，可作浴汤。人家多种之，而叶小异。今山中[9]又有一种甚相似，茎方，叶小强，不甚香。既云泽兰，又生泽旁[10]，故山中者为非，而药家乃[11]采用之。　[谨案] 泽兰，茎方，节紫色，叶似兰草而不香[12]，今京下用之者，是。陶云都梁香，乃兰草尔，俗名兰香，煮以洗浴，亦生泽畔，人家种之，花白，紫萼茎圆，殊非泽兰也。陶注兰草，复云名都梁香，并不深识也[13]。

【校注】

[1] 苦　《御览》脱此字。

[2] 内衄　《御览》作"衄血"。

[3] 疾　《香字钞》《香药钞》作"痛"。

[4] 乳妇内衄……骨节中水　《纲目》无此文。

[5] 疮脓　《图经衍义》作"脓疮"。"脓"字后，《香字钞》《香药钞》有"血"字。

[6] 枣　《御览》作"来"。

[7] 诸　《御览》作"又生"。

[8] 或生泽旁……都梁香　《纲目》无此文。

[9] 山中　《大观》作"来"。

[10] 又生泽旁　《纲目》无此文。

[11] 乃　《大观》作"亦"。

[12] 不香　《纲目》作"不甚香"。

[13] 陶云都梁香……深识也　《纲目》删为"陶说乃是兰草，茎圆紫萼白花，殊非泽兰也"。

204　地榆

味苦、甘、酸，微[1]寒，无毒。主妇人乳[2]痓痛，七伤，带下十二病[3]，止痛，除恶肉，止汗[4]，疗金疮。止脓血，诸瘘恶疮，热疮[5]，消酒，除消渴[6]，补绝伤，产后内塞，可作金疮膏。生桐柏及宛朐山谷。二月、八月采根，曝干。

得发良，恶麦门冬。　今近道处处有，叶[7]似榆而长，初生布地[8]，而花子紫黑色如豉，故名[9]玉豉。一茎长直上[10]，根亦入酿酒。道方烧作灰，能烂石也[11]。乏茗时[12]，用叶作饮，亦好[13]。

【校注】

[1] 微　《御览》无此字。

[2] 乳　其后，《纲目》有"产"字。

[3] 十二病　《证类》脱"十二"2字，《纲目》《本草经疏》作"五漏"，《千金翼》作"十二病"。

[4] 除恶肉，止汗　《纲目》作"止汗除恶肉"。"汗"字后，《御览》有"气"字。

[5] 热疮　《千金翼》无此文。

[6] 消酒，除消渴　《纲目》在"金疮膏"之后。"渴"字后，《纲目》衍"明目"2字。"除消渴"，《纲目》作"除渴"。

[7] 叶　其前，《纲目》有"其"字。

[8] 地　其后，《纲目》有"故名"2字。

[9] 名　《纲目》作"又名"。

[10] **一茎长直上** 《纲目》无此文。

[11] **也** 其后，《纲目》有"故煮石方用之"。

[12] **乏茗时** 《纲目》作"其叶山人乏茗时"。

[13] **好** 其后，《纲目》有"又可煤茹"。

205 王孙

味苦，平，无毒。主五脏邪气，寒[1]湿痹，四[2]肢疼酸，膝冷痛[3]。疗百病，益气。吴名白功草，楚名王孙，齐名长孙[4]，一名黄孙，一名黄昏，一名海孙，一名蔓延[5]。生海西川谷及汝南城郭垣下。

今方家皆呼名黄昏[6]，又云牡蒙，市人亦少识者。 〔谨案〕《小品》[7]述本草牡蒙，一名王孙。《药对》[8]有牡蒙，无王孙。此则一物明矣。又主金疮破血，生肌肉，止痛，赤白痢，补虚益气，除脚肿，发阴阳也[9]。

【校注】

[1] **寒** 《御览》无此字。

[2] **四** 《图考长编》无此字。

[3] **膝冷痛** 《御览》无此文。

[4] **吴名白功草……齐名长孙** 《纲目》注为《吴普本草》文。

[5] **一名海孙，一名蔓延** 《纲目》注为《吴普本草》文。

[6] **名黄昏** 《大观》《纲目》作"为黄昏"。

[7] **《小品》** 《纲目》《图考长编》作"陈延之《小品方》"。

[8] **《药对》** 《纲目》《图考长编》作"徐之才《药对》"。

[9] **又主金疮……发阴阳也** 《纲目》无此文。"也"字后，《纲目》《图考长编》以《蜀本草》注文"牡蒙叶似及己而大，根长尺余，皮肉皆紫色"为《新修》注文。

206 爵床[1]

味咸，寒[2]，无毒。主腰脊痛，不得着床[3]，俯仰艰难，除热，可作浴汤。生汉中川谷及田野[4]。

〔谨案〕此草似香薷，叶长而大，或如荏且细，生平泽熟田近道旁[5]，甚疗血胀，下气，又主杖疮，汁涂立差[6]，俗名赤眼老母草。

【校注】

[1] **床** 《御览》作"麻"。

[2] **味咸，寒** 玄《大观》、《大全》注为《别录》文。

[3] **床** 《大全》作"林"。

[4] **野** 其后，《图考长编》误以"井中苔及萍、井中蓝等条文"为爵床的内容。

[5] **生平泽熟田近道旁** 《纲目》在"似香菜"之前。

[6] **汁涂立差** 《纲目》作"捣汁涂之立瘥"。

207 白前

味甘，微温，无毒。主胸胁逆气，咳嗽上气[1]。

此药出近道，似细辛而大，色白易折[2]。主气嗽方多用之。 ［谨案］此药叶似柳，或似芫花，苗高尺许，生洲渚沙碛之上。根白[3]，长于细辛，味甘，俗以酒渍服，主上气。不生近道，俗名石蓝[4]，又名嗽药。今用蔓生者味苦，非真也。

【校注】

[1] **气** 其后，《纲目》《草木典》有"呼吸欲绝"4字。按，此4字非《别录》文，是唐慎微加注的《新修》文。

[2] **易折** 《纲目》作"不柔易折"。

[3] **根白** 《纲目》作"白色"。

[4] **俗名石蓝** 《和名类聚钞》引苏敬曰："白前，一名蓝。"

208 百部根[1]

微温，有小毒[2]。主咳嗽上气[3]。

山野处处有。根数十相连，似天门冬而苦强，亦有小毒[4]。火炙酒渍饮之。疗咳嗽，亦主去虱。煮作汤，洗牛犬虱即去[5]。《博物志》云：九真有一种草似百部，但长大尔。悬火上令干[6]，夜取四五寸短切，含咽汁，勿令人知[7]，疗暴嗽甚良，名为嗽药。疑此是百部，恐[8]其土肥润处，是以长大尔。

【校注】

[1] **根** 《纲目》《图考长编》无此字。

[2] **有小毒** 《证类》原脱，据《千金翼》补。

[3] **气** 其后，《纲目》衍"火炙酒渍饮之"，按，此文原系陶隐居注文，《纲目》移之于此。

[4] **亦有小毒** 《纲目》作"但苗异尔"。

[5] **煮作汤，洗牛犬虱即去** 《纲目》作"作汤，洗牛犬去虱"。

[6] **令干** 《大观》作"烧干"。

[7] **勿令人知** 《纲目》无此文。

[8] **恐** 《纲目》无此字。

209　王瓜

味苦，寒，无毒。主消渴，内痹[1]，瘀血，月闭，寒热，酸疼，益气，愈聋[2]。疗[3]诸邪气，热结，鼠瘘，散痈肿留血，妇人带下不通，下乳汁，止小便数不禁，逐四肢骨节中水，疗马骨刺人疮。**一名土瓜。**生鲁地平泽田野，及人家垣墙间。三月采根，阴干。

今土瓜生篱院间亦有，子熟时赤，如弹丸大。根今多不预干，临用时乃掘取[4]，不堪[5]入大方，正单行小小尔[6]。《礼记·月令》云：王瓜生，此之谓也。郑玄云菝葜，殊为谬矣[7]。[谨案]此物蔓生，叶似栝楼，圆无叉缺，子如枝子[8]，生青熟赤，但无棱尔[9]。根似葛，细而多糁[10]。北间者，累累[11]相连，大如枣，皮黄肉白。苗子相似，根状不同。试疗黄疸、破血，南者大胜也。

【校注】

[1]　**痹**　《本草经疏》作"疽"。

[2]　**愈聋**　"愈"，《大全》、孙本、问本作"俞"。

[3]　**疗**　其前，《图考长编》有"主聋"2字。

[4]　**根今多不预干，临用时乃掘取**　《纲目》无此文。

[5]　**堪**　《大观》作"甚"，《纲目》无此字。

[6]　**正单行小小尔**　《图考长编》作"止单行小方尔"。

[7]　**《礼记·月令》……殊为谬矣**　《纲目》作"郑玄注《月令》，四月王瓜生，以为菝葜，殊谬矣"。"谬"，商务《政和》作"缪"。

[8]　**圆无叉缺，子如枝子**　《纲目》作"但无义缺，有毛刺，五月开黄花，花下结子如弹丸"。按，此文原出于苏颂《本草图经》注。

[9]　**但无棱尔**　《纲目》无此文。

[10]　**细而多糁**　《纲目》作"而细多糁，谓之土瓜根"。

[11]　**累累**　《纲目》作"其实累累"。

210　荠苨

味甘，寒，无毒[1]。主解百药毒[2]。

根茎都[3]似人参，而叶小异，根味甜绝，能杀毒。以其与毒药共处，而毒[4]皆自然歇，不正入方家用也[5]。

【校注】

[1] **无毒** 《证类》原脱，据《千金翼》补。

[2] **毒** 《大全》作"方"。

[3] **都** 《图考长编》脱此字。

[4] **而毒** 《纲目》无"而"字。"毒"字后，《图考长编》衍"药"字。

[5] **也** 其后，《纲目》移"桔梗"条"唐本注"作"荠苨"条"唐本注"。

211 高良[1]姜

大温，无毒[2]。主暴冷，胃中冷逆，霍乱腹痛。

出高良郡。人腹痛不止，但嚼食亦效[3]。形气与杜若相似，而叶如山姜。 ［谨案］生[4]岭南者，形大虚软，江左[5]者细紧，味[6]亦不甚辛，其实一也。今相与[7]呼细者为杜若，大者为高良姜，此[8]非也。

【校注】

[1] **良** 《医心方》作"凉"。

[2] **无毒** 《证类》原脱，据《千金翼》补。

[3] **人腹痛不止，但嚼食亦效** 《纲目》作"二月、三月采根"。

[4] **生** 《纲目》作"出"。

[5] **江左** 《纲目》作"生江左"。

[6] **味** 《纲目》无此字。

[7] **今相与** 《纲目》作"今人"。

[8] **此** 《纲目》作"亦"。

212 马先蒿

味苦[1]，平，无毒。主寒热鬼疰，中风湿痹，女子带[2]下病，无子。一名马屎[3]蒿。生南阳川泽。

方云一名烂石草，主恶疮，方药亦不复用。 ［谨案］此叶大如茺蔚，花红白色[4]，实八月、九月熟[5]，俗谓之虎麻是也。一名[6]马新蒿，所在有之。茺蔚苗短小，子夏中熟。而初生二种[7]，极相似也。

【校注】

[1] **苦** 森本、顾本取为《本经》文，柯《大观》、人卫《政和》、成化《政和》、商务《政和》作黑字《别录》文。

[2] **带** 《大全》作"滞"。

[3] **屎** 《本草和名》、森本、狩本作"矢"。

[4] **色** 其后,《纲目》《图考长编》以《开宝本草》注文"二月、八月采茎叶,阴干用"为"唐本注"文。

[5] **实八月、九月熟** 《纲目》《图考长编》作"八月、九月实熟"。

[6] **名** 《图考长编》作"曰"。

[7] **而初生二种** 《纲目》《图考长编》作"二物初生"。

213 蜀羊泉[1]

味苦,微寒,无毒。主头秃[2]**,恶疮,热气,疗瘕痂**[3]**癣虫。**疗龋齿[4],女子阴中内伤,皮间实积。一名羊泉,一名羊饴。生蜀郡川[5]谷。

方药亦不复用,彼土人时有采识者[6]。　　[谨案] 此草,俗名漆姑,叶似菊,花紫色。子类枸杞子,根如远志,无心有糁。苗主小儿惊,兼疗漆疮[7],生毛发。所在平泽皆有之[8]。

【校注】

[1] **泉** 《本草和名》作"全"。

[2] **头秃** 《纲目》作"秃疮"。

[3] **瘕痂** "瘕",孙本、黄本、问本、周本作"搔"。"痂",《图考长编》作"疗"。

[4] **疗龋齿** 《纲目》无此文。《品汇》、孙本注此文为《本经》文,人卫《政和》刻前2字为白字《本经》文。

[5] **川** 《纲目》《图经衍义》作"山"。

[6] **方药亦不复用,彼土人时有采识者** 《纲目》改作"方不复用,人无识者"。

[7] **兼疗漆疮** 《纲目》作"捣涂漆疮"。

[8] **之** 其后,《纲目》《图考长编》以《开宝本草》注文"生阴湿地,三月、四月采苗叶阴干"为"唐本注"文。

214 积雪草

味苦,寒,无毒。主大热,恶疮[1]**,痈疽**[2]**,浸淫赤熛,皮肤赤,身热。**生荆州川[3]谷。

方药亦不用,想此草当寒冷尔[4]。　　[谨案] 此草,叶圆如钱大[5],茎细劲,蔓延生溪涧侧。捣傅热肿丹毒,不入药用。荆楚人以叶如钱,谓为地钱草[6],《徐仪药图》名连钱草,生处亦稀。

【校注】

[1] **疮** 孙本、问本、周本、黄本作"创"。

[2] **疽** 万历《政和》、《大全》、森本作"疸"。

　　〔3〕**川**　《大观》作"山"。

　　〔4〕**想此草当寒冷尔**　《和名类聚钞》引陶弘景注曰："积雪草寒冷，故以名之。"《纲目》作"想此草以寒凉得名耳"。

　　〔5〕**如钱大**　《纲目》作"大如钱"。

　　〔6〕**荆楚人以叶如钱，谓为地钱草**　《和名类聚钞》引苏敬曰："其叶如钱，故名连钱草"。

215　恶实[1]

　　味辛，平，无毒[2]。主明目，补中，除风伤。根茎疗伤寒寒热汗出，中风面肿，消渴热中，逐水。久服轻身耐老。生鲁山平泽。

　　方药不复用。　〔谨案〕鲁山在邓州东北。其[3]草叶大如芋，子壳似栗状，实细长如茺蔚子。根主牙齿疼痛，劳疟，脚缓弱，风毒痈疽，咳嗽伤肺，肺壅，疝瘕，积血，主诸风，癥瘕，冷气[4]。吞一枚，出痈疽头。《别录》名牛蒡，一名鼠粘草[5]。

【校注】

　　〔1〕**恶实**　《图经衍义》作"牛蒡子"，《品汇》作"鼠粘子"。

　　〔2〕**无毒**　《证类》原脱，据《千金翼》补。

　　〔3〕**其**　《纲目》作"此"。

　　〔4〕**诸风，癥瘕，冷气**　"诸风"，《纲目》在"劳疟"之后。"癥瘕"，《纲目》无此文。"冷气"，《纲目》在"疝瘕"之后。

　　〔5〕**吞一枚……鼠粘草**　《纲目》无此文。

216　莎草根[1]

　　味甘，微寒，无毒。主除胸中热，充皮毛。久服利[2]人，益气，长须眉。一名薃[3]，一名侯莎[4]，其实名缇。生田野，二月、八月采。

　　方药亦不复用，《离骚》云：青莎杂树，繁草霍靡[5]。古人为诗多用之，而无识者，乃有鼠蓑，疗体异此。　〔谨案〕此草，根名香附子，一名雀头香，大下气，除胸腹中热[6]，所在有之。茎叶都似三棱，根若附子，周匝多毛，交州者最胜。大者如枣，近道者如杏仁许。荆、襄人谓之莎草根[7]，合和香用之。

【校注】

　　〔1〕**莎草根**　《医心方》《本草和名》无"根"字。《品汇》作"香附子"，《纲目》作"莎草香附子"。

　　〔2〕**利**　成化《政和》、万历《政和》、商务《政和》、《大全》《品汇》《纲目》《草木典》《图考长编》作"令"，人卫《政和》作"利"。

[3] 一名蔄　《纲目》无此文。

[4] 一名侯莎　《纲目》注为《尔雅》文。

[5] 《离骚》云……霍廉　《纲目》无此文。

[6] 大下气，除胸腹中热　《纲目》无此文。

[7] 根若附子……莎草根　《纲目》无此文。

217　大、小蓟根

味甘，温。主养精保血[1]。大蓟主女子赤白沃[2]，安胎，止吐血、衄鼻[3]，令人肥健。五月采。

大蓟是虎蓟，小蓟是猫蓟，叶并多刺，相似。田野甚多，方药不复用，是贱之故[4]。大蓟根甚疗血，亦有毒。　[谨案] 大、小蓟，叶欲[5]相似，功力有殊，并无毒，亦非虎、猫蓟也[6]。大蓟生山谷，根疗痈肿；小蓟生平泽。俱能破血，小蓟不能消肿也。

【校注】

[1] 养精保血　《草木典》作"保血养精"。

[2] 沃　《草木典》作"带"。

[3] 衄鼻　《纲目》作"鼻衄"。

[4] 方药不复用，是贱之故　《纲目》作"方药少用"。

[5] 欲　《大观》《纲目》《图考长编》作"虽"。

[6] 并无毒，亦非虎、猫蓟也　《纲目》无此文。

218　垣衣

味酸，无毒。主黄疸[1]，心烦，咳逆，血气，暴热在肠胃[2]，金疮内塞[3]。久服补中益气，长肌[4]，好颜色。一名昔邪，一名乌韭[5]，一名垣嬴，一名天韭，一名鼠韭。生古垣墙阴[6]或屋上。三月三日采，阴干。

方药不甚用，俗中少见有者[7]。《离骚》亦有昔邪，或云即是天蒜尔[8]。　[谨案] 此即古墙北阴青苔衣也，其生石上者名昔邪，一名乌韭。江南少墙[9]，陶故云少见。《本经》载之[10]：屋上者名屋游，在下品[11]，形并相似，为疗略同。《别录》云：主暴风口噤，金疮，酒渍服之效。

【校注】

[1] 疸　《图经衍义》作"瘅"。

[2] 暴热在肠胃　"暴"字后，《图考长编》衍"风"字。"胃"字后，《纲目》《草木典》有"暴风口噤"4字。

[3] 塞 《图经衍义》作"寒"。"塞"字后，《纲目》有"酒渍服之"4字。

[4] 肌 《纲目》《草木典》作"肌肉"。

[5] 一名乌韭 《纲目》无此文。

[6] 阴 其后，《草木典》衍"青苔衣也"。按，后4字原是陶弘景注文，《草木典》将之误入正文。

[7] 方药不甚用，俗中少见有者 《纲目》作"方不复用，俗中少见也"。按，此文原是陶弘景注文，《纲目》将之并入"唐本注"文中。"甚"，《图考长编》作"见"。

[8] 《离骚》亦有……天蒜尔 《纲目》无此文。

[9] 墙 《纲目》作"涩"。

[10] 陶故云少见。《本经》载之 《纲目》无此文。

[11] 在下品 《纲目》无此文。

219 艾叶

味苦，微温，无毒。主灸百病，可作煎，止下痢，吐血[1]，下部䘌疮，妇人漏血，利阴气，生肌肉，辟风寒，使人有子。一名冰[2]台，一名医草。生田野。三月三日采，曝干。作煎勿令见风。

捣叶以灸百病[3]，亦止伤血。汁，又杀蛔虫[4]。苦酒煎叶，疗癣甚良[5]。 ［谨案］《别录》云：艾生寒熟热，主下血、衄血、脓血痢，水煮及丸散任用。

【校注】

[1] 止下痢，吐血 《纲目》《草木典》作"止吐血下痢"。

[2] 冰 《千金翼》作"水"。

[3] 捣叶以灸百病 《纲目》无此文。

[4] 亦止伤血。汁，又杀蛔虫 《纲目》作"捣汁服，止伤血，杀蛔虫"。

[5] 苦酒煎叶，疗癣甚良 《纲目》无此文。

220 水萍

味辛、酸，寒，无毒。主暴热身痒，下水气，胜酒[1]，长[2]须发，止[3]消渴，下气。以沐浴，生毛发。久服轻身。一名水花[4]，一名水白，一名水苏[5]。生雷泽[6]池泽。三月采，曝干。

此是水中大萍尔，非今浮萍子。《药录》[7]云：五月有花，白色，即非今沟渠所生者。楚王渡江所得，非[8]斯实也。 ［谨案］水萍者，有三种：大者名萍，中者曰荇，小者即水上浮萍。水中又有荇菜，亦相似，而叶圆。水上小浮萍，主火疮[9]。

【校注】

[1] **下水气，胜酒**　《初学记》《艺文类聚》作"下水"。

[2] **长**　《艺文类聚》作"乌"。

[3] **止**　成化《政和》、万历《政和》、商务《政和》、柯《大观》、《大全》《品汇》《本草经疏》、徐本作"主"，人卫《政和》、《图考长编》《本经疏证》、森本作"止"。

[4] **花**　《艺文类聚》《初学记》《御览》、森本、孙本作"华"，《图经衍义》作"肥"。

[5] **苏**　成化《政和》、万历《政和》、商务《政和》作"藓"。

[6] **泽**　其后，《御览》有"水上"2字。

[7] **《药录》**　《纲目》作"《药对》"。

[8] **非**　商务《政和》作"有"，《纲目》作"乃"。

[9] **[谨案]水萍……主火疮**　《纲目》无此文。

221　海藻

味苦、咸，寒，无毒。主瘿瘤气颈下核[1]，破散结气、痈肿、癥瘕、坚气[2]，腹中上下鸣[3]，下十二水肿。疗皮间积聚暴溃，留气热结，利小便。一名落首[4]，一名藫。生东海池泽。七月七日[5]采，曝干。

反甘草。　生海岛上，黑色如乱发而大少许，叶大都似藻叶。又有石帆，状如柏，疗石淋[6]。又有水松，状如松，疗溪毒[7]。

【校注】

[1] **主瘿瘤气颈下核**　《千金翼》作"主瘿瘤结气，散著颈下鞕核"，《纲目》作"主瘿瘤结气，散颈下硬核痛"。

[2] **破散结气、痈肿、癥瘕、坚气**　《千金翼》作"痛者"2字。《纲目》无"破散结气"4字。

[3] **腹中上下鸣**　"腹"，《千金翼》作"肠"。"鸣"，《纲目》作"雷鸣"。

[4] **一名落首**　《千金方》无此文。

[5] **七日**　《千金翼》无此2字。

[6] **又有石帆，状如柏，疗石淋**　《纲目》拔出此文，另立为"石帆"条，并将之列于卷19，且标注出典为《日华子本草》。

[7] **又有水松，状如松，疗溪毒**　《纲目》拔出此文，另立为"水松"条，并将之列于卷19。

222　昆布[1]

味咸，寒，无毒。主十二种水肿，瘿瘤聚结气，瘘疮。生东海[2]。

今惟出高丽。绳把索之如卷麻，作黄黑色，柔韧可食。《尔雅》云：纶似纶，组似组，东海有之。今青苔、紫菜皆似纶，此[3]昆布亦似组，恐即是也。凡海中菜，皆疗瘿瘤结气。青苔、紫菜辈亦然，干苔性热，柔苔甚冷也^[4]。

【校注】

[1] **昆布** 《御览》作"纶布"。

[2] **海** 《御览》作"疮"。

[3] **此** 《纲目》作"而"。

[4] **凡海中菜……柔苔甚冷也** 《纲目》无此文。

223 荭草

味咸，微寒，无毒。主消渴，去热，明目，益气。一名鸿藊^[1]。如马蓼而大，生水旁，五月采实。

此类^[2]甚多，今生下湿地，极似马蓼，甚长大。诗称隰有游龙，注云荭草^[3]。郭景纯^[4]云：即茏古也。

【校注】

[1] **藊** 万历《政和》作"鹤"，《本草和名》作"藚"。

[2] **此类** 《纲目》无此 2 字。

[3] **注云荭草** 《纲目》无此文。

[4] **郭景纯** 《纲目》作"郭璞"。

224 陟厘

味甘，大温，无毒。主心腹大寒，温中消谷，强胃气，止泄痢。生江南池泽。

此即南人^[1]作纸者，方家^[2]惟合断下药用之。　［谨案］此物，乃水中苔^[3]，今取以为纸，名苔纸，青黄色，体涩^[4]。《小品方》云：水中粗苔也^[5]。《范东阳方》云：水中石上生，如毛，绿色^[6]者。《药对》云：河中侧梨。侧梨、陟厘，声相近也。王子年《拾遗》云^[7]：张华撰《博物志》上晋武帝，嫌繁，命削之，赐华侧理纸万张。子年云：陟厘纸也，此纸以水苔为之，溪人语讹，谓之侧理也^[8]。

【校注】

[1] **南人** 《纲目》作"南人用"。

[2] **方家** 《纲目》无此 2 字。

[3] **苔** 《纲目》作"粗苔"。

[4] **青黄色，体涩** 《纲目》作"青绿色名苔纸青潸"。

[5]《小品方》云：水中粗苔也 《纲目》无此文。

[6] 色 其后，《纲目》衍"石发之名以此"。

[7]《拾遗》云 《纲目》作"《拾遗》记"。

[8] 张华撰……侧理也 《纲目》删为"晋武帝赐张华侧理纸，乃水苔为之，后人讹陟厘为侧理耳"。

225 井中苔及萍[1]

大寒。主漆疮，热疮，水肿。井中蓝，杀野葛、巴豆诸毒。

废井中多生苔萍，及砖土间生杂草、菜蓝[2]，既解毒，在井中者弥佳[3]，不应复别是一种名井中蓝[4]。井底泥至冷，亦疗汤火[5]灼疮，井华水又服炼法用之[6]。

【校注】

[1] 萍 《纲目》作"萍蓝"。

[2] 菜蓝 《大观》、人卫《政和》作"菜蓝"，成化《政和》、万历《政和》、商务《政和》《纲目》作"菜蓝"。

[3] 弥佳 《纲目》作"尤佳"。

[4] 不应复别是一种名井中蓝 《纲目》作"非别一物也"。

[5] 火 《纲目》作"火伤"。

[6] 井底泥……用之 《纲目》无此文。

226 薪草

味甘，寒，无毒。主暴热喘息，小儿丹肿。一名薪荣[1]。生水旁。

叶圆[2]，似泽泻而小。花青白[3]，亦堪啖，所在有之[4]。 新附

【校注】

[1] 薪荣 《纲目》作"薪菜"。

[2] 圆 《纲目》无此字。

[3] 花青白 《纲目》作"花青白色"。

[4] 亦堪啖，所在有之 《纲目》作"亦堪蒸啖"。"之"字后，《纲目》《图考长编》以《开宝本草》注文"江南人用蒸鱼食之甚美，五月、六月采茎叶曝干"为"唐本注"文。

227 凫葵[1]

味甘，冷，无毒。主消渴，去热淋，利小便。生水中，即荇菜也。一名接

余[2]。五月采[3]。

南人名猪莼，堪食。有名未用条中载也。　新附

【校注】

[1] **凫葵**　《纲目》作"荇菜"。

[2] **余**　《图经衍义》作"俞"，《本草和名》作"舆"。

[3] **五月采**　《证类》原脱，据《千金翼》补。

228　菟葵

味甘，寒，无毒。主下诸石、五淋，止虎蛇毒[1]。

苗如石龙芮，叶光泽，花白似梅，茎紫色[2]，煮汁[3]极滑，堪啖。《尔雅·释草》：一名蒚[4]，所在平泽皆有[5]，田间人多识之[6]。　新附

【校注】

[1] **毒**　其后，《纲目》衍"诸疮，捣汁饮之，涂疮能解毒止痛"。按，此文是《开宝本草》注文，《纲目》移之于此。

[2] **茎紫色**　《纲目》作"其茎紫黑"。

[3] **汁**　《纲目》作"啖"。

[4] **堪啖……一名蒚**　《纲目》无此文。

[5] **所在平泽皆有**　《纲目》作"所在下泽田间皆有"。

[6] **之**　其后，《图考长编》有"蛇虎毒诸疮，捣汁饮之，及涂疮能解毒止痛，六月、七月采茎、叶曝干"，《纲目》有"六月、七月采茎叶，曝干入药"。按，此等文原是《开宝本草》注文，《纲目》等将之误为"唐本注"文。

229　鳢肠[1]

味甘、酸，平，无毒。主血痢，针灸疮发，洪血不可止者，傅之立已。汁涂发眉[2]，生速而繁。生下湿地。

苗似旋葍[3]，一名莲子草，所在坑渠间有之[4]。　新附

【校注】

[1] **鳢肠**　即旱莲草。

[2] **眉**　《大全》作"自"。

[3] **苗似旋葍**　《纲目》在"坑渠间有之"之后。

[4] **有之** 《纲目》作"多有"。"之"字后，《纲目》有"二月、八月采，阴干"。按，此文出处为《开宝本草》注，非"唐本注"。

230 蒟酱

味辛，温，无毒。主下气温中，破痰积。生巴蜀[1]。

《蜀都赋》所谓流味于番禺者。蔓生，叶似王瓜而厚大[2]，味辛香，实似桑椹，皮黑肉白。西戎亦时将来，细而辛烈，或谓二种[3]。交州、爱州人云蒟酱[4]，人家多种，蔓生，子长大，谓苗为[5]浮留藤，取叶合槟榔食之，辛而香也。又有荜拨[6]，丛生，子细，味辛烈于蒟酱，此当信也[7]。　新附

【校注】

[1] **蜀** 《纲目》作"蜀中"。
[2] **厚大** 《纲目》作"厚大而光泽"。
[3] **或谓二种** 《纲目》无此文。
[4] **人云蒟酱** 《纲目》无此文。
[5] **谓苗为** 《纲目》作"苗名"。
[6] **又有荜拨** 《和名类聚钞》引"蒟酱，一名荜拨"。
[7] **又有……此当信也** 《纲目》无此文。

231 百脉根

味甘[1]、苦，微寒，无毒。主下气，止渴，去热，除虚劳，补不足。酒浸若[2]水煮，丸[3]散兼用之。出肃州、巴西。

叶似苜蓿，花黄，根如远志。二月、八月采根，日干。　新附

【校注】

[1] **甘** 《纲目》无此字。
[2] **若** 《纲目》作"或"。按，古本草中"若"多作"或"字用。
[3] **丸** 《图经衍义》作"圆"。此因避讳，改"丸"为"圆"。

232 萝摩子

味甘、辛，温，无毒。主虚劳[1]。叶食之，功同于子[2]。陆机云[3]：一名芄兰，幽州谓之雀瓢。

雀瓢，是女青别名，叶盖相似，以叶似女青，故兼名雀瓢[4]。　新附

【校注】

[1] **劳** 其后,《纲目》有"补益精气,强阴道"。

[2] **叶食之,功同于子** 《纲目》作"叶煮食功同子"。

[3] **陆机云** 《纲目》作"案,陆机诗疏云萝摩"。

[4] **崔瓢……故兼名崔瓢** 《纲目》《图考长编》以"女青"条"唐本注"文代替本文。又《纲目》将"枸杞"条陶弘景注移作"萝摩"条陶弘景注。按,萝摩是《新修》新增的药物,《新修》"萝摩"条并无陶弘景注。

233 白药

味辛,温,无毒。主金疮,生肌。出原州。剪草,凉,无毒。疗恶疮、疥癣、风瘙。根名白药[1]。

三月苗生,叶似苦苣。四月抽赤茎,花白,根皮黄。八月叶落,九月枝折,采根,日干[2]。新附

【校注】

[1] **剪草……根名白药** 按,《证类》草部中品之下目录中"剪草"条下脚注云:"原附白药条下,今分条。"据此特将"剪草"条续于"白药"条下。《纲目》将剪草另立一条,并将之列于卷18,且注出典为"《日华》";对剪草的主治文,注出典为"《大明》"。

[2] **三月苗生……采根,日干** 《纲目》以苏颂《本草图经》注代替此文。

234 蘹香子[1]

味辛,平,无毒。主诸瘘,霍乱,及蛇伤。

叶似老胡荽,极细,茎粗,高五六尺,丛生[2]。 新附

【校注】

[1] **蘹香子** 《纲目》无"子"字。又《纲目》在"怀香"条"释名"下引"弘景曰:煮臭肉,下少许即无臭气,臭酱入末亦香,故曰回香"。《新修》无此文。

[2] **叶似老胡荽……丛生** 《纲目》无此文。

235 郁金

味辛、苦,寒,无毒。主血积,下气,生肌,止血,破恶血,血淋,尿血,金疮。

此药苗似姜黄,花白质红,末秋出[1]茎,心[2]无实,根黄赤[3],取四畔子根,去皮火干之。

生蜀地及西戎，马药用之。破血而补。胡人谓之马莶。岭南者有实似小豆蔻[4]，不堪啖。　　新附

【校注】

[1] **出**　《图考长编》作"生"。

[2] **心**　其后，《纲目》衍"而"字。

[3] **黄赤**　《图考长编》作"赤黄"。

[4] **蔻**　《纲目》脱此字。

236　姜黄

味辛、苦，大寒，无毒。主心腹结积痈忤，下气[1]破血，除风热[2]，消痈肿，功力烈于郁金。

叶、根都似郁金，花春生于根，与苗并出。夏[3]花烂，无子。根有黄、青、白三色。其作之方法，与郁金同尔。西戎人谓之蒁药[4]，其味辛少、苦多，与郁金同，惟花生异尔。　　新附

【校注】

[1] **下气**　《本经续疏》作"善下气"。

[2] **热**　《本经续疏》脱此字。

[3] **夏**　《纲目》作"入夏"。

[4] **药**　《纲目》无此字。

237　阿魏

味辛，平，无毒。主杀诸小虫，去臭气，破癥积，下恶气，除邪鬼蛊毒。生西番及昆仑。

苗、叶、根、茎酷似白芷。捣根汁，日煎作饼者为上，截根穿曝干者为次。体性极臭，而能止臭，亦为奇物也[1]。　　新附

【校注】

[1] **也**　其后，《纲目》有"又婆罗门云：薰渠即是阿魏，取根汁曝之如胶，或截根日干，并极臭。西国持咒人禁食之。常食用之，云去臭气。戎人重此，犹俗中贵胡椒、巴人重负攀也"。

　　　　　　　　　　　《新修本草》草部中品之下卷第九

草部下品之上　卷第十

238 大黄	239 桔梗	240 甘遂
241 葶苈	242 芫华	243 泽漆
244 大戟	245 荛华	246 旋覆华
247 钩吻	248 藜芦	249 赭魁
250 及己	251 乌头	252 天雄
253 附子	254 侧子	255 羊踯躅
256 茵芋	257 射干	258 鸢尾
259 贯众	260 半夏	261 由跋根
262 虎掌	263 莨菪子	264 蜀漆
265 恒山	266 青葙子	267 牙子
268 白敛	269 白及	270 蛇全
271 草蒿	272 蘸菌	

右草部下品之上合卅五种卅一种《神农本经》,四种《名医别录》。

238　大黄将军

味苦，寒、大寒，无毒。主下瘀血，血闭[1]，寒热，破癥瘕积聚，留饮宿食，荡涤肠胃，推陈致新，通利水谷[2]，调中化食，安和[3]五脏。平胃下气，除痰实，肠间结热，心腹胀满，女子寒血闭胀，小腹痛[4]，诸老血留结。一名黄良[5]。生河西山谷及陇西。二月、八月采根，火干。

得芍药、黄芩、牡蛎、细辛、伏苓疗惊恚怒，心下悸气。得消石、紫石英、桃仁疗女子血闭。黄芩[6]为之使。　今采益州北部汶山及西山者，虽非河西、陇西，好者犹作紫地锦色，味甚苦涩，色至浓黑。西川阴干者胜。北部日干，亦有火干者，皮小焦不如，而[7]耐蛀堪久。此药至劲利，粗者便不中服，最为俗方所重。道家时用以去痰疾，非养性所须也。将军之号，当取其骏快矣[8]。[谨案]大黄性湿润，而易壤蛀，火干乃佳。二月、八月日不烈，恐不时燥，即不堪矣。叶、子、茎并似羊蹄，但粗长而厚，其根细者，亦似宿羊蹄，大者乃如碗，长二尺。作时烧石使热，横寸截著石上煿之，一日微燥，乃绳穿晾[9]之，至干为佳。幽、并已北渐细，气力不如蜀中者。今出宕州、凉州、西羌、蜀地皆有。其茎味酸，堪生啖，亦以解热，多食不利人[10]。陶称蜀地者不及陇西，误矣[11]。

【校注】

[1]　**血闭**　《御览》脱"血"字。"闭"，《大全》作"闲"。

[2]　**水谷**　"水"，《大全》作"冰"。"谷"字后，《御览》衍"道"字。

[3]　**化食，安和**　《御览》无"化""和"2字。

[4]　**痛**　《图经衍义》无此字。

[5]　**黄良**　《纲目》注为《本经》文。

[6]　**芩**　商务《政和》作"苓"。

[7]　**不如，而**　《图考长编》脱"不如"2字。"而"，《纲目》作"西"。

［8］**最为俗方所重……当取其骏快矣** 《纲目》无此文。"重",《图考长编》作"专"。

［9］**晾** 《证类》原作"眼",《纲目》作"晾",应以《纲目》为是。

［10］**人** 《图考长编》脱此字。

［11］**[谨案]大黄……误矣** 《纲目》引此文时经化裁。

239 桔梗

味辛、苦,微温,有小毒。主胸胁[1]**痛如刀刺,腹满,肠鸣幽幽**[2]**,惊恐悸气**[3]。利五脏肠胃,补血气,除寒热风脾,温中消[4]谷,疗喉咽痛,下蛊毒。一名利如,一名房图[5],一名白药,一名梗草[6],一名荠苨[7]。生嵩高山谷及宛胸。二、八[8]月采根,曝干。

节皮为之使。得牡蛎、远志疗恚怒,得消石、石膏疗伤寒。畏白及、龙眼[9]、龙胆。 近道处处有,叶名隐忍[10]。二、三月生[11],可煮食之。桔梗疗蛊毒甚验。俗方用此,乃名荠苨。今别有荠苨,能解药毒,所谓乱人参者便是[12],非此桔梗[13],而叶甚相似。但荠苨叶下光明、滑泽、无毛为异,叶生又不如人参相对者尔。 [谨案]人参,苗似五加阔短,茎圆,有三四桠,桠头有五叶。陶引荠苨乱人参,谬矣[14]。且荠苨、桔梗,又有叶差互者,亦有叶三四对者,皆一茎直上,叶既相乱,惟以根有心、无心[15]为别尔。

【校注】

［1］**胁** 《品汇》作"膈",《长生疗养方》作"腹"。

［2］**幽幽** 《御览》脱此2字。

［3］**惊恐悸气** 《御览》作"惊悸"。

［4］**消** 玄《大观》脱此字。

［5］**一名利如,一名房图** 《纲目》注为《吴普本草》文。

［6］**梗草** 《本草和名》作"便草"。

［7］**荠苨** 《纲目》注为《本经》文。

［8］**八** 《大观》《纲目》《草木典》脱此字。

［9］**龙眼** 《图考长编》作"猪肉"。

［10］**叶名隐忍** 《纲目》无此文。

［11］**生** 《纲目》作"生苗"。

［12］**所谓乱人参者便是** 《纲目》作"可乱人参"。

［13］**非此桔梗** 《纲目》无此文。

［14］**[谨案]人参……谬矣** 《纲目》无此文。

［15］**无心** 商务《政和》、《纲目》《图考长编》脱此2字。

240 甘遂

味苦、甘，寒、大寒，有毒。主大腹疝瘕，腹满[1]**，面目浮肿，留**[2]**饮宿食，破癥坚积聚，利水谷道。**下五水，散膀胱[3]留热，皮中痞，热气肿满。一名主田[4]，一名甘藁，一名陵藁[5]，一名凌泽，一名重泽[6]。生中山川谷。二月采根，阴干。

瓜蒂为之使，恶远志，反甘草。 中山在代郡。先第一本出太山，江东比[7]来用京口者，大不相似。赤皮者胜，白皮都下亦有，名草甘遂，殊恶，盖谓赝伪草耳[8]，非言草石之草也[9]。[谨案]所谓草甘遂者[10]，乃蚤休[11]也，疗体全别。真甘遂苗似泽漆，草甘遂苗一茎，茎端[12]六七叶，如蓖麻、鬼臼叶等。生食一升，亦不[13]能利，大疗痈疽[14]、蛇毒。且真甘遂皆以皮赤肉白，作连珠实重者良。亦无皮白者，皮白乃是蚤休，俗名重台也[15]。

【校注】

[1] **腹满** 《御览》作"胀满"，《本草经疏》作"腹痛"。

[2] **留** 其前，《御览》有"除"字。

[3] **胱** 玄《大观》作"胱"。

[4] **一名主田** 《证类》《本经疏证》在"一名重泽"之后。《纲目》注"主田"为《别录》文。

[5] **一名陵藁** 《图考长编》无此文。

[6] **一名重泽** 《图经衍义》无此文。

[7] **比** 敦煌本《新修》原作"北"，据《证类》改。

[8] **草耳** 《证类》作"之草"，《纲目》作"者也"。

[9] **非言草石之草也** 商务《政和》无此文。

[10] **[谨案]所谓草甘遂者** 《新修》原脱"甘遂"2字，据《证类》补。

[11] **休** 商务《政和》作"体"。下同。

[12] **茎端** 《新修》原脱，据《证类》补。商务《政和》无"茎"，人卫《政和》无"端"。

[13] **不** 商务《政和》脱此字。

[14] **疽** 《大观》作"疖"。

[15] **[谨案]所谓……重台也** 《纲目》对此文已加化裁。

241 葶苈[1]

味辛、苦[2]**，寒、大寒，无毒。主癥瘕积聚结气，饮食寒热，破坚逐邪，通利水道。**下膀胱水，腹[3]留热气，皮间邪水上出，面目浮[4]肿，身暴中风热痱痒，利小腹。久服令人虚。**一名大室，一名大适**[5]**，一名丁历**[6]**，一名蕈蒿**[7]。生藁城平泽及田野。立夏后采实，阴干。

得酒良[8]，榆皮为之使，恶姜蚕、石龙[9]芮。　出彭城者最胜，今近道亦有。母即[10]公荠，子细黄至苦，用之当熬也。

【校注】

[1] 葶苈　《本草经解》作"葶苈子"。

[2] 苦　敦煌本《新修》残卷作朱书《本经》文，其他各本皆注为《别录》文。

[3] 瘕　《证类》《纲目》作"伏"。

[4] 浮　敦煌本《新修》原脱，据《千金翼》《证类》补。

[5] 一名大室，一名大适　《证类》在"一名草蒿"之后。"适"字后，《纲目》以《尔雅》文"狗荠"为《别录》文。

[6] 丁历　孙本、问本、周本作"下历"。

[7] 蒿　敦煌本《新修》原脱，据《千金翼》《证类》补。

[8] 得酒良　《证类》将此文作大字正文，非作小字注文。

[9] 龙　敦煌本《新修》原脱，据《证类》补。

[10] 即　《证类》作"则"。

242　芫华[1]

味辛、苦，温、微温，有小毒。**主咳逆上气，喉鸣喘**[2]**，咽肿，短气，蛊毒**[3]**，鬼疟，疝瘕，痈肿，杀虫鱼**[4]，消胸中淡[5]水，喜唾，水肿，五水在五脏皮肤，及腰痛，下寒毒、肉毒。久服令人虚[6]。**一名去水**[7]，一名毒鱼，一名牡芫[8]。其[9]根名蜀桑根[10]，疗疥疮[11]，可用毒鱼。生淮源川谷。三月三日采花[12]，阴干。

决明子[13]为之使，反甘草。　近道处处有[14]，用之[15]微熬，不可近眼[16]。

【校注】

[1] 华　《证类》《纲目》《图考长编》作"花"。

[2] 喘　敦煌本《新修》原脱，据《千金翼》《证类》补。

[3] 蛊毒　《品汇》《纲目》作"虫毒"。

[4] 鱼　《御览》脱此字。

[5] 淡　《证类》《品汇》《纲目》《本经疏证》作"痰"。按，"淡""痰"通用。

[6] 久服令人虚　《纲目》无此文。

[7] 一名去水　《本草和名》无此文。

[8] 牡芫　《证类》《纲目》作"杜芫"。

[9] **其**　敦煌本《新修》原脱，据《千金翼》《证类》补。

[10] **根**　《纲目》无此字。

[11] **疮**　敦煌本《新修》原作"咳"，据《千金翼》《证类》改。

[12] **三日采花**　《证类》《本经疏证》脱"三"字。"花"，敦煌本《新修》原作"苹"，据《千金翼》《证类》改。

[13] **子**　《证类》脱此字。

[14] **近道处处有**　《纲目》无此文。

[15] **用之**　《纲目》作"用当"。

[16] **眼**　敦煌本《新修》原作"明也"，据《证类》改。

243　泽漆

味苦、辛，微寒，无毒[1]**。主皮肤热，大腹水气，四肢面目浮肿，丈夫阴气不足**。利大小肠，明目，轻身。一名漆茎[2]，大戟苗也。生太山川泽。三月三日、七月七日采茎叶[3]，阴干。

小豆为之使，恶署预。　是[4]大戟苗，生时摘叶有白汁，故名泽漆，亦能啮人肉[5]。

【校注】

[1] **无毒**　敦煌本《新修》将"无"字朱书，将"毒"字墨书。按，《证类》将"无毒"作黑字《别录》文。

[2] **漆茎**　《纲目》注为《本经》文。

[3] **采茎叶**　敦煌本《新修》原脱"茎叶"2字，据《千金翼》《证类》补。"茎"，《图考长编》《本经疏证》作"根"。按，"泽漆"既是大戟苗，不应言采根。

[4] **是**　其前，《证类》有"此"字。

[5] **肉**　《纲目》《图考长编》脱此字。

244　大戟

味苦、甘，寒、大寒，有小毒。主蛊毒，十二水，腹[1]**满急痛，积聚，中风，皮肤疼痛，吐逆**。颈腋痈肿，头痛，发汗，利大小肠[2]。一名邛钜[3]。生常山。十二月采根，阴干。

反甘草，畏菖蒲、芦草、鼠屎[4]。　近道处处有，至猥贱也[5]。

【校注】

[1] **腹**　《大观》《大全》《本草经疏》、狩本作"肿"。

[2] **肠**　《纲目》《图考长编》作"便"。

［3］ **一名邛钜** 《纲目》注为《尔雅》文。"邛"，《尔雅释文》作"卬"。

［4］ **芦草、鼠屎** "草"，《纲目》作"苇"。"屎"，人卫《政和》作"尿"。

［5］ **近道处处有，至猥贱也** 《纲目》无此文。"有"，《证类》作"皆有"。

245 荛华[1]

味苦[2]**、辛，寒、微寒，有毒。主伤寒，温疟，下十二水，破**[3]**积聚，大坚，癥瘕，荡涤肠胃**[4]**中留癖，饮食，寒热邪气，利水道。**疗淡[5]饮咳嗽。生咸阳川谷及河南中牟。六月采花，阴干。

中牟者，平[6]时惟从河上来[7]，形似芫花而极细，白色。比来隔绝，殆不可得。　［谨案］此药苗似胡[8]荽，茎无刺，花细，黄色，四月、五月收，与芫花全不相似[9]也。

【校注】

［1］ **华** 《证类》《纲目》作"花"。

［2］ **苦** 《图经衍义》作"若"。其后，孙本有"平"字。

［3］ **破** 玄《大观》、《大全》、狩本作"破破"。

［4］ **肠胃** 《纲目》作"胸"。

［5］ **淡** 《证类》《纲目》《品汇》《图考长编》《本经疏证》作"痰"。

［6］ **牟者，平** 敦煌本《新修》原脱，据《证类》补。

［7］ **来** 商务《政和》作"表"。

［8］ **胡** 敦煌本《新修》原脱，据《证类》补。

［9］ **似** 其后，《新修》原衍"之"字，据《证类》删。

246 旋覆华[1]

味咸、甘，温[2]**、微温，冷利，有小毒。主结**[3]**气胁下满，惊**[4]**悸，除水，去五**[5]**脏间寒热，补中下气。**消胸上淡[6]结，唾[7]如胶漆，心胁淡水，膀胱留饮，风气湿痹，皮间死肉，目中眵䁾，利大[8]肠，通血脉，益色泽。一名金沸草，一名盛椹，一名戴椹[9]。根，主风湿[10]。生平泽川泽。五月采花，日干，二十日成。

出近道下湿地[11]，似菊花而大。又别有旋葍根[12]，乃出河南来[13]，北国亦有，形似芎穷，惟合旋葍膏用之，余无[14]所入也，非此旋覆华[15]根也。　［谨案］旋葍[16]根在上品，陶云：苗似姜，根似高良姜而细，证是旋葍根[17]，今复道从北国来，似芎穷，与高良姜全无仿佛尔[18]。

【校注】

[1] **华** 《证类》《纲目》作"花"。

[2] **温** 人卫《政和》脱此字。

[3] **结** 《本草经解》作"积"。

[4] **惊** 敦煌本《新修》原脱,据《千金翼》《证类》补。

[5] **五** 敦煌本《新修》、《千金翼》原脱,据《证类》补。

[6] **淡** 《证类》《纲目》等作"痰"。下同。

[7] **唾** 《大全》作"嚏"。

[8] **大** 成化《政和》、万历《政和》、商务《政和》作"太"。

[9] **一名戴椹** 《证类》在"益色泽"之后。

[10] **根,主风湿** 《证类》《纲目》《品汇》《图考长编》《本经疏证》作"其根主风湿"。又"湿",敦煌本《新修》作"温"。

[11] **湿地** 《新修》原脱,据《证类》补。

[12] **根** 敦煌本《新修》原作"相",据《证类》改。

[13] **来** 《纲目》无此字。

[14] **无** 其后,敦煌本《新修》原衍"正"字,据《证类》删。

[15] **旋覆华** 《大观》脱"旋"字。敦煌本《新修》原脱"华"字,据《证类》补。

[16] **葍** 敦煌本《新修》原脱,据《证类》补。

[17] **是旋葍根** "是",《证类》作"不是"。敦煌本《新修》原脱"葍"字,据《证类》补。

[18] **[谨案]旋葍……仿佛尔** 《纲目》无此文。"上品",《证类》原误作"中品"。

247 钩[1]吻

味辛,温,有大毒[2]。主金创[3]乳痓,中[4]恶风,咳逆上气,水肿,杀鬼疰蛊毒[5]。破癥积,除脚膝痹痛[6],四肢拘挛,恶疮疥虫,杀鸟兽。一名野[7]葛。折之青烟出者名固活。甚热[8],不入汤[9]。生傅高山谷及会稽东野。秦钩吻,味辛。疗喉痹,咽中寒,声变,咳逆气,温中。一名除辛,一名毒根。生寒石山,二月、八月采[10]。

半夏为之使,恶黄芩。 五府中亦云[11],钩吻是野葛,言其入口能[12]钩人喉吻,或言吻作挽字,牵挽人腹[13]而绝之。核事而言,乃是两物[14]。野葛是根[15],状如牡丹,所生处亦有毒,飞鸟不得集之,今人用合膏服之无嫌。钩吻别是一草[16],叶似黄精而茎紫,当心抽花,黄色,初生既极类黄精,故以为杀生之对也[17]。或云钩吻是毛茛,此《本经》及后说皆[18]参错不同,未详定[19]云何?又有一物名阴命,赤色,着木悬其子,生山海中,最有大毒,入口即杀人[20]。
[谨案]野葛生桂州以南,村墟间巷间皆有,彼人通名钩吻,亦谓苗名钩吻、根名野葛。蔓生。人自求死者,取一二叶手挪使汁出,掬水饮,半日即死[21],而羊食其苗大肥。物有相伏如此,若巴豆鼠食则肥也。陶云飞鸟不得集之,妄矣,其野葛以时新采者,皮白骨黄,宿根似地骨,嫩根如汉

中[22]防己，皮节断者良。正与白花藤根相类，不深别者，颇亦惑之[23]。其新取者，折之无尘气，经年已后，则有尘起，根骨似枸杞，有细孔久者[24]，折之，则尘气从孔中出，令折枸杞根亦然[25]。《经》言折之青烟起者名固活[26]为良，此亦不达[27]之言也。且黄精直生，如龙胆、泽漆，两叶或四五叶相对，钩吻蔓生，叶如柳[28]叶。《博物志》云：钩吻叶似凫葵，并非黄精之类。毛莨是有毛，石龙芮何干钩吻？秦中遍访元无物，乃文外浪说耳[29]。

【校注】

[1] **钩** 《新修》原作"钓"，据《千金翼》《证类》改。

[2] **有大毒** 成化《政和》、商务《政和》作"大有毒"。

[3] **创** 《证类》《品汇》《图考长编》作"疮"。

[4] **中** 敦煌本《新修》原脱，据《千金翼》《证类》补。

[5] **咳逆上气，水肿，杀鬼疰蛊毒** 《新修》原脱，据《千金翼》《证类》补。

[6] **痛** 敦煌本《新修》原脱，据《千金翼》《证类》补。

[7] **野** 《医心方》作"冶"。

[8] **甚热** 敦煌本《新修》原作"其热一宿"，据《千金翼》《证类》改。《纲目》无此文。

[9] **不入汤** 《纲目》作"捣汁入膏中，不入汤饮。"

[10] **秦钩吻……八月采** 《千金翼》《证类》《品汇》《纲目》《图考长编》皆无此文。

[11] **府中亦云** 《证类》《图考长编》作"符中亦云"，《纲目》作"符经亦言"。

[12] **能** 《证类》《纲目》《图考长编》作"则"。

[13] **腹** 《证类》《纲目》《图考长编》作"肠"。

[14] **核事而言，乃是两物** "核"，敦煌本《新修》原作"窍"，据《证类》改。敦煌本《新修》原脱"而"字，据《证类》补。"是"，商务《政和》作"事"。

[15] **野葛是根** 敦煌本《新修》原脱"野"字，据《证类》补。《图考长编》脱"是"字。

[16] **草** 《纲目》作"物"。

[17] **故以为杀生之对也** 《纲目》作"故人采多惑之，遂致生死之反"。

[18] **此《本经》及后说皆** 《证类》无"经""皆"2字。

[19] **定** 《证类》无此字。

[20] **又有一物……入口即杀人** 《纲目》无此文。"即"，《证类》作"能立"。

[21] **人自求死者……半日即死** 《证类》无此文。

[22] **中** 《证类》无此字。

[23] **颇亦惑之** 商务《政和》作"懒亦惑之"。

[24] **久者** 《证类》作"者人"。

[25] **令折枸杞根亦然** 《图考长编》脱此文。"令"，《证类》作"今"。

[26] **名固活** 《新修》原作"固治"，据《证类》改。又"固"，商务《政和》作"涸"。

[27] **达** 敦煌本《新修》原脱，据《证类》补。

[28] **柳** 《证类》作"柿"。

[29] **[谨案]野葛……文外浪说耳** 《纲目》引此文时，将其删节后，分为两段，将一段并在

"集解"项下"普曰"之内，将另一段插在"正误"项下。

248　藜芦

味辛、苦，寒、微寒，有毒。**主蛊毒，咳逆，泄痢，肠澼，头痛，疥瘙，恶疮，杀诸虫毒**[1]**，去死肌。**疗哕[2]逆，喉痹不通，鼻中息肉，马刀，烂疮。不入汤[3]。**一名葱苒**[4]，一名葱菼，一名山葱。生太山[5]山谷。三月采根，阴干。

黄连为之使，反细辛、芍药、五参，恶大黄。　近道处处有。根[6]下极似葱而多毛。用之止剔取根，微炙之。

【校注】

[1]　**杀诸虫毒**　《图考长编》脱"杀"字。"虫"，《图经衍义》、孙本作"蛊"。

[2]　**哕**　《证类》《本草经疏》《品汇》《纲目》《图考长编》《本经疏证》作"哕"。

[3]　**汤**　其后，《纲目》《草木典》有"用"字。

[4]　**一名葱苒**　《纲目》注为《别录》文。

[5]　**山**　敦煌本《新修》原脱，据《千金翼》《证类》补。

[6]　**根**　敦煌本《新修》原作"本"，据《证类》改。

249　赭魁[1]

味甘，平，无毒。主心腹积聚，除三虫[2]。生山谷[3]，二月采。

状如小芋子，肉白皮黄，近道亦有。　[谨案] 赭魁，大者如斗，小者如升，叶似杜衡，蔓生草木上，有小毒。陶所说者，乃土卵尔[4]，不堪药用[5]。梁、汉人名为黄独，蒸食之，非赭魁也。

【校注】

[1]　**赭魁**　《纲目》注为《本经》下品。

[2]　**心腹积聚，除三虫**　《纲目》注为《本经》文。"三"，《图经衍义》作"二"。

[3]　**谷**　其后，《纲目》衍"中"字。

[4]　**尔**　《新修》原作"取"，据《证类》改。

[5]　**不堪药用**　《纲目》作"土卵不堪药用"。

250　及己[1]

味苦，平，有毒。主诸恶疮，疥痂，瘘[2]蚀，及牛马诸疮。

今人多用以合疗疥膏，其验也[3]。　[谨案] 此草一茎，茎头四叶，叶隙着白花，好生山谷[4]阴虚软地，根似细辛而黑，有毒，入口使人吐[5]，而今以当杜衡非也[6]。疥瘙必须用之[7]。

【校注】

[1] **及己** "己",《千金翼》《品汇》作"巳",敦煌本《新修》、《证类》作"巳",今从《纲目》《草木典》《图考长编》改。又《纲目》《草木典》将及己全文注为《新修》文。

[2] **瘘** 成化《政和》、万历《政和》、商务《政和》、《大全》作"痿"。

[3] **疗疥膏,蛊验也** "疗",《证类》《纲目》《图考长编》作"疮"。"验也",《图考长编》作"效"。

[4] **谷** 《新修》原脱,据《证类》补。

[5] **吐** 《证类》《纲目》《图考长编》作"吐血"。

[6] **也** 其后,《纲目》有"二月采根日干"。

[7] **疗瘘必须用之** 《新修》原脱,据《证类》补。

251 乌头

味辛、甘,温、大热,有大毒。**主中风**[1],**恶风**[2],**洗洗出汗**[3],**除寒湿痹**[4],**咳逆上气,破积聚寒热。**消胸上淡冷[5],食不下,心腹冷疾[6],脐间[7]痛,肩胛痛[8]不可俯仰,目中痛不可力视[9]。又堕胎。**其汁煎之名射罔,杀禽兽。**射罔,味苦,有大毒。疗尸疰癥坚,及头中风痹痛[10]。**一名奚毒**[11],**一名即子**[12],**一名乌喙**[13]。乌喙[14],味辛,微温,有大毒[15]。主风湿,丈夫肾湿,阴囊[16]痒,寒热历节,掣引腰痛,不能步行,痈肿脓结。又堕胎。生朗陵川[17]谷。正月、二月[18]采,阴干。长三寸以上为天雄。

莽草为之使,反半夏、栝楼、贝母、白敛、白及,恶藜芦[19]。 今采用四月乌头与附子同根,春时茎初生有脑形似乌鸟之头,故谓之乌头,有两歧共蒂,状如牛角,名乌喙,喙即乌之口也。亦以八月采捣榨茎取汁,日煎为射罔,猎人以傅箭射禽兽,中人亦死,宜速解之[20]。 〔谨案〕乌喙,即乌头异名也。此物同苗或有三歧者,然两歧者少。纵天雄、附子有两[21]歧者,仍依本名。如乌头有两歧,即名乌喙,天雄、附子若有两歧者,复云何名之?

【校注】

[1] **有大毒。主中风** 敦煌本《新修》原脱"大""风"2字,据《千金翼》《证类》补。

[2] **主中风,恶风** 《御览》作"风中恶"。

[3] **洗洗出汗** "洗洗",《御览》《香药钞》《药种钞》作"洗",玄《大观》《大全》、狩本作"法"。"汗",《香药钞》作"汁"。

[4] **湿痹** 敦煌本《新修》原作"温",据《千金翼》《证类》改。

[5] **淡冷** 《证类》《品汇》《纲目》《本经疏证》作"痰冷",《图考长编》作"寒冷"。

[6] **疾** 《纲目》作"痰"。

[7] **间** 玄《大观》作"问"。

［8］ **肩胛痛** 《纲目》脱此文。

［9］ **力视** 《证类》《品汇》《纲目》《本经疏证》《图考长编》作"久视"。

［10］ **中风痹痛** 敦煌本《新修》原脱"中"字，据《证类》补。《纲目》脱"痛"字。

［11］ **臭毒** 《御览》作"叶毒"。

［12］ **即子** 《御览》作"萴"，《图考长编》作"耿子"。

［13］ **乌喙** 敦煌本《新修》原脱，据《证类》补。

［14］ **乌喙** 《纲目》作"乌喙一名两头尖"。

［15］ **毒** 《木观》作"热"。

［16］ **囊** 《纲目》作"寒"。

［17］ **川** 《证类》《纲目》作"山"。

［18］ **正月、二月** 《图经衍义》脱此文。

［19］ **芦** 敦煌本《新修》原脱，据《证类》补。

［20］ **今采用四月……宜速解之** 敦煌本《新修》原作"初有脑形乌鸟之头，故谓两牧共带，状如牛角名乌冈，搋师以傅箭射肉中人亦死，宜即解之"，据《证类》改。《纲目》引此文亦有删改。

［21］ **［谨案］乌喙……纵天雄、附子有两** 《新修》原作"谨案乌纵天雄附子有歧"，据《证类》改。又《纲目》引此文亦有删改。

252　天雄

味辛、甘，温、大温，有大毒。主大风，寒湿痹，历[1]**节痛，拘挛缓急，破积聚，邪气，金创**[2]**，强筋**[3]**骨，轻身，健行。疗头面风去来疼痛，心腹结积**[4]**，关节重，不能行步，除骨间痛，长阴气**[5]**，强志令人**[6]**武勇，力作不倦。又堕胎**[7]**。一名白幕**[8]**。生少室山谷。二月采根，阴干。**

远志为之使，恶腐婢[9]。　今采用八月中旬。天雄似附子[10]，细而长者便是[11]，长者乃至三四寸许，此与乌头、附子三种[12]，本并出建平，谓为三建[13]。今宜都佷山最好，谓为西建。钱塘间者，谓为东建，气力劣弱[14]，不相似，故曰西水[15]犹胜东白也。其用灰杀之时，有冰[16]强者并不佳。　［谨案］天雄、附子、乌头等，并以蜀道绵州、龙州出者佳。余处纵有造得者，气力劣弱[17]，都不相似。江南来者，全不堪用[18]。陶以三物俱出建平故名之，非也。按国语真菫于肉，注云乌头也。《尔雅》云：芨，菫草。郭注云：乌头苗也，此物本出蜀汉，其本[19]名菫，今讹为建，遂以建平释[20]之。又石龙芮叶似菫草[21]，故名水菫。今复说[22]为水芨，亦作建音，此岂复生建平耶？检《字书》又无芨字，甄立言《本草音义[23]》亦论之。天雄、附子、侧子并同用八月采造。其乌头四月上旬，今云二月采，恐非时也[24]。

【校注】

［1］ **历** 敦煌本《新修》原脱，据《千金翼》《证类》补。

［2］ **创** 《证类》作"疮"。

[3] **筋** 《大观》作"节"。

[4] **积** 《纲目》《草木典》作"聚"。

[5] **除骨间痛，长阴气** 敦煌本《新修》原作"长气"，据《千金翼》《证类》改。

[6] **令人** 敦煌本《新修》原脱，据《证类》补。

[7] **又堕胎** 《品汇》《纲目》《草木典》脱此文。

[8] **幕** 《药种钞》作"暮"，敦煌本《新修》原作"荥"，据《千金翼》《证类》改。

[9] **婢** 敦煌本《新修》原作"妇"，据《证类》改。

[10] **子** 商务《政和》脱此字。

[11] **便是** 商务《政和》作"使是"，《纲目》无此2字。

[12] **三种** 敦煌本《新修》原作"谓为三建"，据《证类》改。

[13] **谓为三建** 《证类》作"故谓之三建"。

[14] **劣弱** 《新修》原脱，据《证类》补。"劣"，商务《政和》作"小力"。

[15] **曰西水** "曰"，敦煌本《新修》原作"日"，据《证类》改。"水"，《证类》作"冰"。

[16] **冰** 商务《政和》、《纲目》作"水"，《图考长编》作"木"。

[17] **造得者，气力劣弱** 《纲目》作"造得者"。"气力劣弱"，《证类》作"力弱"。

[18] **江南来者，全不堪用** 《纲目》无此文。"全"，敦煌本《新修》原作"令"，据《证类》改。

[19] **本** 《大观》作"平"。

[20] **释** 《纲目》作"译"。

[21] **草** 《证类》脱此字。

[22] **说** 《证类》脱此字。

[23] **又** 敦煌本《新修》原脱，据《证类》补。

[24] **[谨案]天雄……恐非时也** 《纲目》引此文时有删改。

253 附子

味辛、甘，温、大热，有大[1]毒。**主风寒咳逆，邪气，温中，金创[2]，破癥坚积聚，血[3]瘕，寒湿踒躄，拘挛膝痛[4]，不能行走**。疗脚疼冷弱[5]，腰脊风寒，心腹冷痛，霍乱转筋，下痢赤白，坚肌骨[6]，强阴。又堕胎，为百药长。生犍为山谷及广汉。八[7]月采为附子，春采[8]为乌头。

地胆为之使，恶吴公，畏防风、黑豆、甘草、黄芪、人参、乌韭。　附子以八月上旬采也，八角者良。凡用三建，皆热灰炮[9]令拆，勿过焦，惟姜附汤生用之。俗方动[10]用附子，皆须甘草，或人参、干姜[11]相配者，正以制其毒故也[12]。

【校注】

[1] **大** 《图考长编》脱此字。

[2] **温中，金创** 《御览》在"膝痛"之下。《纲目》注"温中"为《别录》文。"创"，《证类》《纲目》《图考长编》作"疮"。

[3] **血** 玄《大观》、《大全》作黑字《别录》文。

[4] **拘挛膝痛** 《御览》作"拘不起缓疼痛"。

[5] **脚疼冷弱** 《纲目》作"脚气冷冷弱"。"疼"，《图考长编》作"痛"。

[6] **骨** 《图考长编》脱此字。《本经疏证》作"骨肉"。

[7] **八** 《证类》作"冬"。

[8] **春采** 《纲目》作"春月采"。

[9] **炮** 《证类》作"微炮"。

[10] **动** 《证类》作"每"。

[11] **或人参、干姜** 《证类》无"或"字。"干姜"，《证类》作"生姜"。

[12] **凡用三建……制其毒故也** 《纲目》以"乌头"条陶弘景注置换此文，并将"天雄"条"唐本注"文冠以"恭曰"附后。

254 侧子

味辛，大热，有大毒。主痈肿，风痹历节，腰脚疼冷，寒热鼠瘘。又堕胎[1]。

此即附子边角之大者，脱取之[2]，昔时不用，比来医家以疗脚气[3]多验。凡此三建，俗[4]中乃是同根，而《本经》分生三处，当各有所宜故也。方云：少室天雄，朗陵乌头，皆称本土，今则无别矣。少室山连嵩高[5]，朗陵县属豫州，汝南郡今在北国[6]。 [谨案] 侧子，只是乌头下共附子、天雄同生，小者侧子[7]，与附子皆非正生[8]，谓从乌头旁出也。以小者为侧子[9]，大者为附子，今称[10]附子角为侧子，理必不然。若当阳已下[11]，江左及山南嵩高、齐、鲁间，附子时复有角如大豆许。夔州已上剑南所出者，附子之角，曾微[12]黍粟，持此为用，诚亦难充[13]。比来京下，皆用细附子有效，未尝[14]取角，若然，方须[15]八角附子，应言八角侧子[16]，言取角用，不近人情也[17]。

【校注】

[1] **又堕胎** 《品汇》脱此文。

[2] **脱取之** 《纲目》作"削取之"。

[3] **家以疗脚气** 敦煌本《新修》原脱，据《证类》补。

[4] **俗** 商务《政和》作"衍"。

[5] **高** 敦煌本《新修》原脱，据《证类》补。

[6] **凡此三建……今在北国** 《纲目》无此文。

[7] **子** 敦煌本《新修》原作"之"，据《证类》改。

[8] **与附子皆非正生** 《纲目》无此文。

[9] **侧子** 敦煌本《新修》原脱，据《证类》补，下同。

［10］**称** 《纲目》作"以"。

［11］**巳下** 敦煌本《新修》原脱，据《证类》补。

［12］**曾微** 《纲目》作"但如"，《图考长编》作"微如"。

［13］**持此为用，诚亦难充** 《纲目》作"岂可充用"。

［14］**尝** 《新修》原作"当"，据《证类》改。

［15］**须** 《新修》原作"复"，据《证类》改。

［16］**八角侧子** 《新修》原脱"角"，据《证类》补。"子"字后，《新修》原衍"附子也"，据《证类》删。

［17］**若然……人情也** 《纲目》无此文。

255 羊踯躅

味辛，温，有大毒。主贼风在皮肤中淫[1]**痛，温疟，恶毒，诸**[2]**痹。邪气，鬼疰，蛊毒。一名玉支。生太行山谷**[3]**及淮南山。三月采花**[4]**，阴干。**

今近道诸山皆有之。花黄[5]似鹿葱，羊误食其叶，踯躅而死，故以为名[6]。不可近眼。［谨案］玉支、踯躅一名。陶于枝子注中[7]云：是踯躅，子名玉支，非也[8]。花亦不似鹿葱，正似旋薏[9]花黄色也。

【校注】

［1］**肤中淫** 敦煌本《新修》原脱"肤"字，据《证类》补。"淫"，《证类》《纲目》作"淫淫"。

［2］**诸** 《御览》作"湿"。

［3］**生太行山谷** 《证类》作"生太行山山谷"，《纲目》作"生太行山川谷"。

［4］**三月采花** 《草木典》脱"三月"2字。"花"，敦煌本《新修》原作"华"，据《证类》改。

［5］**黄** 《证类》《纲目》作"苗"。

［6］**羊误食其叶，踯躅而死，故以为名** 《纲目》无此文。

［7］**中** 《证类》脱此字。

［8］**［谨案］玉支……非也** 《纲目》无此文。

［9］**旋薏** 敦煌本《新修》原作"薏旋"，据《证类》改。

256 茵[1]芋

味苦，温、微温，有毒。主五脏邪气，心腹寒热[2]**，羸瘦，如**[3]**疟状，发作有时，诸关节风湿**[4]**痹痛。疗久风湿走四肢**[5]**，脚弱。一名芫草**[6]**，一名卑共。生太山川谷。三月三日采叶，阴干。**

好者出彭城，今近道亦有。茎叶状如莽草而细软耳，取用之皆连细茎^[7]。方用甚稀，惟以合疗风酒散用之^[8]。

【校注】

[1] 茵　《本草和名》《和名类聚钞》作"茵"。

[2] 热　《图经衍义》脱此字。

[3] 如　成化《政和》、万历《政和》、《大观》刻为黑字《别录》文。

[4] 湿　敦煌本《新修》原作"温"，据《证类》改。

[5] 疗久风湿走四肢　敦煌本《新修》原作"久风"2字，据《证类》改。

[6] 芜草　《证类》《纲目》《图考长编》作"茺草"。

[7] 取用之皆连细茎　《纲目》作"连细茎采之"。"取"，敦煌本《新修》原脱，据《证类》补。"皆"，商务《政和》作"甘"。

[8] 散用之　《纲目》脱此3字。

257　射干

味苦，平，微温，有毒。主咳逆上气，喉痹咽痛，不得消息，散结^[1]**气，腹中邪逆，食饮大热。**疗老血在心肝^[2]脾间，咳唾、言语气臭，散胸中热^[3]气。久服令人虚^[4]。**一名乌扇，一名乌蒲**^[5]**，**一名乌翣，一名乌吹，一名草姜。生南阳川谷，生田野^[6]。三月三日采根，阴干。

此即是乌翣根，庭坛^[7]多种之，黄色，亦疗毒肿。方多作夜^[8]干字，今射^[9]亦作夜音，乃^[10]言其叶是鸢尾，而复有鸢头，此盖相似尔，恐非。乌翣，即其叶名矣。又别有射干，相似而花白茎长，似射人之执^[11]竿者。故阮公诗云：射干临增城^[12]。此不入药用，根亦无块，惟有其质^[13]。　〔谨案〕射干，此说者是^[14]，其鸢尾，叶都似夜干^[15]，而花紫碧色，不抽高茎，根似高良姜而肉白，根即鸢头也^[16]。陶说由跋，都论此耳^[17]。

【校注】

[1] 结　孙本、问本、黄本作"急"。

[2] 疗老血在心肝　敦煌本《新修》原脱"疗"字，据《证类》补。《证类》《品汇》《纲目》《本草经疏》《本经疏证》《图考长编》皆无"肝"字。

[3] 热　敦煌本《新修》原脱，据《证类》补。

[4] 久服令人虚　《纲目》在"微温"之后。

[5] 蒲　《御览》《本草和名》作"蒱"。

[6] 川谷，生田野　"川"，《纲目》作"山"。《证类》《纲目》无"生"字。

[7] 坛　《证类》《纲目》作"台"。

[8] **夜** 敦煌本《新修》原脱，据《证类》补。

[9] **今射** 敦煌本《新修》原作"令将"，据《证类》改。

[10] **乃** 《证类》《纲目》作"人"。

[11] **执** 敦煌本《新修》原作"热"，据《证类》改。

[12] **增城** 《证类》《纲目》作"层城"。

[13] **根亦无块，惟有其质** 《纲目》无此文。"块"，敦煌本《新修》原作"愧"，据《证类》改。"惟有其质"，敦煌本《新修》原脱，据《证类》补。

[14] **此说者是** 《纲目》无此文。

[15] **夜干** 《证类》作"射干"。

[16] **也** 《证类》无此字。

[17] **陶说由跋，都论此耳** 《纲目》无此文。"跋"，敦煌本《新修》原作"跃"，据《证类》改。

258　鸢尾

味苦，平，有毒。主蛊毒，邪气[1]**，鬼疰诸毒，破癥瘕积聚大**[2]**水，下三虫。疗头眩，杀鬼魅**[3]。一名乌园[4]。生九疑山谷，五月采。

方家皆云[5]，是夜干苗[6]，无鸢尾之名，主疗亦异，此当别一种物[7]。方亦有用，鸢头者即应是其根，疗体相似，而本草不显之[8]。　[谨案] 此草叶似夜干而阔短，不抽长茎，花紫碧色，根[9]似高良姜，皮黄肉白，有小毒，嚼之戟人咽喉，与夜干全别[10]。人家亦种，所在有之。夜干花红，抽茎长，根黄有臼。今陶云由跋，正说鸢尾根茎也[11]。

【校注】

[1] **毒，邪气** 敦煌本《新修》原作"耶"，据《证类》改。

[2] **大** 成化《政和》、万历《政和》、《大全》、商务《政和》、《品汇》《纲目》《图考长编》、孙本、问本、狩本、森本作"去"，敦煌本《新修》、《千金翼》、人卫《政和》作"大"。

[3] **疗头眩，杀鬼魅** 《纲目》《草木典》作"杀鬼魅，疗头眩"。

[4] **乌园** 《纲目》注为《本经》文。

[5] **皆云** 《证类》无"皆"字。《纲目》作"言"。

[6] **夜干苗** 《证类》《纲目》作"射干苗"。

[7] **此当别一种物** 《证类》无"此"字，《纲目》无"此""物"2字。

[8] **而本草不显之** "本"，敦煌本《新修》原作"木"，据《证类》改。"显之"，《纲目》作"题"。

[9] **根** 敦煌本《新修》原作"相"，据《证类》改。

[10] **与夜干全别** "夜"，《证类》作"射"。"全"，《新修》原作"令"，据《证类》改。

[11] **今陶云由跋，正说鸢尾根茎也** 《纲目》无此文。

259　贯众[1]

味苦，微寒，有毒。**主腹中邪热气，诸毒，杀三虫**。去寸白，破癥瘕，除头风，止金创[2]。花疗恶疮，令人泄。**一名贯节，一名贯渠，一名百头**[3]**，一名虎卷**，一名扁苻，一名伯萍，一名乐[4]藻，此谓草鸱[5]头。生玄山山谷及宛朐又少室[6]。二月、八月采根，阴干。

蘿菌为之使。　近道亦有，叶如大蕨，其根形色毛芒全似老鸱头[7]，故呼为草鸱头也。

【校注】

[1] **众**　《长生疗养方》作"首"。

[2] **创**　《证类》《品汇》《本草经疏》《本经续疏》《图考长编》作"疮"。

[3] **一名百头**　《御览》在"一名贯节"之后。

[4] **乐**　成化《政和》、万历《政和》、商务《政和》、《大观》《图考长编》《本经续疏》作"药"，敦煌本《新修》、人卫《政和》作"乐"。

[5] **鸱**　敦煌本《新修》原作"鴟"，据《千金翼》《证类》改。

[6] **又少室**　《证类》《纲目》作"少室山"。

[7] **毛芒全似老鸱头**　"毛芒全"，敦煌本《新修》原作"芒令"，据《证类》改。"老"，商务《政和》作"者"。

260　半夏

味辛，平、生微寒、熟温，有毒。主伤寒寒热，心下坚，下气[1]**，喉咽肿痛，头眩，胸胀，咳逆，肠鸣，止汗**。消心腹胸中膈淡[2]热满结，咳嗽上气，心下急痛坚痞，时气呕逆，消痈肿，胎堕[3]，疗痿黄，悦泽面目。生令人吐，熟令人下。用之汤洗，令滑尽。**一名地文，一名水玉**[4]**，一名守田**[5]**，一名示**[6]**姑**。生槐里川谷。五月、八月采根，曝干。

射干为之使，恶皂荚，畏雄黄、生姜[7]、干姜、秦皮、龟甲，反乌头。　槐里属扶风，今第一出青州[8]，吴中亦有，以肉白者为佳，不厌陈久，用之皆[9]汤洗十许过，令滑尽，不尔戟人咽喉[10]。方中有半夏，必须生姜者，亦以制其毒故也。　〔谨案〕半夏所在皆有，生泽[11]中者，名[12]羊眼半夏，圆白为胜。然江南者，大乃径寸，南人特重之。顷来互相[13]用，功状殊异，问南人，说：苗，乃是由跋[14]。陶注云虎掌极似半夏，注由跋乃说鸢尾，于此注中似说由跋。三事混淆，陶竟不识[15]。

【校注】

[1] **下气** 敦煌本《新修》原脱"下"字，据《千金翼》《证类》补。"下气"，《纲目》在"肠鸣"之后。

[2] **中膈泷** 《证类》《品汇》《本草经疏》《本经疏证》《图考长编》作"膈痰"。

[3] **胎堕** 《证类》等作"堕胎"。

[4] **一名地文，一名水玉** 商务《政和》刻为黑字《别录》文。《纲目》注"地文"为《别录》文。

[5] **一名守田** 《证类》在"令滑尽"之后。

[6] **示** 《纲目》《图考长编》作"和"。

[7] **姜** 敦煌本《新修》原脱，据《证类》补。

[8] **州** 敦煌本《新修》作"戈"，《证类》《纲目》作"州"。

[9] **皆** 其后，《证类》有"先"字。

[10] **不尔戟人咽喉** "不尔"，《纲目》作"不尔有毒"。"喉"，敦煌本《新修》原脱，据《证类》补。

[11] **生泽** 《证类》《纲目》作"生平泽"。

[12] **名** 敦煌本《新修》原脱，据《证类》补。

[13] **互相** "互"，敦煌本《新修》原作"牙"，据《证类》改。又《证类》《纲目》无"相"字。

[14] **问南人，说：苗，乃是由跋** 《纲目》作"其苗似是由跋，误以为半夏也"。

[15] **陶注云……陶竟不识** 《纲目》无此文。"竟"，《证类》作"终"。

261 由跋根[1]

主毒肿结热[2]。

本出始兴，今都下亦种之[3]。状如乌翣而布地，花紫色，根似附子，苦酒摩涂肿，亦效，不入余药[4]。 [谨案] 由跋根，寻陶所注，乃是鸢尾根，即鸢头也。由跋今南人以为半夏，顿[5]尔乖越，非惟不识半夏，亦不知由跋与鸢尾耳[6]。

【校注】

[1] **由跋根** 《证类》《品汇》《纲目》《图考长编》无"根"字。又《纲目》注"由跋"为《本经》下品。

[2] **毒肿结热** 《纲目》注为《本经》文。

[3] **今都下亦种之** "今"，敦煌本《新修》原作"令"，据《证类》改。"都下"，《纲目》作"人"。

[4] **不入余药** 《纲目》无此文。

[5] **顿** 商务《政和》作"类"。

[6] **[谨案]由跋根……鸢尾耳** 《纲目》曾加化裁。

262　虎掌

味苦，温、微寒，有大毒。主心痛，寒热结气，积聚伏梁，伤筋痿拘缓，利水道。除[1]**阴下湿，风眩。生汉中山谷及宛朐。二月、八月采，阴干。**

蜀漆为之使，恶莽草。　近道亦有，极[2]似半夏，但皆大，四边有子如虎掌。今用多破之，或三四片耳，方药亦不正[3]用也。　〔谨案〕此药，是由跋宿者[4]，其苗一茎，茎头一叶，枝丫夹茎[5]。根大者如拳，小者若卵[6]，都似扁柿，四畔有圆牙，看如[7]虎掌，故有此名。其由[8]跋是新根，犹大于半夏二三倍，但四畔无子牙耳。陶云虎掌似半夏，也即由跋[9]，以由跋为半夏，释由跋苗全说鸢尾，南人至今犹用由跋为半夏也[10]。

【校注】

[1]　**结气，积聚……利水道。除**　敦煌本《新修》原脱，据《证类》补。

[2]　**极**　《证类》《纲目》作"形"。

[3]　**正**　《纲目》《图考长编》作"甚"。

[4]　**者**　《纲目》作"根"。

[5]　**枝丫夹茎**　"枝丫"，《新修》原作"披个"，据《证类》改。"夹"，《纲目》《图考长编》作"扶"。

[6]　**若卵**　《证类》《纲目》《图考长编》作"如鸡卵"。

[7]　**看如**　《新修》原作"如看"，据《证类》改。

[8]　**其由**　《纲目》无"其"字。商务《政和》脱"由"字。

[9]　**陶云虎掌似半夏，也即由跋**　《纲目》作"陶说似半夏，乃由跋也"。"跋"，《证类》作"来"。

[10]　**以由跋……为半夏也**　《纲目》无此文。

263　莨菪子[1]

味苦、甘，寒，有毒。主齿痛出虫，肉痹拘急，使人健行见鬼[2]**。** 疗癫狂风痫，颠倒拘挛。**多食令人狂走。久服轻身**[3]**、走及奔马，强志，益力，通神。一名横唐**[4]**，一名行唐**[5]**。生海滨川谷及雍州。五月采子。**

今处处亦[6]有。子形颇似五味核而极小。惟入疗癫狂方用，寻此乃不可多食过剂耳[7]。久服自无嫌，通神健行，足为大益，而《仙经》不见用之[8]，今方家多作莨蓎也[9]。

【校注】

[1]　**莨菪子**　"菪"，敦煌本《新修》作"蓎"。《纲目》无"子"字。

[2]　**见鬼**　《纲目》在"通神"之后。

[3] **久服轻身** 敦煌本《新修》原脱"身"字，据《证类》补。《纲目》移此4字在"拘急"之后。

[4] **一名横唐** 敦煌本《新修》残卷将此4字作墨书《别录》文，但现存各种古本草皆将之作《本经》文。

[5] **一名行唐** 敦煌本《新修》残卷将此4字作朱书《本经》文，但现存各种古本草皆将之作《别录》文。《纲目》对"行唐"脱文献来源标记。

[6] **亦** 《证类》《纲目》无此字。

[7] **寻此乃不可多食过荆耳** 《纲目》作"然不可过剂"。

[8] **之** 其后，敦煌本《新修》原衍"莨蓎"2字，据《证类》删。

[9] **今方家多作莨蓎也** 《纲目》无此文。

264 蜀漆

味辛[1]，平、微温，有毒。**主疟**[2]**及咳逆寒热，腹中**[3]**癥坚，痞结**[4]**，积聚，邪气**[5]**，蛊毒，鬼疰。**疗胸中邪结气吐出之[6]。生江林山川谷，生[7]蜀汉中，恒[8]山苗也。五月采叶，阴干。

栝楼为之使，恶贯众。　犹是恒山苗，而所出又异者，江林山即益州江阳山名，故是同处尔。彼人采，仍萦结作丸[9]，得时燥者，佳矣。　[谨案] 此草日干[10]，微萎则把束[11]曝使燥，色青白堪用，若阴干便黑烂郁坏矣。陶云作丸，此乃桦饼，非蜀漆也[12]。

【校注】

[1] **辛** 《本经疏证》作"苦"。

[2] **疟** 《御览》作"疮"。

[3] **中** 《御览》脱此字。

[4] **结** 《纲目》脱此字。

[5] **邪气** 《本经疏证》作"飞气"。

[6] **吐出之** 《纲目》作"吐去之"。

[7] **生** 《证类》《纲目》《本经疏证》《图考长编》作"及"。

[8] **恒** 《证类》《纲目》《本经疏证》《图考长编》作"常"。下同。

[9] **丸** 敦煌本《新修》原作"九"，据《证类》改。

[10] **干** 《证类》等无此字。

[11] **微萎则把束** 《新修》原脱"束"字，据《证类》补。《纲目》无此5字。

[12] **陶云作丸……非蜀漆也** 《纲目》无此文。

265 恒山[1]

味苦、辛，寒、微寒，有毒。主伤寒寒热[2]**，热发**[3]**温疟，鬼毒，胸中淡**[4]

结吐逆。疗^[5]鬼蛊往来，水胀，洒洒恶寒，鼠瘘。一名互^[6]草。生益州川谷及汉中。八^[7]月采根，阴干。

畏玉札^[8]。 出宜都、建平，细实黄者，呼为鸡骨恒山，用最胜。 ［谨案］恒山叶似茗狭长，茎圆，两叶相当。三^[9]月生白花，青萼。五月结实，青圆。三子为房。生山谷间，高者不过三四尺^[10]。

【校注】

［1］**恒山** 《证类》《品汇》《纲目》《图考长编》、顾本作"常山"，敦煌本《新修》残卷、《真本千金方》《千金翼》《医心方》《御览》《本草和名》《和名类聚钞》、狩本、森本、孙本作"恒山"。下同。

［2］**寒热** 《御览》无此2字。

［3］**热发** 《新修》原脱"热"字，据《证类》补。人卫《政和》刻"热发"2字为黑字《别录》文。

［4］**淡** 《御览》脱，《证类》《品汇》《本经疏证》《图考长编》作"痰"。

［5］**疗** 《新修》原脱，据《证类》补。

［6］**互** 黄本作"元"。

［7］**八** 其前，《纲目》《草木典》有"二月"2字。

［8］**玉札** "玉"，敦煌本《新修》原作"王"，据《证类》改。"扎"，《图经衍义》作"礼"。

［9］**三** 《纲目》《图考长编》作"二"。

［10］**［谨案］恒山……三四尺** 《纲目》引此文时有删改。

266 青葙子^[1]

味苦，微寒，无毒。主邪气，皮肤中^[2]，热，风瘙身痒，杀三虫。恶疮、疥虱、痔^[3]蚀，下部䘌疮。其子^[4]名草决明，疗唇口青。一名草蒿，一名萋^[5]蒿。生^[6]平谷道旁。三月采茎叶^[7]，阴干。五月、六月采子^[8]。

处处有。似麦栅花，其子甚细。后又^[9]有草蒿，别本亦作草藁^[10]。今主疗殊相类^[11]，形名又相似，极多足为疑^[12]，而实两种也。 ［谨案］此草，苗高尺许^[13]，叶细软，花紫白色，实作角，子黑而扁光，似苋实而大^[14]，生下湿地，四月、五月采。荆襄人名为昆仑草，捣汁单服，大疗温疠疭也^[15]。

【校注】

［1］**子** 《本草和名》《纲目》、森本脱此字。

［2］**中** 敦煌本《新修》原脱，据《证类》补。

［3］**痔** 《图经衍义》作"虚"。

275

［4］**其子** 《证类》无"其"字，《图考长编》无"其子"2字。

［5］**姜** 万历《政和》作"姜"。

［6］**生** 其前，《图考长编》有"子"字。

［7］**叶** 敦煌本《新修》原脱，据《千金翼》《证类》补。

［8］**五月、六月采子** 人卫《政和》刻作白字《本经》文。

［9］**后又** 《纲目》作"别"。

［10］**别本亦作草蒿** 《纲目》作"或作草蒿"。"蒿"，敦煌本《新修》原脱，据《证类》补。

［11］**今主疗疥相类** "主"，敦煌本《新修》原作"至"，据《证类》改。又《纲目》无"今"字。

［12］**极多足为疑** 《纲目》作"可疑"。"多"，敦煌本《新修》原脱，据《证类》补。又"足"，商务《政和》作"是"。

［13］**许** 《纲目》作"余"。

［14］**大** 敦煌本《新修》原作"火"，据《证类》改。

［15］**大疗温疬匰也** "疬"字后，《证类》有"甘"字。《纲目》无"匰也"2字。

267 牙子[1]

味苦、酸[2]，寒，有毒。主邪气热气，疗瘑恶疡疮[3]痔，去白虫。一名狼牙，一名狼齿，一名狼子，一名犬牙[4]。生淮方[5]川谷及宛朐。八月采根，曝干。中湿腐烂[6]生衣者，杀人。

芫荑为之使，恶地榆、枣肌[7]。 近道处处有，其根[8]牙亦似兽之牙齿也。

【校注】

［1］**牙子** 《御览》《纲目》、森本作"狼牙"。

［2］**酸** 敦煌本《新修》原脱，据《千金翼》《证类》补。

［3］**热气，疗瘑恶疡疮** 《御览》无此文。"热"，《图考长编》作"恶"。"疥"，《香字钞》作"疮"。"疡"，敦煌本《新修》原脱，据《千金翼》《证类》补。

［4］**一名犬牙** 《图经衍义》脱此文。"犬"，《大观》、商务《政和》作"大"。

［5］**方** 《证类》《本经疏证》《图考长编》作"南"。

［6］**烂** 敦煌本《新修》原脱，据《千金翼》《证类》补。

［7］**枣肌** 《千金方》作"秦艽"。"枣"，敦煌本《新修》原作"来"，据《证类》改。

［8］**根** 《纲目》无此字。

268 白敛

味苦、甘，平、微寒[1]，无毒。主痈肿疽疮，散结气，止痛，除热目中赤[2]，小儿惊痫，温疟，女子阴[3]中肿痛。下赤白[4]，杀火毒。一名兔核[5]，一

名白草，一名白根，一名昆仑。生衡[6]山山谷。二月、八月采根，曝干。

代赭为之使，反乌头[7]。　近道处处有之，作藤生，根如白芷，破片以[8]竹穿之，日干。生取根捣，敷痈肿亦效[9]。　[谨案]此根，似天门冬，一株下有十许根，皮赤黑，肉白，如芍药，殊[10]不似白芷。

【校注】

[1] 微寒　敦煌本《新修》残卷作朱书《本经》文，其他各本注为《别录》文。

[2] 赤　敦煌本《新修》原作"亦"，据《千金翼》《证类》改。

[3] 阴　敦煌本《新修》、《千金翼》原作"除"，据《证类》改。

[4] 下赤白　《纲目》《草木典》《图考长编》作"带下赤白"，并注为《本经》文。

[5] 兔核　《纲目》注为《别录》文。

[6] 衡　《图经衍义》作"幾"。

[7] 反乌头　《图经衍义》脱此文。

[8] 以　《纲目》无此字。

[9] 亦效　《纲目》作"有效"。

[10] 殊　《纲目》无此字。

269　白及

味苦、辛，平[1]、微寒，无毒。主痈肿，恶疮，败疽[2]，伤阴，死肌，胃[3]中邪气，贼风鬼击，痱缓不收。除白癣疥虫[4]。一名甘根，一名连及草。生北山川谷及宛朐及越山。

紫石英为之使，恶理石，畏李核、杏仁。　近道处处有之。叶似杜若，根形似菱米，节间有毛。方用亦希，可以作糊。　[谨案]此物，山野人患手足皲拆[5]，嚼以涂之有效[6]。

【校注】

[1] 平　《御览》脱此字。

[2] 疽　玄《大观》、《大全》、狩本脱此字。

[3] 胃　《长生疗养方》作"胸"。

[4] 除白癣疥虫　《纲目》《草木典》注此文出处为"甄权"。

[5] 拆　《纲目》《图考长编》作"瘃"。

[6] 效　其后，《纲目》衍"为其性粘也"。

270　蛇全[1]

味苦，微寒，无毒。主惊痫，寒热，邪气，除热，金疮，疽痔，鼠瘘，恶[2]

疮，**头疡**。疗心腹邪气，腹痛，湿痹，养胎，利小儿。**一名蛇衔**。生益州山谷。八月采，阴干。

即是蛇衔^[3]，蛇衔有两种，并生石上。当用细叶黄^[4]花者，处处有之。亦生黄土地，不必皆生石上也^[5]。　　　[谨案] 全字乃是合字^[6]。陶见误本。宜改为含^[7]。含、衔义同，见古本草也。

【校注】

[1] **蛇全**　《千金翼》《品汇》《纲目》《图考长编》《草木典》作"蛇含"，商务《政和》、孙本、顾本作"蛇合"，《大观》、人卫《政和》、《本草和名》、森本作"蛇全"。

[2] **悉**　《纲目》脱此字。

[3] **衔**　商务《政和》作"御"。

[4] **黄**　商务《政和》脱此字。

[5] **即是蛇衔……生石上也**　《纲目》引此文时有删改。

[6] **全字乃是合字**　商务《政和》作"合字乃是含字"。

[7] **陶见误本。宜改为含**　《纲目》作"陶氏本草作蛇合，合乃含字之误也"。

271　草^[1]蒿

味苦，寒，无毒。主疗瘑痂痒恶疮，杀虱，留热在骨节间^[2]，明^[3]目。一名青蒿，一名方溃。生^[4]华阴川泽。

处处有之，即今青蒿，人亦取杂香菜食之。　　　[谨案] 此蒿，生^[5]挪敷金疮，大止血、生肉，止疼痛良^[6]。

【校注】

[1] **草**　《纲目》《草木典》作"青"。

[2] **留热在骨节间**　"留"字前，《纲目》衍"治"字。"间"，孙本、黄本、问本、周本作"閒"。

[3] **明**　《本经续疏》脱此字。

[4] **生**　森本作"治"。

[5] **生**　《图考长编》脱此字。

[6] **[谨案] 此蒿……止疼痛良**　《纲目》无此文。

272　蘼^[1]菌

味咸、甘，平、微温，有小毒^[2]。主心痛，温中，去长虫^[3]白瘢^[4]蛲虫，蛇^[5]螫毒，癥瘕诸虫。疽蜗，去蛔虫、寸白，恶疮。一名蘼芦。生东海池泽及渤

海章武。八月采，阴干。

得酒良，畏鸡子。 出北来，此亦无有，形状似菌。云鹳屎所化生，一名鹳菌。单末之，猪肉臑和食，可以遣蛔虫。 ［谨案］蘜蘜，今出渤海芦苇泽中，咸卤地自然有此菌尔，亦非是[6]鹳屎所化生也。其菌色白轻虚，表裹相似，与众菌不同，疗蛔虫[7]有效。

【校注】

[1] 蘜 《品汇》作"崔"。

[2] 有小毒 《图考长编》作"小有毒"。

[3] 虫 《大观》《大全》《图考长编》、孙本、问本作"患"，《千金翼》、人卫《政和》、《纲目》《品汇》、森本、周本、黄本、顾本、狩本作"虫"。

[4] 瘕 黄本、问本作"疢"。

[5] 蛇 《图经衍义》脱此字。

[6] 亦非是 《纲目》作"非"。

[7] 虫 《纲目》无此字。

《新修本草》草部下品之上卷第十

草部下品之下　卷第十一

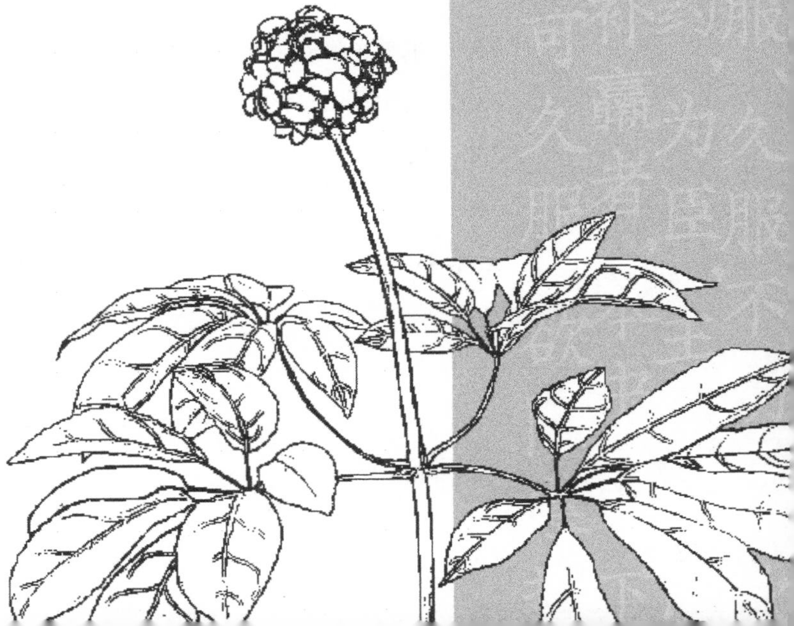

右草部下品之下合六十七种十八种《神农本经》，廿四种《名医别录》，廿五种新附。

273 连翘

味苦，平，无毒。主寒热，鼠瘘，瘰疬，痈肿[1]**，恶疮**[2]**，瘿瘤，结热，蛊毒。去白虫。一名异翘，一名兰华**[3]**，一名折根**[4]**，一名轵**[5]**，一名三廉**[6]**。生太**[7]**山山谷。八月采，阴干。**

处处有，今用茎连花实也[8]。　　[谨案] 此物有两种：大翘，小翘。大翘叶狭长如水苏，花黄可爱，生下湿地[9]，著子似椿实之未开者，作房，翘[10]出众草。其小翘生岗原之上，叶花实皆似大翘而小细，山南人并用之。今京下惟用大翘子，不用茎花也。

【校注】

[1] **肿**　《本草经解》作"尰"。

[2] **疮**　孙本、问本、黄本、周本作"创"。

[3] **兰华**　《纲目》注为《吴普本草》文。"兰"，《本草和名》、森本作"蕳"。

[4] **一名折根**　孙本不取此文为《本经》文。

[5] **一名轵**　《尔雅释文》在"一名兰华"之后。

[6] **三廉**　《纲目》注为《别录》文。

[7] **太**　成化《政和》、万历《政和》、商务《政和》作"大"。

[8] **处处有，今用茎连花实也**　《图考长编》注为《别录》文。按，此文是陶弘景注。

[9] **生下湿地**　《纲目》在"小翘"之后。

[10] **翘**　其后，《尔雅疏》衍"生"字。

274 白头翁[1]

味苦，温，无毒[2]**、有毒。主温疟狂易**[3]**寒热，癥瘕积聚，瘿气**[4]**，逐血**[5]**，止痛**[6]**，疗金疮**[7]**，鼻衄。一名野丈人，一名胡王使者**[8]**，一名奈**[9]**何**

草。生高山山谷[10]及田野，四月采。

处处有。近根处有白茸，状似人白头[11]，故以为名。方用亦疗毒痢[12]。　[谨案] 其叶似芍药而大，抽一茎。茎头一花，紫色，似木堇花。实，大者如鸡子，白毛寸余，皆披下似[13]纛头，正似白头老翁，故名焉。今言近根有白茸，陶似不识[14]。太常所贮蔓生者，乃是女萎。其白头翁根，甚疗毒痢，似续断而扁。

【校注】

[1] **白头翁**　"白"，《图经衍义》作"日"。"翁"，《本草和名》《和名类聚钞》作"公"。

[2] **无毒**　孙本无此文。

[3] **易**　《纲目》作"猵"。

[4] **瘿气**　《御览》在"温疟"之前。

[5] **血**　顾本作"皿"。

[6] **止痛**　《纲目》作"止腹痛"。

[7] **疗金疮**　"金"，《图经衍义》作"痕"。

[8] **胡王使者**　"胡"，《图经衍义》作"明"。"王"，《本草和名》作"主"。

[9] **柰**　《图经衍义》作"椂"。

[10] **高山山谷**　"高"，柯《大观》作"嵩"。"山"，《御览》作"川"。

[11] **状似人白头**　《纲目》作"状似白头老翁"。

[12] **亦疗毒痢**　《千金翼》作大字正文，接在"四月采"之后。按，此文是陶弘景注，非正文。

[13] **似**　人卫《政和》作"以"。

[14] **陶似不识**　《纲目》作"似不识也"。

275　䕡[1]茹

味辛、酸[2]，寒、微寒，有小毒。**主蚀恶肉败疮死肌，杀疥虫，排脓恶血，除大[3]风热气，善忘不乐[4]。**去热痹，破癥瘕，除息肉。一名屈据，一名离娄。生代郡川谷。五月采根，阴干。黑头者良。

甘草为之使，恶麦门冬。　今第一出高丽，色黄。初断时汁出凝黑如漆，故云漆头。次出近道，名草䕡茹，色白，皆烧铁烁头令黑，以当漆头[5]，非真也。叶似大戟，花黄，二月便生。根亦疗疮。

【校注】

[1] **䕡**　孙本、黄本、问本、周本作"兰"。

[2] **酸**　《大观》、狩本注为《本经》文。

[3] **大**　《御览》作"太"。

[4] 乐 《纲目》《图考长编》作"寐"。

[5] 头 《纲目》无此字。

276 苦芺

微寒。主面目通身漆疮[1]。

处处有之，伧人取茎生食之。五月五日采，曝干，烧作灰，以疗金疮，甚验[2]。 ［谨案］今人以为漏芦，非也。

【校注】

[1] 疮 其后，《纲目》衍"烧灰敷之，亦可生食"，《千金翼》衍"作灰疗疮大验"。按，此文是陶弘景注，非大字《别录》文。

[2] 烧作灰，以疗金疮，甚验 《纲目》改作"烧灰，疗金疮，极验"。

277 羊桃

味苦，寒，有毒[1]。主熛热，身暴赤色，风水积聚，恶疡[2]，除小儿热[3]。去五脏五水，大腹，利小便，益气，可作浴汤。一名鬼桃，一名羊肠，一名苌楚，一名御弋[4]，一名铫弋。生山林川谷及生[5]田野，二月采，阴干。

山野多有，甚似家桃，又非山桃。子小细，苦不堪啖[6]，花甚赤。《诗》云隰有苌楚者，即此也。方药亦不复用。 ［谨案］此物，多生沟渠隰[7]堑之间，人取煮以洗风痒及诸疮肿，极效。剑南人名细子根也[8]。

【校注】

[1] 有毒 《大观》注为《本经》文。

[2] 疡 柯《大观》作"疮"。

[3] 除小儿热 《纲目》在"身暴赤"之后。

[4] 弋 《本草和名》、玄《大观》、《大全》作"戈"。下同。

[5] 生 《纲目》无此字。

[6] 苦不堪啖 《纲目》作"而苦不堪食"。

[7] 隰 《大观》《图考长编》作"陉"。

[8] ［谨案］此物……细子根也 《纲目》无此文。"细"，《大观》作"纽"。

278 羊蹄[1]

味苦，寒，无毒。主头秃疥瘙[2]，除热[3]，女子阴蚀[4]。浸淫，疽[5]痔，杀虫。**一名东方宿，一名连虫陆，一名鬼目，一名蓄**[6]。生陈留川泽。

今人呼名秃菜，即是[7]蓄音之讹。《诗》云言采其蓄。又一种极相似而味酸[8]，呼为酸模，根亦疗疥也[9]。　　［谨案］实，味苦、涩，平，无毒。主赤白杂痢。根，味辛、苦，有小毒。《万毕方》云：疗虫毒，今山野平泽处处有之[10]。

【校注】

[1] **羊蹄**　《御览》作"鬼目"。

[2] **头秃疥瘙**　《长生疗养方》作"病疡疥癣"。

[3] **除热**　"除"，《御览》作"阴"。《医心方》脱"热"字。

[4] **女子阴蚀**　《御览》作"无子"2字。

[5] **痍**　成化《政和》、万历《政和》、商务《政和》作"疽"。

[6] **蓄**　《纲目》注为《别录》文。

[7] **是**　成化《政和》、商务《政和》作"使"，《纲目》无此字。

[8] **相似而味酸**　《图考长编》脱"相"字。"酸"，人卫《政和》、商务《政和》作"醋"。

[9] **又一种……疗疥也**　《纲目》在"酸模"条下。

[10] **今山野平泽处处有之**　《纲目》无此文。

279　鹿藿

味苦，平，无毒。主蛊毒，女子腰[1]**腹痛不乐，肠痈，瘰疬，疡气**[2]。生汶山山谷。

药方不复用，人亦罕识。葛根之苗[3]，又一名鹿藿。　　［谨案］此草，所在有之，苗似豌豆，有蔓而长大[4]，人取以为菜，亦微有豆气，名为鹿豆也。

【校注】

[1] **腰**　孙本、问本、黄本、周本作"要"。

[2] **疡气**　《纲目》作"疡瘘气"。

[3] **葛根之苗**　《纲目》作"但葛苗"。

[4] **有蔓而长大**　《纲目》作"而引蔓长粗"。

280　牛扁

味苦，微寒，无毒。主身皮疮[1]**热气，可作浴汤。杀牛虱小虫，又疗牛病。生桂阳川谷**[2]。

今人不复识此，牛疫代代不无用之。既要牛医家应用，而亦无知者[3]。　　［谨案］此药，似三菫、石龙芮等[4]，根如秦艽而细。生平泽下湿[5]地，田野人名为牛扁[6]。疗牛虱甚效。太常贮[7]名扁特，或名扁毒[8]。

【校注】

[1] **疮** 孙本、问本、周本、黄本作"创"。

[2] **川谷** 《图经衍义》作"川俗"。

[3] **牛疫代代……亦无知者** 《纲目》无此文。

[4] **似三菫、石龙芮等** "似"，《大观》作"叶似"。"三菫"，《纲目》《图考长编》作"菫草"。"等"，《纲目》作"辈"。

[5] **湿** 《纲目》无此字。

[6] **田野人名为牛扁** 《和名类聚钞》引苏敬曰："牛扁治牛病，故以名之。"

[7] **贮** 《纲目》无此字。

[8] **或名扁毒** 《大观》无此文。

281 陆英

味苦，寒，无毒。主骨间诸痹，四肢拘挛疼酸，膝寒痛，阴痿，短气不足，脚肿。生熊耳[1]川谷及冤句，立秋采。

[谨案] 此即蒴藋是也[2]。后人不识，浪出蒴藋条。此叶似芹及接骨花，亦一类[3]，故芹名水英，此名陆英，接骨树名木英[4]，此三英也。花叶并相似。

【校注】

[1] **耳** 其后，《御览》衍"山"字。

[2] **是也** 《纲目》无"是"字。"也"字后，《纲目》有"古方无蒴藋，惟言陆英"。

[3] **亦一类** 《纲目》作"三物亦同一类"。

[4] **树名木英** 《纲目》作"名木英树"。

282 荩草

味苦，平，无毒[1]。主久咳上[2]气喘逆，久寒惊[3]悸，痂疥白秃疡气，杀皮肤小虫。可以染黄作金色[4]。生青衣川谷，九月、十月采。

畏鼠妇[5]。 青衣在益州西[6]。 [谨案] 此草[7]叶似竹而细薄，茎亦圆小。生平泽溪涧之侧，荆襄人煮以染黄，色极鲜好。洗疮有效[8]。俗名绿蓐草[9]。《尔雅》云：所谓王刍者也[10]。

【校注】

［1］**无毒**　《图考长编》注为《本经》文。

［2］**上**　《大全》《图考长编》作"止"。

［3］**惊**　《图经衍义》作"笃"。

［4］**染黄作金色**　《纲目》脱"黄"字。《图考长编》脱"作金"2字。

［5］**妇**　《医心方》作"姑"，《纲目》作"负"。

［6］**青衣在益州西**　《纲目》注为"恭曰"。按，此文是陶弘景注。

［7］**草**　《图考长编》脱此字。

［8］**洗疮有效**　《纲目》无此文。

［9］**绿蓐草**　《纲目》在"绿蓐"前有"绿竹"之名，并标出处为"唐本注"。按，"绿竹"之名出于《诗经》"绿竹猗猗"。

［10］**《尔雅》云：所谓王刍者也**　《纲目》无此文。

283　夏枯草

味苦、辛[1]，寒，无毒。主寒[2]热、瘰疬、鼠瘘、头疮，破癥，散瘿结气，脚肿湿痹，轻身。一名夕句，一名乃东，一名燕面。生蜀郡川谷[3]，四月采。

土[4]瓜为之使　　［谨案］此草，生平泽，叶似旋覆，首春即生，四月穗出，其花紫白[5]似丹参花，五月便枯[6]。处处有之。

【校注】

［1］**辛**　森本脱此字。

［2］**主寒**　孙本脱此2字。

［3］**川谷**　《本经续疏》作"山谷"。

［4］**土**　成化《政和》作"上"。

［5］**其花紫白**　《图考长编》作"紫白色"。

［6］**五月便枯**　《和名类聚钞》引苏敬曰"夏枯草五月枯，故以名之。自叶似旋覆，至五月便枯"。《纲目》以苏颂《本草图经》文替换此文。

284　乌韭

味甘，寒，无毒。主皮肤往来寒热，利小肠膀胱气。疗黄疸，金疮内塞，补中益气，好颜色[1]。生山谷石上。

垣衣亦名乌韭，而为疗异，非是此种[2]类也。　　［谨案］此物，即石衣也，亦曰石苔[3]，又名石发，生岩石阴不见日处，与卷柏相类也。

【校注】

[1] 好颜色　《纲目》《草木典》无此文。

[2] 种　《图考长编》脱此字。

[3] [谨案] 此物，即石衣也，亦曰石苔　《纲目》作"石苔也"。

285　蚤休

味苦，微寒，有毒。主惊痫，摇头弄舌，热气在腹中，癫疾，痈疮阴蚀，下三虫，去蛇毒[1]。一名蚩休[2]。生山阳川谷及宛朐。

[谨案] 今谓重楼[3]者是也。一名重台，南人名草甘遂，苗似王孙、鬼臼等[4]，有[5]二三层。根如肥大昌蒲，细肌脆白，醋摩疗痈肿，敷蛇毒，有效[6]。

【校注】

[1] 癫疾，痈疮阴蚀，下三虫，去蛇毒　《纲目》注为《别录》文。"毒"字后，《纲目》有"生食一升，利水"并标出处为"唐本注"。按，此文原出于"甘遂"条"唐本注"，其"利水"原作"亦不能利"，不知《纲目》何据而改？

[2] 蚩休　《纲目》注为《别录》文。"蚩"，《本草和名》、森本作"螫"。

[3] 楼　其后，《纲目》《图考长编》有"金线"2字。

[4] 苗似王孙、鬼臼等　《纲目》作"一茎六七叶，似王孙、鬼臼、蓖麻辈"。

[5] 有　其前，《纲目》衍"叶"字。

[6] 醋摩疗痈肿，敷蛇毒，有效　《纲目》改作"摩醋敷痈肿蛇毒甚效"。

286　虎杖根[1]

微温。主通利月水，破留血癥结。

田野甚多此，状如大马蓼，茎斑而叶圆。极主暴瘕，酒渍根服之也[2]。

【校注】

[1] 根　《纲目》无此字。

[2] 极主暴瘕，酒渍根服之也　《纲目》改作"渍酒服，主暴瘕"。

287　石长生

味咸、苦，微寒，有毒。主寒热恶疮大热[1]，辟鬼气不祥[2]。下三虫。一名丹草[3]。生咸阳山谷。

俗中虽[4]时有采者，方药亦不复用。近道亦有，是细细草叶，花紫色尔。南中多生石岩下，叶似蕨，而细如龙须草大[5]，黑如光漆，高尺余，不与余草杂也。　　［谨案］今[6]市人用黔筋草为之，叶似青葙，茎细劲紫色，今太常用者是也。

【校注】

［1］**恶疮大热**　"疮"，孙本、黄本、问本、周本作"创"。"大"，《御览》、孙本作"火"。

［2］**辟鬼气不祥**　《御览》作"辟恶气不详鬼毒"。

［3］**丹草**　《御览》作"丹沙草"。

［4］**虽**　《纲目》脱此字。

［5］**草大**　《纲目》无此2字。

［6］**今**　其前，《纲目》有"苗高尺许，五六月采茎叶用"。按，此文原出出处为"唐本余"，并非"唐本注"。

288　鼠尾草

味苦，微寒[1]，无毒。主鼠瘘寒热，下痢脓血不止。白花者主白下，赤花者主赤下[2]。一名茢，一名陵翘[3]。生平泽中。四月采叶，七月采花[4]，阴干。

田野甚多，人采作滋染皂。又用疗下瘘[5]，当浓煮取汁[6]，令可丸服之。今人亦用作饮[7]。

【校注】

［1］**味苦，微寒**　《图考长编》脱此文。

［2］**主鼠瘘寒热……赤花者主赤下**　《纲目》误注此文出于"苏颂"。

［3］**一名陵翘**　《纲目》无此文。

［4］**花**　《大观》作"叶"。

［5］**又用疗下瘘**　《纲目》作"古方疗痢多用之"。

［6］**取汁**　《纲目》无此2字。

［7］**今人亦用作饮**　"今"字前，《纲目》有"或煎如饴服"。"饮"字后，《纲目》有"或末服亦得，日三服"。

289　马鞭草

主下部蜃疮。

村墟陌甚多。茎似细辛，花紫色，叶[1]微似蓬蒿也。　　［谨案］苗[2]似狼牙及茺蔚，抽三四穗，紫花，似车前，穗类鞭鞘，故名马鞭[3]，都不似蓬蒿也。

【校注】

［1］**叶**　《纲目》脱此字。

［2］ **苗** 《纲目》作"叶"。

［3］ **穗类鞭鞘，故名马鞭** 《和名类聚钞》引苏敬曰："马鞭草，其穗类鞭鞘，故以名之。"《纲目》无"故名马鞭"4字。

290 马勃

味辛，平，无毒。主恶疮马疥。一名马疕[1]。生园中久腐[2]处。

俗人呼为马屁勃[3]，紫色虚软，状如狗肺[4]，弹之粉出，敷诸疮用之[5]，甚良也。

【校注】

［1］ **疕** 音批，《品汇》作"庀"，《千金翼》《纲目》《图考长编》作"疕"。

［2］ **腐** 《草木典》作"废"。

［3］ **人呼为马屁勃** 《纲目》作"呼马屁勃是也"。

［4］ **狗肺** 《纲目》作"狗肝"。

［5］ **用之** 《纲目》无此2字。

291 鸡肠草

主毒[1]肿，止[2]小便利。

人家园庭亦有此草，小儿取挼汁，以捋[3]蜘蛛网，至粘；可掇蝉，疗蟁蟇溺也[4]。 ［谨案］此草，即蘩蒌[5]是也，剩出此条，宜除之[6]。

【校注】

［1］ **毒** 《千金翼》脱此字。

［2］ **止** 《千金翼》作"上"。

［3］ **捋** 《图考长编》作"捋"。

［4］ **也** 《纲目》作"疮"。

［5］ **［谨案］此草，即蘩蒌** 《品汇》据此文，把鸡肠草并入"蘩蒌"条中。《纲目》无"草"字。

［6］ **宜除之** 《纲目》无此文。

292 蛇莓汁

大寒。主胸腹大热不止[1]。

园野亦多[2]。子赤色，极似莓[3]，而不堪啖，人亦无服此为药者[4]。疗溪毒、射工、伤寒大热，甚良。

【校注】

[1] **止** 其后，《千金翼》衍"疗溪毒、射工、伤寒大热，甚良"。按，此文是陶弘景注。

[2] **园野亦多** 《纲目》作"蛇莓园野多有之"。

[3] **莓** 《纲目》作"莓子"。

[4] **人亦无服此为药者** 《纲目》作"亦无以此为药者"。

293 苎根

寒。主小儿赤丹。其渍苎汁，疗渴[1]。

即今绩苎尔。又有山苎，亦相似，可入用也[2]。　　[谨案]《别录》云：根安胎，贴热丹毒肿，有效[3]。沤苎汁，主[4]消渴也。

【校注】

[1] **主小儿赤丹。其渍苎汁，疗渴** 《纲目》无此文。

[2] **即今……可入用也** 《纲目》无此文。

[3] **有效** 《图考长编》作"有大效"。

[4] **主** 《纲目》作"止"。

294 菰根

大寒。主肠胃痼[1]热，消渴，止小便利[2]。

菰根亦如芦根，冷利复甚也[3]。

【校注】

[1] **痼** 《千金翼》作"固"，《草木典》作"痛"。

[2] **利** 其后，《纲目》《草木典》衍"捣汁饮之"4字。

[3] **菰根……复甚也** 《纲目》无此文。

295 狼跋子[1]

有小毒。主恶疮、蜗疥，杀虫鱼。

出交广，形扁扁尔。捣以杂米[2]，投水中，鱼无大小，皆浮出而死。人用苦酒摩，疗疥亦效[3]。　　[谨案]此今京下呼黄环子为之，亦谓度谷，一名就葛。陶云出交广，今交广送入太常正是黄环子，非余物尔[4]。

【校注】

[1]《纲目》将本条并在"黄环"条下。《和名类聚钞》引苏敬曰:"藤本蔓生者总名也,其子名狼跋子。"

[2] **捣以杂米** 《纲目》作"制捣以杂木"。

[3] **疗疥亦效** 《纲目》作"涂疮疥效"。

[4] **[谨案]……非余物尔** 《纲目》将此文和"黄环"条"唐本注"文合而为一。

296 蒴藋

味酸,温,有毒。主风瘙瘾疹,身痒、湿[1]痹,可作浴汤。一名堇草,一名芨。生田野。春夏采叶,秋冬采茎、根。

田野墟村中甚多,绝疗风痹痒痛,多用薄洗,不堪入服,亦有酒渍根,稍饮之者[2]。 [谨案]此陆英也[3],剩出此条。《尔雅》云:芨,堇草。郭注云:乌头苗也。检三堇别名,又无此者。蜀人谓乌头苗为堇草。陶引此条[4],不知所出处。《药对》及古方无蒴藋,惟言陆英也[5]。

【校注】

[1] **湿** 《千金翼》《图经衍义》作"滋"。

[2] **绝疗风痹……稍饮之者** 《纲目》无此文。

[3] **[谨案]此陆英也** 《和名类聚钞》引苏敬曰:"蒴藋即陆英也。"《纲目》对"谨案"以下注文删改很多。

[4] **蜀人谓乌头苗为堇草。陶引此条** 《纲目》作"《别录》言此一名堇草"。

[5] **《药对》及古方无蒴藋,惟言陆英也** 《纲目》无此文。

297 弓弩弦

主难产,胞[1]衣不出。

产难取[2]弓弩弦以缚腰;及烧弩牙,令赤[3],内酒中饮之,皆取发放快速之义也。

【校注】

[1] **胞** 成化《政和》、万历《政和》、商务《政和》、《品汇》《纲目》均脱。

[2] **取** 《大观》作"以"。

[3] **令赤** 《纲目》无此2字。

298 舂杵头细糠

主卒噎[1]。

食卒噎不下，刮取含之，即去[2]，亦是舂捣义尔。天下事理，多有相影响如此也。

【校注】

[1] **噎** 其后，《纲目》有“刮取含之”。按，此文是陶弘景注，非《别录》文。

[2] **食卒噎不下，刮取含之，即去** 《纲目》改作“治噎用此”。

299 败蒲席

平。主筋溢、恶疮。

烧之蒲席，惟舡[1]家用，状如蒲帆尔。人家所用席，皆是莞[2]草；而荐多是蒲。方家有[3]用也。［谨案］席、荐一也，皆人卧之[4]，以得人气为佳也。青、齐间人，谓蒲荐为蒲席，亦曰蒲盖，谓藁作者为荐尔。山南、江左[5]机上织者为席，席[6]下重厚者为荐。如《经》所说，当以人卧久者为佳[7]，不论荐、席也[8]。

【校注】

[1] **舡** 《大观》《纲目》作“船”。

[2] **莞** 《纲目》作“菅”。

[3] **有** 《纲目》作“烧”。

[4] **卧之** 《纲目》作“所卧”。

[5] **江左** 《纲目》作“注在”。

[6] **席** 《大观》脱此字。

[7] **如《经》所说，当以人卧久者为佳** 《纲目》无此文。

[8] **不论荐、席也** 《纲目》在“人气为佳”之后。

300 败船茹

平。主妇人崩中，吐[1]痢血不止。

此是大艑步典切䑽[2]他盍切刮竹茹，以捏[3]直萌切漏处者，取干煮之，亦烧作屑服之[4]。

【校注】

[1] **吐** 《纲目》作“吐血”。

[2] **䑽** 《纲目》作“艅”。

[3] **捏** 《纲目》作“补”。

[4] **亦烧作屑服之** 《千金翼》将其置于“吐痢血不止”之后。“屑”，《千金翼》作“灰”。《纲目》无此6字。

301 败鼓皮

平。主中蛊毒[1]。

此用穿败者[2]，烧作屑水和服之。病人即唤蛊主姓名，仍往令其呼[3]取蛊便差。白蘘荷亦然[4]。

【校注】

[1] **毒** 其后，《千金翼》衍"烧作灰水服"。按，此文是陶弘景注文。

[2] **此用穿败者** 《纲目》无此文。

[3] **仍往令其呼** 《纲目》作"往呼本主"。

[4] **亦然** 《纲目》作"同功"。

302 败天公

平。主鬼疰精魅[1]。

此是人所戴竹笠之败者也，取上竹烧，酒服之[2]。

【校注】

[1] **魅** 其后，《品汇》《纲目》衍"烧灰酒服之"。按，此文是陶弘景注文。

[2] **取上竹烧，酒服之** 《纲目》作"取竹烧灰用"。

303 半天河

微寒。主鬼疰，狂，邪气，恶毒[1]。

此竹篱头水也，及空树中水皆可饮[2]，并洗诸疮用之[3]。

【校注】

[1] **毒** 其后，《千金翼》衍"洗诸疮用之"。按，此文是陶弘景注文。

[2] **及空树中水皆可饮** 《纲目》作"及空树穴中水也"。

[3] **并洗诸疮用之** 《纲目》无此文。

304 地浆

寒。主解中毒烦闷。

此掘地作坎，以水沃其中，搅令浊，俄顷取之，以解中诸毒[1]。山中有毒菌，人不识，煮食之，无不死^[2]。又枫树菌^[3]，食之令人笑不止^[4]，惟饮土浆皆差^[5]，余药不能救矣^[6]。

【校注】

[1] **此掘地作坎……以解中诸毒**　《纲目》改作"此掘黄土地作坎，深三尺，以新汲水沃入，搅浊，少顷取清用之，故曰地浆，亦曰土浆"。

[2] **山中有毒菌……无不死**　《纲目》无此文。

[3] **又枫树菌**　《纲目》作"枫上菌"。

[4] **止**　《纲目》作"休"。

[5] **惟饮土浆皆差**　《纲目》作"饮此即解"。

[6] **余药不能救矣**　《纲目》无此文。

305　屋游

味甘，寒^[1]。主浮热在皮肤，往来寒热，利小肠膀胱气^[2]。生屋上阴处。八月、九月采。

此瓦屋上青苔衣^[3]，剥取煮服之^[4]。

【校注】

[1] **寒**　其后，《纲目》衍"无毒"2字。

[2] **气**　玄《大观》作"风"。

[3] **此瓦屋上青苔衣**　《纲目》脱"青"字。《和名类聚钞》引苏敬曰："屋游，瓦上青苔衣也。"

[4] **煮服之**　《纲目》作"用之"。

306　赤地利

味苦，平，无毒。主赤白冷热诸痢，断血破血，带下赤白，生肌肉。所在山谷有之。

叶似萝摩，蔓生^[1]，根皮赤黑，肉黄赤。二月、八月采根，日干。　新附

【校注】

[1] **叶似萝摩，蔓生**　《纲目》改作"蔓生，叶似萝摩"。

307　赤车使者

味辛、苦，温，有毒。主风冷，邪疰，蛊毒，癥瘕，五脏积气。

苗似香薷、兰香，叶、茎赤，根紫赤色，生溪谷之阴，出襄州[1]。八月、九月采根，日干。

新附

【校注】

[1] **生溪谷之阴，出襄州**　《纲目》无此文。

308　刘寄奴草[1]

味苦，温[2]。主破血，下胀，多服令人痢[3]。生江南。

茎似艾蒿，长三四尺，叶似兰草[4]，尖长，子似稗而细，一茎上有数穗[5]。

【校注】

[1]《纲目》此条将《开宝本草》注文"下血止痛，治产后余疾，止金疮血，极效"误为《别录》文。

[2] **温**　其后，《纲目》《本草经疏》有"无毒"2字。

[3] **痢**　《纲目》作"下痢"。

[4] **兰草**　《纲目》作"山兰草"。

[5] **上有数穗**　《纲目》作"直上有穗"。

309　三白草

味甘、辛，寒，有小毒。主水肿脚气，利大小便，消痰，破癖，除积聚，消丁肿。生池泽畔。

叶如[1]水荭，亦似蕺，又似菝葜，叶上有三黑点，非白也，古人秘之，隐黑为白尔[2]。高尺许[3]，根如芹根，黄白色而粗大。　新附

【校注】

[1] **如**　《纲目》作"似"。

[2] **古人秘之，隐黑为白尔**　《证类》原脱，据《和名类聚钞》《纲目》补。

[3] **高尺许**　《纲目》在"叶如水荭"之前。

310　牵牛子

味苦[1]，寒，有毒。主下气，疗脚满水肿，除风毒，利小便。

作藤生，花状如藊豆，黄色。子作小房，实黑色，形如球子核。比来服之，以疗脚满气急，得

小便利，无不差[2]。此药始出田野，人牵牛易药[3]，故以名之。又有一种草，叶上有三白点，俗因以名三白草，其根以疗脚下气，亦甚有验[4]。　　[谨案] 此花似旋覆[5]华，作碧色，又不黄，不似藊豆。其三白草有三黑点，非白也，古人秘之，隐黑为白尔。陶[6]不见，但闻而传之，谓实白点[7]。

【校注】

[1] **苦**　玄《大观》误作"若"。

[2] **比来服之……无不差**　《纲目》无此文。

[3] **易药**　《纲目》作"谢药"。

[4] **又有一种草……亦甚有验**　《纲目》无此文。

[5] **覆**　《纲目》脱此字。

[6] **陶**　商务《政和》作"雅"。

[7] **其三白草……谓实白点**　《纲目》无此文。

311　猪膏莓[1]

味辛、苦，平，无毒。主金疮，止[2]痛，断血，生肉，除诸恶疮，消浮肿。捣封之，汤渍散敷并良。

叶似苍耳，茎圆有毛[3]，生下湿地，所在皆有。一名虎膏，一名狗膏。生平泽[4]。　　新附

【校注】

[1] **莓**　《纲目》作"母"。

[2] **止**　《千金翼》作"上"。

[3] **叶似苍耳，茎圆有毛**　《纲目》在"一名狗膏"之后。

[4] **生平泽**　《纲目》在"生下湿地"之前。

312　紫葛

味甘、苦，寒，无毒。主痈肿恶疮。取根皮捣为末[1]，醋和封之。生山谷中。不入方用[2]。

苗似葡萄，根紫色，大者径二三寸，苗长丈许[3]。　　新附

【校注】

[1] **取根皮捣为末**　《纲目》作"捣末"。

[2] **不入方用**　《纲目》无此文。

[3] **根紫色，大者径二三寸，苗长丈许**　《纲目》作"长丈许，根紫色，大者径二三寸"。

313　蓖麻子

味甘、辛，平，有小毒。主水症，水研二十枚服之，吐恶沫，加至三十枚，三日一服，差则止。又主风虚寒热，身体疮痒浮肿，尸疰恶气，榨取油涂之。叶主脚气，风肿不仁，捣蒸敷之[1]。

此人间所种者，叶似大麻叶而甚大，其子如蜱[2]，又名草麻[3]。今胡中来者，茎赤，树[4]高丈余，子大如皂荚核，用之益良[5]。油涂叶炙热熨囟上[6]，止衄尤验也[7]。　新附

【校注】

[1] **捣蒸敷之**　《纲目》作"蒸捣裹之，日二，三易即消"。
[2] **其子如蜱**　《纲目》作"结子如牛蜱"。"蜱"，《图考长编》作"牛蜱"。
[3] **又名草麻**　《纲目》无此文。
[4] **树**　《纲目》无此字。
[5] **益良**　《纲目》作"亦良"。
[6] **油涂叶炙热熨囟上**　《纲目》脱"叶"字。"囟"，《图考长编》作"腮"。
[7] **止衄尤验也**　《纲目》作"止鼻衄大验"。

314　葎草[1]

味甘、苦，寒，无毒。主[2]五淋，利小便，止水痢，除疟虚热渴。煮汁及生汁服之[3]。生故墟道旁。

叶似草麻而小[4]薄，蔓生，有细刺。俗[5]名葎蔓。古方亦时用之。　新附

【校注】

[1] 《纲目》将此条并入"勒草"条中。
[2] **主**　玄《大观》作"生"。
[3] **及生汁服之**　《纲目》作"或生捣汁服"。
[4] **小**　其后，《纲目》有"且"字。
[5] **俗**　《纲目》作"亦"。

315　格注草

味辛、苦，温，有大毒。主蛊疰诸毒疼痛等[1]。生齐鲁山泽[2]。

叶似蕨[3]。根紫色，若紫草根，一株有二十[4]许。二月、八月采根，五月、六月采苗，日

干[5]。 新附

【校注】

[1] **疼痛等** 《千金翼》作"痛疼等"。

[2] **生齐鲁山泽** 《纲目》作"出齐鲁山泽间"。

[3] **蕨** 《大观》《图考长编》作"老蕨"。

[4] **十** 《大观》、人卫《政和》（四合一本）作"寸"，但人卫《政和》（线装本）、商务《政和》、《纲目》俱作"十"。

[5] **干** 其后，《图考长编》有"出齐州、兖州山谷间"。按，此文为"唐本余"所引《本草图经》之语。

316 独行根[1]

味辛、苦，冷，有毒。主鬼疰积聚，诸毒热肿，蛇毒。水摩[2]为泥封之，日三四[3]立差。水煮一二两，取汁服，吐蛊毒。

蔓生，叶似萝摩，其子如桃李，枯则头四开，悬草木上。其根扁长尺许，作葛根气，亦似汉防己。生古堤城旁，山南名为土青木香，疗[4]丁肿大效。一名兜零根[5]。 新附

【校注】

[1] 《纲目》将此条并在"马兜铃"条下。

[2] **摩** 《千金翼》《纲目》作"磨"。

[3] **四** 其后，《纲目》衍"次"字。

[4] **疗** 《纲目》作"又捣末水调涂"。

[5] **蔓生……一名兜零根** 《纲目》将此文和《蜀本·图经》注文综合为另一文，并冠以"志曰"（即《开宝本草》编者马志所说）。

317 狗舌草

味苦，寒，有小毒。主蛊疥瘙疮[1]，杀小虫[2]。

叶似车前，无文理，抽茎，花黄白细，丛生[3]渠堑湿地[4]。 新附

【校注】

[1] **疮** 《千金翼》无此字。

[2] **虫** 其后，《纲目》有"为末和涂之即瘥"。按，此文为《开宝本草》注文。

[3] **花黄白细，丛生** 《纲目》作"开花黄白色，取生"。

[4] **叶似车前……丛生渠堑湿地** 《纲目》修改之，并增加"四月、五月采茎，暴干"，作为

"唐本注"文。按，其所增资料出处为《开宝本草》注，非"唐本注"。

318　乌敛莓[1]

味酸苦，寒，无毒。主风毒热肿[2]，游丹，蛇伤[3]，捣敷并饮汁。

蔓生，叶似白敛，生平泽[4]。　新附

【校注】

[1]《纲目》把"甘蔗根"注文中的"又有五叶莓……敷痈疖，亦效"并入"乌敛莓"条中。

[2] **主风毒热肿**　《图考长编》作"风热毒肿"。

[3] **蛇伤**　《纲目》脱此2字。

[4] **蔓生，叶似白敛，生平泽**　《纲目》改作"蔓生平泽，叶似白敛，四月、五月采之"。按，"四月、五月采之"出处为《开宝本草》注，非"唐本注"。

319　豨莶

味苦，寒，有小毒。主热䘌烦满，不能食。生捣汁，服三四[1]合，多则令人吐。

叶似酸浆而狭长，花黄白色[2]，一名火莶[3]，田野皆识之。　新附

【校注】

[1] **四**　《纲目》脱此字。

[2] **色**　其后，《纲目》衍"三月、四月采苗叶暴干"。按，此文出处为《开宝本草》注，非"唐本注"。

[3] **莶**　《纲目》作"杴"。

320　狼毒

味辛，平，有大毒。主咳逆上气，破积聚饮食，寒热水气，胁下积癖[1]，**恶疮**[2]，**鼠瘘，疽**[3]**蚀，鬼精，蛊**[4]**毒，杀飞鸟走兽。一名续毒**[5]。生秦亭山谷及奉高。二月、八月采根，阴干。陈而沉水者良。

大豆为之使，恶麦句姜。秦亭在陇西，亦出宕昌。乃言止有数亩地生，蝮蛇食其根，故为难得。亦用太山者，今用出汉中及建平。云与防葵同根类[6]，但置水中沉者，便是狼毒，浮者则是防葵。俗用希，亦难得[7]，是疗腹内要药尔。　　[谨案]此物与防葵，都不同类，生处又别。狼毒今出秦州、成州，秦亭故在二州之界，其太山、汉中亦不闻有。且秦陇寒地，元无蝮蛇，复云数亩地生，

蝮蛇食其根，谬矣[8]。

【校注】

[1] **胁下积癖** 《图经衍义》脱"积"字。"胁"，《图考长编》作"胸"，《纲目》作"除胸"。

[2] **疮** 孙本、黄本、问本、周本作"创"。

[3] **疽** 成化《政和》、万历《政和》、商务《政和》、《大全》作"疸"。

[4] **蛊** 柯《大观》、《图经衍义》作"虫"。

[5] **续毒** 《图考长编》作"绩毒"。

[6] **类** 《纲目》无此字。

[7] **亦难得** 《纲目》无此文。

[8] **[谨案]此物……蝮蛇食其根，谬矣** 《纲目》引此文时有删节。

321 鬼臼

味辛，温、微温[1]，有毒。主杀蛊毒鬼疰精物，辟恶气不祥[2]，逐邪，解百毒。 疗咳嗽喉结，风邪烦惑，失魄[3]妄见，去目中肤翳，杀大毒[4]，不入汤。**一名爵犀，一名马目毒公，一名九臼，一名天臼，一名解毒。生九真山谷及宛胊。二月、八月采根。**

畏垣[5]衣。　鬼臼如射干，白而味甘，温，有毒。疗风邪鬼疰蛊毒[6]。九臼相连、有毛者良，一名九臼。生山谷，八月采，阴干。又似钩吻。今马目毒公如黄精，根臼处似马眼而柔润；鬼臼似射干、术辈，有两种：出钱塘、近道者，味甘，上有丛毛，最胜；出会稽、吴兴者，乃大，味苦，无丛毛，不如[7]，略乃相似而乖异毒公[8]。今方家多用鬼臼，少用毒公。不知此那复顿尔乖越也[9]。　[谨案]此药生深山岩石之阴。叶如蓖麻、重楼辈。生一茎，茎端一叶，亦有两歧者。年长一茎，茎枯为一臼。假令生来二十年，则有二十臼，岂惟九臼耶？根肉皮须并似射干。今俗用皆是射干，及[10]江南别送一物，非真者。今荆州当阳县、硖州远安县、襄州荆山县山中并有之[11]，极难得也。

【校注】

[1] **微温** 《大观》《大全》、狩本注为《本经》文。

[2] **祥** 成化《政和》、商务《政和》、万历《政和》作"详"。

[3] **魄** 《本经疏证》作"魂"。

[4] **杀大毒** 《纲目》在"解百毒"之后。

[5] **垣** 万历《政和》作"坦"。

[6] **温，有毒。疗风邪鬼疰蛊毒** 《纲目》无此文。

[7] **出会稽、吴兴者，乃大，味苦，无丛毛，不如** 《纲目》改作"出会稽、吴兴者，大而味

苦，无丛毛，力劣"。

[8] **略乃相似而乖异毒公**　《纲目》无此文。

[9] **鬼臼如射干……顿尔乖越也**　《纲目》引此文时有修改。

[10] **及**　《纲目》作"而"。

[11] **并有之**　《纲目》作"并贡之"。

322　芦根

味甘，寒[1]。主消渴，客热，止小便利。

当掘取甘辛者，其露出及浮水中者，并不堪用也。　　[谨案] 此草，根疗[2]呕逆不下食，胃中热，伤寒患者[3]弥良。其花名蓬蕽[4]，水煮汁服，主霍乱大善，用有验也[5]。

【校注】

[1] **寒**　其后，《纲目》《本草经疏》有"无毒"2字。

[2] **疗**　其后，《纲目》衍"反胃"2字。

[3] **患者**　柯《大观》、《纲目》作"内热"。

[4] **其花名蓬蕽**　《和名类聚钞》引苏敬曰："蓬蕽，苇花名也。"

[5] **水煮汁服，主霍乱大善，用有验也**　《纲目》作"霍乱，水煮浓汁服，大验"。又《纲目》在"芦根"条"集解"下，把苏颂《本草图经》注文并入"唐本注"文。

323　甘蔗根

大寒。主痈肿结热。

本出广州，今都下、东间[1]并有。根叶无异，惟子不堪食尔，根捣[2]敷热肿，甚良。又有五叶莓，生入篱援间，作藤，俗人呼为笼草。取其根捣敷痈疖，亦效[3]。　　[谨案] 五叶，即为乌敛[4]草也。其甘蔗根，味甘寒，无毒。捣汁服，主产后血胀闷，敷肿，去热毒，亦效[5]。岭南者，子大，味甘冷，不益人[6]。北间但有花汁[7]无实。

【校注】

[1] **都下、东间**　《纲目》脱"都下"2字。"东间"，《纲目》《图考长编》作"江东"。

[2] **根捣**　《大观》作"捣烂"。

[3] **又有五叶莓……敷痈疖，亦效**　《纲目》移此文于"乌敛莓"条下。

[4] **敛**　商务《政和》作"蔹"。

[5] **敷肿，去热毒，亦效**　《纲目》作"捣烂敷肿，去热毒"。

[6] **人**　其后，《纲目》有"食动冷气"。

[7] **汁**　《纲目》无此字。

324 萹蓄[1]

味苦[2]，平，无毒。主浸淫疥瘙疽痔，杀三虫。疗女子阴蚀。生东莱山谷。五月采，阴干。

处处有，布地生[3]，花节间白[4]，叶细绿，人亦呼为萹竹[5]。煮汁与小儿饮，疗蛔虫有验[6]。

【校注】

[1] 蓄　《千金方》作"竹叶"。

[2] 苦　孙本、问本、黄本、周本作"辛"。

[3] 布地生　《纲目》《图考长编》作"布地而生"。

[4] 花节间白　《图考长编》作"节间白花"。

[5] 人亦呼为萹竹　《纲目》无"亦"字。《图考长编》作"人谓之萹竹"。

[6] 煮汁与小儿饮，疗蛔虫有验　《纲目》作"煮汁饮小儿疗蛔虫有验"，并注出处为"甄权"。"验"，《图考长编》作"是也"。

325 酢浆草

味酸，寒，无毒。主恶疮瘑瘘，捣敷之[1]，杀诸小虫。生道旁[2]。

叶如细萍[3]，丛生，茎头有三叶。一名醋母草，一名鸠酸草。　新附

【校注】

[1] 之　其后，《纲目》有"食之解热渴"。按，此文是《开宝本草》注文，《纲目》将之误为"唐本注"文。

[2] 旁　其后，《图考长编》有"阴湿处"3字。

[3] 叶如细萍　《纲目》在"茎头有三叶"之后。"萍"字后，《纲目》衍"四月、五月采阴干"。按，此文是《开宝本草》注文。

326 苘实[1]

味苦，平，无毒。主赤白冷热痢。散服饮之，吞一枚破痈肿[2]。

一作蕨字，人取皮为索者[3]。　新附

【校注】

［1］苘实　《纲目》作"苘麻"。

［2］散服饮之，吞一枚破痈肿　《纲目》作"炒研为末，每蜜汤服一钱，痈肿无头吞一枚"。《图经衍义》脱"服"字。"枚"，《图经衍义》作"分"。

［3］一作蕻字，人取皮为索者　《纲目》作"苘即蕻麻也，今人取皮作布及索者。实似大麻子，九月、十月采阴干"。按，此文出处为《开宝本草》注，非"唐本注"。

327　蒲公草[1]

味甘，平，无毒。主妇人乳痈肿[2]，水[3]煮汁饮之，及[4]封之，立消。一名构耨草。

叶似苦苣，花黄，断有白汁，人皆啖之[5]。　新附

【校注】

［1］蒲公草　《纲目》作"蒲公英"，《千金方》作"凫公英"。

［2］主妇人乳痈肿　"主"，《图经衍义》作"生"。"肿"，《纲目》作"水肿"。

［3］水　《纲目》脱此字。

［4］及　《本草经疏》作"又"。

［5］叶似苦苣……人皆啖之　《纲目》无此文。

328　商陆

味辛，酸，平[1]，有毒。主水胀[2]疝瘕痹，熨除痈肿，杀鬼精物。疗胸中邪气，水肿，痿痹，腹满洪直，疏五脏，散水气。如人形者，有神。一名荡根[3]，一名夜呼。生咸阳川[4]谷。

近道处处有，方家不甚干[5]用，疗水肿[6]，切生根杂生[7]鲤鱼煮作汤。道家乃散用及煎酿[8]，皆能去尸虫，见鬼神。其实亦入神药。花名荡花，优良。　　［谨案］此有赤白二种：白者入药用，赤者见鬼神，甚有毒，但贴肿外用。若服之伤人，乃至痢血不已而死也[9]。

【校注】

［1］平　《图考长编》脱此字。

［2］胀　《纲目》《图考长编》作"肿"。

［3］荡根　"荡"，《大观》作"荡"。《纲目》无此2字。

［4］川　《图考长编》作"山"。

［5］干　《纲目》《图考长编》脱此字。

［6］**疗水肿** 《纲目》《图考长编》作"惟疗水肿"。

［7］**生** 《纲目》无此字。

［8］**煎酿** 《纲目》作"煎酿服"。

［9］**乃至痢血不已而死也** 《纲目》作"痢血不已杀人，令人见鬼神"。

329 女青

味辛，平，有毒。主蛊毒，逐邪恶气[1]，杀鬼温疟，辟不祥[2]。一名雀瓢。蛇衔根也，生朱崖[3]。八月采，阴干。

若是蛇衔根[4]，不应独生朱崖。俗用是草叶，别是一物，未详熟是。术云带此屑[5]一两，则疫疠不犯，弥宜识真者[6]。 ［谨案］此草，即雀瓢也，叶似萝摩，两叶[7]相对。子似瓢形，大如枣许，故名雀瓢。根似白薇。生平泽。茎、叶并臭。其蛇衔根，都非其类。又《别录》云：叶嫩时，似萝摩，圆端大茎，实黑，茎、叶汁黄白，亦与前说相似。若是蛇衔根，何得苗生益州，根在朱崖，相去万里余也[8]？《别录》云：雀瓢白汁，主虫蛇毒，即女青苗汁也[9]。

【校注】

［1］**恶气** 《御览》无此2字。

［2］**祥** 成化《政和》、商务《政和》作"详"。

［3］**崖** 其后，《御览》有"生山谷"3字。

［4］**根** 《图考长编》无此字。

［5］**屑** 《纲目》脱此字。

［6］**者** 其后，《纲目》有"又云，今市人用一种根，形状如续断，茎叶至苦，乃云是女青根，出荆州"。

［7］**叶** 《纲目》脱此字。

［8］**也** 其后，《纲目》衍"萝摩叶似女青，故亦名雀瓢"。按，此文是"萝摩"条注文，《纲目》将之移并于此。

［9］**《别录》云：雀瓢白汁……苗汁也** 《纲目》无此文。

330 水蓼

主蛇毒[1]，捣敷之。绞汁服，止蛇毒入内[2]心闷。水煮渍捋脚，消气肿[3]。叶似蓼，茎赤，味辛，生下湿水旁[4]。 新附

【校注】

［1］**毒** 《纲目》作"伤"。

［2］**内** 《纲目》作"腹"。

［3］**水煮渍将脚，消气肿**　《纲目》作"又治脚气肿痛成疮，水煮汁渍将之"。

［4］**旁**　其后，《纲目》衍"叶似马蓼，大于家蓼，茎赤色，水挼食之，胜于蓼子"。按，此文出处为《开宝本草》注，非"唐本注"。

331　角蒿

味辛、苦，平[1]，有小毒。主甘[2]湿匶，诸恶疮有虫者。

叶似[3]白蒿，花如瞿麦，红赤可爱，子似王不留行，墨色作角，七月、八月采。　新附

【校注】

［1］**平**　《纲目》脱此字。

［2］**甘**　《纲目》作"干"。

［3］**叶似**　《纲目》无"叶"字，《大观》脱"似"字。

332　昨叶何草

味酸，平，无毒。主口中干痛，水谷血痢，止血。生上党屋上，如蓬初生[1]。一名瓦松。夏采，日干。

叶似蓬，高尺余，远望如松栽，生年久瓦屋上[2]。　新附

【校注】

［1］**初生**　《纲目》作"初生高尺余，远望如松栽"。

［2］**生年久瓦屋上**　《纲目》无此文。

333　白附子

主心痛血痹，面上百病，行药势。生蜀郡。三月采。

此物乃言出芮芮，久绝，俗无复真者，今人乃作之献用[1]。　［谨案］此物，本出高丽，今出凉州已西[2]，形似天雄，《本经》出蜀郡，今不复有。凉州者[3]，生沙中[4]，独茎，似鼠尾草，叶生穗间[5]。

【校注】

［1］**此物乃言……乃作之献用**　《纲目》无此文。

［2］**已西**　《纲目》作"以西"。

［3］**《本经》出蜀郡，今不复有。凉州者**　《图考长编》脱此文。《纲目》作"蜀郡不复有"。

［4］ **生沙中** 《纲目》作"生沙碛下湿地"。

［5］ **叶生穗间** 《纲目》作"细叶周匝，生于穗间，根形似天雄"。

334 鹤虱

味苦，平[1]，有大毒。主蛔、蛲虫，用之[2]为散，以肥肉臛汁，服方寸匕。亦丸散中用[3]。生西戎。

子似蓬蒿子而细，合叶、茎用之，胡名鹤虱[4]。　新附

【校注】

［1］ **平** 《纲目》作"辛"。

［2］ **用之** 《纲目》脱此2字。

［3］ **亦丸散中用** 《纲目》作"亦入丸散用"。

［4］ **胡名鹤虱** 《纲目》无此文。

335 甑带灰

主腹胀痛，脱肛[1]。煮汁服，主胃反，小便失禁不通，及淋，中恶，尸疰，金创刃不出[2]。　新附

【校注】

［1］ **肛** 万历《政和》作"肚"。

［2］ **金创刃不出** 《纲目》作"烧灰封金疮止血止痛出刃"。按，此文出处为《开宝本草》注，非"唐本注"。

336 屐屦鼻绳灰[1]

水服，主噎哽[2]，心痛，胸满。　新附

【校注】

［1］ **灰** 《纲目》作"烧灰"。

［2］ **噎哽** 《纲目》作"哽咽"。

337 故麻鞋底[1]

水煮汁服之[2]，解紫石英发毒[3]，又主霍乱吐下不止，及解食牛马肉毒、腹

胀、吐痢不止者。　新附

【校注】

[1] **故麻鞋底**　《纲目》作"麻鞋"。又《纲目》将本条主治全文出典误为"苏颂"。

[2] **水煮汁服之**　《纲目》作"旧底洗净煮汁服"。

[3] **解紫石英发毒**　《纲目》在"吐痢不止者"之后。

338　雀麦

味甘，平，无毒。主女人产不出，煮汁饮之。一名蘥，一名燕麦。生^[1]故墟野林下，叶似麦^[2]。　新附

【校注】

[1] **生**　其前，《纲目》衍"雀麦在处有之"。按，此文出于《开宝开草》注。

[2] **叶似麦**　《纲目》作"苗叶似小麦而弱，其实似矿麦而细"。按，此文出于《开宝本草》注。

339　笔头灰^[1]

年^[2]久者，主小便不通，小便数难，阴肿，中恶，脱肛，淋沥，烧灰水服之^[3]。　新附

【校注】

[1] **笔头灰**　《纲目》作"败笔"。

[2] **年**　《千金翼》脱此字。

[3] **主小便不通……烧灰水服之**　《纲目》改作"水服治小便不通，小便数难，淋沥、阴肿、脱肛、中恶"。

《新修本草》草部下品之下卷第十一

木部上品　卷第十二

右木部上品合廿七种廿种《神农本经》，六种《名医别录》，一种新附。

340 伏苓

味甘，平，无毒。主胸胁逆气[1]，忧恚、惊邪、恐悸[2]，心下结痛，寒热，烦满，咳逆，止[3]口焦舌干，利小便。止消渴，好唾[4]，大腹淋沥，膈中淡[5]水，水肿淋结，开胸府，调脏气，伐[6]肾邪，长阴，益气力，保神守中[7]。久服安魂魄[8]、养神、不饥、延年[9]。一名茯菟[10]。其有抱[11]根者，名伏神。伏神，味甘[12]、平。主辟不祥，疗风眩、风虚，五劳、七伤[13]，口干，止惊悸，多恚怒，善忘，开心益智，安魂魄，养精神。生太山山谷大松下。二月、八月采，阴干。

马间[14]为之使。案，药名无马间[15]，或是马茎，声相近故也。得甘草、防风、芍药、紫石英[16]、麦门冬共疗五脏。恶白敛。畏牡[17]蒙、地榆、雄黄、秦胶、龟甲。　今出郁州，彼土人乃故斫松作之，形多小，虚赤不佳。自然成者，大如三四升[18]器，外皮黑细皱，内坚白，形如鸟兽龟鳖者，良。又复时燥则不水[19]。作丸散者，皆先煮之两三沸，乃切，曝干。白色者补，赤色者利，俗用甚多。《仙经》服食，亦为至要。云其通神而致灵[20]，和魂而练魄，明[21]窍而益肌，厚肠而开心，调营而理胃[22]，上品仙药也。善能断谷不饥。为药无朽蛀。吾[23]尝掘地得昔人所埋一块，计应卅许年，而色理无异，明其全不朽矣。其有衔松根对度者，为[24]伏神，是其次伏苓后结一块也。仙方惟云伏苓，而无[25]伏神。为疗既同，用之亦应无嫌。　[谨案]《季氏本草》云：马刀为伏苓使，无名马[26]间者，间字草书，似刀字，写人不识，讹为间耳。陶不悟，云是马茎，谬矣。今大[27]山亦有伏苓，白实而块小[28]，不复采用。今[29]第一出华山，形极粗大。雍州南山亦有，不如华山者。

【校注】

[1] **胸胁逆气**　狩本脱"胸胁"2字。"逆气"，《御览》作"疝气"。

[2] **忧恚、惊邪、恐悸**　《御览》作"夏恚惊恐"。

[3] **止**　《证类》《本草经疏》《本经疏证》《品汇》《图考长编》脱此字。

［4］ **唾** 《政和》《大全》《纲目》《本草经疏》《本经疏证》《图考长编》《草木典》作"睡"，《新修》《千金翼》《大观》《品汇》作"唾"，应以《新修》等为是。

［5］ **淡** 《证类》《纲目》等作"痰"。

［6］ **伐** 《本草经疏》作"代"。

［7］ **守中** 《纲目》《草木典》作"气"。

［8］ **魄** 《证类》《品汇》《本草经疏》《图考长编》均脱。

［9］ **年** 黄本、问本作"季"。

［10］ **一名茯蒐** 《大观》《大全》注为《别录》文。

［11］ **抱** 《新修》原脱，据《千金翼》《证类》补。

［12］ **味甘** 《证类》脱此2字。

［13］ **七伤** 《证类》《品汇》《纲目》《图考长编》《本草经疏》脱此2字。

［14］ **间** 《本经疏证》作"蔺"。

［15］ **药名无马间** "药"，武田本《新修》作"茱"。"间"，《纲目》作"问"。

［16］ **英** 武田本《新修》脱此字。

［17］ **牡** 万历《政和》作"杜"。

［18］ **四升** 《新修》原作"曰斗"，据《证类》改。

［19］ **又复时燥则不水** 《证类》无此文。

［20］ **炅** 《新修》原作"露"，据《证类》改。

［21］ **明** 《图考长编》作"利"。

［22］ **调营而理胃** "而"，《新修》原脱，据《证类》补。"胃"，《图考长编》作"卫"。

［23］ **吾** 《证类》脱此字。

［24］ **计应卅许年……对度者，为** 《新修》原脱，据《证类》补。

［25］ **无** 《新修》原脱，据《证类》补。

［26］ **马** 《新修》原脱，据《证类》补。

［27］ **大** 《证类》作"太"。

［28］ **块小** 其前，《新修》原衍"块"字。其后，《证类》有"而"字。

［29］ **今** 《证类》脱此字。

341 虎魄

味甘[1]，平，无毒。主安五脏，定魂魄，杀精魅邪鬼，消瘀血，通五淋。生永昌。

旧说云是松脂沦入地，千年所化，今烧之亦作松气。俗有虎魄中有一蜂，形色如生。《博物志》又云烧蜂巢[2]所作，恐非实。此或当蜂为松脂所粘，因堕地沦没耳。有煮假鸡子及青鱼枕作者[3]，并非真，惟以拾[4]芥为验。俗中多带之辟恶。刮屑服，疗瘀血至验。《仙经》无正用，惟曲晨[5]丹所须，以赤者为胜。今并从外国来，而出[6]伏苓处永无有。不知出[7]虎魄处，复有伏苓以否？
［谨案］瑿，味甘，平，无毒。古来相传云：松脂千年为伏苓，又千年为虎魄，又千年为瑿。然二物

烧之，皆有松气，为用与虎魄同，补心安神，破血尤善。状似玄玉而轻，出西戎来，而有[8]伏苓处，见无此物。今西州南三百余[9]里，碛中得者，大则方尺，黑润而轻，烧作[10]腥臭，高昌人名为木璆，谓玄玉为石璆。洪州土石间得者，烧作松气，破血生肌，与虎魄同。见风拆破，不堪为器量。此二种及虎魄，或非松脂所为也。有此差舛，今略论之。

【校注】

[1] 甘　《本经续疏》作"苦"。

[2] 窠　《证类》作"窠"。

[3] 有煮假鸡子及青鱼枕作者　《御览》引《本经》曰："取鸡卵靉黄白浑杂者，熟煮及尚软，随意刻作物，以苦酒渍数宿，既坚，内着朸中，佳者，乱真矣。"按，此文是陶弘景《集注》的注文。此处《御览》所言《本经》似指《集注》而言。

[4] 拾　《新修》原作"扮"，据《证类》改。

[5] 晨　《新修》原作"农"，据《证类》改。

[6] 出　《新修》原脱，据《证类》补。

[7] 出　《新修》原脱，据《证类》补。

[8] 有　《新修》原脱，据《证类》补。

[9] 余　《证类》脱此字。

[10] 烧作　《证类》作"烧之"。

342　松脂

味苦、甘，温，无毒。主痈[1]**疽、恶疮，头疡、白秃，疗**[2]**瘙、风气，安五**[3]**脏，除热。**胃中伏热，咽干，消渴，及风痹死肌。炼之令白[4]。其赤者主恶风[5]痹。**久服轻身，不老**[6]**、延年**[7]**。一名松膏，一名松肪。**生大[8]山山谷。六月采。松实，味苦，无毒温[9]。主风痹，寒气，虚羸、少气[10]，补不足。九月采，阴干。松叶，味苦，温。主风湿痹疮气[11]，生毛发，安五脏，守中，不饥、延年。松节，温。主百节久风、风虚，脚痹、疼痛。松[12]根白皮，主辟谷不饥。

采炼松脂法[13]，并在服食方中[14]，以桑灰汁苦酒煮辄[15]，内寒水中数十过，白滑则可用。其有自流出者，乃胜于凿树及煮[16]膏也。其实不可多得，惟叶止[17]是断谷所宜尔。细切如粟，以水及面饮服之。亦有阴干捣为屑、丸服者。人患恶病，服此无不差。比[18]来苦脚弱人，酿松节酒，亦皆愈。松柏皆有脂润，又凌冬不凋，理为佳物，但人多轻忽近易之耳。　　〔谨案〕松花，名松黄，拂取似蒲黄，正尔酒服轻身[19]，疗病云胜皮、叶及脂。其子味甚甘，经直云味苦，非[20]也。松取枝烧其上，下承取[21]汁名淄，主牛马疮疥为[22]佳。树皮绿[23]衣名艾纳，合和诸香烧之，其烟团聚，青白可爱也。

【校注】

[1] **痛** 《证类》《本草经疏》、孙本脱此字。

[2] **疥** 《新修》原作"疼",据《证类》改。

[3] **五** 《新修》原脱,据《证类》补。下同。

[4] **之令白** 《品汇》作"令白服之"。

[5] **风** 《证类》《本草经疏》《品汇》《纲目》《图考长编》均脱。

[6] **不老** 《初学记》《艺文类聚》脱此2字。

[7] **年** 黄本、问本作"季"。

[8] **大** 《证类》作"太"。

[9] **无毒温** 《证类》作"温,无毒"。

[10] **气** 《品汇》作"力"。

[11] **痹疮气** 《证类》《品汇》《图考长编》《纲目》无"痹""气"2字。

[12] **松** 《新修》原脱,据《证类》补。

[13] **法** 《新修》原脱,据《证类》补。

[14] **中** 《新修》原脱,据《证类》补。

[15] **苦酒煮靴** 《证类》《图考长编》作"或酒煮软捼"。

[16] **煮** 其后,《证类》有"用"字。

[17] **止** 《图考长编》作"正"。

[18] **比** 《新修》、武田本《新修》原作"此",据《证类》改。

[19] **正尔酒服轻身** 《证类》作"酒服身轻"。

[20] **非** 《新修》原脱,据《证类》补。

[21] **取** 《新修》原脱,据《证类》补。

[22] **为** 《证类》无此字。

[23] **绿** 《新修》原作"缘",据《证类》改。

343　柏实[1]

味甘,平,无毒。主惊悸,安五脏,益气,除风[2]**湿痹。**疗恍惚、虚损[3],吸吸历节,腰中重痛,益血,止汗[4]。**久服令人润**[5]**泽、美色,耳目聪明,不饥、不老,轻身、延年**[6]。生太山山谷。柏叶尤良。柏叶,味[7]苦,微温,无毒。主吐血,衄血,痢血[8],崩中,赤白,轻身益气,令人耐风寒[9],去[10]湿痹,止饥[11]。四时各依方面采,阴干[12]。柏[13]白皮,主火灼,烂疮,长毛发。

牡蛎、桂[14]、瓜子为之使,恶菊华[15]、羊蹄、诸石及曲[16]。　柏叶、实亦为服食所重,炼饵别有法。柏处处有,当以太山为佳,并忌取冢墓上也。虽四时俱有,而秋夏为好,其脂亦入用。此云恶曲,人有以酿酒无妨,恐酒米相和,宜单用也[17]。　[谨案]柏枝节,煮以酿酒,主风痹、历节风。烧取渖,疗病疥及癞疮尤良[18]。今子仁惟出陕州、宜州为胜。太[19]山无复采者也。

【校注】

[1] **实** 《医心方》《千金方》作"子"。

[2] **风** 孙本脱此字。

[3] **疗恍惚、虚损** 成化《政和》、万历《政和》、商务《政和》作白字《本经》文。《新修》原脱"疗"字，据《证类》补。

[4] **汗** 《新修》原作"汁"，据《证类》改。

[5] **润** 孙本、问本、黄本、周本作"悦"。

[6] **年** 黄本、问本作"季"。

[7] **味** 《新修》原脱，据《证类》补。

[8] **痈血** 《新修》原脱，据《证类》补。

[9] **令人耐风寒** "令"，《新修》原作"金"，据武田本《新修》《证类》改。"风寒"，《证类》作"寒暑"。

[10] **去** 《新修》原作"不"，据《证类》改。

[11] **止饥** 商务《政和》作"止肌"，《纲目》《草木典》《本草经疏》《图考长编》作"生肌"。

[12] **阴干** 《新修》原作"干阴"，据《证类》改。

[13] **柏** 《纲目》《草木典》《图考长编》作"根"。

[14] **蛎、桂** "蛎"字后，《证类》有"及"字。"桂"，《千金翼》作"桂心"。

[15] **恶菊华** "恶"，《千金翼》《证类》《本经疏证》作"畏"。"华"，《证类》作"花"。

[16] **石及曲** "石"，玄《大观》误作"右"。"曲"，《证类》作"面曲"。

[17] **此云恶曲……宜单用也** 《图考长编》脱此文。

[18] **渧，疗病疥及癞疮尤良** "渧"，《新修》原作"渧"，《纲目》作"渧油"，据《证类》改。"病"，《新修》原作"病"，据《证类》改。"癞"，《纲目》作"虫"。《证类》《纲目》脱"尤"字。

[19] **太** 《新修》原作"大"，据《证类》改。

344 箘桂

味辛，温，无毒。主百疾[1]，养精神，和颜色，为诸药先聘通使。久服轻身不老，面生光华媚好，常如童子。生交趾、桂林山谷岩崖间[2]。无骨，正圆如竹。生桂林山谷。立秋采。

交趾属[3]交州，桂林属广州，而《蜀都赋》云：箘桂临崖。今俗中不见正圆[4]如竹者，惟嫩[5]枝破卷成圆，犹依桂用，恐[6]非真箘桂也。《仙经》乃有用箘桂，云三重者良，则判[7]非今桂矣，必当别是一物，应更研访。 ［谨案］箘者，竹名；古方用筒[8]桂者是，故云三重者良。其筒桂亦有二三重卷者，叶似柿叶，中三道文[9]，肌理紧薄如竹，大枝小枝皮俱是箘桂。然大枝皮不能重卷，味极淡薄，不入药用，今惟出韶州[10]。

【校注】

[1] **疾** 《证类》《纲目》《本经疏证》《图考长编》、孙本、森本作"病"。

[2] **桂林山谷岩崖间** 《新修》原作"山谷桂枝间，生桂林山谷"，据《证类》改。

[3] **趾属** 《新修》原作"征马"，据《证类》改。

[4] **圆** 《新修》原作"同"，据《证类》改。

[5] **嫩** 《新修》原作"㜤"，据《证类》改。

[6] **忍** 《证类》无此字。

[7] **判** 《证类》作"明"。

[8] **简** 《图考长编》作"菌"。

[9] **似柿叶，中三道文** 《新修》原作"叶中三道又"，据《证类》改。

[10] **惟出韶州** 《新修》原作"出歙州之"，据《证类》改。

345 牡桂

味辛，温，无毒。主上气咳逆，结气，喉痹，吐吸[1]。心痛，胁风，胁痛，温筋通脉，止烦出汗，**利关节，补中益气。久服通神，轻身不老。**生南海山谷。

南海郡即是广州。今俗用牡桂，状似桂而扁广殊薄，皮色黄，脂肉甚少，气如木兰，味亦类桂，不知当是别树，为复[2]犹是桂生，有老宿者耳，亦所未究。　　[谨案]《尔雅》云：梫，木桂。古方亦用木桂，或云牡桂，即今木桂，及单名桂者，是也。此桂花子与箘桂同，惟叶倍长[3]，大小枝皮俱名牡桂。然大枝皮肌理粗虚如木兰[4]，肉少味薄，不及小枝皮也[5]。小枝皮肉多，半卷。中必皱起，味辛美。一名肉桂，一名桂枝[6]，一名桂心。出融州、柳州、交州甚良[7]。

【校注】

[1] **吸** 《香药钞》作"呕"。

[2] **复** 《新修》原脱，据《证类》补。

[3] **长** 《新修》原作"良"，据《证类》改。

[4] **肌理粗虚如木兰** "肌"，《证类》作"肉"。《证类》脱"兰"字。

[5] **小枝皮也** 《证类》脱此4字。

[6] **一名桂枝** 《新修》原脱，据《证类》补。

[7] **柳州、交州甚良** "柳"，《证类》作"桂"。《新修》原脱"甚良"2字，据《证类》补。

346 桂

味甘、辛[1]，大热，有毒[2]。主温中，利肝肺气，心腹寒热，冷疾，霍乱，转筋，头痛、腰痛，出汗，止烦，止唾、咳嗽、鼻齆，能堕胎，坚骨节[3]，通血脉，理疏不足，宣导百药，无所畏。久服神仙，不老。生桂阳。二月，七[4]、八月，十月采皮，阴干。

得人参、麦门冬、甘草、大黄、黄芩[5]调中益气，得柴胡、紫石[6]、干地黄疗吐逆。　案，《本经》惟有箘桂、牡桂，而无此桂[7]，用体大同小异，今俗用便有三种。以[8]半卷多脂者单名桂，入药最多，所用悉与前[9]说相应。《仙经》乃并有三种[10]桂，常服食，以葱涕合和云母蒸化为[11]水者，正是此种耳。今出广州湛惠为[12]好，湘州、始兴、桂阳县即是小桂，亦有，而不如广州者，交州、桂州者形段[13]小，多脂肉，亦好。《经》云桂叶如柏叶，泽黑，皮黄心赤。齐武帝时，湘州送桂树，以植芳林苑中，今东山有山桂[14]皮，气粗相类，而叶乖[15]异，亦能凌冬，恐或是牡桂，时人多呼丹桂，正谓皮赤耳。北[16]方今重此，每食辄须之[17]。盖《礼》所云姜桂以为芬芳也。　　[谨案]箘桂，叶似柿叶，中有纵文三道，表裹无毛而光泽。牡桂叶长尺许，陶云小桂，或言其叶小者。陶引《经》云：叶似柏叶，验之[18]殊不相类，不知此言从何所出。今案，桂有二种，惟[19]皮稍不同，若箘桂老皮坚板无肉，全不堪用。其小枝皮薄卷，乃[20]二三重者，或名箘桂，或名筒桂。其牡桂嫩枝皮，名为肉桂，亦名桂枝。其老者，名牡桂，亦名木[21]桂，得人参等良。本是箘桂，剩出单桂条[22]，陶为深误矣。

【校注】

[1] 甘、辛　《本草经疏》作"辛甘"。

[2] 有毒　《证类》《本草经疏》《图考长编》作"有小毒"。

[3] 能堕胎，坚骨节　《纲目》《草木典》作"堕胎，温中，坚筋骨"。

[4] 七　《证类》无此字。

[5] 芩　玄《大观》作"岭"。

[6] 紫石　《证类》作"紫石英"。

[7] 箘桂、牡桂，而无此桂　《证类》《图考长编》作"箘、牡二桂"。

[8] 以　《图考长编》作"心"。

[9] 前　《新修》原脱，据《证类》补。

[10] 种　《证类》无此字。

[11] 为　《新修》原脱，据《证类》补。

[12] 湛惠为　《证类》脱此3字。

[13] 段　《新修》原作"疑"，据《证类》，改。

[14] 山桂　《证类》作"桂"。

[15] 乖　《新修》原作"永"，《图考长编》作"华"，据《证类》改。

[16] 北　《新修》原作"此"，据《证类》、武田本《新修》改。

[17] 之　《新修》原脱，据《证类》补。

[18] 叶似柏叶，验之　"叶似"，《证类》脱"叶"字。"验之"，《新修》原脱，据《证类》补。

[19] 有二种，惟　《新修》原脱"有"字，据《证类》补。"惟"，《证类》作"桂"。

[20] 皮薄卷，乃　《证类》脱"皮"字。"乃"，《证类》作"及"。

[21] **牡桂，亦名木** 《证类》作"木桂，亦名大"。

[22] **剩出单桂条** "剩"，《新修》原作"垂"，据《证类》改。"条"，《新修》原脱，据《证类》补。

347 杜仲

味辛、甘，平、温，无毒。主腰脊[1]**痛，补中，益精气，坚筋骨，强志，除**[2]**阴下痒湿，小便余沥。**脚中酸疼痛[3]，不欲践地。**久服轻身能**[4]**老。**一名思仙，一名思仲，一名木绵。生上虞山谷又上党及[5]汉中。二月、五月、六月、九月[6]采皮，阴干[7]。

畏[8]蛇蜕皮、玄参。　上虞在豫州，虞、虢之虞，非会稽上虞县也。今用出建平、宜都[9]者，状如厚朴，折之多白丝为佳。用之薄削去上甲[10]皮，横理切令丝断也。

【校注】

[1] **腰脊** "腰"，孙本、黄本、问本作"要"。"脊"，《纲目》《图考长编》《本草经解》作"膝"。

[2] **除** 《新修》原脱，据《证类》补。

[3] **痛** 《证类》脱此字。

[4] **能** 《证类》作"耐"。

[5] **又上党及** 《证类》作"及上党"。

[6] **九月** 《图经衍义》脱此2字。

[7] **阴干** 《证类》《图考长编》《本经续疏》脱此文。

[8] **畏** 《证类》作"恶"。

[9] **都** 其后，《新修》原衍"朴者状厚"4字，据《证类》删。

[10] **甲** 《证类》脱此字。

348 枫香脂

一名白胶香[1]，味辛、苦，平，无毒。主瘾疹[2]风痒、浮肿、齿痛。其[3]树皮，味辛，平，有小[4]毒。主水肿，下水气，煮汁用之。所在大山皆有。

树高大，叶三角，商、洛之间多有[5]。五月斫树为坎[6]，十一月采脂。　新附

【校注】

[1] **一名白胶香** 《证类》在"齿痛"之后。

[2] **瘾疹** 《新修》原作"身上"，据《证类》改。

[3] **其** 《新修》原脱，据《证类》补。

[4] 小 《新修》原作"少"，据《证类》改。

[5] 商、洛之间多有 《新修》原脱，据《证类》补。

[6] 坎 《新修》原作"次"，据《证类》改。

349 干漆

味辛，温，无毒[1]**、有毒。主绝伤，补中，续筋骨，填髓脑，安五脏，五缓六急，风寒湿**[2]**痹，疗咳嗽，消瘀血，痞结**[3]**，腰痛，女子疝瘕，利小肠，去蛔虫。生漆去长虫。久服轻身能**[4]**老。生汉中川**[5]**谷。夏至后采，干之。**

半夏为[6]之使，畏鸡子，今又忌油脂。 今梁州漆最胜，益州亦有，广州漆性急易燥。其诸处漆桶上盖裹，自然有干者，状如蜂房，孔孔隔者为佳。生漆毒烈，人以鸡子白[7]和服之，去虫。犹有啮[8]肠胃者，畏漆人乃致死。外气亦能使身肉[9]疮肿，自别有疗法。仙方用蟹消之为水，炼服长生。

【校注】

[1] 无毒 徐本、顾本、卢本均脱。

[2] 湿 《新修》原作"温"，据《证类》改。

[3] 疗咳嗽，消瘀血，痞结 《新修》原作"咳嗽消疼血痞满"，据《证类》改。

[4] 能 《证类》作"耐"。

[5] 川 《图考长编》作"山"。

[6] 为 《图经衍义》作"如"。

[7] 白 《证类》脱此字。

[8] 啮 《新修》原作"韧齿"，据《证类》改。

[9] 身肉 《新修》原作"宇"，据《证类》改。

350 蔓荆实

味苦、辛，微寒，平、温，无毒。主筋骨间寒热，湿[1]**痹，拘挛，明目，坚齿，利九窍，去**[2]**白虫、长虫**[3]**。主风头痛，脑鸣，目泪出。益气，久服轻身能**[4]**老。令人光泽，脂致**[5]**，长须发**[6]**。小荆实亦等**[7]**。生益州**[8]**。**

恶乌头、石膏。 小荆即应是牡荆，牡荆子大于蔓荆子而反呼为小荆，恐或以树形为言。复不知蔓荆树若高大耳。 ［谨案］此荆子[9]，今人呼为牡荆子者是也。其蔓荆子大，故呼牡荆子为小荆；实亦等者[10]，言其功与蔓荆同也。蔓荆苗蔓生，故名蔓荆。生水滨，叶似杏叶而细，茎长丈[11]余，花红白色，今人误以小荆为蔓荆[12]，遂将蔓荆子为牡荆子也。

【校注】

[1] **湿** 孙本脱此字。

[2] **去** 《大全》作"云"。

[3] **长虫** 《纲目》脱此2字。《品汇》误注此2字为《本经》文。"虫",《新修》原脱,据《证类》补。

[4] **能** 《证类》《本草经疏》《图考长编》、孙本作"耐"。

[5] **令人光泽,脂致** "光",《新修》原作"蔓",《千金翼》作"润",据《证类》改。又"脂致",《千金翼》作"颜色"。

[6] **长须发** 《证类》《品汇》《图考长编》《本经续疏》无此文。

[7] **小荆实亦等** 《品汇》注为《别录》文。《图考长编》无此文。

[8] **生益州** 《证类》《品汇》《图考长编》《本经续疏》无此文。

[9] **此荆子** 《证类》作"小荆实"。

[10] **小荆:实亦等者** 《新修》原作"实亦等",据《证类》改。

[11] **丈** 《新修》原脱,据《证类》补。

[12] **今人误以小荆为蔓荆** 《新修》原作"今医因陶误注莱州、邓州",据《证类》改。

351 牡荆实

味苦,温,无毒。主除骨间寒[1]热,通利胃气,止咳逆[2],下气。生河间南阳宛朐山谷,或平寿、都乡高堤[3]岸上,牡荆生田野[4]。八月、九月采实,阴干。

得术[5]、柏实、青葙共疗头风,防风[6]为之使,恶[7]石膏。 河间、宛朐、平寿并在北,南阳在西,论蔓荆,即应是今作杖棰之荆,而复非见。其子殊细,正如小麻子,色青黄。荆子实小大如[8]此也。牡荆子乃[9]出北方,如乌豆大,正圆黑,仙术多用牡荆,今人都无识之者。李当之《药录》乃注溲[10]疏下云:溲[11]疏一名阳胪,一名牡荆,一名空疏。皮白,中空,时有节。子似枸杞子,赤色,味甘、苦,冬月熟,俗乃[12]无识者。当此实是真,非人篱域[13]阳胪也。案,如此说,溲疏主疗与牡荆都不同,其形类乖异,恐乖实理。而仙方用牡荆,云能通神见鬼,非惟其实,乃枝叶并好。又云有[14]荆树,必枝枝[15]相对,此是牡荆,有不对者,即非[16]牡荆。既为父[17],则不应有子。如此,并莫详虚实,须更博访,乃详之耳。 [谨案]此即作棰杖荆,是也。实细,黄黑[18]色,茎劲作树,不为蔓生,故称之为牡,非无实之谓也。案,《汉书·郊祀志》,以牡荆茎为幡竿,此明则蔓[19]不堪为竿。今所在皆有,此荆[20]非《本经》所载。案,今生出[21]乃是蔓荆,将以附此条后[22],陶为误矣。《别录》云:荆叶,味苦,平,无毒。主久痢[23]、霍乱、转筋、血[24]淋,下部疮湿蜃,薄脚,主脚气肿满。其[25]根,味甘、苦,平,无毒。水煮服,主心风、头风、肢体诸风,解肌发汗。有青、赤二种,赤[26]者为佳。出《类聚方》,今医相承[27],多[28]以牡荆为蔓荆,此[29]极误也。

【校注】

[1] 寒 《新修》原脱,据《证类》补。

[2] 递 《新修》原脱,据《证类》补。

[3] 堤 《证类》《图考长编》脱此字。

[4] 牡荆生田野 《证类》《图考长编》作"及田野中"。

[5] 术 《新修》原作"木",据《证类》改。

[6] 风 《纲目》《草木典》作"己"。

[7] 恶 《纲目》作"畏"。

[8] 如 《新修》原脱,据《证类》补。

[9] 乃 《证类》作"及"。

[10] 溲 《新修》原作"搜",据《证类》改。

[11] 溲 《新修》原脱,据《证类》补。

[12] 乃 《证类》作"仍"。

[13] 城 《证类》作"垣"。

[14] 云有 《新修》原作"有云",据《证类》改。

[15] 枝枝 《证类》作"枝叶"。

[16] 非 《新修》原作"是",据《证类》改。

[17] 父 《证类》作"牡"。

[18] 黑 《证类》脱此字。

[19] 明则蔓 《证类》作"则明蔓",《图考长编》作"则明知"。

[20] 荆 其后,《证类》有"既"字。

[21] 出 《证类》作"处"。

[22] 将以附此条后 《新修》原作"以为附后",据《证类》改。

[23] 痢 《草木典》作"病"。

[24] 血 《新修》原作"而",据《证类》改。

[25] 其 《新修》原脱,据《证类》补。

[26] 赤 《证类》作"以青"。

[27] 医相承 "医",《证类》作"人"。"承"字后,《新修》原衍"以蔓荆为牡荆",据《证类》删。

[28] 多 《新修》原脱,据《证类》补。

[29] 此 《新修》原脱,据《证类》补。

352 女贞实[1]

味苦、甘,平,无毒。主补中,安五[2]脏,养精神,除百疾[3],久服肥健,轻身不老。生武陵川[4]谷。立冬[5]来。

叶茂[6]盛,凌冬不凋,皮青[7]肉白,与秦皮为表里,其树以[8]冬生而可爱,诸处时有。《仙经》亦服食之，俗方不复用，市人亦无识之者。　　〔谨案〕女贞叶，似枸骨及冬[9]青树等，其实九月熟黑，似牛李子。陶[10]云与秦皮为表里，误矣。然秦皮[11]叶细冬枯，女贞叶大冬茂，殊非类也。

【校注】

[1] **实**　《本草和名》《医心方》脱此字。

[2] **五**　《新修》原脱，据《证类》补。

[3] **疾**　《纲目》作"病"。

[4] **川**　孙本、问本、黄本作"山"。

[5] **冬**　《新修》原作"夏"，据《证类》改。按，女贞在冬月熟，则立冬采较合理。

[6] **茂**　《新修》原作"茷"，据《证类》改。

[7] **青**　《新修》原脱，据《证类》补。

[8] **以**　《新修》原作"似"，据《证类》改。

[9] **冬**　《新修》原脱，据《证类》补。

[10] **陶**　《新修》原作"经"，据《证类》改。

[11] **皮**　《新修》原作"树"，据《证类》改。

353　桑上寄生

味苦、甘，平，无毒。主腰痛，小儿背强，痈肿，安胎[1]**，充肌肤，坚发齿，长须眉。**主金创[2]，去痹，女子崩中，内伤不足，产后余疾，下乳汁。**其实**[3]**明目，轻身通神。一名寄屑，一名寓木，一名宛童**[4]**，一名蔦**[5]**，生弘农川谷桑树**[6]**上。三月三日采茎、叶**[7]**，阴干。

桑上者，名桑上寄生耳。诗人云：施于松上，方家亦有用杨上、枫上者，则各随其树名之，形类犹是一般[8]，但根津所因处为异。法[9]生树枝间，寄根在枝[10]节之内，叶圆青赤，厚泽易折，旁自生枝节。冬夏生，四月华[11]白，五月实赤，大如小豆。今处处皆有，以出彭城为胜。俗人皆呼[12]为续断用之。案，《本经》续断别在中[13]品药，所主疗不同，岂只一物，市人使混乱无复能甄识之者。服食方云[14]是桑檽，与此说又为[15]不同耳。　　〔谨案〕寄生槲、榉、柳、水杨、枫[16]等树上，子黄，大如小枣[17]子，惟虢州有桑上者。子汁其黏，核大如[18]小豆，叶无阴阳，如细柳叶而厚肌[19]，茎粗短，江南人相承用为续断，殊不相关。且寄生实，九月始熟而黄，今称五月实赤，大如小豆，此是[20]陶未见之。

【校注】

[1] **安胎**　《纲目》将之置于"长须眉"之后。

[2] **创**　《证类》《品汇》《图考长编》作"疮"。

［3］**实**　其后，《本草经疏》、徐本有"主"字。

［4］**一名宛童**　《大观》《大全》、狩本、《图考长编》注为《别录》文。

［5］**鸢**　《证类》《纲目》《本经续疏》《图考长编》作"鸢"。

［6］**树**　《千金翼》脱此字。

［7］**叶**　《本经续疏》脱此字。

［8］**般**　《新修》原脱，据《证类》补。

［9］**法**　《图考长编》作"注"。

［10］**枝**　《证类》作"皮"。

［11］**华**　《证类》《图考长编》作"花"。

［12］**人皆呼**　《证类》《图考长编》脱"人""皆"2字。

［13］**在中**　《新修》作"中"，《证类》《纲目》作"上"。

［14］**云**　《证类》脱此字。

［15］**为**　《证类》脱此字。

［16］**寄生榭、檞、柳、水杨、枫**　"寄"，《证类》作"多生"，《新修》原脱"柳、水杨枫"，据《证类》补。

［17］**枣**　《新修》原作"来"，据《证类》改。

［18］**如**　《证类》作"似"。

［19］**而厚肌**　《新修》原脱"而"字，据《证类》补。"肌"，《证类》作"晚"，《图考长编》作"软"。柯《大观》注云："晚当作脆。"

［20］**此是**　《证类》作"盖"。

354　蕤核

味甘，温、微寒，无毒。主心腹邪结气，明目，目痛赤伤[1] 泪出。治目肿眦烂[2]，齆鼻[3]，破心下结淡[4]痞气。**久服轻身，益气**[5]**不饥。**生函谷川谷及巴西。七月采实[6]。

今从北方来，云出彭城间，形如乌豆大，圆而扁，有文理，状似胡桃桃核[7]，令人皆合壳用为分两，此乃应破取仁秤[8]之。医方惟以疗眼，《仙经》以合守中丸也。　　［谨案］采字如此作也[9]。

【校注】

［1］**目痛赤伤**　《千金翼》《证类》《品汇》《图考长编》《本草经疏》作"目赤痛伤"。《御览》脱"目"字。

［2］**治目肿眦烂**　《证类》脱"疗"字。《纲目》《草木典》注"目肿眦烂"为《本经》文。

［3］**齆鼻**　《纲目》《草木典》在"痞气"之后。

［4］**淡**　《证类》作"痰"。

［5］**益气** 《本草经疏》作"耐老"。

［6］**七月采实** 《证类》无此文。

［7］**似胡桃桃核** 《新修》原作"形胡桃"，据《证类》改。

［8］**秤** 《新修》原作"禅"，据《证类》改。

［9］**［谨案］采字如此作也** 《证类》无此文。

355　五加[1]

味辛、苦、温[2]、微寒，无毒。**主心腹疝气，腹痛，益气，疗躄小儿不[3]能行，疽疮[4]，阴蚀。**男子阴痿，囊下湿，小便余[5]沥，女人阴痒及腰脊痛，两脚疼[6]痹风弱，五缓虚羸。补中益精，坚筋骨，强志意。久服轻身耐老。**一名豺漆[7]**，一名豺节。五叶者良。生汉中及宛朐。五月、七月采茎，十月采根，阴干。

远志为之使，畏蛇脱[8]皮、玄参。　今近道处处有，东间弥多，四叶者亦好，煮根茎酿酒，至[9]益人，道家用此作灰，亦以[10]煮石与地榆，并有秘法。加字或作家字者也[11]。

【校注】

［1］**加** 《新修》原作"茄"。据《证类》改。

［2］**温** 柯《大观》注为《别录》文。

［3］**不** 《新修》原作"立"，据《证类》改。

［4］**疽疮** "疽"，问本作"疸"。"疮"，孙本作"创"。

［5］**余** 《新修》原作"饮"，据《证类》改。

［6］**疼** 《图考长编》作"痛"。

［7］**一名豺漆** 《图经衍义》脱此文。

［8］**畏蛇脱** "畏"，《纲目》作"恶"。《证类》无"脱"字。

［9］**至** 《证类》作"主"。

［10］**以** 《图考长编》作"可"。

［11］**加字或作家字者也** 《证类》无此文。

356　沉香、薫陆香、鸡舌香、藿香、詹糖香、枫香[1]

并微温。悉疗风水毒肿，去恶气。薫陆、詹糖去伏尸。鸡舌、藿香疗霍乱、心痛。枫香疗风瘾疹痒毒。

此六种香[2]皆合香家要用，不正复[3]入药，惟疗恶核毒肿，道方颇有用处。詹糖出晋安岑州，上真淳泽[4]者难得，多以其皮及柘[5]虫屎杂之，惟轻[6]者为佳，其余无甚真伪[7]，而有精粗耳。外国用波津香明目。白檀消风肿。其青木香别在上品[8]。　［谨案］沉香、青桂、鸡骨、马蹄、笺香等，同是一树，叶似橘叶，花白，子似槟榔，大如桑椹，紫色而味辛。树皮青色，木似榉柳。薰陆香，形似白胶，出天竺、单于[9]国。鸡舌香，树叶及皮并似栗，花如梅花，子似枣[10]核，此雌树也，不入香用。其雄树著[11]花不实，采花酿之，以成香，出昆仑及交、爱以南。詹糖树似橘，煎枝叶为香，似沙[12]糖而黑，出交、广以南。又有丁香根，味辛，温，主风毒诸肿。此别一种树，叶似栎，高数丈，凌冬不凋，惟根堪疗风热毒肿，不入心腹之用，非鸡舌也[13]。詹糖香，疗恶疮，去恶气，生晋安[14]。

【校注】

[1] 本条，《证类》分6条叙述。

[2] **六种香** 《证类》脱此3字。

[3] **复** 《证类》无此字。

[4] **泽** 《证类》脱此字。

[5] **柘** 《证类》作"蠹"。

[6] **轻** 《证类》作"软"。

[7] **其余无甚真伪** 《证类》作"余香无真伪"。

[8] **外国用波津香……别在上品** 《证类》脱此文。

[9] **单于** 《新修》原作"单：二"，据《证类》改。

[10] **枣** 《新修》原作"束"，据《证类》改。

[11] **其雄树著** 《新修》原脱"其"，据《证类》补。"著"，《证类》作"虽"。

[12] **沙** 《新修》原脱，据《证类》补。

[13] **又有丁香根……非鸡舌也** 《证类》脱此文。

[14] **詹糖香，疗恶疮，去恶气，生晋安** 《新修》原脱，据《证类》补。

357 蘗木[1]

味苦，寒，无毒。主五脏肠胃中结气[2]热，黄疸[3]，肠痔，止泄痢，女子漏下、赤白，阴阳[4]蚀疮。疗[5]惊气在皮间，肌肤热赤起，目热赤痛，口疮。久服通神。一名檀桓。根，名檀桓[6]，主心腹百病，安魂魄，不饥渴。久服轻身，延年通神[7]。生汉中山谷及永昌。恶干漆。

今出邵陵者，轻薄色深为胜。出东山者，厚重[8]而色浅。其根于道家入木芝品，今人不知取服之。又有一种小树，状如石榴。其皮黄而苦，俗呼为子蘗，亦[9]主口疮。又一种小树，至[10]多刺，皮亦黄，亦主口疮。　［谨案］子蘗，一名山石榴，子似女贞，皮白不黄，亦名小蘗，所在皆[11]有。今云皮黄，恐谬矣。案，今俗用子蘗，皆多刺小树，名刺蘗，非小蘗也。

【校注】

[1] **蘗木** 《图考长编》《长生疗养方》作"黄檗"。

[2] **气** 《证类》《品汇》《纲目》《图考长编》《本草经疏》《本经疏证》均脱。

[3] **疰** 《本草经疏》作"瘅"。

[4] **阳** 《证类》《品汇》作"伤"。

[5] **疗** 《新修》原脱，据《证类》补。

[6] **一名檀桓。根，名檀桓** 《证类》作"根，一名檀桓"。

[7] **主心腹百病……通神** 《纲目》《草木典》注为《本经》文。

[8] **重** 《证类》无此字。

[9] **亦** 《新修》原作"赤"，据《证类》改。

[10] **至** 《证类》无此字。

[11] **皆** 《证类》无此字。

358　辛夷

味辛[1]**，温，无毒。主五脏身体寒风**[2]**，风头**[3]**，脑痛，面皯。** 温中解肌，利九窍，通鼻塞[4]涕出。疗面肿引[5]齿痛眩冒[6]，身洋洋[7]如在车船之上者。生须发，去白虫。**久服下气轻身，明目，增年，能老**[8]。可作膏药，用之去中[9]心及外毛，毛射人肺，令人咳。**一名辛矧**[10]**，一名喉**[11]**桃，一名房木。**生汉中川谷。九月采实，曝干。

芎䓖为之使，恶五石脂，畏昌蒲、蒲黄[12]、黄连、石膏、黄环。　今出丹阳近道，形如桃子，小时气辛香，即《离骚》所呼辛夷者也。　 [谨案] 此是树花未开时收之，正月、二月好采。今见用者，是其言[13]九月采实者，恐误。其树大，连合[14]抱高数仞，叶大于柿叶，所在皆有。实臭，不任药也。方云去毛，用其心，然难得，而滋人面。此用花开者易得，而且香。

【校注】

[1] **辛** 《图考长编》脱此字。

[2] **风** 《证类》作"热"。

[3] **风头** 《纲目》《图考长编》作"头风"。

[4] **塞** 《新修》原作"寒"，据《证类》改。

[5] **引** 《新修》原作"私"，据《证类》改。

[6] **冒** 《新修》原作"胃"，据《证类》改。

[7] **洋洋** 《证类》《纲目》《品汇》《图考长编》《本草经疏》《本经续疏》作"兀兀"。

[8] **增年，能老** "年"，黄本、问本作"季"。"能"，《证类》《纲目》《品汇》《图考长编》作"耐"。

[9] **中** 《证类》脱此字。

[10] **矧** 《御览》作"引"，《纲目》《图考长编》作"雉"。

[11] **喉** 《证类》作"侯"。

[12] **蒲黄**　《新修》原脱，据《证类》补。

[13] **言**　《证类》无此字。

[14] **合**　《新修》原脱，据《证类》补。

359　木兰

味苦，寒，无毒。**主身有[1]大热在皮肤中，去面热赤疱、酒皶[2]，恶风、癞[3]疾，阴下痒湿，明目。**疗中风伤寒，及痈疽水肿，去臭气。**一名林[4]兰，**一名杜兰，皮似桂而香[5]。生零陵山[6]谷，生[7]太山。十二月采皮，阴干。

零陵诸处皆有，状如楠树，皮甚薄而味辛香。今益州有，皮厚，状如厚朴，而气味为胜。故《蜀都赋》云：木兰梫桂也[8]。今东人皆以山桂皮当[9]之，亦相类，道家用合香，亦好也。

［谨案］木兰叶[10]似箘桂叶，其叶气味辛香，不及桂也。

【校注】

[1] **有**　《证类》《纲目》《品汇》《图考长编》脱此字。

[2] **酒皶**　《新修》原作“皶酒”，据《证类》改。

[3] **癞**　《证类》《纲目》《品汇》《图考长编》《千金翼》、孙本、顾本、狩本作“癫”，《新修》、森本、《香药钞》《香要钞》《香字钞》作“癞”，应以《新修》等为是。

[4] **林**　《香字钞》作“松”。

[5] **皮似桂而香**　《纲目》《草木典》此句在“生太山”之后。

[6] **山**　孙本、黄本、问本作“川”。

[7] **生**　《证类》作“及”。

[8] **故《蜀都赋》云：木兰梫桂也**　《证类》脱此文。

[9] **皮当**　《新修》原作“及桄”，据《证类》改。

[10] **叶**　《证类》脱此字。

360　榆皮

味甘，平，无毒。**主大小便不通，利水道，除邪气。**肠胃邪热气，消肿。性滑利。**久服[1]轻身不饥，其实尤良。**疗小儿头疮痂[2]疕。华，主小[3]儿痫，小便不利，伤热。**一名零榆。**生颍川山谷。二月采皮，取白曝干。八月采实，并勿令中湿，湿则[4]伤人。

此即今榆树耳，剥取皮，刮除上赤皮[5]，亦可临时用之。性至滑利，初生叶[6]，人以作糜羹辈[7]，令人睡眠[8]。嵇公所谓：榆，令人瞑也[9]。断谷乃屑其皮，并檀皮服之，即所谓不饥者也[10]。　［谨案］榆三月实熟，寻即落矣，今称八月采实，恐《本经》误也。

【校注】

[1] **服** 其后，《纲目》衍"断谷"2字。

[2] **疡** 《新修》原脱，据《证类》补。

[3] **华，主小** "华"，《大全》《本经续疏》作"花"。《本经续疏》脱"小"字。

[4] **湿则** 《本经续疏》作"中湿"。

[5] **皮** 《新修》原脱，据《证类》补。

[6] **叶** 《纲目》《图考长编》作"英仁"。

[7] **人以作糜羹辈** 《证类》脱"人""辈"。

[8] **睡眠** 《证类》作"多睡"。

[9] **瞑也** 《新修》原作"眠"，据《证类》改。

[10] **所谓不饥者也** 《证类》作"令人不饥"。

361 酸枣

味酸，平，无毒。主心腹寒热，邪结气[1]**聚，四肢酸疼**[2]**湿痹。**烦心不得眠，脐上下痛，血转、久泄，虚汗、烦[3]渴。补中，益肝气，坚筋大[4]骨，助阴气，令[5]人肥健。**久服安五**[6]**脏，轻身延年**[7]。生河东川泽。八月采实，阴干卅[8]日成。

恶防己。 今出东山间，云即是山枣树子，子似武昌枣，而味极酸，东人乃啖[9]之以醒睡，与此疗不得眠正反矣。 ［谨案］此即樲枣实也，树大如大枣，实无常形，但大枣中味酸者是。《本经》惟用实，疗不得眠，不言用仁。今方用其仁，补中益气。自补中益肝已下，此为酸枣仁[10]之功能。又于下品白棘条中复云用其实。今医以棘实为酸枣，大[11]误矣。

【校注】

[1] **气** 其后，《证类》《纲目》《品汇》《图考长编》《本草经疏》《本经疏证》有"聚"字。

[2] **疼** 《本草经解》作"痛"。

[3] **虚汗、烦** 《新修》原脱"虚""烦"2字，据《证类》补。

[4] **大** 《证类》无此字。

[5] **令** 《图经衍义》作"今"。"令"字前，《本草经疏》衍"能"字。

[6] **五** 《新修》原脱，据《证类》补。

[7] **年** 黄本、问本作"季"。

[8] **阴干卅** 《新修》原脱"干"字，据《证类》补。"卅"，《证类》作"四十"。

[9] **乃啖** 《证类》脱"乃"字。"啖"，《新修》原作"敢"，据《证类》改。

[10] **此为酸枣仁** 《新修》原作"为酸来"，据《证类》改。

[11] **大** 《新修》原作"太"，据《证类》改。

362 槐实

味苦、酸、咸，寒，无毒。主五内邪气热，止涎唾，补绝[1]**伤，疗五痔**[2]**，火疮，妇人乳瘕，子脏急痛**[3]。以[4]七月七日取之，捣取[5]汁，铜器盛之，日煎，令可作丸，大[6]如鼠矢，内窍中，三易乃愈[7]。又堕胎。久服明目，益气，头不白，延年[8]。枝主洗疮及阴囊下湿痒。皮主烂疮。根主喉痹寒热。生河南平泽。可作神烛。

景天为之使。 槐子以多连[9]者为好，十月上[10]巳日采之。新盆盛，合泥百日，皮烂为水，核如大豆。服之，今令人[11]脑满，发不白而长生。今[12]处处有，此云七月取其子未坚，故捣绞取汁。 ［谨案］《别录》云：八月断槐大枝，使生嫩[13]蘖，煮汁酿酒，疗大风痿痹甚效。槐耳味苦、辛，平，无毒。主五痔心痛，女人阴中痒[14]痛。槐树菌也，当取坚如桑耳者。枝炮熨止蝎毒也。

【校注】

[1] **绝** 《图经衍义》作"五"。

[2] **疗五痔** 《纲目》注为《别录》文。

[3] **子脏急痛** 《品汇》注为《别录》文。

[4] **以** 其前，《图考长编》衍"五痔疮漏"。

[5] **取** 《纲目》脱此字。

[6] **令可作丸。大** "丸"，《新修》原作"九"，据《证类》改。《纲目》脱"大"字。

[7] **三易乃愈** 《新修》原作"三著愈"，据《证类》改。《纲目》《图考长编》作"日三易乃愈"。

[8] **白。延年** "白"，《新修》原作"日"，据《证类》改。"年"字后，《纲目》衍"五痔疮瘘"。

[9] **以多连** 《证类》作"以相连多"。

[10] **上** 《证类》无此字。

[11] **今令人** 《证类》作"令"。

[12] **今** 《新修》原脱，据《证类》补。

[13] **使生嫩** "使"，《纲目》作"侯"。"嫩"，《新修》原作"㜷"，据《证类》改。

[14] **女人阴中痒** 《证类》作"妇人阴中疮"。

363 楮实[1]

味甘，寒[2]，无毒。主阴痿水肿，益气，充肌肤，明目[3]。久服不饥，不老轻身。生少室山[4]，一名谷实[5]，所在有之。八月、九月采实，日干，四十日成[6]。叶，味甘，无毒。主小儿身热，食不生肌，可作浴汤。又主恶疮生肉。

树[7]皮，主逐水，利小便。茎，主瘾疹痒，单煮[8]洗浴。其皮间白汁疗[9]癣。

此即今谷树子[10]也，仙方采捣取汁和丹用，亦干服，使人通神见鬼。南人呼谷纸，亦为楮纸，作褚音[11]。武陵人作谷皮衣，又甚[12]坚好耳也[13]。

【校注】

[1] 楮 《新修》作"柠"，据《证类》改。

[2] 味甘，寒 《大观》《本经续疏》注为《本经》文。

[3] 主阴痿水肿，益气，充肌肤，明目 《大观》《本经续疏》注为《本经》文。"肤"，《纲目》《草木典》脱此字。

[4] 益气……生少室山 《新修》脱，据《千金翼》《证类》补。

[5] 一名谷实 《大观》《本经续疏》注为《本经》文。

[6] 四十日成 《新修》脱，据《千金翼》《证类》补。

[7] 树 《千金翼》脱此字。

[8] 单煮 《纲目》《草木典》作"煮汤"。

[9] 间白汁疗 《新修》脱"间""疗"2字，据《证类》补。

[10] 子 《证类》无此字。

[11] 作褚音 《证类》无此文。

[12] 甚 《新修》作"其"，据《证类》改。

[13] 又甚坚好耳也 《纲目》"楮"条作"甚坚好"，且在此句下引有"恭曰"，但"恭曰"后所列文字出于苏颂《本草图经》，非《新修》注文。

364 枸杞[1]

味苦，寒，根大寒，子微寒，无毒。主五内邪气，热中，消渴，周[2]痹。 风湿[3]，下胸胁气，客热[4]，头痛，补内伤，大劳、嘘吸，坚筋骨[5]，强阴，利大小肠。**久服[6]坚筋骨，轻身不老，耐寒暑[7]。一名杞[8]根，一名地骨，一名枸忌[9]，一名地辅，一名羊乳，一名却暑[10]，一名仙人杖，一名西王母杖。生常山平泽、又诸丘陵阪岸上[11]。冬采根，春、夏采叶，秋采茎[12]、实，阴干[13]。**

今出堂邑，而[14]石头烽火楼下最多。其叶可作羹，味小苦。俗谚云：去家千里，勿食萝摩、枸杞，此言其补益精气，强盛阴道也。萝摩一名苦丸，叶厚大作藤生，摘有白乳[15]汁，人家多种之，可生啖，亦蒸煮食也。枸杞根、实，为服食家用，其说乃[16]甚美，仙人之杖，远自[17]有旨乎也。

【校注】

[1] 枸杞 《本草经解》作"枸杞子"。

［2］ **周** 万历《政和》作"风"。

［3］ **风湿** 《纲目》《本草经解》《本经续疏》《草木典》注为《本经》文。

［4］ **客热** "客"，玄《大观》作"容"。"热"，《草木典》作"寒"。

［5］ **坚筋骨** 《纲目》《本草经解》《本经续疏》《草木典》注为《本经》文。

［6］ **久服** 《御览》作"服之"。

［7］ **耐寒暑** 《纲目》《本草经解》注为《本经》文。

［8］ **杞** 《香药钞》作"枸"。

［9］ **一名枸忌** 《御览》脱此文。

［10］ **暑** 《纲目》《图考长编》作"老"。

［11］ **又诸丘陵阪岸上** "又"，《证类》作"及"。《证类》脱"上"字。

［12］ **茎** 《新修》原脱，据《证类》补。

［13］ **阴干** 《纲目》《草木典》无此文。

［14］ **堂邑，而** 《新修》原脱，据《证类》补。

［15］ **摘有白乳** "摘"字后，《证类》有"之"字。《新修》原脱"乳"字，据《证类》补。

［16］ **乃** 《证类》无此字。

［17］ **自** 《证类》无此字。

365 苏合[1]

味甘，温，无毒。主辟恶，杀鬼精物，温疟，蛊毒，痫痓，去三虫，除邪，不梦，忤魇脒[2]，通神明[3]。久服轻身长年。生中台川谷。

俗传云是狮子屎，外国说不尔，今皆从西域来，真者难[4]别，亦不复入药，惟供合好香耳。［谨案］此香从西域及昆仑来[5]，紫赤色，与紫真檀相似，坚实，极芬香，惟[6]重如石，烧之灰白者好。云是狮子屎，此是胡人诳[7]言，陶不悟[8]之，犹以为疑也。

【校注】

［1］ **苏合** 《证类》作"苏合香"。

［2］ **不梦，忤魇脒** 《证类》《纲目》作"令人无梦魇"。

［3］ **通神明** 《证类》《纲目》在"久服"之后。

［4］ **难** 《新修》原作"虽"，据《证类》改。

［5］ **来** 《新修》原作"朱"，据《证类》改。

［6］ **与紫真檀相似，坚实，极芬香，惟** 《新修》原脱，据《证类》补。

［7］ **诳** 《新修》原作"谁"，据《证类》改。

［8］ **悟** 《新修》原作"语"，据《证类》改。

366 橘柚[1]

味辛，温，无毒。**主胸中瘕热逆**[2]**气，利水谷**，下气，止呕咳，除膀胱留热，下[3]停水，五[4]淋，利小便，主脾[5]不能消谷，气冲[6]胸中吐逆，霍乱，止泄，去寸白。**久服去臭[7]，下气通神[8]**，轻身[9]长年。**一名橘皮。**生南山川谷[10]，生江南。十月采。

此是说其皮功耳，以东橘为好，西江亦有而不如。其[11]皮小冷，疗气乃言欲胜东[12]橘，北[13]人亦用之，以[14]陈者为良。其肉味甘、酸，食之多痰[15]，恐非益人[16]也。今此虽用皮，既是果类，所以犹宜相从。柚子皮乃可食[17]，而不复入药用，此亦应[18]下气。　　〔谨案〕柚皮厚，味甘，不如橘皮味辛而苦，其肉亦如橘，有甘[19]有酸，酸者名胡甘[20]。今俗人或谓橙[21]为柚，非也。案，《吕氏春秋》云：果之美者，有云梦之柚。郭璞曰：柚似橙而大于橘。孔安国云：小曰橘，大曰柚，皆谓[22]甘也。

【校注】

[1] **橘柚**　《本草经疏》作"橘柚皮"。

[2] **瘕热逆**　"瘕"，《医心方》作"瘢瘕"。"热"，《千金翼》作"满"。"逆"，《新修》原脱，据《证类》补。

[3] **下**　《证类》《纲目》《品汇》《本草经疏》《本经疏证》无此字。

[4] **五**　《纲目》作"起"。

[5] **脾**　《大观》作"痹"。

[6] **冲**　《新修》原作"充"，据《证类》改。

[7] **臭**　《千金翼》作"口臭"。

[8] **下气通神**　《千金翼》作"气通神明"。

[9] **轻身**　《千金翼》脱此2字。

[10] **生南山川谷**　《千金翼》作"生于南山川谷及"。

[11] **其**　《新修》原作"甘"，据《证类》改。

[12] **欲胜东**　《证类》无"欲""东"2字。

[13] **北**　《新修》原作"此"，据《证类》改。

[14] **以**　其前，《证类》衍"并"字。

[15] **痰**　《新修》原作"淡"，据《证类》改。

[16] **人**　《证类》无此字。

[17] **食**　《证类》作"服"。

[18] **亦应**　《证类》作"应亦"。

[19] **皮味辛而苦，其肉亦如橘，有甘**　《新修》原脱，据《证类》补。

[20] **有甘有酸，酸者名胡甘**　《图考长编》作"有甘酸味者名胡甘"。

[21] **橙**　《新修》原作"灯"，据《证类》改。下同。

[22] **谓**　《证类》作"为"。

《新修本草》木部上品卷第十二

木部中品　卷第十三

右木部中品廿八种十七种《神农本经》，二种《名医别录》，九种新附。

367　龙眼[1]

味甘，平，无毒。主疗[2]**五脏邪气，安志厌食，除虫去毒**[3]**。久服强魂魄**[4]**，聪察**[5]**，轻身不老**[6]**，通神明。**一名益智。其大者似槟榔。生南海山谷。

广州别有龙眼，似荔枝而小，非益智，恐彼人别名，今者为益智耳[7]，食之并利人。　[谨案] 益智，似连翘子，头未开者，味甘、辛，殊不似槟榔。其苗、叶、花、根与豆蔻无别，惟子小耳。龙眼一名益智，而益智非龙眼也。其龙眼[8]树，似荔枝，叶若林檎，花白色，子如槟榔，有鳞甲，大如雄[9]卵，味甘酸。

【校注】

[1]《纲目》《草木典》将"龙眼"条全文注为《别录》文。《纲目》卷2"序例"所载《本经》目录，有龙眼药名；顾本依此目录所辑之书亦有龙眼。

[2]　**疗**　《证类》《品汇》《图考长编》脱此字。

[3]　**除虫去毒**　《纲目》《本草经解》作"除蛊毒，去三虫"，玄《大观》、《图考长编》作"除蛊去毒"。

[4]　**魄**　《证类》《本草经疏》无此字。

[5]　**察**　《证类》《纲目》《本经续疏》作"明"。

[6]　**老**　《新修》原脱，据《证类》补。

[7]　**耳**　傅氏影刻《新修》作"日"，罗氏藏本《新修》作"且"，据《证类》改。

[8]　**其龙眼**　《图考长编》脱此3字。

[9]　**雄**　《纲目》《图考长编》《证类》作"雀"。

368　厚朴

味苦，温、大温[1]**，无毒。主中风，伤寒，头痛，寒**[2]**热，惊悸**[3]**，　气**[4]

血瘕，死肌，去三[5]虫。温中，益气，消淡[6]下气，疗霍乱及腹痛，胀满，胃中冷逆，胸中呕逆[7]不止，泄痢，淋露，除惊，去留热，止[8]烦满，厚肠胃。一名厚皮，一名赤朴。其树名榛[9]，其子名逐杨[10]。疗鼠瘘，明目，益气。生交趾、宛朐[11]。三月、九月[12]、十月[13]采皮，阴干。

干姜为之使，恶泽泻、寒水石、消石。　今出建平、宜都，极厚、肉紫色为好，壳薄而白者不如。用之削去上甲错皮[14]。俗方多用，道家不须也。

【校注】

[1] **大温**　《新修》原脱，据《证类》补。

[2] **头痛，寒**　《御览》无此文。

[3] **悸**　《新修》原脱，据《证类》补。

[4] **气**　《本草经解》无此字。

[5] **三**　《御览》无此字。

[6] **淡**　《证类》《纲目》《品汇》《图考长编》《本草经疏》《本经疏证》作"痰"。

[7] **逆**　《证类》无此字。

[8] **止**　《证类》《纲目》《图考长编》作"心"。

[9] **榛**　《本草和名》作"榛"。

[10] **杨**　《证类》《图考长编》作"折"。

[11] **交趾、宛朐**　《御览》作"山谷，生文山"。

[12] **三月、九月**　《证类》《图考长编》《本经疏证》作"三九"。

[13] **十月**　《图经衍义》脱此2字。

[14] **削去上甲错皮**　"削去"，《新修》原作"失"，据《证类》改。《图考长编》作"削去土中粗皮"。

369　猪苓[1]

味甘、苦[2]，平，无毒。主痎疟，解毒，辟蛊疰不祥[3]，利水道。久服轻身能[4]老。一名猳猪矢。生衡山山谷，及济阴宛朐。二月、月采，阴[5]干。

今湘州、衡山无有，此道不通，皆从宁州来。旧云[6]是枫树苓，其皮至黑[7]，作块似猪矢，故以名之，肉白而实者佳。用之削去黑皮乃称之[8]，比年殊难得耳[9]。

【校注】

[1] **猪苓**　《御览》作"腊零"。

[2] **苦**　《大观》《大全》注为《别录》文。

[3] **辟蛊疰不祥**　《证类》《纲目》《品汇》《本草经疏》《本经疏证》无"辟"字。"疰不祥"，

《新修》原作"不注样"，据《千金翼》《证类》改。

[4] 能 《证类》《纲目》作"耐"。

[5] 阴 《新修》原脱，据《证类》补。

[6] 今湘州、衡山……旧云 《证类》《纲目》无此文。

[7] 至黑 《证类》作"去黑"，《纲目》作"黑色"。

[8] 用之削去黑皮乃称之 《纲目》改作"削去皮用"。

[9] 比年珠难得耳 《证类》《纲目》无此文。

370 竹叶、芹[1]竹叶

味辛[2]，平、大寒，无毒。主[3]**咳逆上气，溢筋急**[4]，**恶疡，杀小虫**。除烦热，风痉[5]，喉痹，呕逆[6]。**根，作汤，益气，止渴，补虚下**[7]**气**，消毒。**汁，主风痓痹**[8]。**实，通神明，轻身益气**。生益州。淡竹叶，味辛，平、大寒。主胸中淡[9]热，咳逆上气。其[10]沥，大寒。疗暴中风，风[11]痹，胸中大热，止烦闷。其[12]皮茹，微寒，疗[13]呕哕，温气，寒热，吐血，崩中，溢筋。苦竹叶及沥，疗口疮，目痛，明目[14]，通[15]利九窍[16]。竹笋，味甘，无毒。主消渴，利水道，益气，可久食。干笋烧服，疗五痔血[17]。

竹类甚多，此前一条云是箽[18]竹，次[19]用淡苦尔。又一种薄壳者，名甘竹叶，最胜。又有实中竹、笙竹[20]，并以笋为佳，于药[21]无用。凡取[22]竹沥，惟用淡[23]竹耳。竹实出蓝田，江东乃有花而无实，故凤鸟不至[24]。而顷来斑斑[25]有实，实状如小麦，堪可为饭。

【校注】

[1] 芹 《证类》《品汇》《本经疏证》作"箽"。

[2] 辛 《新修》作"辛"，《证类》作"苦"。

[3] 主 其后，《本草经疏》有"胸中痰热"4字。

[4] 急 《新修》原脱，据《证类》补。

[5] 痉 《证类》《纲目》作"痓"。

[6] 逆 《证类》《本经疏证》《纲目》作"吐"。

[7] 下 《新修》原脱，据《证类》补。

[8] 痹 《证类》《纲目》无此字。

[9] 淡 《证类》《纲目》作"痰"。

[10] 其 《证类》无此字。

[11] 风 《新修》原脱，据《证类》补。

[12] 其 《证类》无此字。

[13] 疗 《证类》作"主"。

[14] 目痛，明目 《新修》原作"明眼痛"，据《证类》改。

[15] **通** 《证类》《纲目》无此字。

[16] **苦竹叶……利九窍** 《千金翼》脱此文。

[17] **干笋烧服，疗五痔血** 《证类》无此文。

[18] **篁** 《证类》作"簹"。

[19] **炊** 《新修》原作"吹"，据《证类》改。

[20] **筀竹** "筀"，《证类》作"簹"。"筀竹"后，《新修》原衍"又有筀竹"，据《证类》删。

[21] **笋** 《新修》原作"叶"，据《证类》改。

[22] **取** 《新修》原脱，据《证类》补。

[23] **淡** 其后，《证类》有"苦篁"2字。

[24] **故凤鸟不至** 《证类》无此文。

[25] **斑斑** 《新修》原作"呃呃"，据《证类》改。

371 枳实

味苦、酸，寒、微寒[1]，无毒。主大风在皮肤中如麻豆苦[2]痒，除寒热热[3]结，止痢。长肌肉，利五脏，益气，轻身。除胸胁淡[4]癖，逐停水，破结实，消胀满、心下急、痞痛、逆气、胁风痛，安[5]胃气，止溏泄，明目。生河内川泽。九月、十月采，阴干。

今处处有，采破令干。用之除中核，微炙令香，亦如橘皮[6]，以陈者为良。枳树枝[7]茎及皮，疗水胀、暴风、骨节疼急。枳实俗方多用，道家不须也。　[谨案]枳实，日干乃得，阴便湿烂也。用当去核及中瓤乃佳[8]。今云[9]用枳壳乃尔。若称枳实，须合核瓤用者，殊不然也，误矣[10]。

【校注】

[1] **微寒** 《新修》原脱，据《千金翼》《证类》补。

[2] **苦** 玄《大观》作"若"。

[3] **热** 《证类》《纲目》《本经疏证》《图考长编》脱此字。

[4] **淡** 《证类》《纲目》《品汇》《本草经疏》《图考长编》作"痰"。

[5] **安** 《图考长编》作"和"。

[6] **亦如橘皮** 《纲目》作"用"。

[7] **枝** 《证类》《图考长编》脱此字。

[8] **瓤乃佳** "瓤"，《新修》原作"穰"，据《证类》改。"佳"，《图考长编》作"注"。

[9] **云** 《证类》作"或"。

[10] **误矣** 《证类》无此文。

372 山茱萸

味酸，平、微温，无毒。主心下邪气，寒热，温中，逐寒湿痹[1]，去三虫。

肠胃风邪，寒热，疝瘕，头脑[2]风，风气去来，鼻塞，目黄，耳聋[3]，面疱[4]，温中，下气，出汗，强阴，益精，安五[5]脏，通九窍，止小便利。**久服轻身**，明目，强力，长年。**一名蜀枣**[6]，一名鸡足，一名思益[7]，一名魆实。生汉[8]中山谷及琅玡、宛朐、东海承县。九月、十月采实，阴干。

蓼实为之使，恶桔梗、防风、防己。　今出近道诸山中大树，子初熟未干，赤色，如胡颓子，亦可啖。既干后，皮甚薄，当[9]合核为用也。

【校注】

[1] 寒湿痹　"寒"字后，《新修》原衍"温"字，据《证类》删。《御览》脱"痹"字。

[2] 脑　《证类》《纲目》《品汇》《图考长编》《本草经疏》《本经疏证》无此字。

[3] 聋　《大全》作"龙"。

[4] 疱　《图经衍义》作"炮"。

[5] 五　《新修》原脱，据《证类》补。

[6] 蜀枣　《纲目》《御览》作"蜀酸枣"。

[7] 一名思益　《证类》《纲目》《图考长编》无此文。

[8] 汉　《新修》原作"漠"，据《证类》改。

[9] 当　《证类》作"当以"。

373　吴[1]茱萸

味辛，温、大热，有小毒。主温中下气，止痛咳逆，寒热[2]，**除湿血痹，逐风邪，开腠理。**去淡[3]冷，腹内[4]绞痛，诸冷、实[5]不消，中恶，心腹痛，逆气，利五脏。**根杀三虫**[6]。根白皮杀蛲虫，疗[7]喉痹咳逆，止泄注[8]，食不消，女子经产余血。疗白癣。**一名藙**。生上谷川谷[9]及宛朐。九月九日采，阴干[10]。

蓼[11]实为之使，恶丹参、消石、白垩[12]，畏紫石英。　此即今食茱萸[13]。《礼记》亦[14]名藙，而俗中呼为欓[15]子，当是不识藙字，藙字似欓字，仍以相传。其根南行、东行者为胜。道家去三尸方亦用之。　　[谨案]《尔雅·释木》云：椒榝丑梂。陆氏《草木[16]疏》云：椒，榝属。亦有榝名，陶误也。

【校注】

[1] 吴　《御览》脱此字。

[2] 咳逆，寒热　《纲目》《本草经解》在"开腠理"之后。

[3] 淡　《证类》《纲目》作"痰"。

[4] 腹内　《纲目》作"心腹"。

[5] **实** 《纲目》作"饮食",《品汇》《图考长编》作"食"。

[6] **杀三虫** "杀",《御览》作"去"。"虫"字后,《御览》有"久服轻身"4字。

[7] **疗** 《证类》作"治"。

[8] **注** 《大观》作"泄"。

[9] **谷川谷** 成化《政和》、商务《政和》作"川谷",《大全》作"谷用"。"川",孙本作"山"。

[10] **干** 其后,《纲目》衍"陈久者良"。

[11] **蓡** 万历《政和》、《本经疏证》作"参"。

[12] **石、白垩** 《大全》作"五句恶"。

[13] **此即今食莱菔** 《证类》无此文。

[14] **亦** 《证类》无此字。

[15] **菝** 《证类》作"薂"。

[16] **草木** 《新修》原作"本草",据《证类》改。

374 秦皮

味苦,微寒、大[1]**寒,无毒。主风寒湿痹,洗洗**[2]**寒气,除热,目中青翳**[3]**白膜。**疗[4]男子少精,妇人带下,小儿痫[5],身热。可作洗目汤。**久服头不白,轻身,**皮肤光泽,肥大有子。一名岑皮,一名石檀。生庐[6]江川谷及宛朐[7]。二月、八月采皮,阴干。

大戟为之使,恶吴[8]茱萸。 俗云是樊槻皮,而水渍以和墨,书青[9]色不脱,彻[10]青,且亦殊薄,恐不必尔。俗方惟[11]以疗目。道术家亦有[12]用处。 [谨案] 此树似檀。叶细,皮有白点而不粗错。取皮水渍便碧色,书纸看皆[13]青色者是。俗见味苦,名为苦树,亦用皮,疗眼有效。以叶似檀,故名石檀也。

【校注】

[1] **微寒、大** 《长生疗养方》脱"微"字。"大",玄《大观》作"太"。

[2] **寒湿痹,洗洗** 《御览》脱"寒""洗洗"3字。

[3] **除热,目中青翳** 《长生疗养方》作"除目翳"。

[4] **疗** 《新修》原脱,据《证类》补。《图经衍义》作"疗"。

[5] **痫** 《纲目》作"风痫"。

[6] **庐** 《新修》原作"肤",据《证类》改。

[7] **及宛朐** "及",《新修》原作"生",据《证类》改。"朐"字后,《纲目》有"水边"2字。

[8] **吴** 《新修》原脱,据《证类》补。

[9] **青** 《证类》无此字。

[10] **彻** 《证类》作"微"。

[11] **惟** 《新修》原脱，据《证类》补。

[12] **术家亦有** 《证类》无"术"字。"有"，《新修》原作"自"，据《证类》改。

[13] **看皆** 《新修》原作"者背"，据《证类》改。

375 枝子

味苦，寒、大寒，无毒。主五内邪气，胃中热气，面赤酒疱齄鼻，白癞、赤癞，疮[1]疡。疗目热赤[2]痛，胸中[3]心大小肠大热，心中烦闷，胃中热气[4]。一名木丹，一名越桃。生南阳川谷。九月采实，曝干。

解玉支毒。处处有，亦两三种小异，以七道[5]者为良。经霜乃取之。今皆入染用，于药甚希。玉支即踯躅萌[6]也。

【校注】

[1] **疱齄鼻，白癞、赤癞，疮** 玄《大观》注为《别录》文。"疱"，成化《政和》、商务《政和》作"炮"，周本作"泡"。"齄"，《图经衍义》脱。"疮"，孙本、黄本、问本作"创"。

[2] **疗目热赤** 《纲目》《本经疏证》作"疗目赤热"。"疗"，《新修》原脱，据《证类》补。

[3] **中** 《证类》《纲目》《品汇》《本草经疏》《图考长编》无此字。

[4] **胃中热气** 《纲目》《本经疏证》无此文。

[5] **道** 《证类》作"棱"。

[6] **踯躅萌** 《证类》作"羊踯躅"。

376 槟榔

味辛，温，无毒。主消谷，逐水，除淡[1]澼，杀三虫，去[2]伏尸，疗寸白。生南海。

此有三四种：出交州，形小而味甘；广州以南者，形大而味涩，核亦大；尤大者[3]，名楮[4]槟榔，作药皆用之。又小者，南人名纳子，俗人呼为槟榔孙，亦可食。 ［谨案］槟榔，苾[5]者极大，停数日便烂。今入北[6]来者，皆先灰汁煮熟，仍火熏使干，始堪停久，其中仁，主腹胀，生捣末服，利水谷道[7]，敷疮生肌肉，止痛。烧[8]为灰，主口吻白疮。生交州、爱州及昆仑。

【校注】

[1] **淡** 《证类》《纲目》《品汇》《图考长编》作"痰"。

[2] **去** 《证类》《本草经疏》《本经续疏》脱此字。

[3] **大：尤大者** 《证类》作"有大者"。

[4] **楮** 《证类》作"猪"。

［5］ 苿 《证类》作"生"。

［6］ 入北 《新修》原作"人此"，据《证类》改。

［7］ 道 《新修》原脱，据《证类》补。

［8］ 烧 《新修》原作"谓"，据《证类》改。

377 合欢

味甘[1]平，无毒。主安五脏，和心志[2]，令人欢乐无忧。久服轻身，明目[3]，得所欲[4]。生益州川[5]谷。

稽公[6]《养生论》亦[7]云：合欢蠲忿，萱草忘忧。诗人又有萱[8]草，皆云即是今鹿[9]葱，而不入药用。至于合欢，举俗无[10]识之者。当以其非疗病之功，稍见轻略，遂致永谢。犹如长生之法，人罕敦尚，亦为遗弃也。洛阳华林苑中，犹云合欢如丁林，惟不来江左耳[11]。 ［谨案］此树，生叶似皂荚槐等，极细，五月花发，红白色，所在山涧[12]中有之。今东西京第宅山池间亦有种者，名曰合欢，或曰合昏。秋实作荚[13]，子极薄细。

【校注】

［1］ 甘 《御览》作"甜"。

［2］ 和心志 《证类》《品汇》《本草经疏》、孙本作"利心志"。"志"，《御览》作"气"，《弘决外典钞》作"患"。

［3］ 目 玄《大观》作"曰"。

［4］ 得所欲 《御览》《艺文类聚》无此文。

［5］ 川 《证类》《图考长编》作"山"。

［6］ 公 《证类》作"康"。

［7］ 亦 《证类》无此字。

［8］ 萱 《图考长编》作"谖"。

［9］ 云即是今鹿 《证类》无"云""是"2字。"鹿"，《新修》原作"麻"，据《证类》改。

［10］ 举俗无 《证类》作"俗间少"。

［11］ 洛阳华林苑中，犹云合欢如丁林，惟不来江左耳 《证类》无此文。

［12］ 涧 《新修》原作"潏"，据《证类》改。

［13］ 荚 《新修》原作"英"，据《证类》改。

378 秦椒

味辛，温、生温、熟寒，有毒。主[1]风邪气，温中，除寒痹，坚齿长[2]发，明目。疗喉痹，吐逆，疝瘕，去老血，产后余[3]疾，腹[4]痛，出汗；利五脏。久服轻身，好色[5]，能[6]老，增年，通神。生太山川谷及秦岭上，或琅玡。八月、九月采实。

　　恶栝[7]楼、防葵，畏雌黄。　　今从西来，形似椒而大，色黄黑，味亦颇有椒气，或呼为大椒。又云：即今樗树子[8]，而樗子是楮[9]椒，恐谬[10]。　　[谨案] 秦椒树，叶及茎[11]、子，都似蜀椒，但味短，实细。蓝田南、秦岭间[12]大有也。

【校注】

[1] 主　其后，《纲目》有"除"字。

[2] 长　《证类》《品汇》《图考长编》、孙本无此字。

[3] 余　《新修》原作"除"，据《证类》改。

[4] 腹　玄《大观》作"肿"。

[5] 好色　《证类》《品汇》《图考长编》作"好颜色"。

[6] 能　《证类》《图考长编》《纲目》作"耐"。

[7] 栝　玄《大观》作"拈"。

[8] 子　《证类》无此字。

[9] 楮　《证类》作"猪"。

[10] 谬　《图考长编》作"误"。

[11] 茎　《新修》原脱，据《证类》补。

[12] 间　《新修》原作"闻"，据《证类》改。

379　卫矛[1]

　　味苦，寒，无毒。主女子崩中，下血，腹满，汗出，除邪，杀鬼毒蛊疰[2]，中恶，腹痛，去白虫，消皮肤风毒肿，令阴中解[3]。一名鬼箭[4]。生霍山山谷。八月采，阴干。

　　山野处处有。其茎有[5]三羽，状如箭羽，俗皆呼为鬼箭。而为用甚希，用之削取皮及羽也[6]。

【校注】

[1] 矛　《本草和名》作"弗"。

[2] 蛊疰　《新修》原作"注蛊"，据《证类》改。

[3] 令阴中解　"令"字后，《品汇》有"从"字。"解"，《新修》原作"鲜"，据《证类》改。

[4] 一名鬼箭　《纲目》《草木典》《本经续疏》注为《别录》文。

[5] 有　《新修》原脱，据《证类》补。

[6] 及羽也　《证类》无"及""也"2字。

380 紫葳

味酸[1]，微寒，无毒。主妇人产[2]乳余疾，崩中，癥瘕，血闭，寒热，羸瘦[3]，养胎。茎叶，味苦，无毒。主痿蹶[4]，益气。一名陵苕，一名芙华[5]。生西海川谷及山阳。

李云是瞿麦根，今方用至少。《博物志》云：郝晦行华草于太行山北得紫葳华。必当奇异。今瞿麦华乃可爱，而处处有，不应乃在太行山。且有树其茎叶[6]，恐亦非瞿麦根。《诗》云有苕之华；郭云陵霄藤[7]，亦恐非也。　　[谨案][8]此即陵霄也，花[9]及茎叶俱用。案，《尔雅·释草》云：苕，一名陵苕，黄华蒵，白华尖[10]。郭云：一名陵时，又名陵霄。本草云[11]：一名陵苕，一名[12]芙华。即用花，不用根也。山中亦有白花者。案，瞿麦花红，无黄白者。且[13]紫葳、瞿麦皆《本经》所载，若用瞿麦根为紫葳，紫葳[14]何得复用茎叶。体性既与瞿麦乖[15]异，生处亦不相关。郭云陵霄，此为真说也。

【校注】

[1] **酸**　《御览》《本经疏证》作"咸"。

[2] **产**　《新修》原脱，据《证类》补。

[3] **癥瘕，血闭，寒热，羸瘦**　《御览》作"癥血寒热"。

[4] **蹶**　《图考长编》作"躄"。

[5] **一名陵苕，一名芙华**　《纲目》注为《本经》文。"芙"，《大全》《纲目》《图考长编》《本经疏证》作"苃"。"华"字后，《图经衍义》有"一名凌霄花"。

[6] **有树其茎叶**　《新修》原作"又标其茎花"，据《证类》改。

[7] **藤**　《证类》无此字。

[8] **[谨案]**　其后《新修》原衍"此葳"2字，据《证类》删。

[9] **也，花**　《证类》作"花也"。

[10] **华蒵，白华尖**　《证类》作"花蒵，白华苃"。

[11] **云**　《证类》作"经云"。

[12] **一名**　《证类》无此2字。

[13] **且**　《新修》原脱，据《证类》补。

[14] **紫葳**　《证类》无此2字。

[15] **乖**　《新修》原作"可"，据《证类》改。

381 芜荑

味辛，平[1]，无毒。主五内邪气，散皮肤骨节中淫淫行[2]毒，去三虫，化食[3]，逐寸白，散腹中温温喘息[4]。一名无姑[5]，一名蘝蘠[6]。生晋山[7]川谷。

三月采实，阴干。

今惟出高丽，状如榆荚，气臭如犼，彼人皆以作酱食之。性杀虫，以[8]置物中，亦辟蛀。但患其臭耳[9]。 ［谨案］《尔雅》云[10]无荑一名菽薑[11]，今名蕨薞，字之误也。今出延[12]州、同州者，最好。

【校注】

[1] **辛，平** 《新修》原脱"辛"字，据《证类》补。"平"，森本、顾本注为《本经》文。

[2] **行** 其前，《证类》《纲目》《品汇》《图考长编》《本草经疏》有"温"字。

[3] **化食** 《千金翼》作"能化宿食不消"。

[4] **腹中温温喘息** "腹"，《证类》作"肺"。"息"，《新修》原作"出"，据《证类》改。

[5] **姞** 《图经衍义》作"始"。

[6] **一名蕨薞** 《大观》《图考长编》注为《别录》文。

[7] **晋山** 《新修》原脱，据《证类》补。

[8] **以** 《证类》无此字。

[9] **耳** 《证类》无此字。

[10] **云** 《新修》原脱，据《证类》补。

[11] **薑** 《证类》作"薞"。

[12] **延** 《新修》原作"近"，据《证类》改。

382 食茱萸

味辛、苦，大热，无毒。功用与吴茱萸同，少为劣耳，疗水气用之，乃佳。

皮薄开口者是，虽名为食[1]，而不堪啖[2]。 新附

【校注】

[1] **食** 其后，《证类》有"茱萸"2字。

[2] **啖** 《证类》作"多啖之也"。

383 椋子木

味甘、咸，平，无毒。主折伤，破血养血[1]，安胎，止痛，生肉。

叶似柿，两叶相当，子细圆，如牛李子，生青、熟黑。其木坚重，煮汁赤色。《尔雅》云：椋，即来[2]是也。郭注云：椋，材中车辋[3]。八月、九月采木，日干。 新附

【校注】

[1] **破血养血** 《证类》作"破恶血,养好血"。

[2] **朱** 《新修》原作"梾者",据《证类》改。

[3] **郭注云:椋,材中车辋** 《新修》原脱,据《证类》补。

384 每始王木

味苦,平,无毒。主伤[1]折,跌筋骨,生[2]肌破血,止痛,酒水煮浓汁饮之。生资州山谷。

藤生,绕树木上生,叶似萝摩叶。二月、八月采。 新附

【校注】

[1] **伤** 《新修》原脱,据《证类》补。

[2] **生** 《新修》原作"主",据《证类》改。

385 折伤木

味甘、咸,平,无毒。主伤折,筋骨[1]疼痛,散血,补血[2],产后血闷,心[3]痛,酒水煮[4]浓汁饮之。生资州山谷。

藤生,绕树上,叶似芮[5]草叶而光厚。八月、九月采茎,日干。 新附

【校注】

[1] **筋骨** 《新修》原作"骨筋",据《证类》改。

[2] **补血** 《新修》原脱,据《千金翼》《证类》补。

[3] **心** 《证类》《纲目》《品汇》《图考长编》作"止"。

[4] **煮** 《纲目》作"各半煮"。

[5] **芮** 《证类》《纲目》《图考长编》作"莽"。

386 茗、苦搽

茗,味甘、苦,微寒,无毒。主瘘疮,利小便,去淡[1]、热渴,令人少睡,秋[2]采之。苦搽,主下气,消宿食,作饮加茱萸、葱、姜等,良。

《尔雅·释木》云:槚,苦搽。注:树小如栀子,冬生叶,可煮作羹饮。今呼早采者为荼,晚者为茗,一名荈,蜀人名之苦搽,生山南汉中山谷[3]。 新附

【校注】

［1］淡　《证类》《纲目》《图考长编》作"痰"。

［2］秋　《证类》《图考长编》作"春"。

［3］《尔雅·释木》云……生山南汉中山谷　《新修》原作"案，《尔雅·释木》云：槚，苦荼。春秋采之。椒音一名荈，出山南金州梁州汉中山谷"，据《证类》改。

387　桑根白皮

味甘，寒，无毒。主伤中五劳六极，羸瘦，崩中，脉绝[1]，**补虚，益气。**去肺[2]中水气，止[3]唾血，热渴，水肿，腹满，颅胀，利水道，去寸白，可以缝创[4]。采无时。出土上者杀人[5]。续断、桂心、麻子为之使。**叶，主除寒热，出汗。**汁[6]，解吴公毒。

桑耳[7]，味甘，有毒。**黑者**[8]，**主女子漏下赤白汁，血病**[9]，**癥瘕积聚，腹痛**[10]，**阴阳寒热无子，**疗[11]月水不调。其黄熟陈白者，止久泄，益气不饥。其[12]金色者，疗癖痹[13]饮，积聚，腹病，金创[14]。一名桑茵，一名木㕥[15]。**五木耳名檽，益气不饥，轻身强志。**生犍为山谷[16]。六月多雨时采木耳[17]，即曝干。

东行桑根乃易得，而江边多出土，不可轻信。桑耳，《断谷方》云：木檽又呼为桑上寄生，此云五木耳，而不显四者是何木？案[18]，老桑树生燥耳，有黄[19]赤、白者，又多雨时亦生软湿者，人采以作菹，皆无复药用。　［谨案］柠[20]耳，人常食；槐耳，用疗痔；榆、柳、桑耳，此为五耳，软者并堪啖。桑椹[21]，味甘，寒，无毒。单食，主消渴。叶，味苦、甘，寒，有小毒。水煎取浓汁，除脚气水肿，利大小肠。灰，味辛，寒，有小毒。蒸淋取汁为煎，与冬灰[22]等，同灭痣疣黑子，蚀恶肉。煮小豆，大下水[23]胀。敷金创止血，生肌也。

【校注】

［1］脉绝　《纲目》《本草经解》作"绝脉"。

［2］肺　《新修》原作"脉"，据《证类》改。

［3］止　《证类》《纲目》《本草经疏》《本经疏证》无此字。

［4］创　《证类》《纲目》《图考长编》作"金疮"。

［5］出土上者杀人　《御览》引《本经》作"桑根旁行出土上者名伏蛇，疗心痛"。同书又引《神农本草》作"桑根白皮是今桑树根上白皮，常以四月采，或采无时，出见地上名马领，勿取，毒杀人"。

［6］汁　其后，《品汇》衍"有小毒"3字。

［7］桑耳　《本经续疏》注为《别录》文。

［8］黑者　《本经续疏》注为《别录》文。

［9］子漏下赤白汁，血病　"子"，《纲目》作"人"。"汁"，《本草经疏》作"沃"。"病"，

《新修》原脱,据《证类》补。

[10] **腹痛** 《证类》《千金翼》《本草经疏》《品汇》《纲目》《图考长编》《本经续疏》作"阴痛",孙本、问本作"阴补"。

[11] **疗** 《新修》原脱,据《证类》补。

[12] **其** 《新修》原脱,据《证类》补。

[13] **疗潽痹** 《证类》《品汇》《图考长编》《本草经疏》《本经续疏》作"治癣"。

[14] **创** 《证类》作"疮"。下同。

[15] **麸** 《证类》《图考长编》作"麦"。

[16] **山谷** 《新修》原脱,据《证类》补。

[17] **木耳** 《证类》无此2字。

[18] **棠** 《新修》原作"桑",据《证类》改。

[19] **黄** 其后《证类》有"者"字。

[20] **柠** 《证类》作"楮"。

[21] **椹** 《新修》原脱,据《证类》补。

[22] **灰** 《新修》原脱,据《证类》补。

[23] **水** 《新修》原作"汁",据《证类》改。

388 松萝

味苦、甘,平,无毒。**主瞋怒邪气,止虚汗,出风头**[1]**,女子阴寒肿痛**[2],疗淡[3]热,温疟,可为吐汤,利水道。**一名女萝**[4]。生熊耳山川[5]谷松树上。五月采,阴干。

东山甚多,生杂树上,而以松上者为真。《毛诗》云:茑与女[6]萝,施于松上。茑是寄生,今[7]以桑上者为真,不用松上[8]者,此互[9]有异同耳。

【校注】

[1] **出风头** 《证类》《纲目》《品汇》《图考长编》、孙本作"头风"。

[2] **痛** 孙本、黄本、问本、周本作"病"。

[3] **淡** 《证类》《纲目》作"痰"。

[4] **女萝** 《纲目》注为《别录》文。

[5] **生熊耳山川** "生熊",《政和》作白字《本经》文。"川",孙本作"山"。

[6] **女** 《新修》原脱,据《证类》补。

[7] **今** 《证类》无此字。

[8] **上** 《新修》原脱,据《证类》补。

[9] **互** 《新修》原作"牙",据《证类》改。

389　白棘

味辛，寒，无毒。主心腹[1]**痛，痈肿，溃**[2]**脓，止痛。**决刺结[3]，疗丈[4]夫虚损，阴痿，精自出，补肾气，益精髓。**一名棘针**[5]，一名棘刺。生雍州川谷。

李云此是酸枣[6]树针，今人用天门冬苗[7]代之，非[8]真也。　　[谨案]白棘，茎白如粉垩[9]子，叶与赤棘同，棘林[10]中时复有之，亦为难得也[11]。

【校注】

[1]　**腹**　《新修》原脱，据《证类》补。

[2]　**溃**　《大全》、孙本、问本作"渍"。

[3]　**决刺结**　《纲目》《草木典》注为《本经》文。

[4]　**丈**　《新修》原作"大"，据《证类》改。

[5]　**棘针**　《纲目》注为《别录》文。

[6]　**酸枣**　《新修》原作"桑"，据《证类》改。按桑树无针刺，酸枣树有针刺。

[7]　**苗**　《新修》原脱，据《证类》补。

[8]　**非**　《证类》作"非是"。

[9]　**垩**　《证类》无此字。

[10]　**林**　《证类》无此字。

[11]　**也**　《新修》原脱，据《证类》补。

390　棘刺花

味苦，平，无毒[1]。主金疮、内漏，明目[2]。冬至后百廿日采之。实，主明目[3]，心腹痿痹，除[4]热，利小便。生道旁。四月采。一名菥蓂，一名马[5]胸，一名刺原。又有枣针，疗腰痛、喉痹不通[6]。

此一条又相违越，恐李所[7]言多是，然复道其花一名菥蓂，此恐别是[8]一物，不关枣刺[9]也。今俗人[10]皆用天门冬苗，吾亦不许。门冬苗[11]乃是好作饮，益人，正[12]不可当棘刺耳。

[谨案]棘有白赤[13]二种，亦犹诸枣[14]，色类非一。后条用花，斯[15]不足怪。以江南无棘，李云用枣针。天门冬苗一名颠棘，南人取以代棘针[16]，陶亦不许，今用棘刺，当取白者为胜。花即棘花，定无别物。然刺有两[17]种，有钩、有直，补益用直者，疗肿宜取钩者[18]。又云枣针宜在枣部[19]。南人昧于枣、棘之别[20]，所以同在棘条中也。

【校注】

[1]　**平，无毒**　《新修》原作"无毒平"，据《千金翼》《证类》改。

［2］**明目**　《证类》《纲目》《品汇》《图考长编》无此文。

［3］**目**　《新修》原脱，据《千金翼》《证类》补。

［4］**除**　《新修》原脱，据《千金翼》《证类》补。

［5］**马**　《新修》原脱，据《千金翼》《证类》补。

［6］**痹不通**　《新修》原作"痛了"，据《千金翼》《证类》改。

［7］**李所**　《证类》作"俚"。

［8］**道其花一名蒋荬，此恐别是**　《新修》原作"导其花兼一夕折别"，据《证类》改。

［9］**剌**　《证类》作"针"。

［10］**人**　其后，《新修》原衍"不"字，据《证类》删。

［11］**门冬苗**　《新修》原脱，据《证类》补。

［12］**正**　其后，《新修》原衍"自"字，据《证类》删。

［13］**白赤**　《证类》作"赤白"。

［14］**枣**　《证类》作"棘"。下同。

［15］**花，斯**　《新修》原脱，据《证类》补。

［16］**以代棘针**　《新修》原脱，据《证类》补。

［17］**两**　《新修》原脱，据《证类》补。

［18］**有钩、有直，补益用直者，疗肿宜取钩者**　《证类》作"有钩者，有直者，补益宜用直者，疗肿宜用钩者"。

［19］**枣针宜在枣部**　"枣针宜"，《证类》作"棘"。"部"，《新修》原脱，据《证类》补。

［20］**之别**　《新修》原脱，据《证类》补。

391　安息香

味辛、苦，平，无毒。主心腹恶气鬼疰。出[1]西戎，似松脂，黄黑色为块，新者亦柔韧。　新附[2]

【校注】

［1］**疰。出**　《新修》原脱，据《千金翼》《证类》补。

［2］**附**　《新修》原脱，据《证类》补。

392　龙脑香及膏香

味辛、苦，微寒，一云温，平，无毒。主心腹邪气，风湿积聚，耳聋，明目，去目赤肤[1]翳。出婆律国，形似白松脂，作杉木气，明净者善；久经风日，或如雀屎者不佳。云合粳米炭[2]、相思子贮之，则不耗。膏主耳聋。

树形似杉木[3]，言婆律膏[4]是树根下清脂，龙脑是树根中干脂。子似豆蔻。皮有甲错，香似[5]龙脑，味辛，尤下恶气，消食，散胀满，香人口，旧[6]云出婆律国，药以国为名也。亦言即

杉脂也。江南有杉木，未经试造，或方土[7]无脂，尤甘蕉比闻花而无实耳[8]。　新附

【校注】

[1] **肤** 《新修》原脱，据《证类》补。

[2] **粳米炭** "粳"，《证类》《图考长编》作"糯"。"炭"，《新修》原脱，据《证类》补。

[3] **形似杉木** 《新修》原作"似杉"，据《证类》改。

[4] **膏** 《新修》原脱，据《证类》补。

[5] **似** 《新修》原作"代"，据《证类》改。

[6] **满，香人口，旧** 《新修》原作"香口，又"，据《证类》改。

[7] **未经试造，或方土** 《新修》原作"经诚造或方云"，据《证类》改。

[8] **比闻花而无实耳** 《证类》作"无实"。

393　菴摩勒

味苦、甘，寒，无毒。主风虚热气。一名余甘。生岭南交、广、爱等州。

树叶细，似合欢，花[1]黄，子[2]似李、柰，青黄色，核圆作[3]六七棱，其中仁亦入药用[4]。　新附

【校注】

[1] **花** 《新修》原作"化"，据《证类》改。

[2] **子** 《新修》原脱，据《证类》补。

[3] **作** 《新修》原脱，据《证类》补。

[4] **其中仁亦入药用** 《新修》原脱"其""用"2字，据《证类》补。

394　毗梨勒

味苦，寒，无毒。功用与菴摩勒同。出西域及岭南交、爱等州，戎人谓之三果。

树似胡桃，子形亦似胡桃，核似诃梨勒而圆短无棱[1]，用之亦同法[2]。　新附

【校注】

[1] **棱** 《新修》原作"楞"，据《证类》改。

[2] **法** 《新修》原作"治"，据《证类》改。

《新修本草》木部中品卷第十三

木部下品　卷第十四

395 黄环	396 石南草	397 巴豆
398 蜀椒	399 莽草	400 郁核
401 鼠李	402 栾华	403 杉材
404 楠材	405 榧实	406 蔓椒
407 钓樟根皮	408 雷丸	409 溲疏
410 举树皮	411 白杨树皮新附	412 水杨叶、嫩枝新附
413 栾荆新附	414 小檗新附	415 荚蒾新附
416 钓藤	417 药实根	418 皂荚
419 楝实	420 柳华	421 桐叶
422 梓白皮	423 苏方木新附	424 接骨木新附
425 枳椇新附	426 木天蓼新附	427 乌臼木新附
428 赤爪草新附	429 诃梨勒新附	430 枫柳皮新附
431 卖子木新附	432 大空新附	433 紫真檀木
434 椿木叶新附	435 胡椒新附	436 橡实新附
437 无食子新附	438 杨栌木新附	439 槲若新附

右木部下品合四十五种十七种《神农本经》，七种《名医别录》，廿一种新附。

395　黄环

味苦，平[1]，**有毒。主蛊毒，鬼疰**[2]，**鬼魅，邪气在脏中，除咳逆寒热**[3]。**一名陵泉，一名大就。生蜀郡**[4]**山谷。三月采根，阴干。**

鸢尾为之使，恶伏苓、防己[5]。　似防己。亦作车辐理解。《蜀都赋》所[6]云：青珠黄环者[7]，或云是大戟花，定非也。俗[8]用甚希，市人鲜有识者。　〔谨案〕此物，襄阳巴[9]西人谓之就葛，作藤生。根亦葛[10]类。所云似防己，作车辐理[11]解者，近之。人取葛根，误得食之，吐利不止，用土浆解乃差，此真黄环也。余处亦希，惟襄阳大有。《本经》用根，今云大戟花，非也。其子[12]作角，生似皂荚，花实与葛同时矣。今园庭种之。大者茎径六七寸，所在[13]有之。谓其子名狼跋子。今太常科剑南来者，乃鸡屎葛根，非也。

【校注】

[1]　**平**　《御览》无此字。

[2]　**主蛊毒，鬼疰**　《御览》作"主虫毒"。

[3]　**除咳逆寒热**　《御览》无"除"字。"热"，《新修》原作"势"，据《证类》改。

[4]　**生蜀郡**　玄《大观》作白字《本经》文。

[5]　**防己**　《新修》原脱，据《证类》补。

[6]　**所**　《证类》《纲目》无此字。

[7]　**者**　《纲目》作"即此"。

[8]　**俗**　《证类》《纲目》无此字。

[9]　**巴**　《新修》原作"已"，据《证类》改。

[10]　**葛**　《新修》原脱，据《证类》补。

[11]　**理**　《证类》无此字。

[12]　**其子**　《新修》原作"真"，据《证类》改。

[13]　**在**　《新修》原脱，据《证类》补。

396　石南草[1]

味辛、苦，平[2]，有毒。**主养肾气，内伤阴衰，利筋骨皮毛。**疗脚弱，五脏邪气，除热。女子不可久[3]服，令思男。**实，杀蛊**[4]**毒，破积聚，逐**[5]**风痹。一名鬼目。**生华阴山谷。二月、四月采叶，八月采实，阴干。

五加为之使。今庐江及东间皆有，叶状如枇杷叶，方用亦希。　〔谨案〕此草叶似茵[6]草，凌冬不凋，以叶细者为良。关中者好[7]，为疗风邪丸散之要。其江山已南者，长大如枇杷叶，无气味，殊不任用，今医家不复用实也[8]。

【校注】

[1]　**草**　《证类》无此字。

[2]　**苦，平**　《新修》原作"平苦"，据《证类》改。"平"，《图考长编》注为《别录》文。

[3]　**久**　《新修》原脱，据《证类》补。

[4]　**蛊**　柯《大观》作"虫"。

[5]　**逐**　《大全》作"遂"。

[6]　**茵**　《证类》作"茵"。

[7]　**好**　《纲目》作"叶细为好"。

[8]　**今医家不复用实也**　《纲目》无此文。

397　巴豆

味辛，温，生温、熟寒，**有大**[1]**毒。主伤寒，温疟，寒热**[2]**，破癥瘕，结坚积聚**[3]**，留饮淡**[4]**澼，大腹水胀**[5]**，荡练**[6]**五脏六腑，开通**[7]**闭塞，利水谷道，去恶肉**[8]**，除鬼蛊毒**[9]**疰、邪物，杀虫鱼**[10]。疗女子月[11]闭，烂胎，金创[12]，脓血，不利丈夫阴[13]，杀斑猫[14]毒。可炼饵之，益血脉，令[15]人色好，变化与鬼神通。**一名巴椒**[16]。生巴郡[17]山谷。八月采实，阴[18]干，用之去心皮。

芫花为之使，恶蘘草[19]，畏大黄、黄连、藜芦。　出巴郡，似大豆，最能利[20]人，新者佳。用之皆[21]去心皮乃称，又熬令黄黑，别捣如膏，乃合[22]和丸散耳。道方亦有炼饵法，服之乃言[23]神仙。人吞一枚，便欲死，而鼠食之，三年重卅斤，物性乃有相耐如[24]此耳。　〔谨案〕树高丈余，叶似樱桃叶，头微尖[25]，十二月叶渐凋，至四月落尽，五月叶渐生，七月花，八月结实，九月成，十月采其子，三枚共蒂，各有壳裹。出眉州、嘉州者良[26]。

【校注】

[1] **大** 《图经衍义》无此字。

[2] **伤寒，温疟，寒热** 《御览》作"温疟伤寒热"。

[3] **癥瘕，结坚积聚** "癥"，《御览》作"癖"。"结坚积聚"，《证类》《纲目》《品汇》《图考长编》《本草经疏》《本经疏证》作"结聚坚积"。

[4] **淡** 《证类》《纲目》作"痰"。

[5] **水胀** 《纲目》无此2字。"胀"，孙本、黄本、问本、周本作"张"。

[6] **练** 《千金翼》《图经衍义》《品汇》《本草经疏》作"涤"。

[7] **通** 《香药钞》作"导"。

[8] **肉** 玄《大观》作"内"。

[9] **蛊毒** 《证类》《纲目》《品汇》《图考长编》《本草经疏》《本经疏证》作"毒蛊"。"蛊"，《香药钞》《药种钞》作"虫"。

[10] **鱼** 《图考长编》《御览》无此字。

[11] **疗女子月** 《新修》原脱"疗"字，据《证类》补。玄《大观》脱"月"字。

[12] **创** 《证类》《纲目》等作"疮"。

[13] **阴** 其后，《纲目》《品汇》衍"癞"字。

[14] **猫** 其后，《纲目》《草木典》衍"蛇虺"2字。

[15] **令** 《图经衍义》作"今"。

[16] **椒** 《御览》作"菽"。

[17] **郡** 《御览》作"蜀郡"。

[18] **实，阴** 《证类》无"实"字。"阴"，《新修》原脱，据《证类》补。

[19] **草** 《新修》原作"果"，据《证类》改。

[20] **利** 《证类》作"泻"。

[21] **之皆** 《新修》原作"皆之"，据《证类》改。

[22] **合** 《证类》无此字。

[23] **言** 《图考长编》作"可"。

[24] **如** 《新修》原作"知"，据《证类》改。

[25] **尖** 《证类》作"赤"。

[26] **良** 《新修》原脱，据《证类》补。

398 蜀椒

味辛，温、大热，有毒。主邪气咳逆，温中，逐骨节皮肤死肌，寒湿痹痛[1]，**下气。** 除五脏[2]六腑寒冷，伤寒，温疟，大风，汗不出[3]，心腹留饮宿食，止[4]肠澼下利，泄精，字[5]乳余疾，散风邪癥结，水肿，黄疸[6]，鬼疰，蛊毒，杀虫鱼毒。**久服之头不白**[7]，**轻身增年。** 开腠理，通血脉，坚齿发，调关节，耐[8]寒暑，可作膏药。多食令人乏气，口闭者杀人。一名巴椒，一名卢[9]藄。生武都川[10]谷及巴郡。八月采实，阴[11]干。

杏仁为之使，畏蘩吾[12]。出蜀郡北部[13]，人家种之，皮肉厚，腹里白，气味浓。江阳晋原及建平间亦有而细赤，辛而不香，力势不如巴郡。巴椒，有毒不可服，而此为一名，恐不尔。又有秦椒，黑色，在上[14]品中。凡用椒皆火微熬之，令汗出，谓为汗椒，令有力势[15]。椒目冷利去水[16]，则[17]入药不得相杂耳。　[谨案]椒目，味苦，寒，无毒。主水腹胀满，利小便。今椒出金州西域[18]者，最善。

【校注】

[1] **主邪气……寒湿痹痛**　《千金翼》作"主邪气，温中下气，逐皮肤死肌，中寒冷，去湿痹痛"。

[2] **五脏**　《证类》《纲目》《品汇》《本草经疏》《本经疏证》《图考长编》脱此2字。

[3] **出**　《本经疏证》作"止"。

[4] **止**　《证类》《纲目》等无此字。

[5] **字**　《证类》《纲目》等作"女子字"。

[6] **疵**　玄《大观》作"疵"。

[7] **之头不白**　《证类》无"之"字。"白"，《新修》原作"由"，据《证类》改。

[8] **耐**　《本经疏证》作"能耐"。

[9] **卢**　《证类》《纲目》作"蒨"。

[10] **川**　《图考长编》作"山"。

[11] **阴**　《新修》原脱，据《证类》补。

[12] **畏蘩吾**　《证类》作"畏款冬"。按，《证类》卷2"序例"下"蜀椒"条，有"禹锡等谨案，《唐本》云：畏蘩吾、附子、防风"。今本《新修》无附子、防风。

[13] **郡北部**　"郡"，《证类》作"都"。"部"，《图考长编》作"郡"。"部"字后，《新修》原衍"西川恙"，据《证类》删。

[14] **上**　《证类》作"中"。

[15] **力势**　《证类》作"势力"。

[16] **利去水**　《证类》无此3字。

[17] **则**　《证类》作"别"。

[18] **域**　《证类》作"城"。

399　莽草

味辛、苦，温，有毒。**主风头痈肿，乳痈**[1]**，疝瘕，除**[2]**结气疥瘙，虫疽疮，杀**[3]**虫鱼。**疗喉痹不通，乳难，头风痒，可用沐，勿近目[4]。一名葂，一名春草。生上谷[5]山谷及宛朐。五月采叶，阴干。

上谷远在幽州[6]，今东间诸山[7]处处皆有。叶青新[8]烈者良。人[9]用捣以和米内水中，鱼吞即死浮出，人取食之无妨。莽草，字亦有作茵字，今俗呼为茵草也[10]。

[1] **风头痛肿，乳痛** 《御览》作"风头痛乳"。"风头"，《纲目》《图考长编》作"风毒"。"乳痛"，顾本作"乳肿"。

[2] **除** 《御览》无此字。

[3] **虫疽疮，杀** 孙本、黄本、问本无此字。

[4] **勿近目** 《证类》作"勿令入眼"。

[5] **上谷** 《御览》作"还谷"。

[6] **上谷远在幽州** 《证类》无此文。

[7] **诸山** 《证类》无此2字。

[8] **新** 《图考长编》作"辛"。

[9] **人** 《图考长编》作"又"。

[10] **今俗呼为茵草也** 《新修》原作"呼为囡青"，据《证类》改。

400　郁核[1]

味酸，平[2]，无毒。主大腹水肿，面目四肢浮肿，利小便水道。根[3]，主齿断肿、龋齿，坚齿，去白虫。一名爵李，一名车下李，一名棣。生高山山谷及丘陵上。五月[4]、六月采根。

山野处处有，其子熟赤色，亦可啖[5]之。

【校注】

[1] **核** 《证类》作"李人"。

[2] **平** 《图考长编》作"辛"。

[3] **根** 其后，《品汇》有"凉"字。

[4] **月** 《草木典》脱此字。

[5] **啖** 《新修》原作"散"，据《证类》改。

401　鼠李

主寒热瘰疬疮[1]。皮[2]，味苦，微寒，无毒。主除身皮热毒。一名牛李，一名鼠梓，一名椑[3]。生田野，采无时。

此条又附见，今亦在副品限也[4]。　　[谨案]此药一名赵李，一名皂李，一名乌槎树。皮主诸疮寒热毒痹。子主牛马六畜疮中虫，或生捣敷[5]之，或和脂涂皆效。子味苦，采取日干，九蒸，酒渍，服三合，日二[6]，能下血及碎肉，除疝瘕积冷气，大良。皮、子俱有小毒。

【校注】

[1] **疮** 孙本、问本、周本、黄本作"创"。

[2] **皮** 其前,《证类》有"其"字。

[3] **柙** 《证类》作"椑"。

[4] **此条又附见,今亦在副品限也** 《证类》无此文。

[5] **數** 《新修》原作"薄",据《证类》改。

[6] **二** 《证类》作"再"。

402 栾华

味苦,寒,无毒。主目痛泣[1]出,伤眦,消目肿。 生汉中川谷。五月采。

决明为之使。 [谨案] 此树,叶似木槿而薄细,花黄似槐少[2]长大,子[3]壳似酸浆,其中有实,如熟豌豆,圆黑坚硬[4],堪为数珠者是也。五月[5]、六月花可收,南人取合黄连作煎,疗目赤烂大效。花以染黄色,甚鲜好也[6]。

【校注】

[1] **泣** 《证类》作"泪"。

[2] **少** 《证类》作"小而",《纲目》作"稍"。

[3] **子** 《新修》原脱,据《证类》补。

[4] **硬** 《新修》原作"鞭",据《证类》改。

[5] **月** 《新修》原脱,据《证类》补。

[6] **取合黄连作煎,疗目赤烂大效。花以染黄色,甚鲜好也** 《纲目》作"以染黄甚鲜明,又以疗目赤烂"。

403 杉材

微温,无毒。主疗漆疮[1]。

削作柿,煮以洗漆疮,无[2]不即差。又有鼠查,生去地高尺[3]余许,煮以洗漆[4]多差。又有漆姑,叶细细,多生石旁,亦疗漆疮。其鸡子及蟹,并是旧方。 [谨案] 杉材[5]木,水煮汁[6]浸将[7]脚气肿满,服之疗心腹胀痛,去恶气。其鼠查、漆姑有别功,别[8]出下品。

【校注】

[1] **无毒。主疗漆疮** 《新修》原作"疗漆";《纲目》作"味辛,微温,无毒,主漆疮,煮汤洗之,无不差";据《千金翼》《证类》改。

[2] **疮,无** 《新修》原作"漆亦",据《证类》改。

[3] **尺** 《新修》原作"丈",据《证类》改。

[4] **漆** 《图考长编》作"疮"。

[5] **材** 《新修》原脱，据《证类》补。

[6] **水煮汁** 《纲目》作"煮水"。

[7] **将** 其后，《新修》原衍"差"字，据《证类》删。

[8] **别** 《证类》作"列"。

404 楠材

微温[1]。主霍乱吐不下止[2]。

削作柿[3]，煮服之，穷无他药，用此。

【校注】

[1] **微温** 《纲目》作"味辛微温"。

[2] **止** 其后，《纲目》有"煮汁服"3字。

[3] **柿** 《图考长编》作"枺"。

405 榧实

味甘，无毒[1]。主五痔，去三虫，蛊毒，鬼疰。生永昌。

今出[2]东阳诸郡，食其子，乃言[3]疗寸白虫。不复有余用，不入药方，疑此与前虫品彼子疗说符同[4]。 ［谨案］此物是虫部中彼子也。《尔雅》云：彼杉也，其树大连抱，高数仞，叶似杉，其树[5]如柏，作松理，肌[6]细软，堪为[7]器用也。

【校注】

[1] **无毒** 《新修》原脱，据《证类》补。

[2] **今出** 《图考长编》无此2字。

[3] **乃言** 《证类》无此2字。

[4] **不复有余用……疗说符同** 《证类》无此文。

[5] **树** 《证类》作"木"。

[6] **肌** 《新修》原作"肥"，据《证类》改。

[7] **为** 《新修》原脱，据《证类》补。

406 蔓椒

味苦，温，无毒。主风寒湿[1]痹，历节疼痛[2]，除四肢厥气，膝痛[3]。 一名豕椒[4]，一名猪椒[5]，一名彘椒，一名狗椒。生云中山[6]川[7]谷及丘冢间。采茎、根，煮酿酒[8]。

山野处处有，俗呼为樛，似椒[9]莫，小不香尔，一名豨杀[10]，可以蒸病出汁也。

【校注】

[1] 湿 《图经衍义》作"温"。

[2] 痛 《证类》《品汇》《纲目》、孙本无此字。

[3] 痛 其后，《纲目》衍"煎汤蒸浴，取汗"。

[4] 豕椒 《纲目》注此为《别录》文。"豕"，万历《政和》、孙本、问本、黄本、周本作"家"。

[5] 一名猪椒 《新修》原脱，据《证类》补。

[6] 山 《证类》无此字。

[7] 川 《图经衍义》作"生"。

[8] 酒 《新修》原脱，据《证类》补。

[9] 椒 《新修》原作"薮"，据《证类》改。

[10] 豨杀 《证类》作"豨椒"，《纲目》作"猪椒"。

407 钓樟根皮[1]

主金创，止血[2]。

出桂[3]阳、邵陵诸处，亦呼作鸟樟，方家乃不[4]用，而俗人多识此。刮根皮屑，以疗金创[5]，断血易[6]合甚验。又有一草似狼牙，气辛臭，名地菘，人呼为刘帵草，五月五日采，干作屑，亦主[7]疗金疮，言刘帵昔采用之耳。 ［谨案］钓樟，生柳[8]州山谷，树高丈余，叶似楠叶而尖[9]长，背[10]有赤毛，若枇杷叶。八月、九月采根皮，日[11]干之。

【校注】

[1] 皮 其后，《纲目》有"味辛温无毒"。

[2] 血 其后，《纲目》有"刮屑敷之，甚验"。

[3] 桂 《图考长编》作"睢"。

[4] 乃不 《证类》作"少"。

[5] 创 《证类》作"疮"。

[6] 易 《图考长编》作"汤"。

[7] 主 《新修》原作"至"，据《证类》改。

[8] 柳 《证类》作"彬"。

[9] 尖 《新修》原作"夫"，据《证类》改。

[10] 背 《新修》原作"皆"，据《证类》改。

[11] 日 《新修》原作"白"，据《证类》改。

408 雷丸[1]

味苦、咸，寒、微寒，有小毒。主杀三虫，逐[2]**毒气，胃中热，利丈夫，不利女子，作膏摩**[3]**，除小儿百病。**逐邪气，恶风，汗出，除皮中热结，积聚[4]，蛊毒，白虫，寸白自出不止。久服令人[5]阴痿。一名雷实，赤者杀人。生石城山谷，生[6]汉中土中。八月采根，曝干。

荔实、厚朴为之使，恶葛根。　今出建[7]平、宜都间，累累相连如丸。《本经》云：利丈夫，《别录》云：久服阴痿，于事相反。　　［谨案］雷丸是竹之苓也，无有苗[8]蔓，皆零出[9]，无相连者。今出房州、金州。

【校注】

[1] **丸**　《御览》作"公"。

[2] **逐**　万历《政和》作"递"。

[3] **膏摩**　《证类》《本草经疏》作"摩膏"。

[4] **聚**　《证类》《纲目》无此字。

[5] **人**　《新修》原脱，据《证类》补。

[6] **生**　《证类》作"及"。

[7] **建**　《新修》原作"达"，据《证类》改。

[8] **无有苗**　《新修》原作"凡有田"，据《证类》改。

[9] **出**　《证类》无此字。

409 溲疏

味辛、苦，寒、微寒，无毒。主身[1]**皮肤中热，除邪气，止遗**[2]**溺。**通利水道[3]，除胃中热，下气，**可作浴汤**[4]。一名巨骨。生掘耳川[5]谷及田野故丘墟地。四月采。

漏芦为之使。　李云溲疏一名杨栌，一名牡荆，一名空疏。皮白，中空，时时有节。子似枸杞子，冬月熟，色赤，味甘、苦，末代乃无[6]识者，此实真也，非人篱援[7]之杨栌也。李当之此说，于论牡荆，乃不为大乖[8]，而滥引溲疏，恐斯误矣。又云：溲疏与空疏亦不同。掘耳疑应作熊[9]耳，熊耳[10]山名，而都无掘耳之号也[11]。　　［谨案］溲疏，形似空疏，树高丈许，白皮，其子八月[12]、九月熟，色赤，似枸杞子，味苦，必两两相并，与空疏不同。空疏一名杨栌，子为荚，不似溲疏。

【校注】

[1] **身** 《纲目》《长生疗养方》无此字。

[2] **遭** 万历《政和》作"气"。

[3] **通利水道** 《纲目》注为《本经》文。

[4] **可作浴汤** 《纲目》注为《别录》文。

[5] **掘耳川** "掘",《证类》《图考长编》作"熊"。"川",孙本作"山"。

[6] **末代乃无** 《新修》原作"未代无乃",据《证类》改。

[7] **援** 《图考长编》作"垣"。

[8] **乃不为大乖** 《新修》原作"可",据《证类》改。

[9] **熊** 《新修》原作"态"的繁体,据《证类》改。

[10] **熊耳** 《新修》原脱,据《证类》补。

[11] **而都无掘耳之号也** 《证类》无"而""也"2字。

[12] **月** 《证类》无此字。

410 举树皮

大寒。主时行头痛,热结在肠胃。

山中处处有,皮似檀、槐,叶如栎、槲,人亦多识用之。削取里皮,去上[1]甲,煎服之,夏日作饮去热。 [谨案] 此树,所在皆有,多[2]生溪涧水侧。叶似檽而狭长,树大者连抱,高数仞,皮极粗厚,殊不似檀。俗人取煮汁,以疗水及断下[3]利,取嫩叶,挪贴火烂[4]疮有效也。

【校注】

[1] **上** 《图考长编》作"外"。

[2] **多** 《图考长编》脱此字。

[3] **水及断下** "及",《纲目》作"气"。"下",《证类》无此字。

[4] **贴火烂** "贴",《新修》原作"水",据《证类》改。"烂",《图考长编》作"烧"。

411 白杨树[1]皮

味苦,无毒。主毒[2]风,脚气肿,四肢缓弱不随,毒气游易在皮肤中,淡漯[3]等。酒渍服之。

取叶圆大、蒂小、无风自动者良[4]。 新附

【校注】

[1] **树** 《千金翼》无此字。

[2] **毒** 《新修》原作"久",据《千金翼》《证类》改。

［3］ **淡澼** 《证类》《纲目》《图考长编》作"痰癖"。

［4］ **良** 《新修》原脱，据《千金翼》补。

412 水杨叶、嫩[1]枝

味苦，平，无毒。主久利赤白。捣和[2]水绞取汁，服一升，曰二，大效。

此陶注柳者是[3]。 新附

【校注】

［1］ **嫩** 《新修》原作"獭"，据《证类》改。

［2］ **和** 《新修》原脱，据《证类》补。

［3］ **此陶注柳者是** 《证类》无此文。

413 栾荆

味辛、苦，温，有小毒。主大风，头面手足诸风，癫痫，狂痓[1]，湿痹寒冷疼痛。俗方大用之，而本草不载，亦无别名，但有栾花，功用又别，非此[2]花也。

案，其茎、叶都似石南，干亦反卷，经冬不死，叶上有细黑点者，真也。今雍州所用者是，而洛州乃用石荆当之，非也。 新附

【校注】

［1］ **痫，狂痓** 《新修》原脱"痫"，据《千金翼》《证类》补。"痓"，《证类》《纲目》《品汇》《图考长编》作"痉"。

［2］ **此** 其后，《纲目》有"物"字。

414 小檗

味苦，大寒，无毒。主口疮，疳䘌，杀诸虫，去心腹中热气。一名山石榴。

其树枝叶与石榴无别，但花异，子细黑圆如牛李子[1]耳。生山石间，所在皆有，襄阳岘山东者为良。陶于檗木附见二种，其一是此[2]。陶云皮黄，其树乃皮白[3]，今太[4]常所贮乃叶多刺者，名白刺檗[5]，非小檗也。 新附

【校注】

［1］ **子** 其后，《纲目》有"及女贞子"。

［2］ **是此** 《新修》原作"见是"，据《证类》改。

［3］**陶云皮黄，其树乃皮白**　《纲目》作"其树皮白，陶云皮黄，恐谬矣"。

［4］**太**　《新修》原作"大"，据《证类》改。

［5］**叶多刺者，名白刺檗**　《纲目》作"小树多刺，而叶细者，名刺檗"。"白"，《新修》原作"日"，据《证类》改。

415　莢蒾

味甘、苦，平，无毒。主三虫，下气，消谷。

叶似木槿，及似[1]榆，作小树，其子如溲疏，两两为并[2]，四四相对[3]，而色赤味甘。煮树枝汁和作粥，甘[4]美。以饲小儿[5]，杀蛔虫[6]，不入方用。陆[7]机《草木疏》：名击迷，一名羿先，盖[8]檀、榆之类也。所在山谷有之。　新附

【校注】

［1］**及似**　《纲目》作"及"，《图考长编》作"又似"。

［2］**为并**　《证类》《图考长编》作"相并"，《纲目》作"相对"。

［3］**四四相对**　《纲目》无此文。

［4］**树枝汁和作粥，甘**　《图考长编》脱"枝"字，《纲目》脱"树枝"2字。"汁"，《新修》原作"汗"，据《证类》改。"和"字后，《纲目》衍"米"字。"甘"，《证类》《纲目》《图考长编》作"甚"。

［5］**以饲小儿**　《纲目》在"作粥"之后。《图考长编》无此文。

［6］**虫**　《新修》原脱，据《证类》补。《纲目》无此文。

［7］**陆**　《新修》原作"陵"，据《证类》改。

［8］**盖**　《新修》原作"单云"，据《证类》改。

416　钩藤

微寒，无毒。主小儿寒热，十二惊痫。

出建平，亦作吊藤字[1]，惟[2]疗小儿，不入余方。　　［谨案］出梁州，叶细长，茎间有刺，形若钓钩者是[3]。

【校注】

［1］**吊藤字**　"吊"，《新修》原作"予"，据《证类》改。"字"，《纲目》无。

［2］**惟**　《纲目》脱此字。

［3］**形若钓钩者是**　《证类》脱"形"字。"是"，《新修》原脱，据《证类》补。

417　药实根

味辛，温，无毒。主邪气，诸痹，疼酸，续绝伤，补骨髓。一名连木。生蜀郡

山谷。采无时。

[谨案] 此药子也，当今盛用，胡名那绽[1]，出通州、渝州。《本经》用根，恐误载根字[2]。子味辛，平，无毒。主破血，止利，消肿，除蛊注蛇[3]毒。树生叶似杏，花红白色，子肉味酸甘[4]。用其核仁也。

【校注】

[1] 绽　《纲目》《图考长编》作"疏"。

[2] 用根，恐误载根字　《纲目》作"误载根字"。

[3] 蛇　《新修》原作"地"，据《证类》改。

[4] 甘　《纲目》《图考长编》作"止"。

418　皂荚

味辛、咸[1]，温，有小毒。主风痹，死肌，邪气，风头泪出，下水[2]，利九窍，杀鬼[3]精物。疗腹胀满，消谷，破[4]咳嗽囊结，妇人胞不落，明目益精。可为沐药，不入汤。生雍州川谷及鲁邹县，如猪[5]牙者良。九月、十月采荚，阴[6]干。

柏实为之使，恶麦门冬，畏空青、人参、苦[7]参。　今处处有，长尺二者良。俗人见其皆有虫孔，而未尝见虫形，皆言不可近，令人恶病，殊不尔。其虫状如草菜[8]上青虫，荚微欲黑[9]，便出，所以难见尔。但取生者看，自[10]知之也。　[谨案] 此物有三种，猪牙皂荚最下，其形曲戾薄恶，全无滋润[11]，洗垢亦[12]不去。其尺二寸者，粗大长虚而[13]无润，若长六七寸，圆厚节促直者，皮薄多肉，味浓，大好。

【校注】

[1] 咸　森本无此字。

[2] 下水　《证类》《纲目》《品汇》《图考长编》《本草经疏》《本经疏证》无此2字。

[3] 鬼　《证类》《纲目》等无此字。

[4] 破　《证类》《纲目》等作"除"。

[5] 猪　《新修》原作"睹"，据《证类》改。

[6] 阴　《新修》原脱，据《证类》补。

[7] 苦　《新修》原作"昔"，据《证类》改。

[8] 菜　《新修》原作"采"，据《证类》改。《纲目》《图考长编》作"叶"。

[9] 荚微欲黑　《纲目》作"微黑"。

[10] 取生者看，自　"取"字后，《证类》有"青荚"2字。"看"，《新修》原作"者"，据《证类》改。"自"，《新修》原作"目"，据《证类》改。

369

［11］**滋润** 《新修》原作"落雨"，据《证类》改。

［12］**亦** 《证类》无此字。

［13］**大长虚而** 《新修》原脱"大""而"2字，据《证类》补。

419 楝实

味苦，寒，有小毒。主温疾，伤寒大热烦狂，杀三虫，疗疡，利小便水道[1]。根，微寒，疗蛔虫，利大肠[2]。生荆山山谷。

处处有，俗人五月五日皆取花叶佩带[3]之，云[4]辟恶。其根以苦酒磨涂疥[5]，甚良。煮汁作糜，食之去蛔虫。 ［谨案］此物[6]有两种，有雄有雌。雄者根赤，无子，有毒，服之多使人吐不能止，时有至死者。雌者根白，有子，微毒，用当取雌者[7]。

【校注】

［1］**利小便水道** 玄《大观》、《大全》作黑字《别录》文。"道"字后，《图经衍义》有"一名金铃子，俗呼为苦楝"。

［2］**肠** 《新修》原作"腹"，据《证类》改。

［3］**花叶佩带** 《证类》无"花""带"2字。

［4］**云** 《新修》原作"去"，据《证类》改。

［5］**以苦酒磨涂疥** 《纲目》作"苦酒和，涂疥癣"。

［6］**物** 《证类》无此字。

［7］**雌者根白，有子，微毒，用当取雌者** 《纲目》改作"雌者有子，根白微毒，入药当用雌者"。"子"字后，《新修》原衍"毒"字，据《证类》删。

420 柳华[1]

味苦，寒，无毒。主风水，黄疸，面热黑。痂疥，恶疮，金创[2]。**一名柳**[3]**絮。叶主马疥痂疮**[4]。取煎煮，以洗马疥[5]，立愈。又疗心腹内[6]血，止痛。**实主溃痈，逐脓血**[7]。**子汁疗渴**[8]。生琅玡川泽。

柳即今水杨[9]也，花熟随风起[10]，状如飞雪。陈元正方以为譬者[11]，当用其未舒时，子亦随花飞，正应水渍取[12]汁耳。柳花亦宜贴灸疮，皮叶疗漆疮耳。 ［谨案］柳与水杨全不相似。水[13]杨叶圆阔而赤，枝条短硬[14]；柳叶狭长青绿，枝条长软。此论用柳，不载水杨。水杨亦有疗能，本草不录。树枝及木[15]中虫屑、枝皮，味苦，寒，无毒。主淡热淋，可为吐汤，煮洗风肿痒。酒煮含，主齿痛。木中虫屑可为浴汤，主风瘙痒瘾疹[16]，大效。此人间柳树是也。陶云水杨非也。本草载花差灸疮[17]。

【校注】

[1] **华**　《千金翼》作“叶”。

[2] **创**　《证类》《品汇》《纲目》作“疮”。

[3] **柳**　《艺文类聚》无此字。

[4] **叶主马疥痂疮**　《纲目》作“叶主恶疥痂疮马疥”。《纲目》注为《别录》文。

[5] **取煎煮，以洗马疥**　《纲目》作“煎煮洗之”。

[6] **又疗心腹内**　《新修》原脱“又”字，据《千金翼》《证类》补。“内”，《新修》原作“肉”，据《千金翼》《证类》改。

[7] **实主溃痈，逐脓血**　《纲目》注为《别录》文。

[8] **子汁疗渴**　玄《大观》、《大全》、孙本注为《本经》文。

[9] **杨**　《证类》作“杨柳”。

[10] **起**　《证类》《图考长编》无此字。

[11] **正方以为譬者**　《证类》《图考长编》无“正”“者”2字。

[12] **取**　《证类》《图考长编》无此字。

[13] **水**　《新修》原作“火”，据《证类》改。

[14] **硬**　《新修》原作“鞭”，据《证类》改。

[15] **木**　《新修》原作“空”，据《证类》改。下同。

[16] **瘙痒瘾疹**　《新修》原作“瘙肿痒隐软”，据《证类》改。

[17] **本草载花差灸疮**　《证类》无此文。

421　桐叶

味苦，寒，无毒。**主恶蚀疮[1]着阴。皮主五痔，杀三[2]虫。疗奔豚气病[3]。华[4]，傅猪疮，饲猪[5]肥大三倍。**生桐柏山谷[6]。

桐树有四种：青桐，茎皮青，叶似梧桐而无子。梧桐，色白，叶似青桐有子，子肥亦可食。白桐与岗桐无异，惟有花子耳，花三[7]月舒，黄紫色，《礼》云桐始花者也。岗桐无子，是作琴瑟者。今此云花，便应是白桐，白桐亦[8]堪作琴瑟，一名椅桐，人家多植之。　［谨案］古本草：桐花饲猪，肥[9]大三倍。今云傅疮，恐误矣。岂有故破伤猪，傅桐[10]花者。

【校注】

[1] **疮**　孙本、黄本、问本作“创”。

[2] **三**　《新修》原脱，据《证类》补。

[3] **疗奔豚气病**　《新修》原脱“疗”“病”2字，据《千金翼》《证类》补。“奔豚”，《新修》原作“贲纯”，据《证类》改。

[4] **华**　《图经衍义》作“梧花”。

[5] **饲猪**　《新修》原脱此2字，据《千金翼》《证类》补。

［6］**山谷**　玄《大观》脱此2字。

［7］**三**　《证类》作"二"。

［8］**亦**　《证类》无此字。

［9］**肥**　《新修》原作"胀"，据《证类》改。

［10］**桐**　《新修》原脱，据《证类》补。

422　梓白皮

味苦，寒，无毒。主热，去三虫，疗目中患[1]，华[2]、叶捣傅猪疮，饲猪肥大易养[3]三倍。生河内山谷。

此即梓树之皮。梓亦有三种，当用作桦索[4]不腐者，方药不复用[5]。叶疗手脚水烂[6]。桐叶及此以肥猪之法未见，其事[7]应在商丘子《养猪经》中耳。　［谨案］此三树，花叶取以饲猪，并能肥大，且易养。今见《李氏本草》及[8]《博物志》，但云饲猪使肥。今云傅猪疮，并误讹[9]矣。《别录》云：皮主吐逆胃反，去三虫，小儿热疮，身头热烦蚀疮，汤[10]浴之。并封傅嫩叶[11]，主烂疮也。

【校注】

［1］**疗目中患**　《新修》原脱"疗"字，据《证类》补。"患"，《证类》《纲目》《品汇》《图考长编》作"疾"。

［2］**华**　《证类》等无此字。

［3］**饲猪肥大易养**　《新修》原脱"饲猪"2字，据《千金翼》《证类》补。《证类》脱"易养"2字。

［4］**当用作桦索**　"用"字后，《证类》删"作"。"桦索"，捆柴火的绳索；《纲目》《图考长编》作"朴素"，《证类》作"拌素"，误。

［5］**方药不复用**　《证类》无此文。

［6］**水烂**　《证类》作"火烂疮"。

［7］**其事**　《证类》无此2字。

［8］**及**　《证类》无此字。

［9］**讹**　《新修》原作"洮"，据《证类》改。

［10］**汤**　《纲目》作"煎汤"。

［11］**傅嫩叶**　《新修》原作"薄散敷嫩叶"，据《证类》改。

423　苏方[1]木

味甘、咸，平，无毒。主破血，产后血胀闷欲死者。水煮若酒煮[2]五两，取浓汁服之，效。

此人用染色者，自南海昆仑来，交州、爱州亦有。树似庵罗，叶若榆叶而无涩，抽条长丈许，花黄，子生青、熟黑。　新附

【校注】

[1] **方**　《纲目》作"枋"。

[2] **若酒煮**　"若"，《证类》《图考长编》作"苦"。《纲目》无此3字。

424　接骨木

味甘、苦，平，无毒。主折伤，续筋骨，除风痒[1]龋齿。可为[2]浴汤。

叶如陆英，花亦相似。但作树高一二丈许[3]，木[4]轻虚无心。斫枝插[5]便生，人家亦种之。一名木蒴藋，所在皆有之。　新附

【校注】

[1] **痒**　《纲目》《图考长编》作"痹"。

[2] **为**　《证类》《纲目》作"作"。

[3] **许**　《新修》原脱，据《证类》补。

[4] **木**　《纲目》作"木体"。

[5] **插**　《新修》原作"摇"，据《证类》改。

425　枳椇

味甘，平，无毒。主头风，少腹拘[1]急。陆机云[2]：一名木蜜。其木皮，温，无毒。主五[3]痔，和五脏。以木为屋，屋中酒则味薄，此亦奇物。

其树径尺，木名白石，叶如桑柘。其子作房，似珊瑚，核在其端，人皆食之。　新附

【校注】

[1] **少腹拘**　"少"，《证类》《品汇》《纲目》《图考长编》作"小"。"拘"，《新修》原作"物"，据《证类》改。

[2] **陆机云**　《证类》无此文。

[3] **五**　《图考长编》无此字。

426　木天蓼

味辛，温，有小毒。主癥结、积聚，风劳虚冷[1]。生山谷中。

作藤蔓，叶似柘，花白，子如枣许，无定形。中穰似茄子，味辛，取之[2]当姜蓼。其苗藤切以酒浸服，或以酿酒，去风冷、癥癖，大效。所在皆有，今出安州、申[3]州。　新附

【校注】

[1] 冷　其后，《纲目》有"细切酿酒饮"。

[2] 取之　《证类》《纲目》《图考长编》作"啖之以"。

[3] 申　《纲目》《图考长编》作"中"。

427　乌臼木

根皮，味苦，微温，有[1]毒。主暴水、癥结、积聚。生山南平泽。

树高数仞，叶似梨、杏，花黄白[2]，子黑色。　新附

【校注】

[1] 有　《纲目》作"无"。

[2] 花黄白　《纲目》作"五月开细花黄白色"。

428　赤爪草[1]

味苦，寒，无毒。主水利，风头，身痒。生平陆，所在有之。实，味酸冷，无毒。汁服主利[2]，洗头及身差[3]疮痒。一名羊梂，一名鼠查。

小树生高五六尺，叶似香菜[4]，子似虎掌爪，大[5]如小林檎，赤色。出山南申州、安州、随州[6]。　新附

【校注】

[1] 草　《证类》《品汇》《图考长编》作"木"。

[2] 利　《证类》《品汇》《图考长编》作"水利"。

[3] 洗头及身差　《证类》《品汇》《图考长编》《本草经疏》作"沐头及洗身上"。

[4] 叶似香菜　《新修》原脱，据《证类》补。

[5] 大　《图考长编》作"木"。

[6] 申州、安州、随州　《证类》作"申、安、随等州"。

429　诃梨勒

味苦，温，无毒。主冷气，心腹胀满，下宿物[1]。生交、爱州[2]。

树似木梡，花白，子形似栀子，青黄色，皮肉相着。水磨或散水[3]服之。　　新附

【校注】

[1] **宿物**　《证类》《纲目》《品汇》《图考长编》《本草经疏》作"食"。

[2] **交、爱州**　《纲目》作"交州、爱州"。

[3] **水**　《证类》等无此字。

430　枫柳皮

味辛，大热，有毒。主风齲、齿痛。出石[1]州。

叶似槐，茎赤，根黄，子六月熟，绿色而细。剥取其[2]茎皮用之。　　新附

【校注】

[1] **石**　《证类》《纲目》《图考长编》作"原"。

[2] **其**　《证类》《纲目》《图考长编》无此字。

431　卖子木

味甘，微温[1]，咸，平，无毒。主折伤，血肉结[2]，续[3]绝，补骨髓，止痛，安胎。生山谷中。

其叶似柿，出剑南邛州[4]。　　新附

【校注】

[1] **温**　《证类》脱此字。

[2] **肉结**　《证类》《纲目》《图考长编》作"内溜"。

[3] **续**　《新修》原脱，据《证类》补。

[4] **其叶似柿，出剑南邛州**　《纲目》作"出岭南邛州山谷中，其叶似柿"。"其叶"，《新修》原作"其茎"，据《证类》改。

432　大空

味辛[1]、苦，平，有小[2]毒。主三虫，杀虮虱。生山谷中。取根皮作[3]末，油和涂发[4]，虮虱皆死。

根皮赤，叶似楮，小圆厚。作小树，抽条高六七尺。出襄州山谷，所在亦有，秦陇人名为揭[5]空。　　新附

【校注】

[1] **辛** 《图考长编》无此字。

[2] **小** 《新修》原作"少"，据《证类》改。

[3] **作** 《新修》原脱，据《证类》补。

[4] **发** 《证类》《品汇》《图考长编》无此字。

[5] **揭** 《证类》作"独"。

433 紫真檀木[1]

味咸，微寒。主恶毒、风毒。

俗人磨以涂风毒、诸肿，亦效，然不及青木香。又主金创[2]，止血，亦疗淋用之。 ［谨案］此物出昆仑盘盘国，惟[3]不生中华，人间遍有之。

【校注】

[1] **木** 《千金翼》《证类》无此字。

[2] **创** 《证类》作"疮"。

[3] **惟** 《证类》作"虽"。

434 椿木叶

味苦，有毒。主洗疮疥，风疽，水煮叶汁用之。皮主甘䘌。樗木根叶尤良。

二树形相似，樗木疏，椿木实，为别也[1]。 新附

【校注】

[1] **为别也** 《新修》原脱，据《证类》补。

435 胡椒

味辛，大温，无毒。主下气，温中，去淡[1]，除脏腑中风冷。生西戎，形如鼠李子。调食用之，味甚辛美[2]，而芳香不及蜀椒[3]。 新附

【校注】

[1] **淡** 《证类》《纲目》作"痰"。

[2] **美** 《证类》作"辣"。

[3] **而芳香不及蜀椒** 《证类》无此文。

436　橡实

味苦，微温，无毒。主下利，厚肠胃，肥健人。其壳为散及煮汁服，亦主利，并堪染用[1]。一名杼斗[2]，槲栎皆有斗[3]，以栎为胜。所在山谷中皆有。

新附

【校注】

[1] **亦主利，并堪染用**　《纲目》作"止下痢，并可染皂"。

[2] **斗**　《新修》原作"汁"，据《证类》改。

[3] **斗**　《新修》原脱，据《证类》补。

437　无[1]食子

味苦，温，无毒。主赤白利，肠滑，生肌肉。出西戎[2]。

云生沙碛间，树似柽。　新附

【校注】

[1] **无**　《医心方》作"每"。

[2] **戎**　其后，《图经衍义》衍"一名没石子"。

438　杨栌木

味苦，寒[1]，有毒。主疰瘘、恶疮，水煮叶汁，洗疮立差。生篱垣间。一名空疏[2]，所在皆有。　新附

【校注】

[1] **寒**　《新修》原脱，据《证类》补。

[2] **疏**　《新修》原作"梳"，据《证类》改。

439　槲若[1]

味甘、苦，平，无毒。主痔，止血，疗[2]血痢，止渴，取脉灸[3]用之。皮，味苦，水煎浓汁，除蛊及瘘，俗用甚效。　新附

377

【校注】

[1] 檞若　《医心方》作"檞若叶"。

[2] 疗　《新修》原脱，据《证类》补。

[3] 脉灸　"脉"，《品汇》作"服"，《图考长编》作"叶"。"灸"，《图考长编》作"炙"。

《新修本草》木部下品卷第十四

兽禽部　卷第十五

440	**龙骨**	441	**牛黄**	442	**麝香**
443	人乳汁	444	**发髲**	445	乱发
446	头垢	447	人屎	448	马乳
449	牛乳	450	羊乳	451	酪酥
452	**熊脂**	453	**白胶**	454	**阿胶**
455	醍醐新附	456	底野迦新附	457	酪新附
458	**犀角**	459	**零羊角**	460	**羖羊角**
461	**牛角䚡**	462	**白马茎**	463	**牡狗阴茎**
464	**鹿茸**	465	獐骨	466	虎骨
467	豹肉	468	狸骨	469	兔头骨
470	**六畜毛蹄甲**	471	**鼺鼠**	472	**麋脂**
473	**豚卵**	474	鼹鼠	475	獭肝
476	狐阴茎	477	猯膏、肉、胞新附	478	野猪黄新附
479	驴屎新附	480	豺皮新附	481	**丹雄鸡**
482	白鹅膏	483	鹜肪	484	**雁肪**
485	鹧鸪鸟新附	486	雉肉	487	鹰屎白
488	雀卵	489	鹳骨	490	雄鹊肉
491	鸲鹆肉新附	492	**燕屎**	493	孔雀屎
494	鸬鹚屎	495	鸱头		

右兽禽部五十六种廿一种《神农本经》，廿六种《名医别录》，九种新附。

兽　上

440　龙骨

味甘，平、微寒，无毒。主心腹鬼疰，精物，老魅，咳逆，泄痢脓血，女子漏下，癥瘕坚结，小儿热气惊痫。疗心腹烦满，四肢痿枯[1]，汗出，夜卧自惊，恚怒，伏气[2]在心下，不得喘[3]息，肠痈内疽阴蚀，止[4]汗[5]，小便利[6]，溺血，养精神，定魂魄，安五脏。白龙骨，疗梦寐[7]泄精，小便泄精。**龙齿，主疗小儿、大人惊痫[8]，癫疾，狂走，心下结气，不能喘息，诸痉[9]，杀精物[10]。**疗小儿五惊，十二痫[11]，身热不可近人[12]，大人骨间寒热，又杀蛊毒。得人参、牛黄良，畏石膏。角，主惊痫，瘈[13]疭，身热如火，腹中坚及热泄。畏干漆、蜀椒、理石[14]。**久服轻身，通神明，延年。**生晋地川谷，及太山岩水岸土穴石[15]中死龙处，采无时。

今多出益州、梁州间[16]，巴中亦有骨，欲得脊脑[17]，作白地锦文，舐之着舌者，良。齿小强，犹有齿形。角强而实。又有龙脑，肥[18]软，亦断痢。云皆是龙蜕[19]，非实死也。比来巴中数[20]得龙胞，吾自亲见形体俱存，云疗产难[21]，产后余疾，正当末服之。　　[谨案] 龙骨，今并出晋地，生硬者不好，五色具者良。其青、黄、赤、白[22]、黑，亦应随色与腑脏相会，如五芝、五石英、五石脂等辈。而《本经》不论，莫知所以。

【校注】

[1] **痿枯**　《本草经疏》作"枯痿"。"枯"，《新修》原作"枝"，据《证类》改。

[2] **伏气**　《纲目》作"气伏"。

[3] **不得喘**　《新修》原脱"不""喘"2字，据《证类》补。

［4］**止**　《新修》原作"心"，据《证类》改。

［5］**汗出……止汗**　《纲目》已作化裁。

［6］**小便利**　《证类》《纲目》作"缩小便"。

［7］**瘖**　《证类》《纲目》《本草经疏》《本经疏证》作"痹"。

［8］**龙齿，主疗小儿、大人惊痫**　《证类》《品汇》《本草经疏》《本经疏证》无"龙""疗"2字。《纲目》无"小儿"2字。

［9］**诸痉**　《纲目》在"惊痫"之后。

［10］**杀精物**　《纲目》在"龙齿"之后。

［11］**小儿五惊，十二痫**　《纲目》注为《本经》文。

［12］**身热不可近人**　"身"字前，《纲目》衍"小儿"2字。《证类》《纲目》《本草经疏》无"人"字。

［13］**瘛**　《新修》原脱，据《证类》补。

［14］**畏干漆、蜀椒、理石**　《证类》在"采无时"之后。

［15］**及太山岩水岸土穴石**　"及"，《新修》原作"生"，据《证类》改。"石"，《证类》无此字。

［16］**益州、梁州间**　《证类》作"梁、益间"。

［17］**脑**　《新修》原作"胫"，据《证类》改。

［18］**肥**　《新修》原作"肌"，据《证类》改。"肥"字前，《纲目》衍"其形"2字。

［19］**蜕**　《新修》原作"蛇"，据《证类》改。

［20］**数**　《新修》原作"敢"，据《证类》改。

［21］**产难**　《证类》无此2字。

［22］**五色具者良。其青、黄、赤、白**　《新修》原脱"者""白"2字，据《证类》补。

441　牛黄

味苦，平，有小毒。主惊痫[1]**寒热，热盛狂痉**[2]**，除邪逐鬼。**疗[3]小儿百病，诸痫，热口不开，大人狂癫，又[4]堕胎。久服轻身增季[5]，令人不忘。生晋地平泽[6]，生于牛，得之[7]即[8]阴干百日，使时[9]燥，无令见日月光。

人参为之使，得牡丹、昌蒲利耳目，恶龙骨、地黄、龙胆、蜚蠊[10]，畏牛膝。　旧云[11]神牛出入鸣吼者有之，伺其出角上[12]，以盆水承而吐[13]之，即堕落水中。今人多皆就胆中得之耳。多出梁、益，一子如鸡子黄大相重叠，药中之贵，莫复过此。一子起[14]二三分，好者直五六千至一万也。俗人多假作，甚相似，惟以磨爪甲舐拭不脱者，是真之[15]。　　［谨案］牛黄，今出莱[16]州、密州、淄州、青州、巂州、戎州[17]。牛有黄者，必多吼唤喝[18]，拍而得之[19]，谓之生黄，最佳。黄有三种：散黄粒如麻豆；慢黄若鸡卵中黄糊，在肝胆间；圆[20]黄为块形，有大小，并在肝胆中，多生于㸲[21]特牛，其吴牛未闻有黄也。

【校注】

[1] 痾 《御览》无此字。

[2] 痉 《本草经疏》作"痓"。

[3] 疗 《新修》原脱，据《千金翼》《证类》补。

[4] 又 《新修》原脱，据《千金翼》《证类》补。《图经衍义》作"及"。

[5] 久服轻身增季 "久"，《图经衍义》作"又"。"季"，《证类》《品汇》《纲目》《本草经疏》《本经续疏》作"年"。

[6] 生晋地平泽 《御览》作"生晋地，生陇西平泽"，《纲目》《禽虫典》作"生陇西及晋地"。

[7] 生于牛，得之 《御览》作"特牛胆中"，《纲目》《禽虫典》作"特牛胆中得之"。

[8] 即 《本经续疏》无此字。

[9] 时 《本经续疏》作"自"，《纲目》《禽虫典》无此字。

[10] 蜚蠊 《医心方》作"飞廉"。

[11] 云 《新修》、武田本《新修》原作"五"，据《证类》改。

[12] 伺其出角上 《纲目》作"夜视有光，走入牛角中"。

[13] 吐 《新修》原作"咀"，据《证类》改。

[14] 起 《证类》作"及"。

[15] 俗人多假作，甚相似，惟以磨爪甲舐拭不脱者，是真之 《证类》无此文。

[16] 菜 《新修》原作"菜"，据《证类》改。

[17] 淄州、青州、嶲州、戎州 《新修》原作"佳明州、戎州、青州、濆州"，据《证类》改。

[18] 唤喝 《新修》原作"嗄咀"，据《证类》改。

[19] 拍而得之 《新修》原作"迫而得"，据《证类》改。

[20] 圆 《新修》原作"团"，据《证类》改。

[21] 榛 《新修》原作"椿"，据《证类》改。

442 麝香[1]

味辛，温，无毒。主辟恶气，杀鬼精物[2]，温疟，蛊毒，痫痉[3]，去三虫[4]。疗[5]诸凶邪鬼气，中恶，心腹暴痛胀急，痞满，风毒，妇人产难，堕胎[6]，去面䵟，目中肤翳。**久服除邪，不梦寤[7]厌寐，通神仙。**生中台川谷[8]及益州[9]、雍州山中。春分取之[10]，生者益良。

麝[11]形似獐，恒食柏叶[12]，又啖蛇，五月得香往往有蛇皮骨，故麝香疗蛇毒。今以蛇蜕皮裹麝香[13]弥香，则是相[14]使也。其香正在麝阴茎前皮内，别有膜裹之。今出随郡义阳晋熙[15]诸蛮中者亚之。今出其形貌直如栗臾人。又云是卵，不然也。香多被破杂蛮，犹差于益州[16]。益州香[17]形扁，仍以皮膜裹[18]之。一子真者，分糅[19]作三四子，刮取其[20]血膜，亦[21]杂以余物。大都亦有精粗[22]，破看[23]一片，有毛在裹中者为胜，彼人以为志。若于诸羌夷中得者，多真好。烧当门沸起良久亦[24]好。今惟得活者，自看[25]取之，必当全真耳。生香人云是其精溺凝作之[26]，殊不尔。麝[27]夏月食蛇虫多，至寒香满，入春患急痛，自以脚剔[28]出，著屎溺中覆之，皆有常处[29]。人有遇得，乃至[30]一斗五升也。用此香乃胜杀取者。带麝非但香，亦辟恶。以真者一子，置头[31]间枕之，辟恶梦及尸痓鬼气。

【校注】

[1] 成化《政和》、万历《政和》、商务《政和》将"麝香"条全文作黑字《别录》文，无白字《本经》标记。又，《新修》底本各卷麝香也有写作"射香"者。

[2] **气，杀鬼精物** 《御览》无"气""物"2字。

[3] **蛊毒，痫痉** "蛊"，《香药钞》《香字钞》作"虫"。"痫痉"，《纲目》作"惊痫"，《品汇》《本草经疏》、森本作"痫痓"。

[4] **虫** 《图经衍义》作"蛊"。

[5] **疗** 《新修》原脱，据《千金翼》《证类》补。

[6] **妇人产难，堕胎** 《纲目》《禽虫典》在"目中肤翳"之后。"产难"，《本草经疏》作"难产"。

[7] **瘟** 《纲目》作"寐"。

[8] **川谷** "川"，《纲目》作"山"。"川谷"，《御览》作"山也"。

[9] **及益州** 《新修》原作"生益州及"，据《千金翼》《证类》改。

[10] **之** 《纲目》作"香"。

[11] **麝** 其后，《新修》原衍"香"字，据《证类》删。

[12] **恒食柏叶** "恒"，《证类》作"常"。"叶"，《新修》原作"集"，据《证类》改。

[13] **香** 《新修》原脱，据《证类》补。

[14] **相** 《新修》原作"胡"，据《证类》改。

[15] **晋熙** 《纲目》作"晋溪"。

[16] **今出其形貌直如……犹差于益州** 《证类》无此文。

[17] **益州香** 《证类》作"出益州者"。

[18] **裹** 《新修》原脱，据《证类》补。

[19] **者，分糅** "者"，《证类》作"香"。《证类》无"糅"字。

[20] **其** 《证类》无此字。

[21] **亦** 《证类》无此字。

[22] **精粗** 《新修》原作"粗鹿"，据《证类》改。

[23] **看** 《新修》原作"者"，据《证类》改。

[24] **起良久亦** 《证类》无"起"字。"亦"，《证类》作"即"。

[25] **看** 《新修》原作"者"，据《证类》改。

[26] **云是其精溺凝作之** "云"，《新修》原作"去"，据《证类》改。《新修》原脱"之"字，据《证类》补。

[27] **麝** 其后，《新修》原衍"香"字，据《证类》删。

[28] **剔** 《新修》原作"别"，据《证类》改。

[29] **皆有常处** 《纲目》作"常在一处不移"。

[30] **至** 《新修》原脱，据《证类》补。

[31] **头** 《证类》作"颈"。

443 人乳汁[1]

主补五脏，令人肥白悦泽。

张仓恒服人乳[2]，故年百岁余，肥白如瓠。 ［谨案］《别录》云：首生男乳，疗目赤痛多泪，解独肝牛肉毒[3]，如[4]合豉浓汁服之，神效。又取和雀屎，去目赤努肉。

【校注】

[1] **汁** 其后，《纲目》有"甘、咸、平，无毒"。

[2] **张仓恒服人乳** 《纲目》作"汉张苍年老无齿，妻妾百数，常服人乳"。"恒"，《证类》作"常"。

[3] **毒** 《新修》原脱，据《证类》补。

[4] **如** 《证类》无此字。

444 发髲

味苦，温、小寒，无毒。主五癃关格不得小便，利水道[1]，疗小儿痫、大人痓，仍自还神化[2]。合鸡子黄煎之，消为水，疗小儿惊热，下痢[3]。

李云是童男[4]发。神化之事，未见别方。今俗中妪母为小儿作[5]鸡子煎，用发杂熬良久得汁，与儿服去痰热、疗百病而用发，皆用其父[6]梳头乱者耳。不知此发髲审取[7]是何物。且髲字书记所无，或作算[8]音，人今呼斑发为算发。书家亦呼[9]乱发为鬒，恐髲即是[10]鬒音也。童男之理，未或全明。 ［谨案］此发皮[11]根也，年久者用之神效。即发字误矣，既有乱发及头垢，则阙发明矣。又头垢功劣于发皮，犹去病用陈久者梳及船茹、败天公[12]、蒲席皆此例也。甄立言作鬓鬒，亦髲也[13]，检[14]《字书》无髲字，但有发鬈[15]。鬈，发美貌，作丘权音，有声无质，则髲为真矣。

【校注】

[1] **不得小便，利水道** 《证类》《纲目》作"不通，利小便水道"。

[2] **化** 其后，《新修》原衍"生平泽"3字，据《证类》删。

[3] **下痢** 《纲目》作"百病"。《新修》原脱"痢"字，据《千金》补。按，《千金方》卷15治痫方用乱发灰。《外台秘要》卷25亦用乱发灰止痢。《小儿卫生总微论方》卷10"胎中病论"之"蓐疮"条引刘禹锡云："因阅本草有云，乱发合鸡子黄煎，消为水，疗小儿惊热下痢。"

[4] **男** 《新修》原脱，据《证类》补。

[5] **作** 《新修》原脱，据《证类》补。

[6] **用其父** "用"，《证类》作"取"。"父"，《新修》原作"人"，据《证类》改。

[7] **取** 《证类》无此字。

[8] **算** 《证类》作"蒜"，下同。

[9] **呼** 《新修》原脱，据《证类》补。

[10] **是** 《证类》无此字。

[11] **皮** 《新修》原脱，据《证类》补，下同。

[12] **公** 《证类》作"翁"。

[13] **鬈鬈，亦鬓也** 《新修》原作"发发亦发也，发物一音"，据《证类》改。

[14] **检** 《证类》无此字。

[15] **发鬈** 《新修》原作"复"，据《证类》改。

445 乱发

微温。主咳嗽[1]，五淋，大小便不通，小儿惊痫，止血，鼻衄，烧之吹内立已[2]。

此常人头发耳，术家用已乱发及爪烧，山人饮之相亲爱[3]。此与发鬈疗体相似[4]。 ［谨案］乱发灰[5]，疗转胞，小[6]便不通，赤白利，哽噎，鼻衄，痈肿，狐尿刺，尸疰，丁肿，骨疽，杂疮，古方用之。陶弘景但知字书无髪字，竟不悟髪误为发也[7]。

【校注】

[1] **咳嗽** 《本草经疏》作"咳逆"。"咳"，《新修》原脱，据《证类》补。

[2] **已** 《千金翼》作"止"。

[3] **术家用已乱发及爪烧，山人饮之相亲爱** 《证类》无此文。

[4] **此与发鬈疗体相似** 《证类》无"此"字。"似"字后，《新修》原衍"若然则长此一件"，据《证类》删。

[5] **灰** 《新修》、武田本《新修》原作"所"，据《证类》改。

[6] **小** 其前，《新修》原衍"又"字，据《证类》删。

[7] **陶弘景但知……误为发也** 《证类》无此文。

446 头垢

主淋闭不通。

术云头垢浮针，以肥腻[1]故耳。今当用悦[2]泽人者。其垢可丸，亦[3]主噎，又疗劳复也[4]。

【校注】

[1] **赋** 《新修》原脱，据《证类》补。

[2] **悦** 《新修》原作"傅"，据《证类》改。

[3] **亦** 《证类》作"又"。

[4] **又疗劳复也** 《证类》作"亦疗劳"。

447 人屎

寒。主疗时行大热狂走，解诸毒，宜用绝干者，捣末，沸汤沃服之[1]。人溺，疗寒热，头痛[2]，温气，童男者尤良。溺白垽[3]，疗鼻衄，汤火灼疮。东向圊厕[4]溺坑中青渥，疗喉痹，消痈肿，若已有脓即溃。

交广傺人用焦铜为箭镞，射人才伤皮便死，惟饮粪汁即差。而射猪狗不死，以其食粪故也。时行大热，饮粪汁亦愈。今近城寺，别塞空罂[5]口，内粪仓中，积年得汁甚黑而苦，名为黄龙汤，疗温病垂死饮[6]皆差。若人初得头痛，直饮溺[7]数升，亦多愈，合葱豉作溺弥佳。溺垽及青渥为疗并如所说。又妇人月水亦解毒箭并女劳复，浣裈汁亦善。扶南国旧有奇术，能禁令刀斫人不入，惟以月水涂刀便死，此是汗秽坏神气也；又人合药，所以忌触之。皮既一种物，故从屎溺之例，又人精和鹰屎，亦灭瘢[8]。　　[谨案]人屎，主诸毒、卒恶热黄闷欲死者。新者最效，须以[9]水和服之。其干者，烧之烟绝，水渍饮汁，名破棺汤。主伤寒热毒、炙热[10]，水渍饮弥善。破丁肿，开以新者封之一日，根烂。尿，主卒血攻心，被打内有瘀[11]血，煎服之，一服一升[12]；又[13]主癥积满腹，诸药不差者服之，皆下血片肉[14]块，二十日即出也。亦主久嗽上气失声。尿垽白，烧研末，主紧唇疮[15]。尿坑中竹木[16]，主小儿齿不生，正旦刮涂[17]之即生。

【校注】

[1] **宜用绝干者，捣末，沸汤沃服之** 《新修》原脱，据《证类》补。

[2] **痛** 《证类》《品汇》《本草经疏》《本经疏证》作"疼"。

[3] **溺白垽** 《纲目》注为《新修》文。

[4] **圊厕** 《新修》原作"清前"，据《千金翼》《证类》改。

[5] **塞空罂** 《新修》原作"寒空明"，据《证类》改。

[6] **饮** 《千金翼》《证类》无此字。

[7] **溺** 《证类》作"人尿"。

[8] **溺垽及青渥……鹰屎，亦灭瘢** 《证类》将这段陶弘景注文，分立为3个药物条文，即妇人月水、浣裈汁、人精。

[9] **以** 《证类》作"与"。

[10] **炙热** 《证类》无此2字。

[11] **有瘀** 《新修》原脱，据《证类》补。

[12] **升** 其后，《新修》原衍"百日"2字，据《证类》删。

[13] **又**　《新修》原脱，据《证类》补。

[14] **肉**　《新修》原脱，据《证类》补。

[15] **尿涩白，烧研末，主紧唇疮**　《证类》将此文拨出，列在"溺白垽"之下。

[16] **坑中竹木**　《新修》原脱"坑"字，据《证类》补。"木"，《新修》原作"本"，据《证类》改。

[17] **涂**　《新修》原脱，据《证类》补。

448　马乳

止渴[1]。

今人不甚服，当缘难得也。　[谨案] 马乳与驴乳性同冷利，止渴疗热。马乳作酪，弥应酷冷，江南无[2]马乳，故陶不[3]委言之。驴乳，疗微热黄，小儿热惊、邪气[4]，服之亦利。胡言马酪性温，饮之消肉。当[5]以物类自相制伏，不拘冷热也。

【校注】

[1] **渴**　其后，《纲目》衍"治热"2字，按，此2字是苏敬注文，非《别录》文。

[2] **无**　《证类》作"乏"。

[3] **故陶不**　《证类》作"今俱合是冷"。

[4] **热惊、邪气**　《证类》作"中热惊热"。

[5] **当**　《证类》作"多"。

449　牛乳

微寒。补虚羸，止渴，下气[1]。

犎牛为佳，不用新被饮竟者[2]。　[谨案] 水牛乳，云[3]造石蜜须之，言作酪浓厚，味胜犎牛。犎牛乳，性平，生饮令人痢，熟饮令人口干[4]，微似温也。

【校注】

[1] **下气**　《证类》《纲目》《品汇》《本草经疏》无此文。

[2] **被饮竟者**　《证类》作"饮者"。

[3] **云**　《证类》无此字。

[4] **人口干**　《新修》原作"口乎"，据《证类》改。

450　羊乳

温。补寒冷虚乏。

牛乳、羊乳实为[1]补润，故北人皆多肥健。　　[谨案]北人肥健，不啖[2]咸腥，方土使然，何关饮乳。陶以未达，故[3]屡有此言。

【校注】

[1] **牛乳、羊乳实为**　《新修》原作"牛羊乳实"，据《证类》改。

[2] **啖**　《新修》原作"敢"，据《证类》改。

[3] **故**　《新修》原脱，据《证类》补。

451　酪酥[1]

微寒。补五脏，利大[2]肠，主口疮。

酥出外国，亦从益州来，本是牛羊乳所为，作之自有[3]法。佛经[4]称乳成酪，酪成酥，酥成醍醐。醍醐色黄白，作饼甚甘肥，亦时至江南。　　[谨案]酥掐酪作之，其性犹与酪异，今通言功[5]，恐是陶之未达。然酥有牛酥、羊酥，而牛酥胜于羊酥，其犛[6]牛复优于家牛也。

【校注】

[1] **酪酥**　《证类》无"酪"字。

[2] **大**　《纲目》作"大小"。

[3] **作之自有**　《新修》原作"之自省"，据《证类》改。

[4] **经**　《纲目》作"书"。其后，《新修》原衍"丞"，据《证类》删。

[5] **功**　《新修》原脱，据《证类》补。

[6] **犛**　《新修》原作"忔"，据《证类》改。

452　熊脂

味甘，微寒[1]、微温，无毒。**主**[2]**风痹不仁，筋急，五脏腹中**[3]**积聚，寒热，羸瘦，头疡**[4]**白秃，面皯皰**[5]。食饮呕吐[6]。**久服强志，不饥，轻身，长年**[7]。生雍州山谷，十一月取。

此脂即是熊白，是背上膏[8]，寒月则有，夏月则无。其腹中肪及身中膏，煎取[9]可作药，而不中啖[10]。今东西诸山林[11]皆有之，自是非易得物耳。瘤病人[12]不可食熊肉，令终身不除愈也[13]。　　[谨案]熊胆，味苦，寒，无毒。疗时气热盛变为黄疸、暑月久痢，疳蟨，心痛，住忤。脑，疗诸聋。血[14]，疗小儿客忤。脂，长发令黑，悦泽人面；酒炼服之[15]，差风痹。凡言膏者，皆脂消已后之名，背上[16]不得言膏。《左传》义云膏肓[17]者，乃是鬲肓文误有此名，陶言背膏，同于旧说[18]也。

【校注】

[1] **微寒** 《御览》无此2字。

[2] **主** 《艺文类聚》作"止"。

[3] **脏腹中** 《千金方》作"缓若腹中有"。

[4] **头痛** 《千金方》作"其脂味甘微寒，疗法与肉同；又去头痛"。

[5] **肝疵** 《大全》作"肝抱"，《纲目》作"上肝疤"，《千金方》作"野黯"。

[6] **食饮呕吐** 《纲目》作"饮食呕吐"，《证类》《本草经疏》作"食饮吐呕"。

[7] **长年** 《纲目》《品汇》注为《本经》文。"年"字后，《御览》《艺文类聚》有"一名熊白"。

[8] **是背上膏** 《新修》原脱"背"字，据《证类》补。《纲目》改作"乃背上肪，色白如玉，味甚美"。

[9] **膏，煎取** 《纲目》作"脂煎炼过亦"。

[10] **唉** 《新修》、武田本《新修》原作"取"，据《证类》改。

[11] **林** 《证类》作"县"。

[12] **病人** 《证类》作"疾"。

[13] **也** 《证类》无此字。

[14] **血** 《新修》原作"而"，据《证类》改。

[15] **之** 《新修》原脱，据《证类》补。

[16] **上** 《新修》原作"土"，据《证类》改。

[17] **义云膏肓** "义"，《新修》原作"美"，据《证类》改。"肓"，商务《政和》误为"育"，下同。

[18] **说** 《新修》原作"误"，据《证类》改。

453 白胶

味甘，平、温，无毒。主伤中，劳绝，腰痛，赢[1]瘦，补中益气，妇人血闭[2]无子，止[3]痛，安胎。 疗[4]吐血，下血，崩中不止，四肢酸疼[5]，多汗，淋露，折跌伤损。**久服轻身延年[6]。一名鹿角胶。生云中，煮鹿角作之。**

得火良，畏大黄。 今人少复煮作，惟合角弓，犹言用此胶尔[7]。方药用亦希，道家时又[8]须之。作白胶法[9]，先以米潘[10]汁，渍七日[11]令软，然后煮煎之[12]，如作阿胶法耳。又一法即细剉角，与一片干牛皮，角即消烂矣[13]，不尔相厌，百年无一熟也。 ［谨案］麋鹿角胶，但煮取浓汁[14]重煎，即为胶矣，何至使烂也。求烂亦不难[15]，当是未见煮胶，谬[16]为此说耳。

【校注】

[1] **腰痛，赢** "腰"，孙本、问本、黄本作"要"。《御览》无"赢"字。

[2] **血闭** 《御览》无此2字。

[3] **止** 《大全》作"正"。

[4] **疗** 《新修》原脱，据《证类》补。

[5] **酸疼** 《纲目》作"作痛"。

[6] **年** 黄本、问本作"季"。

[7] **犹言用此胶尔** 《纲目》作"用之"。

[8] **又** 《证类》无此字。

[9] **作白胶法** 《纲目》作"其法"。

[10] **潘** 《证类》《纲目》作"潘"。

[11] **渍七日** 《新修》原作"七日渍"，据《证类》改。

[12] **然后煮煎之** 《纲目》作"煮煎"。

[13] **即细刓角，与一片干牛皮，角即消烂矣** 《纲目》作"刓角令细，入干牛皮一片，即易消烂"。

[14] **麋鹿角胶，但煮取浓汁** 《证类》作"麋角、鹿角，但煮浓汁"。

[15] **烂也。求烂亦不难** "烂"，《新修》原作"烟"，据《证类》改。《新修》原脱"不"，据《证类》补。

[16] **谬** 《新修》原作"误"，据《证类》改。

454 阿胶

味甘[1]，**平、微温，无毒。主心腹内崩，劳极洒洒如疟**[2]**状，腰**[3]**腹痛，四肢酸疼**[4]**，女子下血，安胎。**丈夫少[5]腹痛，虚劳羸瘦，阴气不足，脚酸不能久立，养肝气。**久服轻身益气。一名傅致胶。**生东平郡，煮牛皮作之。出东阿[6]。

恶[7]大黄，得火[8]良。 出东阿，故名阿胶。今都下[9]能作之，用皮亦有老少，胶则有清浊。凡三种：清薄者，书[10]画用；厚而清者，名为盆覆胶，作药用之，用之[11]皆火炙，丸散须极燥[12]，入汤微炙尔；浊黑者，可胶物用，不入药也[13]。用一片鹿角即成胶，不尔不成也[14]。

【校注】

[1] **甘** 玄《大观》作"甘"。

[2] **洒洒如疟** "洒洒"，《新修》原脱一"洒"字，据《千金翼》《证类》补。"疟"，《新修》原作"瘣"，据《千金翼》《证类》改。

[3] **腰** 孙本、黄本、问本作"要"。

[4] **疼** 《纲目》作"痛"。

[5] **少** 《证类》《纲目》《品汇》《本草经疏》《本经疏证》作"小"。

[6] **阿** 其后，《纲目》有"县"字。

[7] **恶** 《证类》作"畏"。

[8] **火** 成化《政和》、万历《政和》、商务《政和》作"大"。

[9] **都下** 《证类》作"东都下亦"。

[10] **书** 《证类》无此字。

[11] **用之** 《证类》无此2字。

[12] **爆** 《新修》原作"焦"，据《证类》改。

[13] **也** 《证类》作"用"。

[14] **也** 《新修》原作"耳"，据《证类》改。

455 醍醐

味甘，平，无毒。主风邪痹气，通润骨髓。可为摩药，性冷利，功优于酥，生酥中。

此酥之精液也，好酥一石有三四升醍醐，熟杵[1]炼，贮器中，待凝，穿中至底便津出得之。陶云[2]：黄白为饼，此乃未达之言。　新附

【校注】

[1] **杵** 《证类》作"抨"。

[2] **云** 《新修》、武田本《新修》作"去"，据《证类》改。

456 底野迦

味辛、苦，平，无毒。主百病，中恶，客忤邪气，心腹积聚。出西戎。

云用诸[1]胆作之，状似久坏丸药，赤黑色。胡人时将至此，亦甚珍贵[2]，试用有效。　新附

【校注】

[1] **诸** 《纲目》作"猪"。

[2] **亦甚珍贵** 《纲目》作"甚珍重之"。《证类》无"亦"字。

457 酪

味甘、酸，寒，无毒。主热毒，止渴，解散发利，除胸中虚热，身面上热疮、肌[1]疮。

案，牛、羊、马、水牛乳，并可作酪，水牛乳作者浓厚，味胜犛牛。马乳作酪性冷[2]，驴乳尤冷[3]，不堪作酪。　新附

【校注】

[1] 肌　《新修》原作"肥"，据《证类》改。

[2] 并可作酪，水牛乳作者浓厚，味胜牦牛。马乳作酪性冷　《新修》原脱，据《纲目》补。

[3] 冷　《新修》原作"令"，据《证类》改。

兽　中

458　犀角[1]

味苦、咸、酸[2]，寒、微寒，无毒。主百毒蛊[3]疰，邪鬼，瘴[4]气，杀钩吻、鸩羽、蛇毒[5]，除邪[6]，不迷惑[7]魇寐。疗伤寒，温疫，头痛，寒热，诸毒气。久服轻身[8]骏健[9]。生永昌山[10]谷及益州。

松脂为之使，恶雚菌、雷丸。　今出武陵、交州、宁州诸远山。犀有二[11]角，以额上者为胜，又有通天[12]犀，角上有一白缕，直上至端[13]，此至神验。或云是水犀，角出水中。《汉书》所云[14]：骇鸡犀者，以置米边[15]，鸡皆惊骇[16]不敢啄。又置屋中，乌鸟不敢集屋上[17]。昔者有人以犀为蠹，死于野中，有行人见有鸢飞翔其上，不敢下往者，疑犀为异，抽取便群鸟竞集[18]。又云通天犀，夜露不濡，以此知之。凡犀见成物皆被[19]蒸煮，不堪入药，惟生者为佳。虽曰屑片[20]，亦是已[21]煮炙，况用屑乎！又有光[22]犀，其角甚长，文理亦似犀，不堪药用耳[23]。

[谨案] 犀有两角，鼻上者为良，通天犀者即水犀，云夜露不濡，尤是前说。有人以犀为蠹，死于野中，飞鸟翔而不集，谬矣。此心为剑簪耳，此人冠蠹，则是贵人，当有左右，何得野死？从令喻说，足为难信[24]。光[25]是雌犀，文理细腻，斑白分明，俗谓斑犀，服用为上，然充药不如雄犀也[26]。

【校注】

[1] 犀角　《御览》作"犀牛角"。

[2] 咸、酸　《证类》作"酸、咸"。

[3] 蛊　孙本、黄本、问本作"虫"。

[4] 瘴　孙本作"障"。

[5] 杀钩吻、鸩羽、蛇毒　《品汇》注为《别录》文。"钩"，《大全》作"钓"。

[6] 邪　孙本、黄本、问本、周本无此字。

[7] 惑　孙本作"或"。

[8] 久服轻身　《大全》注为《别录》文。

[9] 骏健　《纲目》作"令人骏健"。

[10] 山　《新修》原作"川"，据《千金翼》《证类》改。

[11] 二　《新修》原作"三"，据《证类》改。

［12］ 天 《新修》原作"王"，据《证类》改。

［13］ 白缕，直上至端 "白"，《新修》原作"白"，《证类》作"曰"。《新修》原脱"至端"，据《证类》补。

［14］ 《汉书》所云 《新修》原作"书所去"，据《证类》改。

［15］ 边 《证类》作"中"。

［16］ 骹 《新修》原作"斤"，据《证类》改。

［17］ 中，乌鸟不敢集屋上 《纲目》作"上，乌雀不敢集"。

［18］ 昔者有人以犀为橼……抽取便群鸟竞集 《证类》无此文。

［19］ 被 《新修》原作"彼"，据《证类》改。

［20］ 曰屑片 《证类》作"是犀片"。

［21］ 已 其后，《证类》有"经"字。

［22］ 光 《证类》作"悖"，下同。

［23］ 耳 《证类》无此字。

［24］ ［谨案］犀有两角……足为难信 《证类》无此文。

［25］ 光 《证类》作"悖"。

［26］ 不如雄犀也 《新修》原作"不必犀之"，据《证类》改。

459　零羊角

味咸、苦，寒、微寒，无毒。主明目[1]**，益气，起阴，去恶血注下，辟蛊毒**[2]**恶鬼不祥，安心气**[3]**，常不魇寐。**疗伤寒，时气寒热[4]，热在肌肤，温[5]风注毒伏在骨间，除郁[6]，惊梦，狂越，僻谬，及食噎不通。**久服强筋骨，轻身**[7]**，起阴，益气**[8]**，利丈夫。生石城山川谷及**[9]**华阴山，采无时。**

今出建平宜都诸蛮中[10]及西域，多两角者，一角者为胜。角甚[11]多节，蹙蹙圆绕。别有山羊角极长，惟一边有节，节亦疏[12]大，不入方用。而《尔雅》云[13]名羱羊，而羌夷云只此即名零羊[14]，甚能陟峻坂[15]；短角者，乃是山羊耳，亦未详其正。　［谨案］《尔雅》云：羚，大羊[16]，羊如牛大，其[17]角堪为鞍桥，一名羱羊，俗名山羊，或名野羊，善斗至死。又有山驴，大如鹿，皮堪靴用，有两角，角大小如山羊角，前言其一边有蹙文，又疏慢者是此也，陶不识谓之山羊误[18]矣。二种并不入药，而俗人亦用山驴角者，今用细如人指，长四寸，蹙文细者，南山商淅间大有，梁州、龙州[19]、直州、洋州亦贡之，古来相承用此，不用羚羊角，未知孰是也[20]。

【校注】

［1］ 目 《新修》原作"日"，据《千金翼》《证类》改。

［2］ 毒 玄《大观》作"每"。

［3］ 安心气 《纲目》无此文。

［4］ 热 《新修》原脱，据《证类》补。

[5] **温** 《纲目》作"湿"。

[6] **郁** 《证类》《纲目》《本草经疏》《本经续疏》作"邪气"。

[7] **久服强筋骨，轻身** 《大观》《大全》《品汇》《本经续疏》、森本、狩本注为《本经》文。

[8] **起阴，益气** 《千金翼》无此文。

[9] **及** 《新修》原作"生"，据《证类》改。

[10] **中** 《纲目》作"山中"。

[11] **蓇** 《纲目》无此字。

[12] **疏** 《新修》原作"殊"，据《证类》改。

[13] **而《尔雅》云** 《证类》无"而""云"2字。

[14] **即名零羊** 《证类》作"名羚羊角"。

[15] **坂** 《新修》原脱，据《证类》补。

[16] **云：羚，大羊** 《新修》原作"释兽之羚"，据《证类》改。

[17] **其** 武田本《新修》原作"且"，据《证类》改。

[18] **之山羊误** 《证类》无"之"字。"误"，《新修》原作"疑"，据《证类》改。

[19] **梁州、龙州** 《证类》作"今出梁州"。

[20] **古来相承用此，不用羚羊角，未知孰是也** 《证类》无此文。

460 羖羊角

味咸、苦，温[1]**、微寒，无毒。主青盲，明目，杀疥虫，止寒泄，辟**[2]**恶鬼、虎狼，止惊悸。**疗百节中结气，风头痛[3]及蛊毒，吐血，妇人产后余痛[4]。烧之杀鬼魅，辟虎狼[5]。**久服安心，益气力**[6]**，轻身。**生河西川谷。取无[7]时，勿使[8]中湿，湿[9]有毒。

菟丝为之使。　[谨案]此羊角，以青羖为佳，余不入药。

羊髓，味甘，温，无毒。主男女伤中、阴气不足，利血脉，益经气，以酒服之。青羊胆，主青盲，明目。

[谨案]青羊胆，疗疳湿，时行热熛[10]疮，和醋服之良。

羊肺，补肺，主咳嗽。

[谨案]羊肺疗渴，止[11]小便数，并小豆叶煮食之良。

羊心，止忧恚膈气。羊肾，补肾气，益精髓。

[谨案]羊肾合脂为羹，疗劳利甚效。蒜齑合食脂一升，疗癥瘕[12]。

羊齿，主小儿羊痫，寒热[13]。三月三日取之。羊肉，味甘，大热，无毒。主缓中，字乳余疾，及头[14]脑大风汗出，虚劳寒冷，补中[15]益气，安心止惊。

[谨案]羊肉，热病差[16]后食之，发热杀人也。

羊骨，热，主虚劳，寒中，羸瘦。羊屎，燔之，主小儿泄痢，肠鸣惊痫。

羖羊角方药不甚用，余[17]皆入汤煎。羊有三四种，最以青色者为胜，次则乌羊耳。其羖羺羊[18]及房中无角羊，正可啖食之，为药不及都下者，其乳髓则肥好也。羊肝不可合猪[19]肉及梅子、小豆食之，伤人心，大病人。　　［谨案］羊屎煮汤下灌[20]，疗大人小儿腹中诸疾、疳湿[21]，大小便不通；烧之[22]熏鼻，主中恶，心腹刺痛；熏疮，疗诸疮中毒[23]痔瘘等，骨蒸[24]弥良。羊肝，性冷，疗肝风虚热，目赤暗无所见，生食子肝七枚神效。羊头[25]，疗风眩，瘦疾，小儿惊痫[26]。骨，与头[27]疗同。羊血，主女人中风，血虚闷，产后血运闷欲绝者，生饮一升即活。

【校注】

[1] 温　万历《政和》误作"湿"。

[2] 辟　其前，《纲目》衍"入山烧之"。

[3] 痛　《新修》原脱，据《证类》补。

[4] 痛　《千金翼》作"疾"。

[5] 烧之杀鬼魅，辟虎狼　《纲目》《本草经疏》无此文。

[6] 力　《证类》《纲目》《本草经疏》无此字。

[7] 无　《本草经疏》作"之"。

[8] 使　《新修》原脱，据《证类》补。

[9] 湿　《证类》作"湿即"。

[10] 燥　《新修》原作"烟"，据《证类》改。

[11] 止　其后，《新修》原衍"利"字，据《证类》删。

[12] 脂一升，疗癥瘕　"脂"，《证类》作"之"。"癥瘕"，《新修》原作"瘕癥"，据《证类》改。

[13] 羊痫，寒热　"羊"，《新修》原作"痒"，据《证类》改。《新修》原脱"热"，据《证类》补。

[14] 及头　《新修》原脱，据武田本《新修》、《证类》补。

[15] 中　《新修》原作"寒"，据《证类》改。

[16] 差　《新修》原脱，据《证类》补。

[17] 余　其前，《证类》有"其"字。

[18] 羖羺羊　《纲目》作"羺羖羊"。"羊"字后，《新修》原衍"有"字，据《证类》删。

[19] 猪　《新修》原作"嗜"，据《证类》改。

[20] 下灌　《纲目》作"灌下部"。"灌"，《新修》原作"雍"，据《证类》改。

[21] 疳湿　"疳"，《新修》原作"甘"，据《证类》改。"湿"，《纲目》作"热"。

[22] 之　《纲目》作"烟"。

[23] 疮，疗诸疮中毒　《新修》原作"疗诸毒中疮"，据《证类》改。

[24] 蒸　《新修》原作"熏"，据《证类》改。

[25] 羊头　《新修》原作"以"，据《证类》改。

[26] 儿惊痫　《新修》原作"叟痫"，据《证类》改。

[27] 与头　《证类》无此2字。

461 牛角䚡

下闭血，瘀血，疼痛[1]，女人带下，下[2]血。燔之[3]，味苦，无毒。水牛角[4]，疗时气寒热头痛。**髓，补中，填骨髓，久服增年。**髓，味甘，温，无毒。主安五脏，平三焦，温骨髓，补中，续绝伤，益气[5]，止泄痢，消渴，以酒服之[6]。**胆可丸药。**胆，味苦，大寒。除心腹热渴，利口焦燥，益目精。

此朱书牛角䚡、髓。其胆，《本经》附出牛黄条中，此以类相从耳，非上品之药，今拨出随例在此，不关[7]件数，犹是墨书，别品之限耳。

心，主虚忘。肝，主明目[8]。肾，主补肾气，益精。齿，主小儿牛痫。肉，味甘[9]，平，无毒。主消渴，止哕泄[10]，安中益气，养脾胃，自死者不良。屎，寒，主水肿，恶气，用[11]涂门户著壁者。燔之，主鼠瘘，恶疮。黄犍牛、乌牯牛溺，主水肿腹胀脚满，利小便。

此牛亦以㹈牛为好[12]，青牛最良[13]，水牛为可充食尔。自死谓疫死，肉多毒。青牛肠不可共犬肉、犬血食之，令人成病也。　　［谨案］《别录》云[14]：牛鼻中木卷，疗小儿痫，草卷烧灰[15]，疗[16]小儿鼻下疮。耳中垢，疗蛇伤恶[17]䖻毒。脐中毛，疗小儿久不行。白牛悬蹄，疗妇人崩中漏下[18]赤白。屎，主霍乱。屎中大豆，疗小儿痫，妇人难产。特牛茎，疗妇人漏下赤[19]白，无子。乌牛胆，主明目及疳湿，以酿槐子服之弥佳[20]。脑，主消渴，风眩。齿，主小儿惊痫。尿[21]，主消渴，黄疸，水肿，脚气，小便不通也。

【校注】

[1] **疼痛**　《新修》原缺，据《证类》《品汇》《纲目》《本草经疏》补。

[2] **下，下**　《证类》《品汇》《纲目》《本草经疏》只一个"下"字。

[3] **燔之**　《纲目》作"燔之酒服"，并注为《本经》文。

[4] **角**　《纲目》作"角者燔之"。

[5] **补中，续绝伤，益气**　《纲目》无"补中"2字。《证类》无"伤"字。"气"字后，《纲目》有"力"字。

[6] **消渴，以酒服之**　《纲目》作"去消渴，以清酒暖服之"。"酒"，《新修》、武田本《新修》原作"滴"，据《千金翼》《证类》改。

[7] **关**　《新修》原作"开"，据《证类》改。

[8] **肝，主明目**　《新修》原脱，据《证类》补。

[9] **甘**　《千金翼》作"咸"。

[10] **止哕泄**　《千金翼》作"止吐泄"。"止"，《新修》原作"上"，据《证类》改。

[11] **用**　《新修》原作"白"，据《千金翼》《证类》改。

[12] **好**　《证类》作"胜"，《本草和名》作"佳"。

[13] 良 《新修》原作"哀",据《证类》改。

[14] 《别录》云 《新修》原作"列录去",据《证类》改。

[15] 灰 《证类》作"之为屑"。

[16] 疗 《证类》作"主",下同。

[17] 恶 《新修》原脱,据《证类》补。

[18] 下 《证类》无此字。

[19] 赤 《新修》原作"亦",据《证类》改。

[20] 佳 《新修》原作"神",据《证类》改。

[21] 尿 《证类》作"屎"。

462 白马茎

味咸、甘,平,无毒。主伤中,脉[1]绝,阴不起,强志益气,长肌肉肥健,生子。小儿惊痫。阴干百日。**眼主惊痫,腹满,疟疾**[2]。当杀[3]用之。 **悬蹄,主惊痫**[4]**,瘕痹,乳难,辟恶气,鬼毒,蛊注,不祥,止衄血**[5],内漏,龋齿。生云中平泽。白马蹄,疗妇人漏下,白崩[6]。赤马蹄,疗妇人赤崩[7]。齿,主小儿马痫[8]。鬐头膏,主生发。鬐毛,主女子崩中赤白。心,主喜忘[9]。肺,主寒热,小儿茎痿。肉,味辛、苦,冷。主除热下气,长筋[10],强腰脊,壮健,强意利[11]志,轻身不饥。脯[12],疗寒热痿痹。屎,名马通,微[13]温。主妇人崩中,止渴,及[14]吐下血,鼻衄金创,止[15]血。头骨,主喜眠,令人不睡[16]。溺,味辛,微寒。主消渴,破癥坚积聚,男子伏梁积疝,妇人瘕疾。铜器承饮之[17]。

东行白马蹄下土[18],作方术用[19],知女人外情。马色类甚多,以纯白者为良。其口、眼、蹄皆白,俗中时有两三耳,小小用不必尔。马肝及鞍下肉,旧言杀人。食骏马肉[20],不饮酒亦杀人。白马青蹄亦不可食。《礼》云:马黑脊而班臂漏脯[21],亦不复中食[22]。骨[23],伤人有毒。人体有疮,马汗、马气、马毛亦并能为害人也[24]。 [谨案]《别录》云:白马毛,疗[25]小儿惊痫。白马眼,疗小儿魃[26]母,带之。屎中粟,主金创,小儿客忤,寒热,不能食。马衔,主产难,小儿母毒惊痫[27]。绊绳,主小儿痫,并煮汁洗之[28]。

【校注】

[1] 脉 《新修》原脱,据《证类》补。

[2] **眼主惊痫,腹满,疟疾** 《纲目》注为《别录》文。

[3] 杀 《新修》原作"煞",据《证类》改。

[4] 痫 《证类》《纲目》《品汇》作"邪"。

[5] 血 《纲目》无此字。

[6] **蹄,疗妇人漏下,白崩** 《纲目》作"者治白崩"。"漏",《证类》《品汇》作"瘘"。

［7］蹄，疗妇人赤崩　《纲目》作"者治妇人赤崩"。《新修》原脱"妇人"2字，据《证类》补。"崩"字后，《新修》原衍"并温"2字，据《证类》删。

［8］马痫　"马"，《证类》《品汇》作"惊"。"痫"字后，《纲目》衍"水磨服"3字。

［9］忘　《新修》原作"忌"，据《证类》改。

［10］除热下气，长筋　《证类》《品汇》无"除"字。"筋"字后，《纲目》衍"骨"字。

［11］意利　《证类》《纲目》《品汇》无此2字。

［12］脯　万历《政和》作"补"。

［13］微　成化《政和》、万历《政和》、商务《政和》作"徽"。

［14］及　《新修》原作"利"，据《证类》改。

［15］创，止　"创"，《千金翼》《证类》作"疮"，下同。《本经疏证》无"止"字。

［16］睡　成化《政和》、万历《政和》、商务《政和》作"睦"。"睡"字后，《纲目》有"烧灰水服方寸匕，日三夜一，作枕亦良"。

［17］之　《新修》原脱，据《证类》补。

［18］土　《新修》原作"主"，据《证类》改。

［19］用　《证类》无此字。

［20］肉　《新修》原作"穴"，据《证类》改。

［21］漏脯　《证类》无此2字。

［22］复中食　《证类》作"可食"。

［23］骨　《证类》作"马骨"。

［24］人也　《证类》无此2字。

［25］白马毛，疗　《证类》无"白"字。"疗"，《证类》作"主"，下同。

［26］白马眼，疗小儿魅　《纲目》作"马眼，主小儿魅病，与"。"魅"，《新修》原作"鬼"，据《证类》改。

［27］马衔，主产难，小儿母毒惊痫　《证类》无此文。

［28］主小儿痫，并煮汁洗之　《纲目》作"煎水洗小儿痫"。

463　牡狗阴茎[1]

味咸[2]，平，无毒。**主伤中，阴痿不起，令强热，大生子，除女子带下十二疾**。一名狗精。六月上伏[3]取，阴干百日。**胆，主明目**[4]，痂疡，恶疮[5]。心，主忧恚气，除邪。脑，主头风痹痛，疗[6]下部疋疮，鼻中息肉。齿，主癫痫，寒热、卒风、痹[7]，伏日取之。头骨，疗金创[8]，止血。四脚蹄[9]煮饮之，下乳汁。白狗血，味咸，无毒。主癫[10]疾发作。肉，味咸、酸，温。主安五脏，补绝伤，轻身益气。屎中骨，主寒热，小儿惊痫。

白狗、乌狗入药用。白狗骨烧屑，疗诸疮瘘及妒[11]乳痈肿。黄狗肉，大补虚，牝[12]不及牡，牡者父也。又呼为[13]犬，言脚上别有一悬蹄者是也。白犬[14]血合白鸡肉、白鹅肝、白羊肉、乌鸡肉、蒲子羹等皆病人，不可食。犬春月目[15]赤鼻燥欲狂猘[16]，不宜食。　　［谨案］《别录》云[17]：狗骨灰，疗[18]下痢，生肌，敷马疮。乌狗血，主产难横生，血上荡[19]心者。下颌骨，主小儿诸痫。阴卵，主[20]妇人十二疾，为灰服之。毛，主[20]产难。白狗屎，主丁疮，水绞汁服，主诸毒不可入口者。

【校注】

[1] **茎**　《真本千金方》《医心方》无此字。

[2] **咸**　《千金方》作"酸"。

[3] **月上伏**　"月"字后，《新修》原衍"之"字，据《证类》删。"伏"字后，《纲目》衍"日"字。

[4] **胆，主明目**　《大观》《大全》作黑字《别录》文。

[5] **疮**　其后，《新修》原衍"生平泽"3字，据《证类》删。

[6] **痛，疗**　《证类》无此2字。

[7] **痹**　《新修》作"沸"，据《证类》改。

[8] **疗金创**　《证类》作"主金疮"。

[9] **蹄**　《证类》无此字。

[10] **癫**　《图经衍义》作"痫"。

[11] **妒**　《新修》原作"妖"，据《证类》改。

[12] **虚，牝**　《新修》缺"虚"字，《证类》缺"牝"字。

[13] **呼为**　《新修》原作"为呼"，据《证类》改。

[14] **犬**　《证类》作"狗"。

[15] **目**　《新修》原作"日"，据《证类》改。

[16] **猘**　其后，《证类》有"者"字。

[17] **云**　《新修》原脱，据《证类》补。

[18] **疗**　《证类》作"主"。

[19] **荡**　《证类》作"抢"。

[20] **主**　《新修》均作"生"，据《证类》改。

464　鹿茸[1]

味甘、酸，温[2]、微温，无毒。主漏下恶血，寒热，惊痫，益气，强志，生齿，不老。疗虚劳洒洒如疟，羸瘦，四肢酸疼，腰脊痛，小便利[3]，泄精溺血，破留[4]血在腹，散石淋，痈肿，骨中热疽。养骨[5]，安胎下气，杀鬼精物，不可近阴[6]，令瘘，久服耐老。四月、五月解角时取，阴干，使时[7]燥。

麻勃为之使。　　［谨案］鹿茸，夏收阴干，百不收一，纵得一干，臭不任用。破[8]之火干，大好。

角，味咸，无毒[9]。**主恶疮，痈肿，逐邪恶气**[10]，**留血在阴中**。除少腹血急痛，腰脊[11]痛，折伤恶血，益气。七月取[12]。杜仲为之使。髓，味甘，温。主丈夫女子伤中脉绝[13]，筋急痛[14]，咳逆。以酒和服之，良[15]。肾，平，主补肾气。肉，温，补中，强五脏，益气力，生者疗口癖，割[16]薄之。

野肉之中，惟獐鹿可食，生则[17]不膻腥，又非辰[18]属，八卦无主而兼能温补于人，则[19]生死无忧，故道家许听为脯过。其余肉，虽牛、羊、鸡、犬[20]补益充肌肤，于亡魂皆为愆责[21]，并不足啖。凡肉脯炙之不动，及见水而动，及曝[22]之不燥，并杀人。又茅屋漏脯，即名漏脯[23]，藏脯密器中名郁脯，并不可食之[24]。　[谨案]头，主消渴，煎之可作胶，服之弥[25]善。筋，主劳损，续绝。骨，主虚劳，可为酒，主风，补虚[26]。骨[27]髓脂，主痈肿，死肌，温中，四肢不随，风头，通腠理，一云不可近阴。角，主猫鬼中恶，心[28]腹注痛。血，主狂犬伤，鼻衄，折伤，阴痿，补虚，止腰痛。齿，主留血气[29]，鼠瘘，心腹痛，不可近丈夫阴。

【校注】

[1] 成化《政和》、万历《政和》、商务《政和》将"鹿茸"条全文作黑字《别录》文，其中无白字《本经》文标记。

[2] **温**　《医心方》无此字。

[3] **利**　《纲目》作"数利"。

[4] **留**　《纲目》作"瘀"。

[5] **养骨**　《新修》作"养骨"，《证类》将"养骨"拆开，并将"养"改为"痒"，划归上句；"骨"字划归下句。使文义全变。"骨"，《纲目》无此字。

[6] **阴**　《纲目》作"丈夫阴"。

[7] **时**　《本经疏证》作"自"。

[8] **破**　《新修》原作"被"，据《证类》改。

[9] **味咸，无毒**　《新修》原在"留血在阴中"之后，据《证类》改。

[10] **恶气**　《新修》原脱此2字，据《千金翼》《证类》补。

[11] **少腹血急痛，腰脊**　"少"，《证类》作"小"。《新修》原脱"急""脊"2字，据《证类》补。

[12] **取**　《本经续疏》作"采"。

[13] **脉绝**　《证类》作"绝脉"。

[14] **痛**　《新修》原脱，据《千金翼》《证类》补。

[15] **和服之，良**　《新修》原脱"和""良"2字，据《千金翼》《证类》补。

[16] **割**　《新修》原作"到"，据《千金翼》《证类》改。

[17] **惟獐鹿可食，生则**　《新修》原脱"惟""则"2字，据《证类》补。"鹿"，《新修》原作"麻"，据《证类》改。

[18] **辰**　《纲目》作"十二辰"。

[19] **则**　《新修》作"则"，《证类》作"即"。

[20] **牛、羊、鸡、犬** "牛""犬"《新修》原作"午""大",据《证类》改。

[21] **亡魂皆为怨责** "亡""责"《新修》原作"已""青",据《证类》改。

[22] **曝** 《新修》原作"胶",据《证类》改。

[23] **即名漏脯** 《证类》无此文。

[24] **之** 《证类》无此字。

[25] **弥** 《新修》原作"强",据《证类》改。

[26] **补虚** 《新修》原作"虚补",据《证类》改。

[27] **骨** 《证类》无此字。

[28] **猫鬼中恶,心** "猫",《新修》原作"猯",据《证类》改。《新修》原脱"心",据《证类》补。

[29] **气** 《新修》原脱,据《证类》补。

465 獐骨

微温。主虚损,泄精。肉,温,补益五脏。 髓[1],益气力,悦泽人面。

俗云白肉,正是獐,不纯于鹿;言其白胆[2],易惊怖也。又呼为麇,麇肉不可合鹄肉,食之[3]成癥痼也。

【校注】

[1] **髓** 《纲目》《禽虫典》作"髓脑"。

[2] **正是獐,不纯于鹿;言其白胆** 《证类》作"是獐言白胆"。"纯",《本草和名》作"施"。

[3] **之** 《证类》无此字。

466 虎骨

主除邪恶气,杀鬼疰毒,止惊悸,疗[1]恶疮鼠瘘,头骨尤良。 膏,疗狗啮疮。爪[2],辟恶魅。肉[3],疗恶心欲呕,益气力[4]。

俗云[5]热食虎肉,坏人齿,信自如此。虎头作枕,辟恶魇;置户上,辟鬼。鼻,悬户上,令生男儿[6]。骨,杂朱书符,疗邪。须,疗齿痛。爪,多以系[7]小儿臂,辟恶鬼。 [谨案]《别录》云:屎,疗[8]恶疮。其眼睛[9]疗癫。其屎中骨为灰[10],疗火疮。牙,疗丈夫阴头[11]疮及疽瘘。鼻,主癫疾,小儿痫也[12]。

【校注】

[1] **疗** 《证类》作"主",下同。

[2] **爪** 其后,《纲目》衍"系小儿臂"4字。

[3] **肉** 其后,《品汇》衍"味酸平无毒"。

［4］**力** 其后，《纲目》衍"止多唾"3字。

［5］**云** 《证类》作"方"。

［6］**儿** 《证类》无此字。

［7］**多以系** 《证类》无"多"字。"系"，《证类》作"悬"。

［8］**疗** 《证类》作"主"。

［9］**睛** 《新修》原作"精"，据《证类》改。

［10］**灰** 《证类》作"屑"。

［11］**头** 《证类》无此字。

［12］**痫也** 《证类》作"惊痫"。

467　豹肉

味酸，平，无毒[1]。主安五脏，补绝伤，轻身益气，久服[2]利人。

豹至稀有，为[3]用亦鲜，惟尾可贵。　〔谨案〕阴阳神豹尾，及车驾卤簿豹尾，名可尊敬[4]。真豹尾有何可贵，未识陶据奚理也[5]。

【校注】

［1］**无毒** 《新修》原脱，据《千金翼》《证类》补。

［2］**益气，久服** 《新修》原脱，据《千金翼》《证类》补。"久服"，《纲目》《禽虫典》作"冬食"。

［3］**为** 《纲目》作"入"。

［4］**〔谨案〕阴阳神豹尾，及车驾卤簿豹尾，名可尊敬** 《纲目》作"恭曰：阴阳家有豹尾神，车驾卤簿有豹尾车，名可尊重耳"。"敬"，《证类》《纲目》作"重"。

［5］**识陶据奚理也** "识"，《证类》《纲目》作"审"。"理"，《纲目》作"说"。《证类》无"也"字。

468　狸骨

味甘，温，无毒。主风疰、尸疰、鬼疰，毒气在皮中淫跃如针刺者[1]，心腹痛，走无常处，及鼠瘘恶疮。头骨尤良。肉亦[2]疗诸疰。阴茎，疗[3]月水不通，男子阴㿗。烧之，以东流水服之[4]。

狸类又[5]甚多，今此用虎狸，无用猫[6]者。猫狸亦好，其骨至难，别自取乃可信。又有狐[7]，音信，色黄而臭，肉亦主鼠瘘，及狸肉作羹如常法[8]并佳。　〔谨案〕狸屎灰，主寒热鬼疟发无期度者，极验。家狸亦好，一名猫也。

【校注】

[1] **主风疰、尸疰、鬼疰，毒气在皮中淫跃如针刺者**　《御览》作"主风湿鬼毒气，皮中如针刺"。"在"，《新修》原脱，据《证类》补。"跃""者"，《纲目》作"濯""著"。

[2] **亦**　《证类》无此字。

[3] **疗**　《证类》作"主"，《纲目》《禽虫典》作"主女人"。

[4] **之，以东流水服之**　《纲目》《禽虫典》作"灰，东流水服"。

[5] **又**　《证类》无此字。

[6] **猫**　《新修》原脱，据《证类》补。

[7] **狐**　《证类》作"狸"。

[8] **法**　《证类》作"食法"。

469　兔头骨

平，无毒[1]。主头眩痛，癫疾。骨，主热中消渴[2]。脑，疗[3]冻疮。肝，主目暗。　肉[4]，味辛，平，无毒。主补中益气。

兔肉乃大美[5]，亦益人。妊身[6]不可食，令子唇缺。其肉又[7]不可合白鸡肉，食之令人[8]面发黄；合獭肉食之，令[9]人病遁尸。　[谨案]兔皮毛烧为灰，酒服，疗难产[10]，产后衣不出，及余血抢心胀欲死者，极验。头皮，主鬼疰，毒气在皮中如[11]针刺者，又[12]主鼠瘘。膏，主耳聋。

【校注】

[1] **无毒**　《新修》原脱，据《千金翼》《证类》补。

[2] **渴**　其后，《纲目》衍"煮汁服"3字。

[3] **疗**　《千金翼》《证类》作"主"，《纲目》作"涂"。

[4] **肉**　《新修》原作"完"，据《证类》改。

[5] **乃大美**　《证类》作"作为羹"。

[6] **身**　《证类》作"娠"。

[7] **又**　《证类》无此字。

[8] **令人**　《证类》无此2字。

[9] **令**　《新修》原作"合"，据《证类》改。

[10] **疗难产**　《证类》作"主产难"。

[11] **如**　《证类》无此字。

[12] **又**　《证类》作"又云"。

兽　下

470　六畜毛蹄甲[1]

味咸，平，有毒。主鬼疰[2]，蛊毒，寒热，惊痫痉，癫疾[3]，狂走。骆驼毛尤良。

六畜，谓马、牛、羊、猪、狗、鸡也，骡、驴亦其类。骆驼出外国，方家并不复[4]用。且马、牛、羊、鸡、猪、狗毛蹄，亦已[5]各出其身之品类中，所主疗不必皆[6]同此矣。　　[谨案] 骆驼毛蹄甲，主妇人赤白带下[7]，最善。

【校注】

[1] **六畜毛蹄甲**　玄《大观》、《大全》无"甲"字，并将此条全文作黑字《别录》文。

[2] **疰**　《新修》原脱，据《证类》补。

[3] **痉，癫疾**　《证类》作"癫痉"。

[4] **出外国，方家并不复**　《证类》无"出外国"3字。"不复"，《证类》作"少"。

[5] **已**　《证类》作"以"。

[6] **皆**　《证类》无此字。

[7] **赤白带下**　《新修》原作"带下赤白"，据《证类》改。

471　鼺鼠

主堕胎，生乳[1]易。生山都平谷。

鼺是鼯[2]鼠，一名飞生，状如蝙蝠，大如鸱[3]鸢，毛紫色暗，夜行飞行。生人取其皮毛，以与产妇持之，令儿易出[4]。又有水马，生海中，是鱼虾类，状[5]如马形，亦主易产。此鼺鼠别类而同一条中，当以其是皮毛之物也，今亦在副品限也[6]。

【校注】

[1] **生乳**　《证类》作"令产"。

[2] **鼺是鼯**　《新修》原作"鼺是鼬，据《证类》改。

[3] **鸱**　《证类》作"鸱"。

[4] **出**　《证类》作"生"。

[5] **类，状**　《证类》作"状，类"。

[6] **此鼺鼠……今亦在副品限也**　《证类》无此文。

472 麋脂

味辛，温，无毒。主痈肿，恶疮，死肌，寒风湿[1]痹，四肢拘缓[2]不收，风头肿气，通腠[3]理，柔皮肤，不可近阴，令痿。一名宫[4]脂。畏大[5]黄。角，味甘，无毒。主痹[6]，止血，益气力。生南山山谷，生淮海边泽中[7]，十月取。

今海陵间最多，千百为群，多牝少牡。人言一牡辄交[8]十余牝，交毕即死。其脂堕土中，经年人得之方好，名曰遁脂，酒服至良。寻麋性乃尔媱快，不应萎人阴。一方言不可近阴，令阴萎[9]，此乃有理。麋肉不可合虾及生菜[10]、梅、李、果实，食之皆病人。其角刮取屑[11]，熬香，酒服之，大益人。事出《彭祖传》中。 [谨案]麋茸，服之功力胜鹿茸。角，煮为胶[12]，亦胜白胶，言游牝毕即死者，此亦虚传，遍问山泽人，不闻游牝因致死者。

【校注】

[1] **风湿** 《千金方》《纲目》作"热风寒湿"。"湿"，《新修》原作"温"，据《证类》改。

[2] **缓** 《纲目》作"挛"。

[3] **腠** 孙本、黄本、问本、周本作"凑"。

[4] **宫** 成化《政和》、万历《政和》、商务《政和》、《纲目》《品汇》、顾本作"官"。

[5] **大** 武田本《新修》作"火"。

[6] **痹** 《纲目》作"风痹"。

[7] **生淮海边泽中** "生"，《证类》作"及"。"泽中"，《证类》无。

[8] **交** 《新修》原作"夫"，据《证类》改。

[9] **萎** 《证类》作"不痿"。

[10] **肉不可合虾及生菜** "肉"，《新修》原作"完"，据《证类》改。"菜"，《新修》原作"茱"，据《证类》改。

[11] **屑** 《新修》原脱，据《证类》补。

[12] **角，煮为胶** 《新修》原脱，据《证类》补。

473 豚卵

味[1]甘，温，无毒。主惊痫，癫疾，鬼疰[2]，蛊毒，除寒热，贲豚[3]，五癃，邪气挛缩。一名豚颠。阴干藏之，勿令败。猪悬蹄[4]。主五痔，伏热在肠[5]，肠痈内蚀。猪四足，小寒。疗伤挞，诸败疮，下乳汁[6]。心，主惊邪，忧恚。肾，冷利[7]，理肾气，通膀胱[8]。胆，疗[9]伤寒热渴。肚[10]，补中益气，止渴利。齿，主小儿惊痫，五月五日取。鬐膏，主生发。肪膏，主煎诸膏药，解斑猫、芫青毒。豭猪肉，味酸，冷，疗狂病。凡猪肉[11]，味苦，主闭血脉，弱筋

骨，虚人肌，不可久食，病人金创者尤甚。猪屎，主寒热，黄疸，湿痹。

  猪为用最多，惟肉不宜人[12]，人有多食，皆能暴肥，此盖虚肌[13]故也。其脂能悦泽皮肤[14]，作手膏不皲裂，肪膏煎药，无不用之。勿令中水[15]，腊月者历年不坏，颈下[16]，膏谓之负革脂[17]，入道家[18]用。其屎汁，极疗温毒[19]。食其肉饮酒，不可卧秋[20]稻穰中。又白猪蹄白[21]杂青者不可食，食猪膏，又忌乌梅也[22]。 [谨案]《别录》云：猪耳中垢，疗蛇伤。猪脑，主风眩，脑鸣及冻疮。血，主奔豚暴气，中风，头眩，淋沥。乳汁，疗小儿惊痫，病乳[23]。头，亦主小儿惊痫，及鬼毒去来，寒热五癃，五脏，主小儿惊痫汗[24]发。十二月上亥日取肪[25]，内新瓦器中，埋亥地百日，主痈疽，名瓯脂，方家用之。又云一升脂，著鸡子白十四枚，更良。

【校注】

[1] **味** 《新修》原作"咪"，据《千金翼》《证类》改。

[2] **惊痫，癫疾，鬼疰** 《千金方》作"惊痫气"。"痫"字后，《御览》有"除阴茎中痛"。

[3] **豚** 万历《政和》作"猪"。

[4] **猪悬蹄** 《证类》无"猪"字。"蹄"字后，《纲目》衍"甲"字。

[5] **热在肠** 《新修》原脱"热在"2字，据《千金翼》《证类》补。"肠"，《千金方》《纲目》作"腹中"。

[6] **猪四足，小寒。疗伤挞，诸败疮，下乳汁** 《纲目》作"蹄，甘、咸，小寒，无毒，煮汁服，下乳汁，解百药毒，洗伤挞诸败疮"。"疗"，《证类》作"主"。"挞"，《新修》原作"捷"，据《千金翼》《证类》改。

[7] **利** 《证类》作"和"。

[8] **通膀胱** "通"字后，《证类》有"利"字。"胱"，《新修》原作"胁"，据《证类》改。

[9] **疗** 《证类》作"主"。

[10] **肚** "肚"字后，《证类》有"主"字。

[11] **肉** 《新修》原作"完"，据《证类》改。

[12] **人** 《证类》作"食"。

[13] **肌** 《证类》作"肥"。

[14] **能悦泽皮肤** "能"前，《新修》衍1字（不清），据《证类》删。《证类》无"泽"字。"肤"，《新修》原作"虚"，据《证类》改。

[15] **中水** 《证类》作"水中"。

[16] **下** 《新修》原作"上"，据《证类》改。

[17] **脂** 《证类》作"肪"。

[18] **家** 《新修》原作"处"，据《证类》改。

[19] **极疗温毒** 《证类》作"疗温毒热"。

[20] **食其肉饮酒，不可卧秋** "肉"，《新修》原作"完"，据《证类》改。"秋"，《证类》作"秌"。

[21] **蹄白** 《证类》作"白蹄"。

[22] **食猪膏，又忌乌梅也**　《证类》无"食""也"2字。

[23] **疗小儿惊痫，病乳**　"疗"，《证类》作"主"，下同。《新修》原脱"病乳"2字，据《证类》补。

[24] **汗**　《新修》原作"汁"，据《证类》改。

[25] **亥日取肪**　"亥"，《新修》原作"豕"，据《证类》改。"肪"，《证类》作"肪脂"。

474　鼹鼠

味咸，无毒。主痈疽，诸瘘蚀恶疮，阴蜃烂疮。在土中行。五月取令干燔之[1]。

俗中一名隐鼠，一名鼢[2]鼠，形如鼠，大而无尾，黑色，长鼻甚[3]强，恒[4]穿耕地中行，讨掘即得。今诸山林中，又有一兽[5]，大如水牛，形似猪，灰赤色[6]，下脚似象，胸前尾上皆白，有力而钝，亦名鼹鼠。人张网[7]取食之，肉亦似牛肉[8]，多以作脯。其膏亦云[9]主瘘，乃云此是鼠王，其精溺一滴落地辄成一鼠。谷有鼠灾年，则多出，恐非虚耳。谷字一作段。此鼠蹄烧末酒服，又以骨捣碎酿酒将服之，并治瘘良验也[10]。

【校注】

[1] **燔之**　《纲目》将之置于"主痈疽"之前。

[2] **鼢**　《证类》作"鼢"。

[3] **甚**　《新修》原作"其"，据《证类》改。

[4] **恒**　《证类》作"常"。

[5] **又有一兽**　《证类》无"又"字。"兽"，《新修》原作"狩"，据《证类》改。

[6] **赤色**　《新修》原脱"赤"字，据《证类》补。

[7] **张网**　《证类》作"长"。

[8] **肉**　《新修》原脱，据《证类》补。

[9] **云**　《新修》原作"去"，据《证类》改。

[10] **谷字一作……并治瘘良验也**　《证类》无此文。

475　獭肝

味甘，有毒。主鬼疰蛊毒，却鱼鲠，止久嗽[1]，烧服之；肉，疗疫气温病，及牛马时行病。煮屎灌之亦良。

獭有两种：有猵獭，形大，头如马，身似蝙蝠，不入药用。此当取常所见[2]者，其骨亦疗食鱼骨鲠。有牛马家，可取屎收[3]之。多出溪岸边。其肉不可与兔肉杂食也。　　[谨案]《别录》云：獭四足，主手足皮[4]皲裂。

【校注】

[1] **却鱼鲠，止久嗽**　《新修》原作"鱼鰷嗽"，据《千金翼》《证类》改。

[2] **常所见**　《证类》作"以鱼际天"。

[3] **取屎收**　《新修》原作"逆取屎录"，据《证类》改。

[4] **皮**　《证类》无此字。

476　狐阴茎

味甘，有[1]毒。主女子绝产，阴痒，小儿阴颓卵肿。五脏及肠，味苦，微寒，有毒。主蛊毒寒热，小儿惊痫。雄狐屎，烧之辟恶，在木石上者是。

江东无狐，皆出北方及益州间，形似狸而黄，亦善能为魅也。　[谨案] 狐肉及肠，作臛食之，主疥疮久不差者。肠，主牛[2]疫，烧灰和水灌之，乃胜[3]獭。狐鼻尖似小狗，惟尾大[4]，全不似狸。

【校注】

[1] **有**　《新修》原作"肖"，据《千金翼》《证类》改。

[2] **牛**　《新修》原作"平"，据《证类》改。

[3] **胜**　《新修》原作"膀"，据《证类》改。

[4] **尾大**　《证类》作"大尾"。

477　貒膏、肉、胞[1]

膏，味甘，平，无毒。主上气，乏气，咳逆，酒和三合服之，日二。又主马肺病、虫颡等疾[2]。肉，主[3]久水胀不差垂死者，作羹臛食之，下水大效。　胞，干之，汤磨[4]如鸡卵许，空腹服，吐诸蛊毒。　新附

【校注】

[1] **胞**　《新修》原作"肥"，据《证类》改。

[2] **颡等疾**　"颡"，《新修》原作"顙"，据《证类》改。"疾"，《证类》作"病"。

[3] **主**　《新修》原作"生"，据《证类》改。

[4] **磨**　《证类》作"摩"。

478　野猪黄

味辛、甘，平，无毒。主金疮，止血，生肉，疗[1]癫痫，水研如枣核，日二服，效。　新附

【校注】

[1] **疗** 《新修》原脱，据《证类》补。

479 驴屎

熬之，主慰风肿瘘疮。屎汁，主心腹卒痛诸疰忤。尿[1]，主癥癖，胃反，吐不止，牙齿痛，水毒。草[2]驴尿，主燥水。驳驴尿[3]，主水湿，一服五合良。燥水者画[4]体成字，湿水者，不成字。乳，主小儿热惊[5]、急黄等，多服使痢，热毒[6]。尾下轴垢，主疟[7]，水洗取汁和面如弹丸二枚，作烧饼，疟[8]未发前食一枚，至发时啖[9]一枚。疗[10]疟无久新发无期者。　新附

【校注】

[1] **尿** 成化《政和》、商务《政和》作"屎"。

[2] **草** 《证类》作"牝"。

[3] **驳驴尿** "驳"，《新修》原作"父"，据《证类》改。"尿"，成化《政和》、商务《政和》作"屎"。

[4] **画** 《新修》原作"尽"，据《证类》改。

[5] **惊** 《证类》《品汇》无此字。

[6] **热毒** 《证类》脱此2字。

[7] **主疟** 《新修》原脱，据《证类》补。

[8] **疟** 《新修》原脱，据《证类》补。

[9] **啖** 《证类》作"食"。

[10] **疗** 《证类》作"主"。

480 豺皮

性热。主冷痹脚气，熟之，以缠病上，即差[1]。　新附

【校注】

[1] **即差** 《新修》原作"差止"，据《证类》改。

禽　上

481 丹雄鸡

味甘，微温、微寒，无毒。主女人[1]崩中漏下，赤白沃[2]，补虚，温中，止

血[3]。不伤之疮[4]，**通神，杀毒，辟**[5]**不详。头，主杀鬼，东门上者弥良**[6]。白雄鸡肉，味酸[7]，微温，主下气，疗狂邪，安五脏，伤中，消渴。乌雄鸡肉，微[8]温。主补中，止痛。　胆，微寒，主疗目不明，肌疮。心，主五邪。血，主踒折，骨痛及痿痹。**肪，主耳聋。鸡肠**，平，**主遗溺**[9]，小便数不禁。肝及左翅毛，主起阴。冠血，主乳难。**膍胵里黄皮**，微寒[10]，**主泄痢**，小便利，遗溺，除热，止烦。**屎白**，微寒，**主消渴，伤寒，寒热**[11]，破石淋及转筋，利小便，止遗溺[12]，灭瘢痕。黑雌鸡，主风寒湿痹，五缓六急，安胎[13]。其血，无毒，平。疗[14]中恶腹痛，及踒折骨痛，乳难。**翮羽，主下血闭**[15]。黄雌鸡，味酸、甘，平。主伤中，消渴，小便数不禁，肠澼泄痢，补益五脏，续绝伤，疗虚劳，益气力[16]。肋骨，主小儿羸瘦，食不生肌。**鸡子，主除热火疮，疗痫痉**[17]，**可作虎魄神物**。卵白，微寒，疗目热赤痛，除心下伏[18]热，止烦满，咳逆，小儿下泄，妇人产难，胞衣不出。醯渍之一宿，疗黄疸，破大烦热。卵中白皮，主久咳结气，得麻黄、紫菀和服之立已[19]。**鸡白蠹能肥脂**，生朝鲜平泽。

　　鸡此[20]例又甚多，云鸡子作虎魄者，用欲毈卵黄白，混杂煮作之，亦极相似，惟不拾芥耳。又煮白合银，口含须[21]臾，色如金。鸡子不可合葫、蒜[22]及李子食之。乌鸡肉，不可合犬肝、肾[23]食之。小儿食鸡肉，好生蛔虫。又鸡不可合芥叶蒸食[24]之。朝鲜乃在玄兔乐浪，不应总是鸡所出。今云白蠹，不知是何物，恐此别[25]一种耳。　　〔谨案〕白鸡距及脑主产难，烧[26]灰酒服之。脑，主小儿惊[27]痫。

【校注】

[1] **人**　孙本、狩本作"子"。

[2] **沃**　《万安方》《纲目》作"带"。《图经衍义》作"治"。

[3] **补虚，温中，止血**　《纲目》注为《别录》文。

[4] **不伤之疮**　《证类》作"久伤乏疮"。《纲目》作"能愈久伤乏疮不差者"。

[5] **辟**　《新修》原脱，据《千金翼》《证类》补。

[6] **东门上者弥良**　《大观》《大全》《纲目》、狩本注为《本经》文。"弥"，《证类》作"尤"。

[7] **味酸**　《新修》原脱，据《千金翼》《证类》补。

[8] **微**　《新修》原脱，据《千金翼》《证类》补。

[9] **肪，主耳聋。鸡肠，平，主遗溺**　《大观》《大全》《纲目》、狩本注为《别录》文。

[10] **膍胵里黄皮，微寒**　"膍"，万历《政和》作"肘"。"里"，孙本、问本、黄本作"裹"。《大观》《大全》注"微寒"2字为《本经》文。

[11] **屎白……寒热**　"屎"，孙本、问本、周本、黄本、顾本作"尿"，疑"尿"系"屎"之误。《新修》原脱"寒"字，据《证类》补。

[12] **溺**　其后，《大全》衍"泄"字。

［13］**黑雌鸡，主风寒湿痹，五缓六急，安胎**　《大观》《大全》注为《本经》文。"黑"，《新修》原作"里"，据《千金翼》《证类》改。

［14］**其血，无毒，平。疗**　《证类》《品汇》无"其"字。"疗"，《证类》作"主"。

［15］**闲**　万历《政和》作"闭"。

［16］**疗虚劳，益气力**　《证类》无"虚""力"2字。

［17］**鸡子，主除热火疮，疗痫痉**　"子"字后，《千金方》衍"黄"字。《新修》原脱"主"，据《证类》补。《证类》无"疗"字。

［18］**伏**　《新修》原脱，据《证类》补。

［19］**和服之立已**　《新修》原脱"和"字，据《证类》补。"已"，万历《政和》作"止"，柯《大观》、商务《政和》作"也"。

［20］**此**　《证类》作"比"。

［21］**须**　《新修》原作"项"，据《证类》改。

［22］**可合葫、蒜**　《新修》原脱"可"，据《证类》补。

［23］**肾**　《证类》作"犬肾"。

［24］**食**　《新修》原脱，据《证类》补。

［25］**恐此别**　《证类》作"别恐"。

［26］**烧**　《新修》原脱，据《证类》补。

［27］**惊**　《新修》原作"鸡"，据《证类》改。

482　白鹅膏

主耳卒聋，以灌之。毛，主射工，水毒。肉，平，利五脏。

东川多溪毒，养鹅以辟之[1]，毛[2]羽亦佳，中射工毒[3]者，饮血又以涂身。鹅未必食射工，特[4]以威相制耳，乃言鹅不食生虫，今鹅子亦唼蚯蚓辈。　〔谨案〕鹅毛，主小儿惊痫，痫[5]者。毛灰[6]，主噎。

【校注】

［1］**之**　《新修》原作"是"，据《证类》改。

［2］**毛**　《新修》原作"色"，据《证类》改。

［3］**毒**　《新修》原脱，据《证类》补。

［4］**特**　《新修》作"特"，《证类》作"盖"。

［5］**痫**　《证类》作"极"。

［6］**毛灰**　《证类》作"又烧灰"。

483　鹜肪

味甘，无毒。主风虚，寒热。

白鸭屎，名鸭通[1]。主杀石药毒，解结缚散蓄[2]热。肉，补虚，除[3]热，和脏腑，利水道。

鹜即是鸭，鸭有家、有野，前《本经》雁肪[4]，一名鹜肪[5]，其疗小异，此说则专是家鸭耳。黄雌鸭为补最胜。鸭卵不可合鳖肉[6]食之。凡鸟自死口不闭者，皆不可食之，食之杀人。　　［谨案]《别录》云：鸭肪，主水肿。血[7]，解诸毒。肉，主小儿惊痫。头，主水肿，通利小便，古方疗水，用鸭头丸也。

【校注】

[1] **鸭通**　《证类》作"通"。

[2] **蓄**　其前，《证类》有"散"字。

[3] **除**　《新修》原脱，据《证类》补。

[4] **前《本经》雁肪**　"前"，《证类》作"又"。"经"字后，《证类》有"云"字。"肪"，《新修》原作"肺"，据《证类》改。

[5] **肪**　《新修》原作"肺"，据《证类》改。

[6] **肉**　《新修》原作"完"，据《证类》改。

[7] **血**　其后，《证类》有"主"字。

484　雁肪

味甘，平，无毒。主风挛[1]，拘急，偏枯，气不通利[2]。久服长毛[3]发须眉，益气，不饥，轻身，耐老[4]。一名鹜肪。生江南[5]池泽，取无时。

诗云：大曰鸿，小曰雁。今雁类亦有大小，皆同一形。又别有野鹅大于雁，犹似家仓鹅，谓之驾鹅。雁肪自[6]不多食，其肉应亦[7]好。鹜作木音[8]，云是野鸭。今此一名鹜肪，则雁、鹜皆相类尔。此前又有鸭事注在前[9]。夫雁乃住江湖，而夏应产伏皆往北[10]，恐雁门北人不食此鸟故也，中原亦重之尔。虽采无时，以冬月为好。　　［谨案]《别录》云[11]：雁喉下白毛，疗小儿痫有效[12]。夫雁为阳鸟，冬则南翔，而夏则北徂[13]，时当春下，则挚育于北，岂谓北人不食之乎[14]！然雁与燕相反[15]，燕来则雁往，燕往则雁来，故《礼》云：秋候雁来，春去鸟至矣[16]。

【校注】

[1] **挛**　《新修》原作"击"，据《证类》改。

[2] **气不通利**　其前，《纲目》衍"血"字。《御览》无"利"字。

[3] **毛**　《新修》原脱，据《千金翼》《证类》补。

[4] **轻身，耐老**　《御览》作"耐老轻身"。"耐"，《新修》原作"能"，据《千金翼》《证类》改。"老"，《千金方》作"暑"。

[5] **江南**　《新修》原作"南海"，据《千金翼》《证类》改。

［6］**自** 《新修》原作"白"，据《证类》改。

［7］**应亦** 《新修》原作"亦雁应"，据《证类》改。

［8］**音** 《新修》原作"青"，据《证类》改。

［9］**前又有鸭事注在前** 《新修》原作"后大有鸭事别注在后"，据《证类》改。

［10］**北** 《新修》原作"此"，据《证类》改。

［11］**《别录》云** 《证类》无此3字。

［12］**有效** 《新修》原脱，据《证类》补。

［13］**而夏则北徂** 《证类》无"而"字。"徂"，《新修》原作"但"，据《证类》改。

［14］**谓北人不食之乎** "谓""之乎"《新修》原作"为""十"，据《证类》改。

［15］**反** 《新修》原作"及"，据《证类》改。

［16］**去鸟至矣** "去"，《证类》作"玄"。《证类》无"矣"字。

485 鸀鸽鸟[1]

味甘，温，无毒。主岭南野葛菌毒，生金毒及温瘴久欲死不可差者，合毛熬酒渍服[2]之。生捣取汁[3]服，最良。生江南，形似母鸡，鸣云钩辀格磔者是也。

有鸟相似，不为此鸣者[4]，则非也。　新附

【校注】

［1］**鸟** 《证类》无此字。

［2］**服** 《证类》无此字。

［3］**汁** 《新修》原作"汗"，据《证类》改。

［4］**者** 《新修》原脱，据《证类》补。

禽　中

486 雉肉[1]

味酸，微寒，无毒。主补中，益气力，止泄痢，除蚁瘘。

雉虽非辰属，而正是离禽。景[2]午日不可食者，明其[3]王于火也。　　［谨案］雉，味甘[4]，主诸瘘疮也。

【校注】

［1］**肉** 《新修》原作"完"，据《证类》改。

［2］**景** 《证类》作"丙"，《新修》避唐太祖讳作"景"。

［3］**其** 《新修》原脱，据《证类》补。

［4］ **味甘** 《证类》作"温"。

487 鹰屎白

主伤挞，灭瘢。

止[1]单用白，亦不能灭瘢。复应合诸药，僵蚕、衣鱼之属以为膏也。 ［谨案］鹰屎灰之[2]，酒服方寸匕，主恶酒，勿使饮人知之。

【校注】

［1］ **止** 《新修》原作"正"，据《证类》改。

［2］ **之** 《证类》无此字。

488 雀卵

味酸，温，无毒。主下气，男子阴痿[1]不起，强之令热，多精有子。脑，主耳聋。头血，主雀盲。雄雀屎，疗目痛，决痈疖[2]，女子带下，溺不利，除疝瘕。五月取之良。

雀性利阴阳，故卵亦然。术云：雀卵和天雄丸服之，令茎大不衰。人患黄昏间目无所见，谓之为[3]雀盲，其头血疗之[4]。雄雀屎，两头尖[5]是也，亦疗龋齿。雀肉不可合李[6]食之，亦忌合酱食，妊身尤禁也[7]。 ［谨案］《别录》云：雀屎和男首子乳如[8]薄泥，点目中胬肉赤脉贯瞳[9]子上者即消，神效。以蜜和为丸，酒[10]饮服，主癥癖久痼冷病；或和少干姜服，悦[11]人。

【校注】

［1］ **痿** 《新修》原作"瘘"，据《千金翼》《证类》改。

［2］ **疖** 《纲目》作"疽"。

［3］ **谓之为** 《证类》作"为之"。

［4］ **其头血疗之** 《纲目》作"日二，取血点之"。

［5］ **尖** 《证类》作"尖者"2字。

［6］ **肉不可合李** "肉"，《新修》原作"完"，据《证类》改。"李"，《证类》作"李子"。

［7］ **尤禁也** 《证类》作"人尤禁之"。

［8］ **如** 《新修》原作"知"，据《证类》改。

［9］ **胬肉赤脉贯瞳** 《新修》原作"怒肉赤脉贯上黑"，据《证类》改。

［10］ **酒** 《证类》无此字。

［11］ **悦** 《证类》作"大肥悦"。

489 鹳骨

味甘，无毒。主鬼蛊诸疰毒，五尸，心腹疾。

鹳亦有两种，似鹄而巢[1]树者为白鹳，黑色曲颈者为阳[2]乌鹳。今此[3]用白者。

【校注】

[1] **巢** 《新修》原作"菜"，据《证类》改。

[2] **颈者为阳** "颈"，《新修》原作"颈"，据《证类》改。《证类》无"阳"字。

[3] **此** 《证类》作"宜"。

490 雄鹊肉[1]

味甘，寒，无毒。主石淋，消结热。可烧作灰，以石投中散解者，是[2]雄也。

五月五日鹊脑入术家用，一名飞驳乌。鸟之雌、雄难别，旧言[3]其翼左覆右是雄，右覆左是雌。又烧毛作屑，内水中，沉者是雄，浮者是[4]雌。今云投石，恐止是鹊耳，余鸟未必尔，并未识之。

【校注】

[1] **肉** 《新修》原脱，据《证类》补。

[2] **散解者，是** 《新修》原脱"散""是"2字，据《证类》补。

[3] **言** 《证类》作"云"。

[4] **是** 《新修》原作"之"，据《证类》改。

491 鸲鹆肉

味甘，平，无毒。主五痔，止血。炙食，或为散饮服[1]之。

鸟似鹆而有帻者是。　新附

【校注】

[1] **饮服** 《新修》原作"服饮"，据《证类》改。

禽　下

492 燕屎

味辛，平，有毒。主蛊毒鬼疰，逐不祥邪气，破五癃，利小便。生高山平谷[1]。

　　燕有两种，有胡、有越。紫胸轻小者是越燕，不入药用；胸斑黑[2]声大者是胡燕。俗呼胡燕为夏侯，其作窠喜长，人言有容[3]一匹绢者，令家富。窠亦入药用，与屎同，多以作汤洗浴，疗小儿惊邪也。窠户有北向[4]及尾屈色白者，皆是数百岁燕，食之延年。凡燕肉不可食，令人入水为蛟龙[5]所吞，亦不宜杀之[6]。　　〔谨案〕《别录》云：胡燕卵，主水浮肿。肉，出痔虫。越燕屎，亦疗痔，杀虫，去目翳也。

【校注】

[1] **生高山平谷**　《证类》注为《别录》文。
[2] **黑**　《新修》原作"里"，据《证类》改。
[3] **容**　《新修》原作"客"，据《证类》改。
[4] **向**　《新修》原作"河"，据《证类》改。
[5] **龙**　《证类》无此字。
[6] **之**　《新修》原脱，据《证类》补。

493　孔雀屎

　　微寒。主女子带下，小便不利。

　　出广益诸州，都下亦养之[1]。方家不见用其屎也[2]。　　〔谨案〕孔雀屎[3]，交广有，剑南[4]原无。

【校注】

[1] **都下亦养之**　《证类》无此文。
[2] **其屎也**　《证类》无此3字。
[3] **屎**　《新修》原作"主"，据武田本《新修》改。《证类》无此字。
[4] **南**　《新修》原作"而"，据《证类》改。

494　鸬鹚屎

　　一名蜀水花。去面黑黓靥志。头，微寒。主鲠[1]及噎，烧服之。

　　溪谷间甚多见之，当自取其屎，择用白处，市卖不可信。骨，亦主鱼鲠。此鸟不卵生，口吐其雏，独为一异也[2]。

【校注】

[1] **鲠**　《新修》原作"哽"，据《证类》改。

[2] **也**　《证类》无此字。

495　鸱[1]头

味咸，平，无毒。主头风眩，颠倒痫疾。

即俗人呼为老鸱者，一名鸢，鸢作绿音[2]。又有雕鹗，并相似而大。虽不限雌雄，恐雄者当胜。今合鸱[3]头酒，用之当微炙，不用蠹虫者。

【校注】

[1] **鸱**　《新修》原作"鵄"，据《证类》改，全书同。

[2] **鸢作绿音**　《证类》无此文。

[3] **今合鸱**　《纲目》作"古方治头面方有鸱"。

《新修本草》兽禽部卷第十五

虫鱼部　卷第十六

496 石蜜	497 蜜蜡	498 蜂子
499 牡蛎	500 桑螵蛸	501 海蛤
502 文蛤	503 魁蛤	504 石决明
505 秦龟	506 龟甲	507 鲤鱼胆
508 蠡鱼	509 鲍鱼	510 鮧鱼
511 鳢鱼	512 鲫鱼新附	513 伏翼
514 猬皮	515 石龙子	516 露蜂房
517 樗鸡	518 蚱蝉	519 白僵蚕
520 木虻	521 蜚虻	522 蜚蠊
523 䗪虫	524 蛴螬	525 蛞蝓
526 水蛭	527 鳖甲	528 鮀鱼甲
529 乌贼鱼骨	530 蟹	531 天鼠屎
532 原蚕蛾	533 鳗鲡鱼	534 鲛鱼皮新附
535 紫贝新附	536 虾蟆	537 蛙
538 牡鼠	539 蚺蛇胆	540 蝮蛇胆
541 鲮鲤甲	542 蜘蛛	543 蜻蛉
544 石蚕	545 蛇蜕	546 蛇黄新附
547 蜈蚣	548 马陆	549 蠼螋
550 雀瓮	551 彼子	552 鼠妇
553 萤火	554 衣鱼	555 白颈蚯蚓
556 蝼蛄	557 蜣螂	558 斑猫
559 芫青	560 葛上亭长	561 地胆
562 马刀	563 贝子	564 田中螺汁
565 蜗牛	566 甲香新附	567 珂新附

右虫鱼部合七十二种四十七种《神农本经》，十九种《名医别录》，六种新附。

虫鱼上

496 石蜜

味甘，平，无毒，微温[1]。**主心腹邪气，诸惊痫痉**[2]，**安五脏诸不足**[3]，**益气补中**[4]，**止痛解毒**[5]，**除众病，和百药**[6]。养脾气，除心烦，食饮[7]不下，止肠澼，肌中疼痛，口疮，明耳目。**久服强志**[8]，**轻身，不饥**[9]，**不**[10]**老，延年神仙**[11]。**一名石饴**[12]。生武都山谷，河源山谷及诸山石中[13]，色白如膏者良。

石蜜即崖蜜也。高山岩石间作之，色青、赤，味小碱，食之心烦。其蜂黑色似虻。又木蜜，呼为食蜜，悬树枝作之，色青白，树空及人家养作之者，亦白而浓厚，味美。凡蜂作蜜，皆须人小便以酿诸花，乃得和熟，状似作饴须蘖也。又有土蜜，于土中作之，色青白，味碱。今出晋安檀崖者，多土蜜，云最胜。出东阳临海诸处多木蜜；出于潜、怀安诸县多崖蜜，亦有杂木蜜及人家养者，例皆被添，殆无淳者，必须亲自看取之，乃无杂耳，且又多被煎煮。其江南向西诸蜜，皆是木蜜，添杂最多，不可为药用。道家丸饵，莫不须之。仙方亦单炼服之[14]，致长生不老也。　　〔谨案〕土[15]蜜，出氐羌中，并胜前说者，陶以未见，故以南土为证尔。今京下白蜜，如凝酥，甘美耐久，全不用江南者。说者，今自有以水牛乳煎沙糖作者，亦名石蜜。此既蜂作，宜去石字，后条蜜蜡，宜单称尔。

【校注】

[1] **无毒，微温**　《千金翼》、柯《大观》、《大全》《图经衍义》作"微温，无毒"，商务《政和》、《新修》作"无毒微温"。

[2] **诸惊痫痉**　《御览》无此4字。"痉"，《品汇》《本草经解》、森本作"痓"。

[3] **诸不足**　《御览》无此3字。

[4] **中**　《北堂书钞》作"内"。

[5] **止痛解毒**　《千金方》作"止腹痛，解诸药毒"。

[6] **除众病，和百药**　《御览》无此文。"众"，《北堂书钞》作"百"。

[7] **食饮**　《纲目》作"饮食"。

[8] **强志**　《御览》无此2字。

[9] **不饥**　《御览》无此2字。

[10] **不**　《千金》作"耐"。

[11] **延年神仙**　《纲目》《本草经解》注为《本经》文。

[12] **饴**　《图经衍义》作"胎"。

[13] **中**　《纲目》作"间"。

[14] **炼服之**　《纲目》作"服食"。

[15] **土**　《证类》原作"上"，据《纲目》改。

497　蜜蜡[1]

味甘，微温，无毒。主下痢脓血，补中[2]，续绝伤，金疮[3]，益气，不饥，耐老。白蜡，疗久泄澼，后重，见白脓，补绝伤，利小儿。久服轻身，不饥。生武都山谷。生于蜜房[4]木石间。

恶芫花、齐蛤。　此蜜蜡尔，生于蜜中，故谓蜜蜡。蜂皆先以此为蜜蹠，煎蜜亦得之。初时极香软，人更煮炼，或加少醋酒，便黄赤，以作烛[5]色为好。今药家皆应[6]用白蜡，但取削之，于夏月曝百日许自然白；卒用之，亦可烊内水中十余过[7]亦白。俗方惟以合疗下丸，而《仙经》断谷最为要用，今人但嚼食方寸者，亦一日不饥也。　[谨案] 除蜜字为佳，蜜已见石蜜条中。

【校注】

[1] **蜜蜡**　《医心方》《本草和名》《真本千金方》作"臘蜜"。

[2] **中**　《品汇》脱此字。

[3] **疮**　孙本、黄本、问本、周本作"创"。

[4] **生于蜜房**　《纲目》作"蜜庐"。

[5] **烛**　《纲目》作"褐"。

[6] **今药家皆应**　《纲目》作"今医家皆"。

[7] **过**　《纲目》作"遍"。

498　蜂子

味甘，平，微寒，无毒。主风头[1]，除蛊毒，补虚羸，伤中。疗心腹痛，大人小儿腹中五虫口吐出者，面目黄[2]。**久服令人光泽，好颜色，不老。**轻身益气。**大黄蜂子，主心腹胀满痛，干呕，轻身益气[3]。**土蜂子，主痈肿，嗌痛。一名蜚零。生武都山谷。

畏黄芩、芍药、牡蛎。　前直云蜂子，即应是蜜蜂子也，取其未成头足时炒食之；又酒渍以敷面，令面悦白。黄蜂则人家屋上者及瓠瓤蜂也。

【校注】

[1] **风头**　《纲目》作"头风"。

[2] **面目黄**　《纲目》无此文。

[3] **大黄蜂子，主心腹胀满痛，干呕，轻身益气**　《纲目》注为《别录》文。"胀"，《大全》作"服"，孙本、问本、黄本作"复"，周本作"张"。

499　牡蛎

味咸，平、微寒，无毒。主伤寒，寒热，温疟洒洒[1]，惊恚怒气，除拘缓，鼠瘘，女子带下[2]赤白。 除留热在关节、荣卫虚热去来[3]不定，烦满，止汗，心痛气结，止渴，除老血，涩大小肠，止大小便，疗泄精[4]，喉痹，咳嗽，心肋下痞热。**久服强骨节，杀邪鬼[5]，延年[6]。一名蛎蛤，一名牡蛤。生东海池泽，采无时。**

贝母为之使，得甘草、牛膝、远志、蛇床良，恶麻黄、吴茱萸、辛夷。　是百岁雕所化，以十一月采为好，去肉，二百日成。今出东海，永嘉、晋安皆好[7]。道家方以左顾者是雄，故名牡蛎；右顾则牝蛎尔。生[8]著石，皆以口在上，举以腹向南视之，口邪[9]向东则是。或云以尖头为左顾者，未详孰是？例以大者为好[10]。又出广州，南海亦如此[11]，但多右顾不用尔。丹方以泥釜，皆除其甲口，止取胐胐如粉处尔。俗用亦如之，彼海人皆以泥煮盐釜，耐水火而不破漏。

【校注】

[1] **洒洒**　万历《政和》作"酒酒"。

[2] **带下**　《医心方》卷30作"下血"。

[3] **来**　《大全》作"米"。

[4] **疗泄精**　《纲目》在"除老血"之后。

[5] **鬼**　孙本作"气"。

[6] **年**　黄本、问本作"季"。

[7] **皆好**　《纲目》无此2字。

[8] **生**　其前，《纲目》有"其"字。

[9] **邪**　《纲目》作"斜"。

[10] **或云以尖头……大者为好**　《纲目》无此文。

[11] **如此**　《纲目》作"同"。

500　桑螵蛸[1]

味咸、甘，平，无毒。主伤中，疝瘕，阴痿，益精，生子，疗女子血闭，腰[2]痛，通五淋，利小便水道。又疗男子虚损，五脏气微，梦寐失精，遗溺。久服益气，养神。**一名蚀疣。生桑枝上，**螳螂子也，二月、三月**采蒸之[3]，**当火炙，不尔令人泄。

得龙骨，疗泄精，畏旋覆华。　俗呼螳[4]螂为蚯螂[5]，逢树便产，以桑上者为好，是兼得桑皮之津气。市人恐非真，皆令合枝断取之尔[6]，伪者亦以胶著桑枝之上也。

【校注】

[1]　**桑螵蛸**　《纲目》作"螳螂桑螵蛸"。"螵"，孙本、黄本、问本、周本作"蜱"。

[2]　**闭，腰**　"闭"，万历《政和》作"腹"。"腰"，孙本、黄本、问本作"要"。

[3]　**采蒸之**　《本经续疏》注为《别录》文。

[4]　**螳**　《本草和名》作"螖"。

[5]　**为蚯螂**　《本草和名》作"为蛄蟍"，《纲目》作"俗名石螂"。

[6]　**市人恐非真，皆令合枝断取之尔**　《纲目》修改为"惟连枝断取者为真"。

501　海蛤

味苦、咸，平，无毒。主咳逆上气，喘息烦满[1]，胸[2]痛寒热，疗阴痿。一名魁蛤，生东海。

蜀漆为之使，畏狗胆、甘遂、芫花。　此物以细如巨胜[3]、润泽光净[4]者，好；有粗如半杏仁者，不入药用[5]。　〔谨案〕雁腹中出者极光润，主十二水满急痛，利膀胱大小肠。粗者亦谓为豚耳蛤，粗恶不堪也。

【校注】

[1]　**喘息烦满**　《医心方》卷30无"息"字。"息"，《品汇》作"急"。《御览》卷988无"息满"2字。

[2]　**胸**　《图经衍义》作"背"。

[3]　**胜**　其后，《纲目》有"子"字。

[4]　**润泽光净**　《纲目》作"光净莹滑"。

[5]　**此物以细如巨胜……不入药用**　《证类》原标出处为"唐本注"。但苏颂《本草图经》注云："陶隐居以细如巨胜润泽光净者为海蛤。"据此，则该文应出于陶隐居。

502 文蛤

味咸，平，无毒。**主恶疮，蚀**[1]**五痔。**咳逆胸痹，腰痛胁急，鼠瘘，大孔出血，崩中漏下。生东海，表有文，取无时。

海蛤至滑泽，云从雁屎中得之，二三十过方为良，今人多取相擽令磨荡似之尔[2]；文蛤小、大而[3]有紫斑，此既异类而同条，若别之，则数多，今以为附见，而在副品限也。凡有四物如此。[谨案]文蛤，大者圆三寸，小者圆五六分。若今妇人以置燕脂者，殊非海蛤之类也。夫天地间物，无非天地间用，岂限其数为正副耶！

【校注】

[1] **蚀** 《御览》作"除阴蚀"。

[2] **擽令磨荡似之尔** "擽令"，《纲目》作"类者"。"似之尔"，《纲目》作"之"。

[3] **而** 《纲目》作"皆"。

503 魁蛤

味甘，平，无毒。主痿痹，泄痢，便脓血。一名魁陆，一名活东。生东海，正圆两头空，表有文，取无时。

形似纺軿[1]，小狭长，外[2]有纵横文理，云是老蝙蝠化为，用之至少。而《本经》海蛤，一名魁蛤，与此为异也。

【校注】

[1] **軿** 《纲目》作"轻"。

[2] **外** 《本草和名》作"表"。

504 石决明

味咸，平，无毒。主目障翳痛，青盲。久服益精[1]，轻身。生南海。

俗云是紫贝，定小异，亦难得。又云是鳆鱼甲，附石生，大者如手，明耀五色，内亦含珠。人今皆水渍紫贝，以熨眼，颇能明[2]。此一种，本亦附见在决明条，甲既是异类，今为副品也[3]。[谨案]此物，是鳆鱼甲也，附石生，状如蛤，惟一片无对，七孔者良。今俗用紫贝者全别，非此类也。

【校注】

[1] **益精** 《本经续疏》无此 2 字。

[2] **人今皆水渍紫贝，以熨眼，颇能明** 《纲目》改作"人皆水渍熨眼颇明"。

[3] **此一种，本亦附见在决明条……今为副品也** 《纲目》无此文。

505　秦龟

味苦，无毒。主除湿痹气，身重，四肢关节不可动摇。生山之阴土中，二月、八月取[1]。

此即山中龟，不入水者，形大小无定，方药不甚[2]用。龟类虽多，入药止有两种尔，又有蟕龟，小狭长尾，乃言疗蛇毒，以其食蛇故也，用以卜则吉凶正反。带秦龟前臑骨，令人入山不迷。广州有蟕蠵，其血甚疗俚人毒箭伤。　　[谨案]蟕龟腹折，见蛇则呷而食之，荆楚之间，谓之呷蛇龟也。秦龟，即蟕蠵是[3]，更无别也。

【校注】

[1] **取** 《纲目》作"采"。

[2] **不甚** 《纲目》作"希"。

[3] **是** 《纲目》无此字。

506　龟甲

味咸、甘，平，有毒。主漏下赤白，破癥瘕痎疟，五痔[1]，阴蚀，湿痹，四肢重弱，小儿囟不合。 疗[2]头疮难燥，女子阴疮及[3]惊恚气，心腹痛不可久立，骨中寒热，伤寒劳复，或肌体寒热欲死，以作汤良。**久服轻身不饥**，益气资智，亦[4]使人能食。**一名神屋。** 生南海池泽及[5]湖水中，采无时，勿令中湿，中湿即[6]有毒。

恶沙参、蜚蠊。　　此用水中神龟，长一尺二寸者为善，厌可以供卜，壳可以充[7]药，亦入仙方，用之当炙[8]。生龟溺，甚疗久嗽，亦断疟[9]。肉，作羹臛，大补而多神灵，不可轻杀。书家载之甚多，此不具说也。　　[谨案]龟取以酿酒，主大风缓急，四肢拘挛，或久瘫缓不收摄，皆差[10]。

【校注】

[1] **破癥瘕痎疟，五痔** 《本经续疏》无"破"字。玄《大观》注"痎五痔"为《别录》文。

[2] **疗** 《纲目》作"疗小儿"。

[3] **及** 《本草经疏》无此字。

[4] **亦** 《纲目》无此字。

[5] **湖** 《纲目》作"海"。

[6] **中湿即** 《纲目》无"中"字。柯《大观》、《本经续疏》无"即"字。

[7] **以充** 《纲目》作"入"。

[8] **用之当炙** 《纲目》作"当以生龟炙取"。

[9] **生龟溺，甚疗久嗽，亦断疟** 《纲目》作"壳主久嗽断疟"。

[10] **[谨案]龟取……收摄，皆差** 《纲目》标作"苏颂"文，疑"颂"为"恭"之误。

507 鲤鱼胆[1]

味苦，寒，无毒。主目热赤痛，青[2]盲，明目。久服强悍，益志气。 肉，味甘，主咳逆上气，黄疸，止渴。生者[3]，主水肿脚满，下气。骨，主女子带下赤白[4]。齿，主石淋。生[5]九江池泽，取无时。

鲤鱼，最为鱼之主，形既可爱，又能神变，乃至飞越山湖，所以琴高乘之。山上水中有鲤不可食。又鲤鲊不可合小豆藿食之。其子合猪肝食之，亦能害人尔。 [谨案]鲤鱼骨，主阴蚀，鲠不出。血，主小儿丹肿及疮[6]。皮，主瘾疹。脑，主诸痫。肠，主小儿肌疮。

【校注】

[1] **胆** 《本草和名》无此字。

[2] **青** 《医心方》作"清"。

[3] **生者** 《纲目》无此文。

[4] **带下赤白** 《纲目》作"赤白带下"。

[5] **生** 《图经衍义》误作"主"。

[6] **疮** 《纲目》作"疮毒，涂之立差"。

508 蠡[1]鱼

味甘，寒，无毒。主湿痹，面目浮肿，下大水[2]，疗五痔[3]，有疮者，不可食，令人瘢白。一名鲖鱼[4]。生九江池泽，取无时。

今皆作鳢字，旧言是公蛎蛇所变，然亦有相生者。至难死，犹有蛇性。合小豆白煮，以疗肿满甚效。 [谨案]《别录》云：肠及肝，主久败疮中[5]虫。诸鱼灰，并主哽噎也。

【校注】

[1] **蠡** 《初学记》《纲目》作"鳢"。

[2] **主湿痹，面目浮肿，下大水** 《初学记》作"除水气，面大肿"。

[3] **疗五痔** 《纲目》注为《本经》文。

[4] **鲷鱼** "鲷"，《本草和名》作"调"。《初学记》无"鱼"字。

[5] **久败疮中** 《纲目》作"冷败疮中生"。

509 鲍鱼

味辛、臭，温，无毒。主坠堕，腿蹶，踠折，瘀血、血痹在四肢不散者，女子崩中血不止。勿令中咸。

所谓鲍鱼之肆，言其臭也，俗人呼为鲍鱼，字似鲍，又言盐鲍之以成故也。作药当用少盐臭者，不知正何种鱼尔？乃言穿贯者亦入药，方家自少用之。今此鲍鱼乃是鳙鱼，长尺许，合完淡干之，而都无臭气，要自疗漏血，不知何者是真[1]。 ［谨案］此说云味辛，又言勿令中咸，此是鳒鱼，非鲍鱼也。鱼去肠肚，绳穿，淡曝使干，故辛而不咸。《李当之本草》亦言胸中湿者良，鲍鱼肥者，胸中便湿。又云穿贯绳者，弥更不惑。鲍鱼破开，盐裹不曝，味咸不辛，又完淹令湿，非独胸中。且鳒鱼亦臭，臭与鲍别。鲍鳒二鱼，杂鱼并用。鲍似尸臭，以无盐也；鳒臭差，微有盐故也。鳒鱼沔州、复州作之，余处皆不识尔[2]。

【校注】

[1] **所谓鲍鱼之肆……不知何者是真** 《纲目》改作"俗人以盐鲍成，名鲍鱼，鲍字似鲍也。今鲍乃鳙鱼淡干者，都无臭气，不知入药者正何种鱼也。方家亦少用之"。

[2] **［谨案］此说云味辛……余处皆不识尔** 《纲目》改作"李当之言，以绳穿贯，而胸中湿者良，盖以鱼去肠，绳穿，淡曝使干，则味辛不咸。鱼肥则中湿而弥臭似尸气，无盐故也"。

510 鮧鱼

味甘，无毒。主百病。

此是鳀也，今人皆呼慈音，即是鲇鱼[1]，作臛食之云补[2]；又有鳠鱼相似[3]而大；又有鮠鱼亦相似，黄而美，益人[4]，其合鹿肉及赤目赤须无鳃者，食之并杀人[5]；又有人鱼，似鳀而有四足，声如小儿[6]，食之疗瘕疾，其膏燃之不消耗，始皇骊山冢中用之，谓之人膏也。荆州、临沮、青溪至多此鱼[7]。 ［谨案］鮧鱼，一名鲇鱼，一名鳀鱼，主水浮肿，利小便也[8]。

【校注】

[1] **此是鳀也，今人皆呼慈音，即是鲇鱼** 《纲目》作"鳀即鲇也"。

[2] **食之云补** 《纲目》作"补人"。

[3] **鱼相似** 《纲目》作"似鳀"。

[4] **又有鮠鱼亦相似，黄而美，益人** 《纲目》作"鮠似鳀而色黄"。

[5] **其合鹿肉及赤目赤须无鳃者，食之并杀人** 《纲目》作"不可合鹿肉食，令人筋甲缩"。

[6] **又有人鱼，似鳀而有四足，声如小儿** 《纲目》作"人鱼似鲇而有四足"。

[7] **食之疗瘕疾……青溪至多此鱼** 《纲目》无此文。

[8] **主水浮肿，利小便也** 《纲目》作"疗水肿，利小便"。

511 鳠[1]鱼

味甘，大温，无毒。主补中，益血，疗瘄唇。五月五日取头骨烧之，止痢。

鳠是苻苓根化作之[2]，又云是人发所化，今其腹中自有子，不必尽是变化也。性热，作鲊食之亦补。而时行病起，食之多复，又喜令人霍乱。凡此水族鱼虾之类甚多，其有名者，已注在前条，虽皆可食，而甚损人，故不入药用。又有食之反能致病者，今条注如后说：凡鱼头有白色如连珠至脊上者，腹中无胆者，头中无鳃者，并杀人。鱼汁不可合鸬鹚肉食之。鲫鱼不可合猴、雉肉食之。鳅鳝不可合白犬血食之[3]。鲤鱼子不可合猪肝食之，鲫鱼亦尔。青鱼鲊不可合生胡荽及生葵并麦酱食之。虾无须及腹下通黑，及煮之反白，皆不可食。生虾鲙不可合鸡肉食之，亦损人。又有鲔鲑[4]亦益人，尾有毒，疗齿痛。又有鮫鲑鱼，至[5]能醒酒。鮍鮧鱼有毒，不可食。　　[谨案]《别录》云：干鳠头，主消渴，食不消，去冷气，除痞症。其穿鱼绳，主竹木屑入目不出；穿鲍鱼绳，亦主眯目、去刺，煮汁洗之大良也。

【校注】

[1] **鳠鱼** 《医心方》作"鲴"。

[2] **根化作之** "根"，《本草和名》作"相变"。"化作之"，《纲目》作"所化"。

[3] **之** 其后，《纲目》有"一云凉"3字。

[4] **鲑** 《本草和名》作"鱼"。

[5] **至** 其前，《纲目》有"肉"字。

512 鲫鱼

主诸疮[1]，烧以酱汁和涂之[2]，或取猪脂煎用，又主肠痈[3]。头灰[4]，主小儿头疮，口疮，重舌，目翳。一名鲋鱼。合莼作羹，主胃弱，不下食[5]。作鲙，主久赤白痢[6]。　　新附

【校注】

[1] **主诸疮** 《纲目》作"生捣涂恶核肿毒不散，及瘑疮，同小豆捣涂丹毒"。

[2] **烧以酱汁和涂之** 《纲目》作"烧灰，和酱汁涂诸疮十年不差者"。玄《大观》脱"和"字。

[3] **或取猪脂煎用，又主肠痈** 《纲目》作"以猪脂煎灰服，治肠痈"。

［4］**头灰** 其前，万历《政和》、《大全》衍"诸"字。《纲目》无"灰"字。

［5］**合萆作羹，主胃弱，不下食** 《纲目》标作"孟诜"文。

［6］**作鲙，主久赤白痢** 《纲目》标作"藏器"文。

虫鱼中

513 伏翼

味咸，平，无毒。主目瞑痒痛[1]，疗[2]淋，利水道，明目，夜视有精光。久服令人喜乐，媚好，无忧。一名蝙蝠。生太山川谷，及人家屋间。立夏后采，阴干。

苋实、云实为之使。 伏翼目及胆，术家用为洞视法，自非白色倒悬者，亦不可服之也。［谨案］伏翼，以其昼伏有翼尔。《李氏本草》云：即天鼠也；又云西平山中，别有天鼠，十一月、十二月取，主女人生子余疾，带下病，无子。方言一名仙鼠，在山孔中，食诸乳石精汁，皆千岁，头上有冠，淳白大如鸠鹊，食之令人肥健，长年[3]。其大如鹑，未白者，皆已百岁，而并倒悬。其石孔中屎，皆白如大鼠屎。下条天鼠屎，当用此也。其屎灰酒服方寸匕，主子死腹中。其脑[4]，主女子面疱，服之令人不忘也。

【校注】

［1］**痒痛** 《纲目》《品汇》注为《本经》文。

［2］**疗** 《千金翼》无此字。

［3］**头上有冠……长年** 《纲目》作"纯白如雪，头上有冠，大如鸠鹊，阴干服之，令人肥健长生，千岁"。

［4］**脑** 其后，《纲目》有"重也"2字。

514 猬皮

味苦，平，无毒。主五痔，阴蚀，下血赤白五色，血汁不止，阴肿，痛引腰[1]背，酒煮杀之。又疗腹痛，疝积，亦烧为灰[2]，酒服之。生楚山川谷田野。取无时，勿使中湿。

得酒良，畏桔梗、麦门冬。 田[3]野中时有此兽，人犯近[4]，便藏头足，毛刺人，不可得捉[5]，能跳入虎耳中。而见鹊便自仰腹受啄，物有相制，不可思议尔。其脂烊铁注中，内少水银，则柔如铅锡矣。 ［谨案］猬极狞钝，大者如小豚，小者犹瓜大[6]，或恶鹊声，故反腹令[7]啄，欲掩取之，犹蚌鹬尔。虎耳不受鸡卵，且去地三尺，猬何能跳之而入？野俗鄙说，遂为雅记，深可怪也。

【校注】

[1] **腰** 孙本、问本、黄本作"要"。

[2] **亦烧为灰** 《图经衍义》作"烧灰为末"，《纲目》作"烧灰"。

[3] **田** 《纲目》作"处处"。

[4] **近** 《纲目》作"之"。

[5] **捉** 《纲目》无此字。

[6] **大者如小豚，小者犹瓜大** 《纲目》作"大如豚，小如瓜"。

[7] **令** 《纲目》作"受"。

515　石龙子[1]

味咸，寒，有小毒。主五癃邪结气，破石淋，下血，利小便水[2]道。一名蜥蜴，一名山龙子，一名守宫，一名石蜴。生平阳川谷，及荆山[3]石间。五月取，着石上令干。

恶硫黄、斑猫、芜荑。　其类有四种：一大形，纯黄色，为蛇医母[4]，亦名蛇舅母，不入药；次似蛇医，小形长尾，见人不动，名[5]龙子；次有小形而五色，尾青碧可爱，名断[6]蜴，并不螫人；一种喜缘篱壁，名蝘蜓，形小而[7]黑，乃言螫人必死，而未常闻中人。案，东方朔云：若非守宫，则蜥蜴是，如此蝘蜓名守宫矣。以朱饲之，满三斤，杀，干末以涂女子身，有交接事便脱，不尔如赤志，故谓[8]守宫。今此一名守宫，犹如野葛、鬼臼之义也，殊难分别。　［谨案］此言四种者：蛇师，生山谷，头大尾短小，青黄或白斑者是。蝘蜓，似蛇师，不生山谷，在人家屋壁间，荆楚及江淮人名蝘蜓，河济之间名守宫，亦名荣蚸，又名蝎虎，以其常在屋壁，故名守宫，亦名壁宫，未必如术饲朱点妇人也，此皆假释尔。其名龙子及五色者，并名蜥蜴，以五色者为雄而良，色不备者为雌，劣尔，形皆细长，尾与身相类，似蛇，著四足，去足便直蛇形也。蛇医则不然。案，《尔雅》亦互言之，并非真说。又云朱饲满三斤，殊为谬矣[9]。

【校注】

[1] **石龙子** 《真本千金方》《医心方》作"蜥蜴"。

[2] **水** 《千金翼》作"利水"。

[3] **山** 《千金翼》、柯《大观》、《图经衍义》作"山山"。

[4] **母** 《纲目》无此字。

[5] **名** 《纲目》作"为"。

[6] **名断** 《纲目》作"为蜥"。

[7] **而** 《纲目》作"色"。

[8] **谓** 《纲目》作"名"。

[9] **［谨案］此言四种者……殊为谬矣** 《纲目》已加修改。

431

516 露[1]蜂房

味苦、咸，平，有毒。主惊痫瘈疭，寒热邪气，癫疾，鬼精蛊毒，肠痔，火熬之良[2]。又疗蜂毒，毒肿。**一名蜂肠[3]**，一名百穿，一名蜂窠。生牂牁山谷。七月七日采，阴干。

恶干姜、丹参、黄芩、芍药、牡蛎。　此蜂房多在树腹[4]中及地中，今此曰露蜂房，当用人家屋间及树枝间包裹者。乃远举牂牁，未解所以。　　［谨案］此蜂房，用树上悬[5]得风露者。其蜂黄黑色，长寸许，蛋[6]马、牛、人，乃至欲死者，用此皆有效，非人家屋下小小蜂房也。《别录》：乱发、蛇皮三味，合烧灰，酒服方寸匕，日二[7]，主诸恶疽，附骨痈，根在脏腑，历节肿出丁肿，恶脉诸毒皆差。又水煮露蜂房，一服五合汁，下乳石，热毒壅闷服之，小便中即下石末，大效。灰之[8]酒服，主阴痿。水煮洗狐尿刺疮。服之，疗上气赤白痢，遗尿失禁也。

【校注】

［1］**露**　《医心方》无此字。

［2］**良**　《长生疗养方》无此字。

［3］**肠**　《本草和名》、森本作"场"。

［4］**腹**　《纲目》作"木"。

［5］**用树上悬**　《纲目》作"悬在树上"。

［6］**蛋**　《纲目》作"螫"。

［7］**乱发、蛇皮三味……寸匕，日二**　《纲目》作"合乱发、蛇皮烧灰，以酒日服二方寸匕"。

［8］**灰之**　《纲目》作"烧灰"。

517 樗鸡

味苦，平，有小毒。主心腹邪气阴痿，益精强志，生子，好色，补中轻身。又疗腰痛，下气，强阴多精，不可[1]近目。生河内[2]川谷樗树上。七月采，曝干。

形似寒螀而小，今出梁州，方用至希，惟合大麝香丸用之。樗树似漆而臭，今以此树上为好，亦如芫青、亭长，必以芫、葛上为良矣。　　［谨案］此物有二种，以五色具者为雄，良[3]；青黑质白斑者是雌，不入药用。今出岐州，河内无此物也[4]。

【校注】

［1］**可**　玄《大观》作"生"。

［2］**内**　《图经衍义》作"中"。

［3］**良**　《纲目》作"入药良"。

[4] **今出岐州，河内无此物也** 《纲目》作"河内无此，今出岐州"。《纲目》移此二句于"此物有二种"之前。

518 蚱蝉

味咸、甘，寒[1]，无毒。主小儿惊痫，夜啼，癫病，寒热，惊悸，妇人乳难，胞衣不出，又[2]堕胎。生杨柳上[3]。五月采，蒸干之，勿令蠹。

蚱字音作榨，即是哑蝉。哑，雌蝉也，不能鸣者。蝉类甚多。庄子云蟪蛄不知春秋，则是今四月、五月小紫青色者。而《离骚》云：蟪蛄鸣兮啾啾，岁暮兮不自聊。此乃寒螀尔，九月、十月中鸣甚凄急；又二月中便鸣者名蛁母，似寒螀而小；七月、八月鸣者名蛁蟟，色青。今此云生杨柳树上是。《诗》云：鸣蜩嘒嘒者，形大而黑，伛偻丈夫，止是掇此，昔人啖之。故《礼》有雀鷃蜩范，范有冠，蝉有缕，亦谓此蜩。此蜩复五月便鸣。俗云五月不鸣，婴儿多灾，今其疗亦专主小儿也[4]。　[谨案]《别录》云：壳名枯蝉，一名伏蜟，主小儿痫[5]，女人生子不出[6]。灰服之[7]，主久痢。又云蚱者，鸣蝉也，主小儿痫，绝不能言。今云哑蝉，哑蝉则雌蝉也，极乖体用，按诸虫兽，以雄者为良也[8]。

【校注】

[1] **寒** 《大观》、《大全》《本经续疏》、狩本注为《别录》文。

[2] **又** 《纲目》作"能"。

[3] **生杨柳上** 《纲目》《品汇》《本经续疏》注为《别录》文。

[4] **蚱字音作……今其疗亦专主小儿也** 《纲目》已加修改。

[5] **痫** 《纲目》作"惊痫"。

[6] **出** 《纲目》作"下"。

[7] **灰服之** 《纲目》作"烧灰水服"。

[8] **今云哑蝉……以雄者为良也** 《纲目》作"蚱蝉鸣蝉也，诸虫皆以雄为良，陶云雌蝉非矣"。

519 白僵蚕

味咸、辛，平[1]，无毒。主小儿惊痫，夜啼，去三虫，灭黑皯，令人面[2]色好，疗男子阴疡病。女子崩中赤白，产后余痛[3]，灭诸疮瘢痕。生颍川平[4]泽。四月取自死者，勿令中湿，湿[5]有毒，不可用[6]。

人家养蚕时，有合箔[7]皆僵者，即曝燥都不坏。今见小白色，似有盐度者为好[8]。末以涂马齿，即不能食草，以桑叶拭去乃还食，此明蚕即马类也。　[谨案]《别录》云：末之，封丁肿，根当自出[9]，极效。此白僵死蚕，皆白色[10]，陶云似有盐度，此误矣。

【校注】

[1] **平** 森本、顾本、卢本注为《本经》文。

[2] **面** 《图经衍义》作"而"。

[3] **余痛** "余",《纲目》作"腹"。"痛",《千金翼》作"病",玄《大观》作"痈"。

[4] **平** 《图经衍义》作"十"。

[5] **湿** 《千金翼》作"中湿",《纲目》无此字。

[6] **用** 《图经衍义》作"川也"2字。

[7] **箔** 《本草和名》作"薄"。

[8] **色，似有盐度者为好** 《纲目》改作"似有盐度者"。

[9] **末之，封丁肿，根当自出** 《纲目》改作"为末封疗肿，拔根"。

[10] **此白僵死蚕，皆白色** 《纲目》改作"蚕自僵死，其色自白。"

520 木虻

味苦，平，有毒。主目赤痛，眦伤泪出，瘀血，血闭，寒热，酸惭，无子。 一名魂常。生汉中川泽，五月取。

此虻不啖血，状似虻而小[1]，近道草中不见有，市人亦少有卖者，方家所用，惟是蜚虻也[2]。

[谨案] 虻有数种，并能啖血，商[3]浙已南，江岭间大有。木虻长大绿色，殆如次[4]蝉，啮牛马，或至顿仆。蜚虻状如蜜蜂，黄黑色，今俗用多以此也。又一种小虻，名鹿虻[5]，大如蝇，啮牛马亦猛，市人采卖之。三种同[6]体，以疗血为本，余疗[7]虽小有异同，用之不为嫌。何有木虻，而不啖血[8]。木虻倍大蜚虻。陶云似虻而小者，未识之矣。

【校注】

[1] **不啖血，状似虻而小** 《纲目》作"状似虻而小，不啖血"。

[2] **所用，惟是蜚虻也** 《纲目》作"惟用蜚虻耳"。

[3] **商** 《纲目》作"扬"。

[4] **殆如次** 《纲目》作"始如蜩"。

[5] **虻** 其后，《纲目》有"亦名牛虻"。

[6] **同** 《证类》原脱，据《纲目》补。

[7] **余疗** 《纲目》无此2字。

[8] **何有木虻，而不啖血** 《纲目》无此文。

521 蜚虻

味苦，微寒，有毒。主逐瘀血，破下[1]血积，坚痞，癥瘕，寒热，通利血脉及九窍，女子月水不通，积聚，除贼血在胸腹五脏者，及喉痹结塞。生江夏川谷，五

月取。腹有血者良。

此即今唼牛马血者，伺其腹满掩取干之，方家皆呼为虻虫矣。 ［谨案］三虻[2]俱食牛马，非独此也，但得即堪用，何暇血充，然始掩取。如以义求，应如养鹰，饥则为用，若伺其饱，何能除疾尔。

【校注】

［1］**下** 《纲目》无此字。

［2］**［谨案］三虻** 《纲目》作"恭曰木虻蜚虻鹿虻"。

522 蜚蠊

味咸，寒[1]，有毒。主血瘀[2]，癥坚，寒热[3]，破积聚，喉咽闭[4]，内塞无子，通利血脉。生晋阳川[5]泽及人家屋间[6]，立秋采。

形亦似䗪虫而轻小能飞，本在草中。八月、九月知寒，多入人家屋里逃尔。有两三种，以作廉姜气者为真，南人亦唼[7]之。 ［谨案］此虫，味辛辣而臭[8]，汉中人食之，言[9]下气，名曰石姜，一名卢蜰，一名负盘。《别录》云：形似蚕蛾，腹下赤，二月、八月采此，即南人谓之滑虫者也。

【校注】

［1］**寒** 《御览》无此字。

［2］**血瘀** 《纲目》作"瘀血"。

［3］**癥坚，寒热** 《御览》作"逐下血"。

［4］**咽闭** 《御览》无"咽"字。"闭"，《千金翼》《大观》《大全》《品汇》、狩本作"痹"。

［5］**川** 《御览》作"山"。

［6］**间** 《图经衍义》作"问"。

［7］**亦唼** 《纲目》作"唼"。

［8］**味辛辣而臭** 《纲目》作"辛臭"。

［9］**汉中人食之，言** 《纲目》作"食之"。

523 䗪虫

味咸，寒，有毒。主心腹寒热洗洗，血积癥瘕，破坚，下血闭，生子大良。一名地鳖，一名土鳖。生河东川泽及沙中，人家墙壁下土中湿处。十月取[1]，曝干。

畏皂荚、昌蒲。 形扁扁如[2]鳖，故名土鳖，而有甲，不能飞，小有臭气，今人家亦有之。

［谨案］此物好生鼠壤土中及屋壁下，状似鼠妇，而大者寸余，形小似鳖，无甲，但有鳞也[3]。

【校注】

[1] **取** 《证类》原脱，据《千金翼》补；《纲目》作"采"。

[2] **扁扁如** 《纲目》作"扁如"。"如"，《本草和名》作"似"。

[3] **但有鳞也** 《纲目》作"而有鳞，小儿多捕以负物为戏"。

524 蛴螬

味咸，微温、微寒，有毒。主恶血，血瘀[1]**痹气，破折血在胁下**[2]**坚满痛，月闭，目中淫肤、青翳白膜。**疗吐血在胸腹不去，及破骨踒折，血结，金疮内塞，产后中寒，下乳汁。一名**蟦**[3]**蛴，一名蟹齐，一名勃齐。生河内平泽及人家积粪草中。取无时，反行者良。

蜚蠊为之使，恶附子。 大者如足大指，以背滚行，乃驶于脚，杂猪蹄作羹与乳母，不能别之。诗云领如蝤蛴，今此别之。名以蛴字在下[4]，恐此云蛴螬倒尔[5]。 [谨案] 此虫[6]，有在粪聚中，或在腐木中。其在腐柳树中者，内外洁白；土粪中者，皮黄内黑黯。形色既异，土木又殊，当以木中者为胜。采虽无时，亦宜取冬月为佳[7]。案，《尔雅》一名蝎，一名蛣蝠，一名蝤蛴。

【校注】

[1] **瘀** 《御览》无此字。

[2] **下** 《大全》作"不"。

[3] **蟦** 《本草和名》作"蟦"。

[4] **下** 《纲目》作"上"。

[5] **此云蛴螬倒尔** 《纲目》作"倒尔"。

[6] **虫** 其后，《纲目》有"一名蝤蛴"4字。

[7] **采虽无时，亦宜取冬月为佳** 《纲目》作"宜冬月采之"。

525 蛞蝓

味咸，寒，无毒。主贼风㖞僻[1]**，轶筋及脱肛，惊痫挛缩。**一名陵蠡，一名土蜗，一名附蜗。生太山池泽及阴地沙石垣[2]下。八月取[3]。

蛞蝓无壳，不应有蜗名，其附蜗者，复名蜗牛[4]。生池泽沙石，则应是今山蜗，或当言其头，形类犹似蜗牛虫者，俗名蜗牛者，作瓜字，则蜗字亦音瓜。庄子所云，战于蜗角也。蛞蝓入三十六禽限，又是四种角虫之类，荧室星之精矣。方家殆[5]无复用乎。 [谨案] 三十六禽。亥上有三豕，㺄乃豪猪，亦名蒿猪，毛如猬簪，摇而射人，其肚合屎干烧为灰，主黄疸，猪之类也。陶谓为蝓，误极大矣。又《山海经》云:㺄巏身人面，音如婴儿，食人兽。《尔雅》云:㺄㺄类犰，迅走食人，并[6]非蛞蝓也。蛞蝓乃无壳蜗蠡也。

【校注】

[1] 僻　《千金翼》作"贼"。

[2] 垣　玄《大观》作"坦"。

[3] 取　《图经衍义》作"收"。

[4] 复名蜗牛　《纲目》作"即蜗牛也"。

[5] 殆　《纲目》无此字。

[6] 并　其前，《纲目》有"三者"2字。

526　水蛭

味咸、苦，平、微寒，有毒。主逐恶血，瘀血，月闭[1]**，破血瘕**[2]**，积聚，无子，利水道，又**[3]**堕胎。**一名蚑，一名至掌。生雷泽池泽。五月、六月采，曝干。

蚑[4]，今复有数种，此用[5]马蜞，得啮人腹中有血者，仍干[6]为佳。山蚑及诸小毒，皆不用[7]。楚王食寒菹，所得而吞之，果能去结积，虽曰阴佑，亦是物性兼然[8]。　　〔谨案〕此物，有草蛭、水蛭。大者长尺，名马蛭，一名马蜞，并能咂牛、马、人血；今俗多取水中小者用之，大效，不必要须食人血满腹者；其草蛭，在深山草上，人行即敷着胫股，不觉，遂于肉中产育，亦大为害，山人自有疗法也。

【校注】

[1] 逐恶血，瘀血，月闭　《御览》作"恶血瘀水闭"。

[2] 瘕　《纲目》作"癥"。

[3] 又　《千金翼》作"及"。

[4] 蚑　其前，《纲目》衍"处处河池有之"。

[5] 此用　《纲目》作"以水中"。

[6] 仍干　《纲目》作"干之"。

[7] 用　《纲目》作"堪用"。

[8] 楚王食……物性兼然　《纲目》无此文。

527　鳖甲

味咸，平，无毒。主心腹癥瘕，坚积，寒热，去痞[1]**，息肉，阴蚀，痔**[2]**，恶肉。**疗温疟，血瘕，腰痛，小儿胁下坚。肉，味甘，主伤中，益气，补不足。生丹阳池泽，取[3]无时。

恶矾石。　生[4]取甲，剔去肉为好，不用煮脱者。今看有连厣及干岩便好[5]，若上有甲，两边骨出，已被煮也[6]，用之当炙。夏月剉鳖，以赤苋包置湿地，则变化生鳖。人有裹鳖甲屑，经五月，皆能变成鳖子。此其肉亦不足食，多作癥瘕。其目陷者，及合鸡子食之，杀人。不可合苋菜食之。其厣下有如王字形者，亦不可食。 ［谨案］鳖头烧为灰，主小儿诸疾，又主产后阴脱下坠，尸痒，心腹痛。

【校注】

［1］**痹** 《纲目》《本草经解》作"痹疾"。

［2］**痔** 《纲目》《本草经解》作"痔核"。

［3］**取** 《纲目》作"采"。

［4］**生** 其前，《纲目》有"采得"2字。

［5］**今看有连厣及干岩便好** 《纲目》作"凡有连厣及干岩便真"。

［6］**若上有甲，两边骨出，已被煮也** 《纲目》作"若肋骨出者，是煮熟，不可用"。

528 鮀鱼甲[1]

味辛，微温，有毒。主心腹癥瘕，伏坚，积聚，寒热，女子崩中，下血五色，小腹、阴中相引痛[2]，疮[3]疥死肌。疗五邪涕泣时惊，腰中重痛，小儿气癃眦[4]溃。肉，主少[5]气吸吸，足不立地。生南海池泽，取无时。

蜀漆为之使，畏狗胆、芫花、甘遂。 鮀，即今鼍甲也，用之当炙。皮可以贯[6]鼓，肉至补益[7]。于物[8]难死，沸汤沃口入腹良久乃剥尔。鼋肉亦补，食之如鼍法。此等老者，多能变化为邪魅，自非急勿食之。

【校注】

［1］**鮀鱼甲** 《本草和名》《医心方》、森本作"鼍甲"，《真本千金方》《纲目》作"甲"。

［2］**小腹、阴中相引痛** 《纲目》在"女子"之后。

［3］**疮** 其前，《纲目》有"及"字。

［4］**眦** 《千金翼》作"皆"。

［5］**少** 商务《政和》作"小"。

［6］**贯** 《纲目》作"冒"。

［7］**肉至补益** 《纲目》无此文。

［8］**于物** 《纲目》作"性至"。

529 乌贼鱼骨[1]

味咸，微温，无毒。主女子漏下赤白[2]经汁，血闭，阴蚀，肿痛，寒热，癥瘕，无子。疗惊气入腹，腹痛环脐，阴中寒肿，令[3]人有子，又止疮多脓汁不燥。肉，味酸，平，主益气强志。生东海池泽，取无时。

恶白敛、白及。 此是鰂乌所化作，今其口脚具存，犹相似尔。用其骨亦炙之。其鱼腹中有墨，今作好墨用之。　　[谨案] 此鱼骨，疗牛马目中障翳，亦疗人目翳，用之良也。

【校注】

[1] 骨　《本草和名》无此字。

[2] 漏下赤白　《纲目》作"赤白漏下"。

[3] 阴中寒肿，令　《纲目》作"丈夫阴中肿痛令"。"寒肿令"，人卫《政和》、《大全》刻为白字《本经》文。

530　蟹[1]

味咸，寒[2]，有毒。主胸中邪气热[3]结痛，㖞僻，面肿，败漆烧之致鼠[4]。解结散血，愈漆疮，养筋益[5]气。**爪，主破胞，堕胎。生伊洛池泽诸水中，取无时。**

杀莨菪毒、漆毒。　蟹类甚多，蟛蜞、拥剑、彭蜎[6]皆是，并不入药。惟蟹最多有用，仙方以化漆为水，服之长生。以黑犬血灌之，三日烧之，诸鼠毕至。未被霜甚有毒，云食水莨所为，人中之，不即疗多死。目相向者亦杀人，服冬瓜汁、紫苏汁及大黄丸皆得差。海边又有彭蜎、拥剑，似彭蜎而大，似蟹而小，不可食。蔡谟初渡江，不识而啖[7]之，几死，叹曰：读《尔雅》不熟，为劝学者所误。

【校注】

[1] 蟹　《千金方》作"蟹壳"。

[2] 咸，寒　"咸"，《千金方》作"酸"。"寒"，《大观》《大全》、狩本注为《别录》文。

[3] 气热　《千金方》作"热宿"，《医心方》作"热气"。

[4] 败漆烧之致鼠　《万安方》作"又与败漆器合烧之致鼠"。"败"，《千金方》作"散"。"败"字前，《纲目》衍"能"字。

[5] 益　《图经衍义》无此字。

[6] 蜞、拥剑、彭蜎　《本草和名》作"蛓、拥剑、彭蛟"。

[7] 而啖　《纲目》作"蟛蜞啖"。

531　天鼠屎

味辛，寒，有[1]毒。主面痈肿，皮肤说说[2]，时痛，腹[3]中益气，破寒热积聚，除惊悸，去面黑䵟。一名鼠沽[4]，一名石肝。生合浦山谷[5]。十月、十二月取[6]。

恶白敛[7]、白薇。　方家不复用，俗不识也。　　[谨案]《李氏本草》云：即伏翼屎也，伏翼条中不用屎，是此明矣。方言名仙鼠，伏翼条已论也。

【校注】

[1] **有** 《证类》作"无"。

[2] **说说** 《千金翼》《证类》作"洗洗"，《纲目》作"洒洒"。敦煌本《集注》作"说说"。

[3] **腹** 《纲目》作"肠"。

[4] **沾** 《千金翼》《证类》《品汇》《纲目》、顾本、狩本作"法"，《本草和名》、森本作"姑"，孙本作"沄"。

[5] **生合浦山谷** 《证类》注为《别录》文。"合"，敦煌本《集注》原作"令"，据《千金翼》《证类》改。按"合浦"，汉置，在今广东合浦县东北。

[6] **取** 《图经衍义》作"收"。

[7] **敛** 万历《政和》作"饮"，《图经衍义》作"荃"。

532 原蚕蛾[1]

雄者有小毒。主益精气，强阴道，交接不倦，亦止精。屎[2]，温，无毒。主肠鸣，热中，消渴，风痹，瘾疹。

原蚕是重养者，俗呼为魏蚕。道家用其蛾止精，其翁茧入术用[3]。屎，名蚕沙，多入诸方用，不但熨风而已也。

【校注】

[1] **蛾** 《纲目》无此字。

[2] **屎** 《纲目》作"原蚕沙"。

[3] **道家用其蛾止精，其翁茧入术用** 《纲目》无此文。

533 鳗鲡鱼

味甘，有毒。主五痔，疮瘘，杀诸虫。

能缘树食藤花，形似鳝，取作臛食之。炙以熏诸木竹，辟蛀虫。膏，疗诸瘘疮。又有鳝，亦相似而短也。 [谨案] 此膏，又疗耳中虫痛者。鲵鱼，有四脚，能缘树。陶云鳗鲡，便是谬证也[1]。

【校注】

[1] **鲵鱼，有四脚……便是谬证也** 《纲目》作"鲵鱼能上树。鳗无足，安能上树耶，谬说也"。"脚"，《本草和名》作"足"。

534 鲛鱼皮[1]

主蛊[2]气，蛊疰方用之。即装刀靶鳍鱼皮也。

出南海，形似鳖，无脚而有尾。　新附

【校注】

[1] **皮**　《医心方》《纲目》无此字。

[2] **蛊**　《纲目》作"虫"。

535 紫贝

明目，去热毒。

形似贝[1]，圆，大二三寸，出东海及南海[2]，上[3]有紫斑而骨白[4]。　新附

【校注】

[1] **贝**　《纲目》作"贝子"。

[2] **海及南海**　《纲目》作"南海中"。

[3] **上**　《纲目》作"背"。

[4] **白**　其后，《纲目》有"南夷采以为货市"。

虫鱼下

536 虾蟆[1]

味辛寒，有毒。主邪气，破癥坚血，痈肿，阴疮，服之不患热病。疗阴蚀疽疠恶疮，猘犬伤疮，能合玉石。一名蟾蜍，一名鼁[2]，一名去甫，一名苦蠪。生江湖池泽。五月五日取，阴干，东行者良。

此是腹大、皮上多痱磊者，其皮汁甚有毒。犬啮之，口皆肿。人得温病斑出困者，生食一两枚[3]，无不差者。五月五日取东行者五枚，反缚着密室中闭之，明旦视自解者，取为术用，能使人缚亦自解。烧灰敷疮立验。其肪涂玉则刻之如蜡，故云能合玉石，但肪不可多得。取肥者，剉，煎膏，以涂玉，亦软滑易截。古玉器有奇特，非雕琢人功者，多是昆吾刀及虾蟆肪所刻也。　〔谨案〕《别录》云：脑，主明目，疗青盲也。

【校注】

[1]《纲目》将本条分立为二：自"主邪气"到"服之不患热病"，标作"虾蟆"；自"疗阴蚀"到"能合玉"，标名"蟾蜍"。

[2] 齁 《本草和名》作"去齁"。

[3] **人得温病斑出困者，生食一两枚** 《纲目》作"又治温病发斑困笃者，去肠，生捣食一二枚"。

537 蛙

味甘，寒，无毒。主小儿赤气，肌疮，脐伤，止痛，气不足。一名长股。生水中，取无时。

凡蜂、蚁、蛙、蝉[1]，其类最多。大而青脊者，俗名土鸭，其鸣甚壮。又[2]一种黑色，南人名为蛤子，食之至美。又一种小形善鸣唤[3]，名蛙子，此则是[4]也。

【校注】

[1] **蝉** 《纲目》作"蟾"，按"蟾"字义长。

[2] **又** 《纲目》无此字，下同。

[3] **唤** 《纲目》作"者"。

[4] **此则是** 《纲目》作"即此"。

538 牡鼠[1]

微温，无毒。疗踒折，续筋骨，捣[2]敷之，三日一易。四足及尾，主妇人堕胎，易产[3]。肉，热，无毒。主小儿哺露大腹，炙食之。粪，微寒，无毒。主小儿痫疾，大腹，时行劳复。

牡鼠[4]，父鼠也。其屎两头尖，专疗劳复。鼠目，主明目，夜见书，术家用之。腊月鼠[5]，烧之辟恶气；膏煎之，亦疗诸疮[6]。胆，主目暗，但才死胆便消，故不可得之[7]。

【校注】

[1] **鼠** 《本草和名》作"鼠屎"。

[2] **捣** 《纲目》作"生捣"。

[3] **产** 《证类》作"出"。《千金翼》作"产"。

[4] **牡鼠** 《纲目》作"入药用牡鼠，即"。

[5] **鼠** 《纲目》无此字。

[6] **疮** 《纲目》作"疮瘘"。

[7] **但才死胆便消，故不可得之** 《纲目》作"其胆才死便消，不易得也"。

539 蚺蛇胆[1]

味甘、苦，寒，有小毒。主心腹䘌痛，下部䘌疮，目肿痛。膏，平，有小毒。主皮肤风毒，妇人产后腹痛余疾。

此蛇出晋安，大者三二围。在地行往不举头者，是真；举头者，非真。形多相似，彼土人以此别之。膏、胆又相乱也。真膏累累如梨豆子相着，他蛇膏皆大如梅、李子。真胆狭长通黑，皮膜极薄，舐之甜苦，摩以注水即沉而不散；其伪者并不尔。此物最难得真，真膏多所入药用，亦云能[2]疗伯牛疾。　〔谨案〕此胆，剔取如米粟[3]，着净水中，浮游水上，过旋行走者为真，多着亦即沉散。其少着径沉者，诸胆血并尔[4]。陶所说真伪正反[5]，今出桂、广已南，高、贺等州。大有将肉为脍，以为珍味。虽死似鼍，稍截食之。其形似鳢鱼，头若鼍头，尾圆无鳞，或言鳢鱼变为之也。

【校注】

[1] 胆　《本草和名》《纲目》无此字。

[2] 真膏多所入药用，亦云能　《纲目》作"膏多入药用，亦"。

[3] 剔取如米粟　《纲目》作"试法，剔取粟许"。

[4] 少着径沉者，诸胆血并尔　《纲目》作"径沉者，猪胆血也"。

[5] 所说真伪正反　《纲目》作"未得法耳"。

540 蝮蛇胆[1]

味苦，微寒，有毒。主䘌疮。肉，酿作酒，疗癞疾，诸瘘，心腹痛，下结气，除蛊毒。其腹中吞[2]鼠，有小毒，疗鼠瘘。

蝮蛇黄黑色[3]，黄颔尖口，毒最烈，虺形短而扁，毒不异于虺[4]，中人不即疗，多死。蛇类甚众，惟此二种及青蝰为猛，疗之并别有方。蛇皆有足，五月五日取烧地令热，以酒沃之，置中，足出。术家所用赤练、黄[5]颔，多在人家屋间，吞鼠子雀雏，见腹中大者，破取，干之。　〔谨案〕蛇屎，疗痔瘘，器中养取之。皮灰，疗丁肿、恶疮、骨疽。蜕皮，主身痒、病、疥、癣等[6]。蝮蛇作地色，鼻反，口又长，身短，头尾相似，大毒，一名虺[7]蛇，无二种也。山南汉沔间足[8]有之。

【校注】

[1] 胆　《本草和名》无此字。

[2] 吞　《纲目》作"死"。

[3] 色　其后，《纲目》衍"如土白斑"。

［4］ **不异于蚖** 《纲目》作"与蚖同"。

［5］ **黄** 《本草和名》作"广"。

［6］ **瘑、疥、癣等** 《纲目》作"疥、癣、瘑、疮"。

［7］ **蚖** 《纲目》作"虺"。

［8］ **足** 《纲目》作"多"。

541 鲮鲤甲

微寒。主五邪惊啼悲伤，烧之作灰，以酒或水和[1]方寸匕，疗蚁瘘。

其形似鼍而短小，又似鲤鱼，有四足[2]，能陆能水。出岸开鳞甲，伏如死[3]，令蚁入中，忽[4]闭而入水，开甲，蚁皆浮出，于是[5]食之。故[6]主蚁瘘，方用亦稀，惟疗疮癞及诸疰疾尔。

【校注】

［1］ **烧之作灰，以酒或水和** 《纲目》作"烧灰，酒服"。

［2］ **有四足** 《纲目》作"而有四足黑色"。

［3］ **出岸开鳞甲，伏如死** 《纲目》作"日中出岸，张开鳞甲，如死状"。

［4］ **忽** 《纲目》作"即"。

［5］ **于是** 《纲目》作"因接而"。

［6］ **故** 其前，《纲目》衍"此物食蚁"。

542 蜘蛛

微寒。主大人小儿癀。七月七日取其网，疗喜忘。

蜘蛛类数十种，《尔雅》止载七八种尔，今此用悬网状如鱼罾者，亦名蚍蜴。蜂及蜈蚣[1]螫人，取置肉上，则能吸[2]毒。又以断疟及干呕霍乱。术家取其网着衣领中辟忘。有赤斑者，俗名络新妇，亦入方术用之。其余杂种[3]，并不入药。《诗》云蟏蛸在户，正谓此也。 ［谨案］《别录》云：疗小儿大腹，丁奚三年不能行者，又主蛇毒、温疟、霍乱，止呕逆。剑南、山东为此虫啮，疮中出丝，屡有死者。其网缠赘疣，七日消烂，有验矣。

【校注】

［1］ **蜂及蜈蚣** 《纲目》作"蜈蚣蜂虿"。

［2］ **肉上，则能吸** 《纲目》作"咬处，吸其"。

［3］ **杂种** 《纲目》无此 2 字。

543 蜻蛉

微寒。强阴，止[1]精。

此有五六种，今用青色大眼者[2]，一名诸乘，俗呼胡蜊[3]，道家用以止精[4]。眼[5]可化为青珠。其余黄细及黑者，不入药用，一名蜻蜓。

【校注】

[1] 止　《图经衍义》误作"上"。

[2] 今用青色大眼者　《纲目》作"惟青色大眼"。

[3] 蜊　《本草和名》作"憨"，《纲目》作"梨"。"蜊"字后，《纲目》有"者入药"3字。

[4] 道家用以止精　《纲目》无此文。

[5] 眼　其前，《纲目》衍"道家云"3字。

544　石蚕[1]

味咸，寒，有毒。主五癃，破石淋，堕胎。肉[2]，解结气，利水道，除热。一名沙虱[3]。生江汉池泽。

李云江左无识此者[4]，谓为草根，其实类虫，形如老蚕，生附石[5]。伧人得而食之，味咸而微辛。李之所言有理，但江汉非伧地尔，大都应是生气物，犹如海中蛎蛤[6]辈，附石生不动，亦皆活物也。今俗用草根黑色多角节，亦似蚕，恐未是实。方家不用沙虱，自是东间水中细虫。人入水浴，着人略不可见，痛如针刺，挑亦得之。今此名或同尔，非其所称也。　　[谨案]石蚕，形似蚕，细小有角节，青黑色。生江汉侧石穴中，岐陇间亦有，北人不多用，采者遂绝尔。今陇州采送之。

【校注】

[1] 石蚕　《御览》作"沙虱"。

[2] 肉　孙本、问本、周本作"内"。

[3] 沙虱　《御览》作"石蚕"。

[4] 李云江左无识此者　《纲目》作"李当之云江左不识"。

[5] 石　《纲目》作"石上"。

[6] 犹如海中蛎蛤　《纲目》作"如海中蛤蛎"。

545　蛇蜕[1]

味咸、甘，平，无毒。主小儿百二十种惊痫，瘛疭，癫疾，寒热，肠痔，虫毒，蛇痫[2]，弄舌摇头[3]，大人五邪，言语僻越，恶疮，呕咳[4]，明目。火熬之良[5]。一名龙[6]子衣，一名蛇符，一名龙子皮，一名龙子单衣，一名弓皮。生荆州川谷及田野。五月五日、十五日取之，良。

畏磁石及酒。　草中不甚[7]见虺、蝮蜕，惟有长者，多是赤练、黄颔辈，其皮不可复识[8]，今往往得尔，皆须完全。石上者弥佳[9]，烧之甚疗诸恶疮也。

【校注】

[1] **蛇蜕** 《医心方》作"蛇蜕皮"。

[2] **癫疾……蛇痫** 《纲目》作"蛇痫，癫疾，瘰疬，弄舌摇头，寒热，肠痔，蛊毒"。

[3] **弄舌摇头** 《纲目》注为《本经》文。

[4] **呕咳** 《纲目》作"止呕逆"。

[5] **火熬之良** 《品汇》注为《别录》文。

[6] **龙** 《千金翼》作"石出"。

[7] **不甚** 《纲目》作"少"。

[8] **复识** 《纲目》作"辨"。

[9] **今往往……石上者弥佳** 《纲目》作"但取石上完全者为佳"。

546 蛇黄

主心痛，疰忤，石淋，产[1]难，小儿惊痫[2]，以水煮研服汁。出岭南，蛇腹中得之，圆重如锡，黄黑青杂色。　　新附

【校注】

[1] **产** 《纲目》作"妇人产"。

[2] **小儿惊痫** 《纲目》在"石淋"之后。

547 蜈蚣

味辛，温，有毒。主鬼疰，蛊毒，啖诸蛇虫鱼毒，杀鬼物老精温疟，去三虫[1]。疗心腹寒热结[2]聚，堕胎，去恶血。生大吴川谷[3]江南。赤头足[4]者良。

今赤足者多出京口，长山、高丽山、茅山亦甚有[5]，于腐烂积草处得之，勿令伤，曝干之。黄足者甚多，而不堪用，人多火炙令赤以当之，非真也。一名蝍蛆。庄周云[6]：蝍蛆甘带。《淮南子》云：腾蛇游雾，而殆于蝍蛆。其性能制蛇，忽见大蛇，便缘而[7]啖其脑。蜈蚣亦啮人，以桑汁白盐涂之即愈。　　［谨案］山东人呼蜘蛛一名蝍蛆，亦能制蛇，而蜘蛛条无制蛇语。庄周云蝍蛆甘带，《淮南》云腾蛇殆于蝍蛆，并言蜈蚣矣[8]。

【校注】

[1] **虫** 《图经衍义》误作"圆"。

[2] **结** 《纲目》作"积"。

[3] **大吴川谷**　《纲目》作"太吴川谷及"。

[4] **赤头足**　《纲目》作"头足赤"。

[5] **亦甚有**　《纲目》无此3字。

[6] **庄周云**　《纲目》作"庄子"。

[7] **忽见大蛇，便缘而**　《纲目》无"忽"字。"而"，《纲目》作"上"。

[8] **庄周云螾蚓甘带，《淮南》云腾蛇殆于螾蚓，并言蜈蚣矣**　《纲目》作"《庄子》《淮南》并谓蜈蚣也"。

548　马陆

味辛，温，有毒。主腹中大坚癥，破积聚，息肉，恶疮[1]，白秃。疗寒热痞结，胁下满。一名百足，一名马轴。生玄菟川谷。

李[2]云此虫形长五六寸，状如大蚕，夏月登树鸣，冬则蛰[3]，今人呼为飞蚿虫也，恐不必是马陆尔[4]。今有一[5]细黄虫，状如蜈蚣而甚长，俗名土虫，鸡食之醉闷亦[6]至死。《书》云百足之虫，至死不僵。此虫足甚多，寸寸断便寸行，或欲相似，方家既不复用，市人亦无取者，未详何者的是。　〔谨案〕此虫大如细笔管，长三四寸，斑色亦如蚰蜒，襄阳人名为马蚿，亦呼马轴，亦名刀环虫，以其死侧卧，状如[7]刀环也。有人自毒服一枚，便死也。

【校注】

[1] **疮**　孙本、问本、黄本、周本作"创"。

[2] **李**　《纲目》作"李当之"。

[3] **蛰**　《纲目》作"入蛰"。

[4] **恐不必是马陆尔**　《纲目》无此文。

[5] **一**　《纲目》作"一种"。

[6] **亦**　《纲目》无此字。

[7] **状如**　《本草和名》作"曲似"。

549　蠮[1]螉

味辛，平，无毒。主久聋咳逆，毒气出刺[2]，出汗。疗鼻窒[3]。其土房主痈肿，风头。一名土蜂，生熊耳川谷及牂牁，或人屋间。

此类甚多，虽名土蜂，不就土中为窟，谓捷土作房尔。今一种[4]黑色，腰甚细，衔泥于人室及器物边作房，如并竹管者是也。其生子如粟米大置中，乃捕取草上青蜘蛛十余枚满中，仍塞口，以拟[5]其子大为粮也。其一种入芦竹[6]管中者，亦取草上青虫，一名蜾蠃。诗人云：螟蛉有子，蜾蠃负之，言细腰物无雌，皆取青虫，教祝便变成己子，斯为谬矣。造诗者乃可不详，未审夫子何为因其僻邪。圣人有阙，多皆类也。　〔谨案〕土蜂土中为窠，大如乌蜂，不伤人，非蠮螉，蠮螉不入土中为窠。虽一名土蜂，非蠮螉也。

【校注】

[1] 蠮 《医心方》作"蠮"。

[2] 出刺 《图经衍义》无此2字。

[3] 窒 《大全》误作"室"。

[4] 种 其后，《纲目》有"蜂"字。

[5] 拟 《纲目》作"待"。

[6] 竹 《纲目》无此字。

550 雀瓮

味甘，平，无毒。主小儿惊痫[1]，**寒热，结气，蛊毒，鬼疰。**一名躁[2]舍。生汉中，采蒸之，生树枝间[3]，蛄蟖房也。八月取[4]。

蛄蟖，蚝虫也。此虫多[5]在石榴树上，俗呼为蚝虫[6]，其背毛亦螫人。生卵，形如鸡子，大如巴豆，今方家亦不用此。蚝[7]，一作载尔。 ［谨案］此物紫白间斑，状似车渠文可爱，大者如雀卵，在树间似螺蛸虫也。

【校注】

[1] 小儿惊痫 《纲目》在"鬼疰"之后。

[2] 躁 《本草和名》作"蝝"。

[3] 生树枝间 森本注为《本经》文。

[4] 取 《纲目》作"采"。

[5] 此虫多 《纲目》无此3字。

[6] 俗呼为蚝虫 《纲目》无此文。

[7] 蚝 《纲目》无此字。

551 彼子[1]

味甘，温，有毒，主腹中邪气，去三虫，蛇螫，蛊毒，鬼疰，伏尸[2]。生永昌山谷。

方家从来无用此者，古今诸医及药家，了不复识，又一名罴子，不知其形何类也。 ［谨案］此彼字，当木傍作柀，仍音披，木实也，误入虫部。《尔雅》云：柀一名杉[3]，叶似杉，木如柏，肌[4]软，子名榧子，陶于木部出之[5]，此条宜在果部中也[6]。

【校注】

[1] 《千金翼》脱"彼子"条。按，《医心方》所载《新修》目录虫鱼部有"彼子"。

[2] **鬼疰，伏尸** 万历《政和》作"蛊疰伏生"。"尸"，《大全》作"户"。

[3] **杉** 《纲目》作"沾"。

[4] **肌** 《纲目》作"而微"。

[5] **陶于木部出之** 《纲目》无此文。

[6] **此条宜在果部中也** 《纲目》作"宜入果部"。"果"，《本草和名》作"木"。

552 鼠妇

味酸，温，微寒，无毒。主气癃，不得小便[1]，妇人月闭，血瘕[2]，痫痉[3]，寒热，利水道[4]。一名负[5]蟠，一名蛜蝛，一名蜲蠼。生魏郡平谷及人家地上，五月五日取[6]。

一名鼠负，言鼠多在坎中，背则负之，今作妇字，如似乖理。又一名鼠姑。

【校注】

[1] **便** 万历《政和》作"使"。

[2] **瘕** 孙本、问本、黄本、周本作"癥"。

[3] **痉** 森本作"痓"。

[4] **主气癃……利水道** 《纲目》标作《日华子》文。又"道"后，《纲目》有"堕胎"2字。

[5] **负** 《大观》《大全》、狩本作"员"，顾本作"眉"。

[6] **取** 《纲目》作"采"。

553 萤火

味辛，微温，无毒。主明目，小儿火疮[1]，伤热气，蛊毒，鬼疰，通神[2]精[3]。一名夜光，一名放光[4]，一名熠燿[5]，一名即炤。生阶地池泽。七月七日取，阴干。

此是腐草及烂竹根所化，初犹未如虫[6]，腹下已有光，数日便变而能飞。方术家捕取内酒中，令死乃干之，俗药[7]用之亦稀。

【校注】

[1] **疮** 孙本、周本、黄本作"创"。

[2] **神** 孙本无此字。

[3] **小儿火疮……通神精** 《纲目》注为《别录》文。

[4] **光** 《千金翼》作“火”。

[5] **熠燿** 《本草和名》作“燿燿”。

[6] **犹未如虫** 《纲目》作“时如蛹”。

[7] **药** 《纲目》无此字。

554 衣[1]鱼

味咸，温，无毒[2]。**主妇人疝瘕[3]，小便不[4]利，小儿中[5]风项强背起[6]，摩之。**又疗淋，堕胎[7]，涂疮灭瘢。**一名白鱼，**一名蟫。生咸阳平泽。

衣中乃有，而不可常得，多在书中。亦可疗小儿淋闭，以摩脐及小腹，即溺通也。

【校注】

[1] **衣** 《御览》作“白”。

[2] **无毒** 人卫《政和》注为《本经》文。

[3] **瘕** 《御览》作“疵”。

[4] **不** 《御览》作“泄”。

[5] **中** 《御览》作“头”。

[6] **强背起** “强”，《御览》作“彊”。“背起”，森本作“皆宜”。

[7] **堕胎** 《纲目》在“灭瘢”之后。

555 白颈[1]蚯蚓

味咸，寒、大寒，无毒。**主蛇瘕，去三虫，伏尸，鬼疰，蛊毒[2]，杀长虫，仍自化作水[3]。**疗伤寒伏热，狂谬，大腹，黄疸。一名土龙。生[4]平土，三月采，阴干。

白颈是其老者尔，取破去土，盐之，日曝，须臾成水，道术多用之。温病大热狂言，饮其汁皆差，与黄龙汤疗同也。其屎，呼为蚓[5]蝼，食细土无沙石，入合丹泥釜用。若服此干蚓，应熬作屑，去蛔虫甚有验也。 ［谨案］《别录》云：盐霑为汁，疗耳聋。盐消蛔，功同蚯蚓。其屎，封狂犬伤毒，出犬毛，神效。

【校注】

[1] **白颈** 孙本无此2字。“颈”，《本草和名》作“头”。

[2] **毒** 万历《政和》作“而”。

[3] **化作水** 《纲目》注为《别录》文。“作”，《纲目》作“为”。

[4] **生** 《御览》作“生蜚谷”。

[5] **呼为蚓** 《本草和名》作“名为蚯”。

556 蝼[1]蛄

味咸，寒，无毒。主产难，出肉中刺[2]，溃[3]痈肿，下哽噎[4]，解毒，除恶疮[5]。一名蟪蛄，一名天蝼，一名**毂**。生东城平泽，**夜出者良**，夏至取，曝干。

以自出者，其自腰以前甚涩，主止大小便。从腰以后甚利，主下大小便。若出拔刺，多用其脑。此物颇协神鬼，昔人狱中得其蟪力者[6]。今人夜忽见出，多打杀之，言为鬼所使也。

【校注】

[1] **蝼** 《御览》作"蟪"。
[2] **出肉中刺** 《御览》作"刺在肉中"。
[3] **溃** 《品汇》作"渍"。
[4] **噎** 《御览》作"咽"。
[5] **除恶疮** "除"，《御览》作"愈"。"疮"，孙本、问本、周本、黄本作"创"。
[6] **蟪力者** 《纲目》作"方"。

557 蜣螂

味咸，寒，有毒。主小儿惊痫，瘈疭，腹胀[1]，寒热，大人癫疾狂易[2]。手足端寒，肢满贲豚。一名蛣蜣。**火熬之良[3]**。生长沙池泽。五月五日取，蒸，藏之，临用当炙，勿置水中，令人吐。

畏羊角、石膏。 庄子云：蛣蜣之智，在于转丸。其喜入人粪中，取屎丸而却推之，俗名推丸。当取大者，其类有三四种，以[4]鼻头扁者为真。 [谨案]《别录》云：捣为丸，塞下部，引痔虫出尽，永差。

【校注】

[1] **胀** 孙本、问本、周本、黄本作"张"。
[2] **易** 《纲目》作"阳"。
[3] **火熬之良** 《品汇》注为《别录》文。
[4] **以** 其后，《纲目》有"大而"2字。

558 斑猫

味辛，寒，有毒。主寒热，鬼疰，蛊毒，鼠瘘，疥癣[1]，恶疮[2]，疽蚀，死肌，破石癃，血积，伤人肌，堕胎。一名龙尾。生河东川[3]谷。八月取，阴干。

马刀为之使，畏巴豆、丹参、空青，恶肤青。　豆花时取之，甲上黄黑斑色，如巴豆大者是也。

【校注】

［1］疥癣　《纲目》将之置于"伤人肌"之后。

［2］恶疮　孙本、问本、周本、黄本作"恶创"，《纲目》无此文。

［3］川　《纲目》作"山"，《御览》无此字。

559　芫青[1]

味辛，微温，有毒。主蛊毒，风疰，鬼疰，堕胎。三月取，曝干。

芫[2]花时取之，青黑色，亦疗鼠瘘。

【校注】

［1］《纲目》"芫青"条有"恭曰：出宁州"。按，"出宁州"3字是蜀本《图经》注，非苏敬所说。

［2］芫　《纲目》作"二月三月在芫花上"。

560　葛上亭长

味辛，微温，有毒。主蛊毒，鬼疰，破淋结，积聚，堕胎。七月取，曝干[1]。

葛花时取之，身黑而头赤，喻如人着玄衣赤帻，故名亭长。此一虫五变，为疗皆相似，二月、三月在芫花上，即呼芫青；四月、五月在王不留行上，即呼王不留行虫；六月、七月在葛花上，即呼为葛上亭长；八月在豆花上，即呼斑猫；九月、十月欲还地蛰，即呼为地胆，此是伪地胆尔，为疗犹同。其类亭长，腹中有卵，白如米粒，主疗诸淋结也。　　［谨案］今检本草及古今诸方，未见用王不留行虫者，若尔，则四虫专在一处。今地胆出幽州，芫青出宁州，亭长出雍州。斑猫所在皆有，四虫出四处，其虫可一岁周游四州乎？且芫青、斑猫，形段相似，亭长、地胆，儿状大殊。幽州地胆，三月至十月，草菜[2]上采，非地中取。陶之所言，恐浪证之尔。

【校注】

［1］干　其后，《图经衍义》有"一名斑猫"4字。

［2］菜　《证类》原作"菜"，据《证类》改。

561　地胆

味辛，寒，有毒。主鬼疰，寒热，鼠瘘，恶疮[1]，死肌，破癥瘕，堕胎。蚀疮中恶肉，鼻中息肉，散结气石淋，去子，服一刀圭即下。**一名蚖**[2]**青，一名青蛙**[3]。生汝山川谷，八月取。

恶甘草。　真者出梁州，状如大马蚁有翼；伪者即[4]斑猫所化，状如大豆，大都[5]疗体略同，必不能得真尔，此亦可用，故有蚖青之名。蚖字乃异，恐是相承误矣。　　［谨案］形如大马蚁者，今见出邠州者是也。状如大豆者，未见也。

【校注】

[1] **疮**　孙本、问本、周本、黄本作"创"。

[2] **蚖**　《图经衍义》作"阮"。

[3] **蛙**　成化《政和》、万历《政和》、商务《政和》作"蛀"。

[4] **即**　《纲目》作"是"。

[5] **都**　《纲目》作"抵"。

562　马刀

味辛，微寒，有毒。**主漏下赤白，寒热**[1]**，破石淋，杀禽兽贼鼠。**除五脏间热，肌中鼠瘘[2]，止烦满，补中，去厥痹，利机关。用之当炼，得水烂人肠。又云得水良。一名马蛤。生江湖池泽及东海，取无时。

李云[3]生江汉中，长六七寸，江汉间人名为单姥[4]，亦食其肉，肉[5]似蚌。今人多不识之，大都[6]似今蝏蛢而非[7]。方用至少。凡此类皆不可多食，而不正入药，惟蛤蜊煮之醒酒。蚬壳陈久者止痢。车螯、蚶蛎、蟶蝛之属，亦可为食，无损益，不见所主。雉入大水变为蜃，蜃云是大蛤，乃是蚌尔，煮食诸蜊蜗与菜，皆不利人也。　　［谨案］蚬，冷，无毒。主时气开胃，压丹石药，及丁疮，下湿气，下乳，糟煮服良。生浸取汁，洗丁疮[8]。多食发嗽，并冷气，消肾。陈壳，疗阴疮，止痢。蚬肉，寒，去暴热，明目，利小便，下热气，脚气，湿毒，解酒毒，目黄。浸取汁服，主消渴[9]。烂壳，温，烧为白灰饮下，主反胃，吐食，除心胸痰水。壳陈久，疗胃反及失精。

【校注】

[1] **主漏下赤白，寒热**　"主"字后，《御览》有"补中"2字，《纲目》有"妇人"2字。《万安方》无"漏"字。"寒热"，《御览》作"留寒热"。

[2] **瘘**　《纲目》作"瘘"。

[3] **云**　《纲目》作"当之言"。

[4] **汉间人名为单姥**　《纲目》无此文。"单姥"，《本草和名》作"单姥钊"。

[5] **亦食其肉，肉**　《纲目》作"食其肉"。

[6] **都**　《纲目》作"抵"。

[7] **非**　《纲目》作"未见"。

［8］［谨案］蚬，冷……洗丁疮　《纲目》标作苏颂文。

［9］去暴热……主消渴　《纲目》注为《日华子本草》文。

563　贝子

味咸，平，有毒。主目翳，鬼疰，蛊[1]**毒，腹痛下血，五癃，利水道**[2]。除寒热温疰，解肌，散结热。**烧用之良**[3]。一名贝齿。生东海池泽。

此是今小小[4]贝子，人以饰军容服物者，乃出南海。烧作细屑末，以吹眼中，疗翳良[5]。又真马珂捣末，亦疗盲翳。

【校注】

［1］蛊　问本作"虫"。

［2］五癃，利水道　《纲目》在"目翳"之后。

［3］烧用之良　《纲目》无此文。

［4］今小小　《纲目》作"小小白"。

［5］作细屑末，以吹眼中，疗翳良　《纲目》作"研点目去翳"。

564　田中螺汁

大寒。主目热赤痛，止渴。

生水田中及湖渎岸侧，形圆大如梨、橘者，人亦煮食之。煮汁，亦疗热，醒酒，止渴。患眼痛，取真珠并黄连内其中，良久汁出，取以注目中，多差[1]。　［谨案］《别录》云：壳[2]，疗尸疰，心腹痛；又主失精；水渍饮汁[3]，止泻。

【校注】

［1］并黄连……多差　《纲目》作"黄连末，内入良久，取汁注目中，止目痛"。

［2］壳　其后，《纲目》有"烧研"2字。

［3］水渍饮汁　《纲目》无此文。

565　蜗牛[1]

味咸，寒。主贼风喎僻，踠跌，大肠下[2]脱肛，筋急及惊痫。

蜗牛，字是力戈反，而俗呼为瓜牛[3]。生山中及人家，头形如蛞蝓，但背负壳尔。前以注说之。海边又一种，正相似，火炙壳便走出，食之益颜色，名为寄居。方家既不复用，人无取者，未详何者的是也。

【校注】

[1] **蜗牛** 《证类》引《开宝本草》注云："蜗牛唐本编在田中螺之后"。

[2] **下** 《纲目》无此字。

[3] **蜗牛，字是力戈反，而俗呼为瓜牛** 《纲目》作"蜗牛，山蜗也，形似瓜字，有角如牛故名，庄子所谓战于蜗角是也"。

566　甲香[1]

味咸，平，无毒。主心腹满痛，气急，止痢，下淋。生南海。

蠡大如小拳[2]，青黄色，长四五寸，取厣烧灰用之。南人亦煮其肉啖，亦无损益也。　新附

【校注】

[1]《纲目》将本条并入"海螺"条下。

[2] **蠡大如小拳** 《香谱》引《新修》云："蠡类生云南者，大如掌"。

567　珂

味咸，平，无毒。主目中翳，断血，生肌。贝类也，大如鳆，皮黄黑而骨白，以为马饰[1]。生南海，采无时[2]。　新附

【校注】

[1] **以为马饰** 《纲目》作"堪以为饰"。成化《政和》、万历《政和》、商务《政和》、《大全》无"马"字。

[2] **时** 其后，《纲目》有"白如蚌"3字。

《新修本草》虫鱼部卷第十六

果部　卷第十七

右果部廿五种八种《神农本经》，十五种《名医别录》，二种新附。

果　上

568　豆蔻

味辛，温，无毒。主温中，心腹痛，呕吐，去口臭气[1]。生南海。

味辛烈者为好，甚香，可恒含[2]之。其五和糁中物皆宜人：廉姜最[3]温中，下气；益智，热；枸橼，温；甘焦、麂目并小冷耳。　[谨案]豆蔻，苗似山姜，花黄白，苗根及子亦[4]似杜若。枸[5]橼，性冷，陶景云温[6]者，误矣。

【校注】

[1] 气　其后，《纲目》有"下气，止霍乱，一切冷气，消酒毒"，并注为《别录》文。按"下气，止霍乱"出于《开宝本草》注；"一切冷气"出于《药性论》；"消酒毒"出于《日华子本草》。

[2] 恒含　"恒"，《证类》作"常"；"含"，《新修》原作"合"，据武田本《新修》、《证类》改。

[3] 最　《证类》无此字。

[4] 亦　《证类》作"赤"。

[5] 枸　《新修》原作"蒟"，据《证类》改。

[6] 温　《新修》原作"热"，据《证类》改。

569　葡萄

味甘，平，无毒。主筋骨湿痹，益气倍力[1]，强志，令人肥健，耐饥[2]，忍风寒。久食轻身不老[3]，延年。可作酒，逐[4]水，利小便。生陇西五原[5]敦煌山谷。

魏国使人多赍来[6]，状如五味子而甘美，可[7]作酒，云用其藤汁殊美好。北国人多肥健耐寒，盖食斯乎？不植淮南，亦如橘之变于河北矣。人说即是[8]此间蘡薁，恐如彼之枳类[9]橘耶？[谨案]蘡薁与葡萄亦同[10]，然蘡薁是千岁藟。葡萄作酒法，总收取子汁酿[11]之自成酒。蘡薁，山葡萄，亦堪为酒。陶景言[12]用藤汁为酒，谬矣。

【校注】

[1] 倍力　《艺文类聚》无此2字。

[2] 耐饥　《艺文类聚》作"少饥"，《医心方》无此2字。

[3] 久食轻身不老　"久"，《新修》原作"人"，据《千金翼》《证类》改。"食"，徐本作"服"。"老"，《大全》作"者"。

[4] 逐　《新修》原作"遂"，据《证类》改。

[5] 陇西五原　《御览》作"五原陇西"。

[6] 来　其后，《纲目》衍"南方"2字。

[7] 可　《新修》原脱，据《千金翼》《证类》补。

[8] 是　《证类》无此字。

[9] 如彼之枳类　《纲目》作"亦如枳之与"。

[10] 亦同　《证类》《图考长编》作"相似"。

[11] 酿　《图考长编》作"煮"。

[12] 景言　《证类》作"云"。

570　蓬蘽[1]

味酸、咸[2]，平，无毒。主安五脏，益精气，长阴令[3]坚，强志倍力，有子。又疗暴中风，身热大惊。久[4]服轻身不老。一名覆盆[5]，一名陵蘽，一名阴蘽。生荆山平泽及宛朐。

李云即是人所食莓尔[6]。

【校注】

[1] 此条，《纲目》将之列在"蓬蘽"条末，并将"唐本余"文"益颜色……耐寒湿"注为"苏恭"文。

[2] 咸　《大观》《大全》《本经续疏》注为《本经》文。

[3] 令　《纲目》《本经续疏》作"令人"。

[4] 久　《新修》原作"人"，据《千金翼》《证类》改。

[5] 一名覆盆　《纲目》《草木典》注为《别录》文。

[6] 李云……莓尔　《纲目》以"覆盆子"的陶弘景注充之。"莓"，《图考长编》作"莓子"。

571 覆盆

味甘，平，无毒。主益气轻身，令发不白。五月采实[1]。

蓬蘽是根名，方家不用，乃昌容所服，以易颜色[2]者也。覆盆是实名，李云是莓子，乃似覆盆之形[3]，而以津汁为味，其核甚[4]微细。药中所[5]用覆盆子小异。此未详熟是[6]。　〔谨案〕覆盆、蓬蘽，一物异名，本谓实，非根也。李云莓子近之。其根不入药用[7]，然生处不同，沃地则子大而甘，瘠地则子细而酸。此乃子有甘、酸，根无酸[8]味。陶景以根酸子甘，将根入果，重出子[9]条，殊为孟浪。

【校注】

[1] 实　《证类》《纲目》无此字。

[2] 色　《证类》无此字。

[3] 李云……之形　《纲目》作"李当之云：是人所食莓子"。"李"，《新修》原作"季"，据《证类》改。

[4] 甚　《证类》无此字。

[5] 所　《证类》无此字。

[6] 蓬蘽是根名……未详熟是　《纲目》移此文于"蓬蘽"条下。

[7] 其根不入药用　《纲目》无此文。

[8] 酸　其后，《新修》原衍"根无酸"3字，据《证类》删。

[9] 子　《纲目》作"二"。

572 大[1]枣

味甘，平[2]，无毒。**主心腹邪气，安中养脾[3]，助十二经胃气[4]，通九窍，补少气少津[5]，身中不足，大惊，四肢重，和[6]百药。**补中益气，强力，除烦闷[7]，疗心下悬，肠澼[8]。**久服轻身长季，**不饥神仙[9]。一名干枣[10]，一名美枣，一名良枣。八月采，曝干。三岁陈核中仁，燔之，味苦，主腹痛，邪气。生枣，味甘[11]、辛，多食令人多寒热[12]，羸瘦者，不可食[13]。**叶覆麻黄，能出汗。**生[14]河东平泽。

大枣[15]杀乌头毒。　旧云河东猗氏县枣特异，今出青州、彭城，枣形小[16]，核细，多膏，甚甜。郁州平市[17]亦得之，而郁州者亦好，小不及尔。江东临沂金城枣，形大而虚少暗[18]，好者亦可用[19]。南枣大恶，殆不堪啖。道家方药以枣为佳饵，其皮利，肉补虚[20]，所以合汤皆辟用之。　〔谨案〕《别录》云：枣叶散服使人瘦，久[21]即呕吐；揩热痱疮至[22]良。

【校注】

[1] **大** 《医心方》作"干"。

[2] **平** 《千金翼》作"辛"。

[3] **脾** 《千金翼》《纲目》《本草经解》作"脾气"。

[4] **助十二经胃气** "助",孙本作"肋"。"经"字后,《医心方》衍"脉"字。"胃气",《图考长编》《证类》《纲目》《品汇》《本草经疏》《本经续疏》、孙本、森本作"平胃气"。

[5] **津** 《证类》《纲目》作"津液"。

[6] **和** 《千金翼》作"可和"。

[7] **强力,除烦闷** "强力",《纲目》作"坚志强力"。"闷",《新修》原脱,据《证类》补。

[8] **疗心下悬,肠澼** "疗",《新修》原脱,据《千金翼》《证类》补。"肠澼",《纲目》《草木典》作"除肠澼"。

[9] **久服轻身长季,不饥神仙** "久",《初学记》作"九"。"长季",《纲目》《草木典》作"延年",《千金翼》《证类》作"长年"。"神仙",《纲目》《草木典》无此文。

[10] **一名干枣** 《图考长编》无此文。

[11] **甘** 《新修》原脱,据《千金翼》《证类》补。

[12] **多食令人多寒热** 《新修》原作"令人多热",据《证类》改。

[13] **嬴瘦者,不可食** "嬴"字前,《纲目》衍"凡"字。"食",《新修》原作"令",据《证类》改。

[14] **能出汗。生** "能"字后,《千金翼》《证类》等有"令"字。"生",《新修》原脱,据《千金翼》《证类》补。

[15] **大枣** 《千金翼》《证类》等无此2字。

[16] **出青州、彭城,枣形小** 《证类》《图考长编》作"青州出者形大"。

[17] **甚甜。郁州平市** "甜",《新修》原作"贴",据《证类》改。"郁",《新修》原脱,据《证类》补。"平",《证类》作"互",《图考长编》作"无"。

[18] **暗** 《证类》作"脂"。

[19] **用** 其后,《新修》原衍"及"字,据《证类》删。

[20] **虚** 《新修》原脱,据《证类》补。

[21] **久** 《新修》原作"又",据《证类》改。

[22] **至** 《证类》无此字。

573 藕实茎[1]

味甘,平[2]、寒,无毒。主补中养神,益气力,除百疾[3]。久服轻身耐老,不饥,延年[4]。一名水芝丹[5],一名莲[6]。生汝南池泽[7],八月[8]采。

即今莲子,八月、九月取坚黑者[9],干捣破之。花及根并入神仙用。今云茎,恐即是根,不尔不应言甘也。宋[10]帝时,太官作羊[11]血{{魠}},庖[12]人削藕皮误落血中,遂皆散不凝,医仍用藕疗血多效也。 [谨案]《别录》云:藕,主热渴,散血[13],生肌。久服[14]令人心欢。

【校注】

[1] 茎　《千金翼》《本草和名》《医心方》无此字。

[2] 甘，平　《千金翼》作"苦甘"。"平"，玄《大观》作"乎"。

[3] 疾　《千金翼》《万安方》作"病"。

[4] 年　黄本、问本作"季"。

[5] 丹　《千金翼》无此字。

[6] 莲　《纲目》作"石莲子"。

[7] 生汝南池泽　《御览》引《本经》曰："藕实茎，所在池泽皆有，生豫章汝南者良，苗高五六尺，叶团青大如扇，其花赤名莲荷，子黑状如羊屎"。

[8] 月　《新修》原脱，据《证类》补。

[9] 者　《纲目》作"如石者"。

[10] 宋　《新修》原作"宗"，据《证类》改。

[11] 羊　《证类》无此字。

[12] 庖　《新修》原脱，据《证类》补。

[13] 血　《纲目》《草木典》作"留血"。

[14] 久服　《新修》原脱，据《证类》补。

574　鸡头实[1]

味甘，平，无毒。主[2]湿痹，腰[3]脊膝痛，补中，除疾[4]，益精气，强志，令[5]耳目聪明。久服轻身不饥，耐老神仙。一名雁喙实[6]，一名芡。生雷泽池泽，八月采。

此即今芰子，子形[7]上花似鸡冠，故名鸡头。仙方取此并莲实合饵，能令小儿不长，自别有方[8]。正尔食之，亦当益人。　　[谨案] 此实，去皮作粉，与菱[9]粉相似，益人胜菱。

【校注】

[1] 鸡头实　《御览》作"鸡头"，《纲目》《草木典》作"芡实"。

[2] 主　《医心方》作"疗"。

[3] 腰　孙本、黄本、问本作"要"。

[4] 疾　《证类》《纲目》《品汇》《本草经疏》《图考长编》《本经续疏》、孙本作"暴疾"。

[5] 益精气，强志，令　"气"，《医心方》无此字。"志"，《千金翼》作"志意"。"令"，《新修》原脱，据《证类》补。

[6] 一名雁喙实　《千金翼》无此文。《御览》无"喙"字。

[7] 子形　《纲目》作"茎"。《证类》无"子"字。

[8] 自别有方　《证类》无此文。

[9] 菱　《新修》原作"麦"，据《证类》改。

575 芰实

味甘，平，无毒。主安中，补五[1]脏，不饥，轻身。一名菱。

庐江间最多，皆取火燔[2]，以为米充[3]粮，今多蒸曝蜜和饵之[4]，断谷长生。水族中又有菰首，性冷，恐非上品。被霜后食之，令阴不强。又不可杂白蜜食，令生虫。　[谨案]芰作粉，极白润，宜人。

【校注】

[1] 五　《新修》原脱，据《千金翼》《证类》补。

[2] 燔　《新修》原作"煿"，据《证类》改。

[3] 充　《新修》原作"苑"，据《证类》改。

[4] 蜜和饵之　《纲目》作"食之"。

576 栗

味咸，温，无毒。主益气，厚肠胃，补肾[1]气，令人耐[2]饥。生山阴，九月[3]采。

今会稽最丰[4]，诸暨栗形大，皮厚不美，剡及始丰[5]皮薄而甜。相传有人患脚弱，往[6]栗树下食数升，便能起行，此是补肾之义，然应生啖之。今[7]若饵服，故宜蒸曝之。　[谨案]栗作粉，胜于菱芰[8]。嚼生者涂疮[9]上，疗筋骨断碎，疼痛，肿，瘀血[10]有效。其皮名扶，捣为散，蜜和涂肉，令急缩。毛壳，疗火丹疮[11]、毒肿。实饲[12]孩儿，令齿不生。树白皮水煮汁，主溪毒。

【校注】

[1] 肾　《大全》作"贤"。

[2] 耐　《新修》原作"忍"，据《千金翼》《证类》改。

[3] 月　《新修》原作"日"，据《千金翼》《证类》改。

[4] 最丰　《纲目》无此2字。

[5] 丰　其后，《纲目》有"栗"字。

[6] 往　《新修》原作"佳"，据《证类》改。

[7] 今　《新修》原作"令"，据武田本《新修》改。《证类》无"今"字。

[8] 芰　《证类》作"芡"。

[9] 疮　《新修》原作"病"，据《证类》改。

[10] 血　《新修》原脱，据《证类》补。

[11] 火丹疮　"火丹"，《新修》原作"丹火"，据《证类》改。"疮"，《证类》作"疗"。

[12] 饲　《新修》原作"饵"，据《证类》改。

577 樱桃

味甘。主调中，益脾气，令人好颜色，美志[1]。

此即今朱樱桃[2]，味甘、酸，可食，而所主又与前樱桃相似。恐医家[3]滥载之，未必是今者尔。又胡[4]颓子凌冬不凋，子亦应益人，或云寒热病不可食。　　[谨案] 捣叶封[5]，主蛇毒。绞[6]汁服，防蛇毒攻内也[7]。

【校注】

[1] **好颜色，美志**　"颜"，《新修》原脱，据《千金翼》《证类》补。《图考长编》脱"美志"2字。

[2] **今朱樱桃**　"今"，《新修》原作"令"，据《证类》改。《证类》《图考长编》脱"桃"字。

[3] **家**　《新修》原脱，据《证类》补。

[4] **胡**　《新修》原作"故"，据《证类》改。

[5] **封**　《证类》作"数"。

[6] **绞**　《证类》作"绞叶"。

[7] **也**　《证类》无此字。

果　中

578 梅实

味酸[1]，平，无毒。主下气，除热烦满，安心，肢[2]体痛，偏枯[3]不仁，死肌[4]，去青黑志，恶疾[5]。止[6]下痢，好唾，口干。生汉中川[7]谷，五月采，火干。

此亦是今乌梅也，用之[8]去核，微熬之。伤寒烦热，水渍饮汁。生梅子及白梅亦应相似，今人[9]多用白梅和药，以点志蚀[10]恶肉也。服黄精人，云禁食梅实。　　[谨案]《别录》云：梅根，疗风痹，出土者杀人。梅实，利筋脉，去[11]痹。

【校注】

[1] **酸**　森本作"咸"。

[2] **肢**　《千金方》《纲目》《本草经解》《本经疏证》《图考长编》作"止肢"。

[3] **枯**　《图考长编》作"枝"。

[4] **肌**　《新修》原作"肥"，据《千金翼》《证类》改。

[5] **恶疾**　《纲目》《本经疏证》《本草经解》《图考长编》作"蚀恶肉"。

[6] **止** "止",《新修》、武田本《新修》作"心",《本草经疏》作"上",据《千金翼》《证类》改。

[7] **川** 《本经疏证》作"山"。

[8] **之** 《证类》作"当"。

[9] **今人** 《新修》原作"人今",据《证类》改。

[10] **蚀** 《新修》原作"食",据《证类》改。

[11] **去** 《新修》原作"志",据《证类》改。

579　枇杷叶

味苦，平，无毒[1]。主卒啘[2]不止，下气[3]。

其叶不暇[4]煮，但嚼食，亦[5]差。人以作饮，则[6]小冷。　　［谨案］用枇杷叶，须火炙[7]，布拭去毛。毛[8]射人肺，令咳不已。又主呕[9]逆，不下食。

【校注】

[1] **味苦，平，无毒** 《新修》原脱"味苦""无毒"4字，据《千金翼》《证类》补。

[2] **啘** 《草木典》作"噎"。

[3] **气** 其后，《纲目》《草木典》衍"煮汁服"3字。

[4] **其叶不暇** 《新修》原作"不假"，据《证类》改。

[5] **亦** 《新修》原作"小"，据《证类》改。

[6] **则** 《新修》原作"乃"，据《证类》改。

[7] **炙** 《新修》原脱，据《证类》补。

[8] **毛** 《证类》作"不尔"。

[9] **呕** 《证类》作"咳"。

580　柿

味甘，寒，无毒[1]。主通鼻耳气，肠澼[2]不足。

柿有数种，云今乌柿火熏者，性热，断下，又疗狗啮[3]疮。火熠[4]者亦好，日干者性冷。鹿[5]心柿尤不可多食，令人腹痛利[6]，生柿弥冷。又有椑，色青，惟堪生啖，其性冷复乃[7]甚于柿，散石热家[8]啖之，亦无嫌。不入药用。　　［谨案］《别录》云：火柿主杀毒，疗金疮火疮，生肉止痛。软熟柿解酒热[9]毒，止口干，压胃[10]间热。

【校注】

[1] **寒，无毒** 《新修》原作"无毒寒"，据《证类》改。

[2] **澼** 《纲目》《草木典》《图考长编》作"胃"。

[3] 啮　《图考长编》作"齿"。

[4] �　《证类》《图考长编》作"�"。

[5] 麁　《证类》作"麤"（即粗）。

[6] 利　《证类》无此字。

[7] 其性冷复乃　"性"，《新修》原脱，据《证类》补。《证类》无"乃"字。

[8] 家　《图考长编》作"服石家"。

[9] 热　《纲目》无此字。

[10] 胃　《新修》原作"匋"，据《证类》改。

581　木瓜实

味酸，温，无毒[1]。主[2]湿痹邪[3]气，霍乱，大吐下，转筋不止。其枝亦可煮用[4]。

山阴、兰亭尤多，彼人以为良药[5]，最疗转筋。如[6]转筋时，但呼其名及书上作木瓜字皆愈，理亦不可寻[7]解。俗人拄[8]木瓜杖，云利筋胫。又有榠楂，大而黄，可进酒去淡[9]。又楂子，涩，断利。《礼》云：楂梨旧攒之。郑公不识楂，乃云是梨之不藏者。然则[10]古亦以楂为果，今则不入例也。凡此属多不益人者也[11]。

【校注】

[1] 无毒　《本经续疏》无此文。

[2] 主　《图经衍义》误作"王"。

[3] 邪　《纲目》《本草经疏》作"脚"。

[4] 其枝亦可煮用　《纲目》无此文。"用"字后，《千金翼》有"之"字。

[5] 药　《证类》作"果"。

[6] 如　《新修》原脱，据《证类》补。

[7] 理亦不可寻　《证类》无"理""寻"2字。

[8] 拄　《证类》作"柱"。

[9] 淡　《证类》作"痰"。

[10] 则　《证类》无此字。

[11] 凡此属多不益人者也　《证类》无此文。

582　甘蔗

味甘，平，无毒。主下气，和中，补[1]脾气，利大肠。

今出江东为胜，庐陵亦有好者。广州人种[2]，数年生，皆如大竹，长丈余，取汁以为沙糖，甚益人。又有荻[3]蔗，节疏而细，亦可啖也。

【校注】

[1] **补** 《千金翼》《证类》《品汇》《纲目》《本草经疏》《图考长编》作"助"。

[2] **人种** 《新修》作"人种",《证类》作"一种"。

[3] **荻** 《新修》原作"萩",据《证类》改。

583 石蜜

味甘,寒,无毒。主心腹热胀,口干渴,性冷利。出益州及西戎,煎炼沙糖为之,可[1]作饼块,黄白色。

云用水牛乳、米粉和煎,乃得成块。西戎来者佳。近[2]江左亦有,殆胜蜀者[3]。云用牛乳汁和沙糖[4]煎之,并作饼,坚重[5]。 新附

【校注】

[1] **可** 《新修》原脱,据《证类》补。

[2] **近** 《证类》无此字。

[3] **蜀者** 《图考长编》作"于蜀"。

[4] **乳汁和沙糖** "乳",《新修》原作"滕",据《证类》改。"沙糖",《新修》原脱,据《证类》补。

[5] **并作饼,坚重** 《新修》原作"糖并作炒饼坚重蜀者也",据《证类》改。

584 沙糖

味甘,寒,无毒。功体与石蜜同,而冷利过之[1]。榨甘蔗汁煎作[2]。蜀地、西戎、江东并有。而江东者,先劣今优[3]。 新附

【校注】

[1] **之** 《新修》原脱,据《证类》补。

[2] **榨甘蔗汁煎作** "榨",《新修》原作"笮",据《证类》改。"作",《纲目》改为"成紫色"。

[3] **而江东者,先劣今优** 《证类》无此文。

585 芋

味辛,平,有毒。主宽肠胃,充肌肤,滑中。一名土芝。

钱塘最多,生则有毒莶[1],不可食,性滑中[2],下石,服饵家所忌。种芋三年不采,成梠芋。又别有野芋,名尤[3]芋,形叶相似如一根,并杀人。人不识而食之[4],垂死者,他人以土浆及粪汁与饮之,得活矣。 〔谨案〕芋有六种,有青芋、紫芋、真芋、白芋、连禅芋、野芋。其[5]青芋

细长，毒多，初煮要须灰汁易水煮，熟乃堪食尔。白芋、真芋、连禅芋、紫芋，并毒少，正可^[6]蒸煮啖之，又宜冷啖，疗热^[7]止渴。其真、白、连禅三芋，兼肉作羹，大佳。蹲^[8]鸱之饶，盖^[9]谓此也。野芋大毒，不堪啖也。

【校注】

[1] **蓁** 《纲目》作"味蓁"。

[2] **性滑中** 《证类》作"性滑"，无"中"字。

[3] **尤** 《本草和名》作"左"，《证类》《纲目》《图考长编》作"老"。

[4] **之** 《新修》原脱，据《证类》补。

[5] **其** 其前，《新修》原衍"点"字，据《证类》删。

[6] **正可** 《新修》原作"并正尔"，据《证类》改。

[7] **冷啖，疗热** 《纲目》作"冷啖疗烦热"。

[8] **蹲** 《新修》原作"存"，据《证类》改。

[9] **盖** 《新修》原作"益"，据《证类》改。

586　乌芋

味苦、甘，微寒，无毒。主消渴，痹热，温^[1]中，益气。一名藉姑，一名水萍。二月生叶^[2]，叶如芋。三月三日采根，曝干。

今藉姑^[3]生水田中，叶有桠，状如泽泻，不正似芋。其根黄似芋子而小，煮食之乃可啖。疑其有乌名，今有乌者^[4]，根极相似，细而美，叶乖^[5]异状，头如莞^[6]草，呼为凫^[7]茨，恐此非^[8]也。　　〔谨案〕此草，一名槎牙，一^[9]名茨菰，主百毒，产后血闷攻心欲死，产难衣不出，捣汁服一升。生水中，叶似^[10]钾箭镞，泽泻之类也。《千金方》云：下石淋也。

【校注】

[1] **温** 《新修》原作"热"，据《证类》改。

[2] **叶** 《图考长编》无此字。

[3] **姑** 《新修》原作"始"，据《证类》改。

[4] **名，今有乌者** 《证类》《图考长编》作"者"。

[5] **乖** 《图考长编》无此字。

[6] **头如莞** 《证类》《图考长编》作"如莧"。

[7] **凫** 《新修》原作"鸟"，据《证类》改。

[8] **非** 《证类》《图考长编》无此字。

[9] **一** 《新修》原脱，据《证类》补。

[10] **似** 《新修》原作"以"，据武本《新修》、《证类》改。

果　下

587　杏核

味甘、苦，温，冷利，**有毒。主咳逆上气，雷鸣**[1]**，喉痹，下气，产乳，金创**[2]**寒心，贲豚**，惊痫，心下烦热，风气去[3]来，时行头痛，解肌，消心下急[4]，杀狗毒。一名杏子[5]。五月采[6]。其两仁者杀人，可以毒狗。花[7]，味苦，无毒。主补不足，女子伤中，寒热痹，厥逆。实，味酸，不可多食[8]，伤筋骨。生晋山川[9]谷。

得火良，恶黄芪、黄芩[10]、葛根，解锡毒，畏蘘草。　处处有，药中多用之，汤浸去赤[11]皮，熬令黄。

【校注】

[1] **雷鸣**　《千金方·食治》作"肠中雷鸣"。

[2] **创**　《证类》《品汇》《纲目》作"疮"。

[3] **气去**　《新修》原脱"气"字，据《证类》补。"去"，《纲目》《图考长编》作"往"。

[4] **急**　其后，《纲目》《草木典》《图考长编》有"满痛"2字。

[5] **一名杏子**　《证类》《图考长编》无此文。

[6] **采**　《证类》作"采之"。

[7] **花**　《图经衍义》作"杏花"。

[8] **不可多食**　《纲目》作"热有小毒，生食多"。

[9] **山川**　《纲目》《图考长编》作"川山"。

[10] **芩**　玄《大观》作"苓"。

[11] **赤**　《证类》《图考长编》作"尖"。

588　桃核

味苦、甘，平，无毒。主[1]**瘀血，血闭瘕**[2]**邪气，杀小虫。**止[3]咳逆上气，消心下坚，除卒暴击血，破癥瘕[4]，通月水，止痛[5]。七月采取仁，阴干。**桃华，杀疰恶鬼，令人好色**[6]，味苦，平，无毒。主除水气，破石淋，利大小便[7]，下三虫，悦泽人面。三月三日采，阴干。**桃枭**[8]**，杀百鬼精物**，味苦，**微温**。主[9]中恶腹痛，杀精魅五毒不祥。一名桃奴[10]，一名枭景[11]，是实着树不落，实中者[12]，正月采之。**桃毛，主下血瘕，寒热，积聚**[13]**，无子**，带下诸疾，破坚闭，刮取实毛用之[14]。**桃蠹，杀鬼，辟**[15]**不祥**，食桃树虫也。其茎白[16]皮，味苦、平，无毒。除邪鬼，中恶，腹痛，去胃中热。其叶，味苦、辛[17]，平，无毒。主除尸虫，出疮中虫。胶，炼之，主保中不饥[18]，忍风寒。其实，味酸，多食令人有热。生太[19]山川谷。

今[20]处处有，京口者亦好，当取解核种之为佳。又有山龙[21]桃，其仁不堪用，俗用[22]桃仁作酪乃言冷。桃胶入仙家用。三月三日采[23]花，亦供丹方所需。方[24]言服三树桃花尽，则面色如桃花，人亦无试之者。服术人云[25]禁食桃也。　　[谨案]桃胶，味甘[26]、苦，平，无毒。主下石淋，破血，中恶，疰忤。花，主下恶气，消肿满，利大小肠[27]。

【校注】

[1] **主**　《千金翼》作"破"。

[2] **血闭瘕**　《新修》原脱"血"字，据《证类》补。"瘕"，《图考长编》作"癥瘕"。

[3] **止**　《新修》原作"主"，据《千金翼》《证类》改。

[4] **癥瘕**　《新修》原作"瘕癥"，据《千金翼》《证类》改。《纲目》《图考长编》无此2字。

[5] **止痛**　《纲目》《图考长编》作"止心腹痛"。

[6] **色**　《千金翼》《证类》《纲目》《图考长编》作"颜色"。

[7] **破石淋，利大小便**　"淋"，《新修》原作"水"，据《千金翼》《证类》改。"大"，《新修》原脱，据《千金翼》《证类》补。

[8] **桃枭**　《初学记》《艺文类聚》作"枭桃"。"枭"，万历《政和》、成化《政和》、商务《政和》、孙本作"枭"。

[9] **主**　《千金翼》《证类》作"疗"。

[10] **一名桃奴**　《图考长编》无此文。

[11] **一名枭景**　《新修》原脱，据《千金翼》《证类》补。

[12] **实中者**　《纲目》作"中实者良"，并将之移在"正月采之"之前，《图考长编》作"中实者"。

[13] **聚**　《大全》、孙本作"寒"。

[14] **破坚闭，刮取实毛用之**　"坚"，《图考长编》作"血"。"实"，《千金翼》《证类》无此字。《新修》原脱"用之"2字，据《千金翼》《证类》补。

[15] **桃蠹，杀鬼，辟**　"桃蠹"，《纲目》注为《日华子本草》文。"辟"，《千金翼》《证类》《纲目》《图考长编》作"邪恶"。

[16] **其茎白**　《千金翼》《证类》《图考长编》无"其"字。《新修》原脱"白"字，据《千金翼》《证类》补。

[17] **其叶，味苦、辛**　《千金翼》《证类》《图考长编》无"其"字。"其叶"，《图经衍义》作"桃叶"。"辛"，《新修》原脱，据《千金翼》《证类》补。

[18] **饥**　《千金翼》作"饱"。

[19] **太**　《新修》原作"大"，据《千金翼》《证类》改。

[20] **今**　《新修》原脱，据《证类》补。

［21］ **龙** 《本草和名》作"竜"，《证类》《纲目》《图考长编》无此字。

［22］ **俗用** 《证类》《图考长编》无此2字。

［23］ **采** 《新修》原脱，据《证类》补。

［24］ **方** 《图考长编》作"肘后方"。

［25］ **服术人云** "术"，《新修》原作"木"，据《证类》改。"云"，《图考长编》作"大"。

［26］ **甘** 《证类》无此字。

［27］ **肠** 其前，《新修》原衍"便"字，据《证类》删。

589 李核人

味甘[1]、苦，平，无毒。主僵仆跻[2]，瘀血，骨痛。根皮[3]，大寒，主消[4]渴，止心烦逆奔[5]气。实，味苦，除痼[6]热，调中。

李类又多。京口有麦李，麦秀时熟，小而甜脆[7]，核不入药。今此用姑[8]熟所出南居李，解核如杏子者，为佳。凡李[9]实熟食之皆好，不可合雀肉食，又不可临水上啖之。李皮水煎含之，疗齿痛佳。

【校注】

［1］ **甘** 《千金翼》《证类》无。

［2］ **仆跻** "仆"，《新修》原作"作"，据《证类》改。"跻"，《图考长编》作"蹉折"。

［3］ **骨痛。根皮** "骨痛"，《本经疏证》作"骨折"。"根皮"，《图经衍义》作"李根皮"。

［4］ **消** 《新修》原脱，据《证类》补。

［5］ **奔** 《纲目》《草木典》《图考长编》作"奔豚"。

［6］ **实，味苦，除痼** "实"，《图经衍义》作"李实"。"除痼"，《纲目》《草木典》作"暴食去痼"。

［7］ **脆** 《新修》原作"晚"，据《证类》改。

［8］ **姑** 《新修》原作"始"，据武田本《新修》、《证类》改。

［9］ **李** 《证类》无此字。

590 梨

味苦[1]，寒。多食令人寒中[2]，金创[3]，乳妇[4]尤不可食。

梨种复[5]殊多，并皆冷利，俗人以为快果，不入药用，食之损人[6]。 ［谨案］梨削贴汤火创[7]不烂，止痛，易差。又主热嗽，止渴。叶，主霍乱，吐利不止，煮汁服之。

【校注】

［1］ **苦** 《证类》《图考长编》作"甘微酸"。

［2］ **多食令人寒中** 《新修》原脱"多食"2字，据《千金翼》《证类》补。"中"字后，《纲

目》《草木典》《图考长编》衍"蒌困"2字。

[3] 创　《证类》《纲目》作"疮"。

[4] 妇　其后，《纲目》《草木典》《图考长编》衍"血虚者"3字。

[5] 复　《图考长编》无此字。

[6] 食之损人　《证类》作"多食损人也"。《图考长编》作"食之多损人也"。

[7] 贴汤火创　"贴"，《新修》原作"帖"，据《证类》改。"创"，《证类》作"疮"。

591　柰

味苦，寒。多食令人胪胀，病[1]人尤甚。

柰江南乃有，而北[2]国最丰，皆以作脯[3]，不宜人。有林檎相似而小，亦恐非益人者[4]。枇杷叶已出上卷，其实乃宜人。东阳、寻阳最多也[5]。

【校注】

[1] 病　《纲目》作"有病"。

[2] 北　《新修》原作"此"，据《证类》改。

[3] 皆以作脯　《证类》《图考长编》无"以"字。《纲目》作"作脯食之"。

[4] 亦恐非益人者　《纲目》作"俱不益人"。"恐"，《图考长编》作"忌"。

[5] 枇杷叶……东阳、寻阳最多也　《证类》《图考长编》无此文。

592　安石榴

味甘、酸，无毒。主咽燥渴。损人肺[1]，不可多食。其酸实壳，疗下痢，止[2]漏精。其东行根，疗蛔虫、寸白。

石榴以花赤可爱，故人多植之，尤为外国所重。入药惟根、壳而已，其味有甜、酢[3]，药家用酢者。其[4]子为服食所忌也[5]。

【校注】

[1] 味甘、酸，无毒。主咽燥渴。损人肺　《新修》原作"味酸甘。损人"，据《千金翼》《证类》改。"咽"，《纲目》《图考长编》作"咽喉"。《品汇》脱"损人肺"3字。

[2] 其酸实壳，疗下痢，止　《纲目》改作"酸榴皮，止下痢"。《证类》《图考长编》无"其"字，下同。

[3] 酢　《证类》《图考长编》作"酸"，下同。

[4] 其　《证类》无此字。

[5] 也　《证类》无。

《新修本草》果部卷第十七

菜部 卷第十八

右菜部合共卅八种十二种《神农本经》，十九种《名医别录》，七种新附。

菜　上

593　白瓜子

味甘，平、寒，无毒。主令人悦泽，好颜色，益气不饥。久服轻身耐[1]**老。**主除烦[2]满不乐，久服寒中。可作面脂，令悦泽[3]。一名**水芝**[4]，一名**白瓜**[5]子。生嵩高平泽。冬瓜仁也，八月采之。

　　[谨案]《经》云：冬瓜仁也，八月采之。已下[6]为冬瓜仁说。《尔雅》云：水芝瓜也[7]，非谓冬瓜别名。据《经》及下条瓜蒂，并生嵩高平泽，此即一物，但以甘字似白字[8]，后人误以为白也。若其不是甘瓜，何因[9]一名白瓜？此即是甘瓜不惑[10]。且朱书论甘[11]瓜之效，墨书说冬瓜之功，功异条同，陶为深误矣[12]。案，《广雅》：冬瓜一名地芝，与甘瓜全别，墨书宜附冬瓜科下。瓜蒂与甘瓜共条。《别录》云：甘瓜子主腹内结聚，破溃脓血，最为肠胃脾内痈要药[13]。本草以为冬瓜，但用蒂，不云子也。今肠痈汤中用之[14]。俗人或用冬瓜子，非[15]也。又案，诸本草单[16]云瓜子或云甘瓜子，今此本误作白字，当改从甘也。

【校注】

[1] **耐**　《新修》原作"能"，据《证类》改。

[2] **烦**　《新修》原脱，据《证类》补。

[3] **悦泽**　《千金翼》作"面光泽"，《纲目》《品汇》《图考长编》作"面悦泽"，《证类》作"而悦泽"。

[4] **一名水芝**　《本经续疏》《草木典》注为《别录》文。"水"，《御览》作"土"。

[5] **瓜**　人卫《政和》作"爪"。

[6] **下**　其后，《新修》原衍"此"字，据《证类》删。

[7] **《尔雅》云：水芝瓜也**　《证类》无此文。

［8］**字**　《新修》原脱，据《证类》补。

［9］**因**　《新修》原作"目"，据《证类》改。

［10］**是甘瓜不惑**　《证类》无"是"字。"不惑"，《新修》原作"或"，据《证类》改。

［11］**朱书论甘**　"朱"，傅氏影刻《新修》作"木"，罗氏藏本《新修》、《证类》作"朱"。"甘"，《证类》作"白"。

［12］**矣**　《证类》无此字。

［13］**最为肠胃脾内痛要药**　《新修》原作"最为好腹肾脾内痛汤要药"，据《证类》改。

［14］**今肠痛汤中用之**　"今"字前，《新修》原衍"人"字，据《证类》删。"用之"，《新修》原作"之用"，据《证类》改。

［15］**非**　《证类》无此字。

［16］**单**　《证类》无此字。

594　白冬瓜

味甘^[1]，微寒。主除小腹水胀，利小便，止渴。

被霜后合取，置^[2]经年，破取核，水洗，燥，乃擣取仁用之。冬瓜性冷利，解毒，消渴，止烦闷，直捣、绞汁服之。

【校注】

［1］**味甘**　《新修》原脱，据《证类》补。

［2］**置**　《新修》原作"是"，据《证类》改。

595　瓜蒂^[1]

味苦，寒，有毒。主大水，身面四肢浮肿，下水，杀蛊毒，咳逆上气，食诸果不消^[2]，病在胸腹中，皆吐下之。去鼻中息肉，疗^[3]黄疸。其花，主心痛，咳逆^[4]。生嵩高平泽，七月七日^[5]采，阴干。

瓜蒂多用早青蒂，此云七月七日采，便是甜瓜蒂也。人亦有用^[6]熟瓜蒂者，取吐乃无异，此止^[7]论其蒂所主耳。今瓜例皆冷^[8]利，早青者尤甚。熟瓜乃有数种，除瓤食不害人，若觉食^[9]多，入水自渍便消^[10]。永嘉有寒瓜甚大，今每^[11]即取藏经年食之。亦有再熟瓜，又有越瓜，人以^[12]作菹者，食之亦冷，并非药用耳。《博物志》云：水浸至项，食瓜无数。又云斑瓜花有毒，分采之，瓜皮杀蟫虫也^[13]。

【校注】

［1］**蒂**　《新修》原作"带"，据《千金翼》《证类》改。

［2］**食诸果不消**　《千金翼》《证类》《纲目》《本草经疏》《本经疏证》、孙本作"及食诸果"。

［3］ **疗**　《新修》原脱，据《证类》补。

［4］ **心痛，咳逆**　《新修》原作"疗心"，据《千金翼》《证类》改。

［5］ **七日**　《证类》无此2字。

［6］ **甜瓜蒂也。人亦有用**　《新修》原脱，据《证类》补。

［7］ **止**　其后，《证类》有"于"字。

［8］ **冷**　傅氏影刻《新修》作"令"，罗氏藏本《新修》、《证类》作"冷"。

［9］ **食**　《证类》无此字。

［10］ **入水自渍便消**　"入""消"，《证类》作"即入""即消"。

［11］ **今每**　《新修》原作"合母"，据《证类》改。

［12］ **人以**　"人"字前，《新修》原衍"甚"，据《证类》删。《证类》无"以"字。

［13］ **《博物志》云……杀蟪虫也**　《证类》无此文。

596　冬葵子

味甘，寒，无毒。主五脏六腑寒热，羸瘦，五癃[1]，利小便。疗妇人乳难内闭[2]。**久服坚骨，长肌肉，轻身延年[3]。**生少室山[4]。十二月采。

黄芩为之使。

【校注】

［1］ **五癃**　《千金翼》作"破五淋"。

［2］ **疗妇人乳难内闭**　《纲目》《草木典》作"乳内闭肿痛"。《新修》原脱"疗"，据《证类》补。"内"，《新修》原作"由"，据《千金翼》《证类》改。

［3］ **年**　黄本、问本作"季"。

［4］ **山**　《新修》原脱，据《千金翼》《证类》补。

597　葵根

味甘，寒，无毒。主恶疮，疗淋，利小便，解蜀椒毒。叶，为百菜主，其心伤人[1]。

以秋种葵，覆养经冬，至春作子，谓之冬葵[2]，多入药用，至滑利，能下石淋[3]。春葵子亦滑利，不堪余药用。根，故是常葵尔。叶尤冷利，不可多[4]食。术家取此葵子，微炒令烨烆，散着湿地，遍踏之[5]。朝种葵暮生，远[6]不过宿。又云取羊角、马蹄烧作灰，散于湿地[7]，即生罗勒，俗呼为西王母菜，食之益人。生菜中，又有胡荾[8]、芸薹、白苣、邪蒿，并不可多食[9]，大都服药通[10]忌生菜耳。佛家斋，忌食薰渠，不的知[11]是何菜？多言[12]今芸薹，憎其臭故也[13]。　［谨案］罗勒，北[14]人谓之兰香，避[15]石勒讳故也。又薰渠者，婆罗门云阿[16]魏是，言此草苗根似白芷，取根汁曝之如胶，或截根日干，并极臭[17]。西国持咒人禁食之。常食中用之，云去臭气。戎人重此，犹俗中贵胡[18]椒、巴人重负[19]蟁等，非芸薹也[20]。

【校注】

[1] **叶……其心伤人** "叶"，《纲目》作"苗，甘寒滑无毒"。"其"，《新修》原脱，据《千金翼》《证类》补。

[2] **谓之冬葵** "之"，《新修》原脱，据《证类》补。"葵"字后，《图考长编》衍"子"字。

[3] **能下石淋** 《纲目》作"下丹石毒"。"石"，《新修》原作"名"，据《证类》改。《证类》无"淋"字。

[4] **多** 《新修》原脱，据《证类》补。

[5] **微炒令烨炝，散着湿地，遍踏之** "炒令"，《新修》原作"沙冷"，据《证类》改。"烨""湿"《博物志》卷4作"爆""熟"。"炝"，《证类》作"炧"。"踏"，《新修》原作"逾"，据《证类》改。

[6] **朝种葵暮生，远** 《证类》《纲目》无"葵"字。"远"，《纲目》作"还"。

[7] **地** 其后，《证类》有"遍踏之"3字。

[8] **又有胡荽** 《新修》原作"人有胡荾"，据《证类》改。

[9] **不可多食** 《新修》原作"可食"，据《证类》改。

[10] **通** 其前，《新修》原衍"自"，据《证类》删。

[11] **的知** 《新修》原作"知的"，据《证类》改。

[12] **多言** 《新修》原脱，据《证类》补。

[13] **又云取羊角……故也** 《纲目》无此文。"故也"，《证类》作"矣"。

[14] **北** 《新修》原作"此"，据《证类》改。

[15] **避** 《新修》原作"为"，据《证类》改。

[16] **阿** 《新修》原作"何"，据《证类》改。

[17] **臭** 《新修》原作"忧"，据《证类》改。

[18] **胡** 《新修》原脱，据《证类》补。

[19] **负** 《新修》原作"贞"，据《证类》改。

[20] **[谨案]……芸薹也** 《纲目》改作"此即常食之葵也，有数种，皆不入药用"，并将其中主要文字移于卷34"阿魏"条下。

598 苋实[1]

味甘，寒、大寒，无毒。主青盲[2]，**白翳，明目，除邪**[3]，**利大小便，去寒热**。杀蚘虫。**久服益气力，不饥轻身**。一名马苋，一名莫实，细苋亦同。生淮阳川泽及田中，叶如蓝，十一月采。

李云[4]即苋菜也。今马苋别一种，布地生，实至微细，俗呼为马齿苋，亦可食，小酸，恐非今苋实。其苋实当是白苋，所以云细苋亦同，叶如蓝也。细苋即是糠苋，食之乃胜，而并冷利，被霜乃熟，故云十一月采。又有赤苋，茎纯紫，能[5]疗赤下，而不堪食。药方用苋实甚稀，断谷方中时用之。　　[谨案] 赤苋，一名蘧。今苋实，亦名莫实，疑莫字误矣。赤苋，味辛，寒，无毒。主赤痢，又主射工、沙虱，此是赤叶苋也。马苋，亦名马齿草[6]，味辛，寒，无毒。主诸肿瘘、疣目，捣揩之；饮汁，主反胃，诸淋，金疮，血流，破血，癥癖，小儿尤良。用汁洗紧唇、面疱、马汁射工毒，涂之差。

【校注】

[1]《新修》目录中有"苋实"，但正文中脱漏本条全文。今据《千金翼》《证类》补之。

[2] **盲**　狩本作"音"。《大全》、玄《大观》注"盲"为《别录》文。

[3] **邪**　《千金方》作"邪气"。

[4] **云**　其后，《图考长编》衍"苋实"2字。

[5] **能**　其前，《图考长编》衍"亦"字。

[6] **草**　《本草和名》作"苋"。

599　苦菜

味苦，寒[1]，无毒。**主五脏邪气，厌谷胃痹**，肠澼，渴热中疾，恶疮。**久服安心益气，聪察，少卧，轻身耐**[3]**老**，耐饥寒，高[4]气不老。一名荼草[5]，一名选，一名[6]游冬。生益州川谷，生[7]山陵道旁，凌冬不死。三月三日采，阴干。

疑此则[8]是今茗。茗一名荼，又令人不眠，亦凌冬不凋，而嫌其止[9]生益州。益州乃有苦菜，正是苦荬耳。上卷上品白英[10]下，已注之。《桐君药[11]录》云：苦菜叶三月生扶疏，六月华从叶出，茎直花黄，八月实黑；实落根[12]复生，冬不枯。今茗极似此，西[13]阳武昌及庐江晋熙茗[14]皆好，东人止[15]作青茗。茗皆有浡，饮之宜人。凡所饮物，有茗及木叶天门冬苗，并菝葜，皆益人，余物并冷利。又巴东间别有真茶，火煏[16]作卷结，为饮亦令人不眠，恐或是此。俗中多煮檀叶及大皂李作茶饮[17]，并冷。又南方有瓜芦木，亦似茗，至[18]苦涩。取其叶作屑，煮饮汁，即通夜不眠[19]。煮盐人惟资此饮尔，交广最所重，客来先设，乃加以香芼辈耳。　　[谨案] 苦菜，《诗》云：谁谓荼苦；又云：堇荼如饴，皆苦菜异名也。陶谓之茗，茗乃木类，殊非菜流。茗，春采为苦櫇。櫇音迟[20]遐反，非途音也。案，《尔雅·释草》云：荼，苦菜。《释木》云：槚，苦櫇。二物全[21]别，不得为[22]例。又《颜氏家训》案《易统通[23]卦验玄图》曰：苦菜生于寒秋，经[24]冬历春，得夏乃成。一名游冬。叶似苦苣而细，断之而有白汁，花黄似菊。此则与桐君略同，今所在有之也。苦荬乃龙葵[25]耳，俗亦名苦菜[26]，非荼也。

【校注】

[1] **寒**　《千金方》作"大寒"。

［2］服　《千金方》作"食"。

［3］耐　《新修》原作"能"，据《千金翼》《证类》改。

［4］高　《品汇》《图考长编》作"豪"。

［5］草　《千金翼》作"苦"。

［6］一名　万历《政和》注为《本经》文。

［7］生　《证类》无此字。

［8］则　《证类》作"即"。

［9］止　《新修》原作"心"，据《证类》改。

［10］荚　《新修》原作"莫"，据《证类》改。

［11］荚　《证类》无此字。

［12］黑；实落根　"黑"，《新修》原作"墨"，据《证类》改。"根"，《新修》原作"桐"，据《证类》改。

［13］西　《图考长编》作"酉"。

［14］及庐江晋熙茗　"及""熙"《图考长编》作"又""陵"。《证类》无"茗"字。

［15］止　《证类》《图考长编》作"正"。

［16］火煏　《新修》原脱，据《证类》补。

［17］饮　《新修》原脱，据《证类》补。

［18］至　《证类》《图考长编》无此字。

［19］眠　《证类》《图考长编》作"睡"。

［20］迟　《新修》原作"途"，据《证类》改。

［21］全　《新修》原作"今"，据《证类》改。

［22］为　《图考长编》作"比"。

［23］通　《新修》原脱，据《证类》补。

［24］经　《图考长编》作"更"。

［25］葵　《新修》原脱，据《证类》补。

［26］菜　其后，《新修》原衍"与"字，据《证类》删。

600　荠

味甘，温，无毒。主利肝气[1]，和中。其实，主明目，目痛。

荠类又多，此是人[2]可食者，生[3]叶作菹、羹亦[4]佳。《诗》云：谁谓荼苦，其甘如荠。又疑荼是菜类矣[5]。

【校注】

［1］气　《纲目》无此字。

［2］人　《证类》《图考长编》作"今人"。

［3］生　《证类》《图考长编》无此字。

482

[4] **亦** 《新修》原作"赤"，据《证类》改。

[5] **又疑荼是菜类矣** 《证类》《图考长编》作"是也"2字。

601 芜菁及芦菔

味苦[1]，温，无毒。主利五脏，轻身益气，可长食之[2]。芜菁子，主明目。

芦菔是今温菘，其根可食，叶不中啖。芜菁根乃细于温菘，而叶似菘，好食。西川惟种此，而其子与温菘甚相似，小细耳。俗方无用，服食家亦炼饵之，而不云芦菔子，恐不用也。俗人蒸[3]其根及作葅，皆好，但小熏臭耳。又有茎根[4]，细而过辛，不宜服也。　　[谨案] 芜菁，北[5]人又名蔓菁，根、叶及子，乃是菘类，与芦菔全别，至于[6]体用亦殊。今言芜菁子[7]似芦菔，或谓芦菔叶不堪食，兼言小莲体，是江表不产二物，斟酌未谙，理丧其真耳。其蔓菁子，疗黄疸，利小便。水煮三升[8]，取浓汁服，主癥瘕积聚；少饮汁，主霍乱，心腹胀；服，主目暗。其芦菔别显后[9]条。

【校注】

[1] **苦** 《新修》原脱，据《千金翼》《证类》补。

[2] **之** 《新修》原脱，据《千金翼》《证类》补。

[3] **蒸** 《新修》原作"并"，据《证类》改。

[4] **又有茎根** 《新修》原脱，据《证类》补。

[5] **北** 《新修》原作"此"，据《证类》改。

[6] **至于** 《纲目》无此2字。《图考长编》无"于"字。

[7] **今言芜菁子** 《纲目》作"陶言芜菁"。

[8] **三升** "三"，《图考长编》作"二"。"升"，《新修》原作"斗"，据《证类》改。

[9] **后** 《新修》原脱，据《证类》补。

602 莱菔根[1]

味辛、甘，温，无毒。主[2]散服及炮[3]煮服食，大下气，消谷，去淡澼[4]，肥健人。生捣汁服，主[5]消渴，试大有验[6]。

陶谓温菘是也。其嫩叶为生菜食之[7]。大叶熟啖，消食和中。根效在芜菁之右。　　新附

【校注】

[1] **根** 《医心方》无此字。

[2] **主** 《证类》《图考长编》无此字。

[3] **炮** 《新修》原作"烀"，据《证类》改。

[4] **淡澼** 《证类》《纲目》《图考长编》作"痰癖"。

［5］**主** 《纲目》作"止"。

［6］**验** 《千金翼》作"效"。

［7］**食之** 《新修》原作"又主"，据《证类》改。

603 龙葵[1]

味苦，寒，微甘，滑[2]，无毒。食之解劳少睡，去虚热肿。其子疗丁疮肿[3]，所在有之。

即关[4]河间谓之苦菜者，叶圆花白，子若牛李子，生青熟黑，但堪煮食，不任生啖。 新附

【校注】

［1］**龙葵** "龙"，《本草和名》作"竜"。《纲目》在"龙葵"条下引陶弘景文曰："益州有苦菜，乃是苦蘵。"按，此文原系"苦菜"条注。

［2］**微甘，滑** 《新修》原脱，据《证类》补。

［3］**疮肿** 《证类》《纲目》《图考长编》无"疮"字。"肿"，《新修》原脱，据《证类》补。

［4］**即关** "关"，《新修》原作"开"，据《证类》改。"即"字前，《纲目》有"苦蘵即龙葵也，俗亦名苦菜，非茶也，龙葵所在有之"。

604 菘

味甘，温，无毒。主通利肠胃，除胸中烦，解酒渴。

菜中有菘，最为恒[1]食，性和利[2]人，无余逆忤，今[3]人多食。如似小冷，而又[4]耐霜雪。其子可作油，敷头长发；涂刀剑，令不锈。其[5]有数种，犹是一类，正论[6]其美与不美耳。服药有甘草而食菘，即[7]令病不除。 ［谨案］菘菜不生北[8]土，有人将[9]子北种，初[10]一年半为芜菁，二年菘种都绝；将芜菁子南种，亦二年都变，土地所宜，颇有此例[11]。其子亦随色变，但粗细无异尔。菘子黑[12]，蔓菁子紫赤，大小相似。惟[13]芦菔子黄赤色，大数倍，复不圆也。其菘有[14]三种：有牛肚菘，叶最大厚[15]，味甘；紫菘叶薄细，味少[16]苦；白菘似[17]蔓菁也。

【校注】

［1］**恒** 《证类》《图考长编》作"常"。

［2］**利** 《新修》原脱，据《证类》补。

［3］**今** 《新修》原作"令"，据《证类》改。

［4］**又** 《新修》原作"交"，据《证类》改。

［5］**其** 其后，《新修》原衍"乃"字，据《证类》删。

［6］**正论** "正"，《图考长编》作"止"。"论"字后，《新修》原衍"丁"字，据《证

类》删。

[7] **即** 《新修》原脱，据《证类》补。

[8] **北** 《新修》原作"此"，据《证类》改，下同。

[9] **将** 《新修》原脱，据《证类》补。

[10] **初** 《新修》原作"物"，据《证类》改。

[11] **颇有此例** 《纲目》作"如此"。"颇"，商务《政和》作"头"。

[12] **黑** 《新修》原作"墨"，据《证类》改。

[13] **惟** 《证类》作"推"。

[14] **有** 《新修》原作"一月"，据《证类》改。

[15] **厚** 《新修》作"原"，据《证类》改。

[16] **少** 《证类》作"小"。

[17] **似** 其后，《新修》原衍"募"字，据《证类》删。

605 芥

味辛，温，无毒。归鼻。主除肾[1]邪气，利九窍，明耳目，安中，久服[2]温中。

似菘而有毛，味辣，好作菹，亦生食。其子可藏冬瓜。又有莨，以作菹，甚辣快。 〔谨案〕此芥有三种：叶大[3]粗者，叶堪食，子入药用，熨恶注至良；叶小[4]子细者，叶不堪食，其子但堪为齑耳；又有白芥子，粗大白色，如白粱米，甚辛美，从戎中来。《别录》云：子主射工[5]及注气发无恒[6]处，丸服之，或捣为末，醋和涂之，随手验也[7]。

【校注】

[1] **主除肾** 《图考长编》无"主"字。"肾"字后，《纲目》《图考长编》衍"经"字。

[2] **服** 《医心方》《证类》《纲目》《本草经疏》《图考长编》作"食"。

[3] **大** 其后，《图考长编》衍"子"字。

[4] **小** 《新修》原脱，据《证类》补。

[5] **《别录》云：子主射工** "录"，《图考长编》作"说"。"工"，《新修》原脱，据《证类》补。"工"字后，《纲目》衍"毒"字。

[6] **恒** 《证类》作"常"。

[7] **验也** 《证类》《图考长编》作"有验"。

606 苜蓿

味苦，平[1]，无毒。主安中，利人，可久食。

长安中乃有苜蓿园，北人甚重此，江南人不甚食之，以无气味故也。外国复别有苜蓿草，以疗目，非此类也。　　［谨案］苴蓿茎叶平，根寒[2]。主热病，烦满，目黄赤，小便黄，酒疸。捣取汁，服一升，令人[3]吐利，即愈。

【校注】

［1］**苦，平**　《新修》原脱，据《证类》补。

［2］**根寒**　《和名类聚钞》引苏敬曰："苜蓿茎叶根并寒者也。"《纲目》作"根寒无毒"。

［3］**服一升，令人**　《新修》原脱"服""人"2字，据《证类》补。

607　荏子

味辛，温，无毒。主咳逆，下气，温中，补[1]体。叶，主调中，去臭气。九月采，阴干。

荏状如苏，高大白色，不甚香。其子[2]研之，杂米作糜，甚肥美，下气，补血。东人呼为䔼，以其似蘇字，但除禾边故也[3]。榨其子作油[4]，日煎之，即今油帛及和漆[5]用者，服食断谷[6]亦用之，名为重油。　　［谨案］《别录》：荏[7]叶，人常生食，子故不及苏。言为重油入漆及油绢帛，此乃用大麻子油，非用此也。漆及油帛，江左所无，故陶为谬误也[8]。

【校注】

［1］**补**　《新修》原脱，据《证类》增。

［2］**其子**　罗氏藏本《新修》倒置，傅氏影刻《新修》作"子共"，据《证类》改。

［3］**东人……禾边故也**　《纲目》无此文。"禾"，《新修》原作"木"，据《证类》改。

［4］**榨其子作油**　"榨"，傅氏影刻《新修》作"苦"，罗氏藏本《新修》作"苲"，据《证类》改。

［5］**漆**　其后，《证类》有"所"字，《图考长编》有"听"字。

［6］**服食断谷**　《新修》原作"胜食新谷"，据《证类》改。

［7］**《别录》：荏**　《新修》原作"在"，据《证类》改。

［8］**言为重油……故陶为谬误也**　《证类》《纲目》无此文。

菜　中

608　蓼实

味辛，温，无毒。主明目[1]，温中，耐[2]风寒，下水气，面目浮肿，痈疡[3]。叶归[4]舌，除大小肠邪气，利中益志。**马蓼，去肠中蛭虫[5]，轻身。**生雷泽[6]川泽。

此类又[7]多，人所食有三种：一是紫蓼，相似而紫色；一是[8]香蓼，亦相似而香，并不甚辛，而好食；一是青[9]蓼，人家常有[10]，其叶有圆、有尖[11]，以圆者为胜，所用即是此。干之以酿酒，主疗[12]风冷，大良。马蓼生下湿地，茎斑，叶大有黑点[13]。亦有两三种，其最大者名茏古，即是菾草，已在上卷中品[14]。 ［谨案］《尔雅》云：菾，一名茏古，大者名[15]营则，最大者，不名茏古，陶误呼之。又有水蓼，叶大[16]似马蓼，而味辛。主被蛇[17]伤，捣敷[18]之；绞汁服，止蛇毒入腹心闷者；又水煮渍脚捋之，消脚气肿[19]。生下湿地水旁。

【校注】

［1］**主明目** 玄《大观》注为《别录》文。

［2］**温中，耐** "中"字后，《千金方》衍"解肌"2字。"耐"，《医心方》作"能"。

［3］**面目浮肿，痛痓** "面"字前，《万安方》衍"治"字。《纲目》无"目"字。"痛痓"，《千金方》作"却痛疽"。玄《大观》、《大全》注"浮肿痛痓"为《别录》文。

［4］**归** 其后，《千金翼》衍"於"字。

［5］**去肠中蛀虫** "肠"，《新修》原作"腹"，据《千金翼》《证类》改。玄《大观》注为《别录》文。

［6］**泽** 《新修》原脱，据《千金翼》《证类》补。

［7］**又** 《图考长编》作"最"。

［8］**一是** 《证类》无"一"字。《图考长编》无"是"字。

［9］**青** 《新修》原作"月"，据《证类》改。

［10］**有** 《纲目》《图考长编》作"用"。

［11］**有圆、有尖** 《证类》作"有圆者，有尖者"。

［12］**疗** 《证类》《图考长编》无此字。

［13］**点** 《新修》原脱，据《证类》补。

［14］**即是菾草，已在上卷中品** 《纲目》作"即水菾也"。

［15］**名** 《新修》原脱，据《证类》补。

［16］**大** 《新修》原作"太"，据《证类》改。

［17］**蛇** 《新修》原作"地"，据《证类》改。下同。

［18］**敷** 《新修》原作"薄"，据《证类》改。

［19］**消脚气肿** 《纲目》作"又治脚气肿痛成疮"。

609 葱实

味辛[1]，温，无毒。主疗[2]明目，补中[3]不足。其茎葱白，平[4]，可作[5]汤，主伤寒，寒热，出汗[6]，中风，面目肿[7]，伤寒骨肉痛[8]，喉痹不通，安胎，归[9]目，除肝[10]邪气，安中，利五脏，益目精[11]，杀百药毒。葱根，主伤寒头痛[12]。葱汁，平，温[13]。主[14]溺血，解藜芦毒。

［谨案］葱有数种，山葱曰茖葱[15]，疗病似[16]胡葱，主诸恶䘌，狐尿刺毒，山溪中沙虱，射工等毒。煮汁浸或捣敷[17]大效，亦兼小蒜、茱萸辈[18]，不独用也。其人间食葱，又有二种：有冻[19]葱，即经[20]冬不死，分茎栽莳[21]而无子；又有汉葱，冬则[22]叶枯。食用入药，冻葱最善，气味亦佳也。

【校注】

［1］**辛** 《万安方》作"辛平"。

［2］**疗** 《千金翼》《证类》《本草经疏》《本经疏证》均无。

［3］**中** 《纲目》作"中气"。

［4］**平** 《本经疏证》注为《本经》文。

［5］**可作** 《新修》原作"中作治"，据《千金翼》《证类》改。

［6］**出汗** "汗"，《新修》原作"汁"，据《千金翼》《证类》改。"出"字前，《千金方》《纲目》《本草经解》衍"能"字。

［7］**中风，面目肿** 《千金方》作"治中风，面目浮肿"。

［8］**痛** 《本经疏证》作"碎痛"。

［9］**归** 《千金翼》作"归于"。

［10］**肝** 《本经疏证》作"肝中"。

［11］**精** 《证类》《品汇》《本草经疏》《本经疏证》《图考长编》作"睛"。

［12］**痛** 《千金翼》作"疼"。

［13］**温** 《新修》原脱，据《证类》补。

［14］**主** 《图考长编》作"止"。

［15］**曰茖葱** 《新修》原作"白茗"，据《证类》改。

［16］**似** 《证类》作"以"。

［17］**敷** 其后，《新修》原衍"怗"，据《证类》删。

［18］**小蒜、茱萸辈** 《新修》原作"山蒜茱萸萍辈"，据《证类》改。

［19］**冻** 《新修》原作"陈"，据《证类》改。

［20］**即经** 《证类》无"即"字。"经"，《本草和名》作"凌"。

［21］**栽莳** 《新修》原作"栽薄"，据《证类》改。

［22］**则** 《新修》作"即"。

610 薤

味辛、苦，温[1]，无毒。**主金创创败[2]，轻身，不饥耐老，归骨[3]**。菜芝也[4]。除寒热，去水气，温中，散结[5]，利病人。诸疮，中风寒水肿以[6]涂之。生鲁山平泽。

葱、薤异物，而今共条。《本经》既无韭，以其同类故也，今亦取为副[7]品种数。方家多用葱白及叶中涕，名葱苒，无复用实者。葱亦有寒热，其[8]白冷、青热，伤寒汤不得令有青也。能消桂为水，亦化五石，仙术[9]所用。薤又温补，仙方及服食家[10]皆须之，偏入诸膏用，并不可生啖，熏[11]辛为忌耳。　　〔谨案〕薤乃是韭类，叶不似葱，今云同类，不识所以然。薤有赤、白二种：白者补而美；赤者主金创[12]及风，苦而[13]无味，今别显条于此。

【校注】

[1] 温　《大观》《大全》作白字《本经》文。

[2] 创创败　《证类》《纲目》作"疮疮败"。"创败"，《证类》《品汇》《本经疏证》《图考长编》无"创"字。"败"字后，《千金方》衍"能生肌肉"4字。

[3] 归骨　《证类》《品汇》《本经疏证》《图考长编》作"归于骨"。

[4] 菜芝也　《本经疏证》无此文。

[5] 结　《本经疏证》作"结气，作羹食"。

[6] 水肿以　"水"，万历《政和》、成化《政和》、商务《政和》作"冰"。"水"字后，《本经疏证》有"气"字。"以"，《本经疏证》作"捣"。

[7] 副　《图考长编》作"别"。

[8] 其　《证类》《图考长编》无此字。

[9] 术　《证类》《图考长编》作"方"。

[10] 家　《新修》原脱，据《证类》补。

[11] 并不可生啖，熏　《证类》无"并"字。"啖"，《新修》原作"取"，据《证类》改。"熏"，《证类》《图考长编》作"荤"。

[12] 赤者主金创　"者主"，《新修》原作"主者"，据《证类》改。"创"，《证类》作"疮"。

[13] 而　《证类》无此字。

611　韭

味辛、微[1]酸，温，无毒。归心[2]，主安五脏，除胃中热，利病人，可久食。子，主梦泄精，溺白。根，主养发。

韭子入棘刺诸丸，主漏精；用根，入发膏[3]；用叶，人以煮鲫鱼鲊，断卒下痢，多验[4]。但此菜殊辛臭，虽煮食之，便出犹奇[5]熏灼，不如葱、薤熟则[6]无气，最是养性所忌也[7]。生姜是常食物，其已随干姜在中品，今依次入食，更别显之，而复有小异处，所以弥宜书。生姜，微温，辛，归五脏，去淡下气，止呕吐，除风邪寒热。久服少志、少智，伤心气，如此则不可多食长御，有病者是所宜也耳。今人啖诸辛辣物，惟此最恒，故《论语》云不撤姜食，言可常啖，但勿过多耳。

〔谨案〕姜，久服通神明，主风邪，去淡气，生者尤良。《经》云：久服通神明，即可常啖也。今云少智、少志，伤心气，不可多服者，误于此说，检无所据也[8]。

【校注】

[1] **微** 《新修》原脱，据《千金翼》《证类》补。

[2] **归心** 《千金翼》《证类》作“归于心”。“归”字前，《新修》原衍“师”字，据《证类》删。

[3] **用根，入发膏** 《纲目》作“根入生发膏用”。“入”字后，《证类》有“生”字。

[4] **人以煮鲫鱼鲊，断卒下痢，多验** 《证类》无“人”字。“鲊”字后，《纲目》有“食”字。《纲目》无“多验”2字。

[5] **奇** 《纲目》无此字。

[6] **则** 《证类》作“即”。

[7] **养性所忌也** “性”，《纲目》作“生”。“忌”，《新修》原作“忘”，据《证类》改。

[8] **生姜是常食物……检无所据也** 《证类》无此文。

612 白蘘荷

微温。主中蛊及疟[1]。

今人乃呼赤[2]者为蘘荷，白者为覆菹，叶同一种耳。于人食之，赤者为胜。药用白者[3]。中蛊者[4]服其汁，并[5]卧其叶，即呼蛊主姓名。亦主诸溪毒、沙虱辈，多食损药势[6]，又不利脚。人家种白蘘荷，亦云辟蛇。 ［谨案］根主诸恶疮，杀蝥[7]蛊毒。根心主稻麦芒入目中不出者，以汁注目[8]中即出也。

【校注】

[1] **疟** 其后，《纲目》有“捣汁服”。

[2] **赤** 《新修》原作“甘”，据《千金翼》《证类》改。

[3] **药用白者** 《纲目》作“入药以白者为良”。

[4] **者** 《新修》原脱，据《证类》补。

[5] **并** 《新修》原作“可”，据《证类》改。

[6] **势** 《新修》原作“热”，据《证类》改。

[7] **蝥** 《证类》《图考长编》无此字。

[8] **目** 《新修》原脱，据《证类》补。

613 菾菜

味甘、苦，大寒。主时行壮[1]热，解风热毒[2]。

即今以杂[3]作鲊蒸者。菾，作甜音，亦[4]作忝。时行热病初得，便捣饮汁皆除差[5]。

［谨案］此菾菜[6]似升麻苗，南人蒸炮又作羹[7]食之，亦大香美也[8]。

【校注】

[1] **壮** 《新修》原作"杜"，据《千金翼》《证类》改。

[2] **毒** 其后，《纲目》有"捣汁饮之便瘥"。

[3] **杂** 《证类》《图考长编》无此字。

[4] **亦** 《新修》原作"字之"，据《证类》改。

[5] **便捣饮汁皆除差** 《大观》《图考长编》作"便捣汁饮皆得除差"，人卫《政和》作"便捣汁皆饮得除差"，《纲目》作"捣汁饮之便瘥"。

[6] **恭菜** 《证类》《图考长编》无"恭"字。"菜"，《新修》原脱，据《证类》补。

[7] **又作羹** 《证类》《图考长编》无此文。

[8] **亦大香美也** 《证类》无"亦""也"2字。

614　苏

味辛，温。主下气，除寒中，其[1]子尤良。

叶下紫色而气甚香。其无紫色[2]不香似荏者，名[3]野苏，不任[4]用。子主下气，与橘皮相宜同疗也。

【校注】

[1] **其** 《新修》原脱，据《证类》补，下同。

[2] **色** 《新修》原脱，据《证类》补。

[3] **名** 《证类》《图考长编》作"多"。

[4] **任** 《证类》《纲目》《图考长编》作"堪"。

615　水苏

味辛，微[1]温，无毒。主下气，杀谷，除饮食[2]，辟口臭，去毒，辟恶气[3]。久服通神明，轻身耐[4]老。主吐[5]血、衄血、血崩。一名鸡苏，一名劳祖[6]，一名芥苴[7]，一名瓜苴[8]，一名道华[9]。生九真池泽，七月采。

方药不用，俗中莫识。昔[10]九真辽远，亦无能识访之。　[谨案]此苏，生下湿水侧，苗似旋覆[11]，两叶相当，大香馥。青、济、开[12]、河间人名为水苏，江左名为荠苎[13]，吴会谓之鸡苏。主吐血、衄血、下气、消谷大效[14]。而陶更于菜部出鸡苏，误矣。今以鸡苏为水苏[15]之一名，复申吐血、衄血、血崩六字也[16]。

【校注】

[1] **微** 《新修》原脱，据《千金翼》《证类》补。

[2] **下气，杀谷，除饮食** 人卫《政和》、商务《政和》注为《别录》文，《大观》《纲目》、森本注为《本经》文，《图考长编》、孙本、顾本注"下气"为《本经》文。

[3] **去毒，辟恶气** "去"字后，《纲目》衍"邪"字。"气"，孙本无此字。

[4] **耐** 《新修》原作"能"，据《千金翼》《证类》改。

[5] **吐** 《新修》原脱，据《千金翼》《证类》补。

[6] **祖** 《本草和名》作"菹"。

[7] **苴** 《本草和名》作"菹"，《大全》《图考长编》作"菹"。

[8] **瓜苴** 《证类》作"芥苴"。

[9] **一名道华** 《证类》《纲目》《图考长编》无此文。

[10] **俗中莫识。昔** 《纲目》作"莫能识"。《证类》《纲目》《图考长编》无"昔"字。

[11] **生下湿水侧，苗似旋覆** "湿"，《纲目》作"泽"。"旋"，《新修》原脱，据《证类》补。

[12] **开** 《证类》《纲目》无此字。

[13] **苎** 《新修》原作"荤"，据《证类》改。

[14] **主吐血……大效** 《纲目》无此文。

[15] **为水苏** 《证类》无此3字。

[16] **复中吐血……六字也** 《纲目》无此文。

616 假苏[1]

味辛，温，无毒。主寒热鼠瘘，瘰疬生疮，结聚气破散之[2]，下瘀血，除湿痹[3]。一名鼠蓂，一名姜芥。生汉中川泽。

方药亦不复用。 [谨案] 此药，即[4]菜中荆芥是也，姜、荆声讹矣[5]。先居草部中，今人食之，录在菜部也[6]。

【校注】

[1] **假苏** 《品汇》《本草经解》作"荆芥"。

[2] **结聚气破散之** 《证类》《纲目》《图考长编》作"破结聚气"。"聚"，《新修》原作"旅"，据《千金翼》《证类》改。

[3] **除湿痹** 《新修》原脱"除"字，据《千金翼》《证类》补。"痹"，《纲目》《图考长编》作"疸"，《本草经解》作"疸"。

[4] **即** 《本草和名》作"是"。

[5] **姜、荆声讹矣** "荆"，《纲目》作"芥"。"矣"，《证类》作"耳"。

[6] **今人食之，录在菜部也** 《纲目》作"今录入菜部"。

617 香薷

味辛，微温。主霍乱腹痛吐下，散水肿。

处处[1]有此，惟供[2]生食。十月中取，干之，霍乱煮饮，无不差。作煎，除水肿尤良之也[3]。

[1] **处处**　《证类》《纲目》《图考长编》作"家家"。

[2] **惟供**　《纲目》《图考长编》作"作菜"。

[3] **之也**　《证类》无此2字。

618　薄荷

味辛、苦，温，无毒。主贼风伤寒[1]发汗，恶气心[2]，腹胀满，霍乱，宿食不消，下气。煮汁服，亦堪生食[3]。人家种之，饮汁发汗[4]，大解劳乏[5]。

茎方，叶似荏而尖长，根经冬不死[6]，又有蔓生者[7]，功用相似。　新附

【校注】

[1] **伤寒**　《新修》原脱，据《证类》补。

[2] **心**　《新修》原脱，据《证类》补。

[3] **亦堪生食**　《纲目》在"大解劳乏"之后。

[4] **汗**　《新修》原作"汁"，据《证类》改。

[5] **劳乏**　玄《大观》作"劳之"，《本草经疏》作"烦劳"。

[6] **茎方，叶似荏而尖长，根经冬不死**　《纲目》作"薄荷，人家种之，亦堪生食"。《证类》无"方"字。"尖"，《新修》原作"去"，据《证类》改。

[7] **又有蔓生者**　《纲目》作"一种蔓生者"。

619　秦荻梨

味辛，温，无毒。主心腹冷胀，下气，消食[1]。人所啖[2]者，生下湿地，所在有之。　新附

【校注】

[1] **食**　其后，《纲目》有"和酱醋食之"。

[2] **啖**　《新修》原作"敢"，据《证类》改。

菜　下

620　苦瓠

味苦，寒，有毒。主大水，面目四肢浮肿，下水，令人吐。生晋地川泽。

瓠与冬瓜，气类同辈，而有上下之殊，当是为其苦者耳。今瓠自忽[1]有苦者如胆，不可食，非别生一种也。又有瓠瓤[2]，亦是瓠类，小者名瓢，食之乃胜瓠。凡此等[3]，皆利水道，所以在夏月食之，大理自不及冬瓜矣[4]。　　[谨案]瓠与冬瓜、瓠瓤，全非类例[5]，今此论性，都是苦瓠瓤[6]耳。陶谓瓠中苦者，大误矣。瓠中苦者，不入药用。冬瓜自依前说，瓠瓤与瓠，又须辨[7]之。此三[8]物苗叶相似，而实形亦有异。瓠味皆甜[9]，时有苦者，而[10]似越瓜，长者尺余，头尾相似。其瓠瓤形状，大小[11]非一。瓠，夏中便熟，秋末并枯；瓠瓤夏末始实，秋中方熟，取其为器，经霜乃堪。瓠与甜[12]瓠瓤，体性相类，但[13]味甘冷，通利水道，止渴，消热[14]，无毒，多食[15]令人吐。苦瓠瓤为疗，一如经说；然瓠苦者不堪食[16]，无所主疗，不入方用[17]。而甜瓠瓤与瓠子，啖之俱胜冬瓜，陶言不及，乃[18]是未悉。此等元[19]种名别，非甘者变为而苦也。其苦瓠瓤，味[20]苦，冷，有毒。主水肿、石淋，吐呀[21]嗽，囊结，痤蛊，淡[22]饮。或服之过分，令人吐利不止者，宜以黍穰灰汁解之。又煮汁渍阴，疗小便不通也。

【校注】

[1]　**忽**　《新修》作"恕"，据《证类》改。

[2]　**瓤**　《新修》原脱，据《证类》补。

[3]　**等**　《新修》原作"木"，据《证类》改。

[4]　**矣**　《证类》《图考长编》作"也"。

[5]　**全非类例**　《新修》原作"令非例类"，据《证类》改。

[6]　**瓤**　《新修》原作"数"，据《证类》改。

[7]　**辨**　《新修》原作"杂"，据《证类》改。

[8]　**三**　《新修》原作"二"，据《证类》改。

[9]　**甜**　《图考长编》作"甘"。

[10]　**而**　《图考长编》作"面"。

[11]　**大小**　《新修》原脱，据《证类》补。

[12]　**甜**　《新修》原脱，据《证类》补。

[13]　**但**　《新修》原作"俱"，据《证类》改。

[14]　**止渴，消热**　《新修》原作"心消浊热"，据《证类》改。

[15]　**食**　其后，《新修》原衍"不"字，据《证类》删。

[16]　**食**　《证类》《图考长编》《纲目》作"啖"。

[17] **不入方用** 《新修》原作“不方入用”，据《证类》改。“方”，《纲目》作“药”。

[18] **乃** 《新修》原脱，据《证类》补。

[19] **此等元** 《新修》原作“示毛”，据《证类》改。

[20] **味** 其后，《新修》原衍“瓤”字，据《证类》删。

[21] **呀** 《新修》原作“呼”，据《证类》改。

[22] **淡** 《证类》作“痰”。

621 水蘄

味甘，平，无毒。**主疗**[1]**女子赤沃，止**[2]**血，养精，保血脉，益气，令人肥健嗜食。一名水英。**生南海池泽。

论蘄主疗，乃应[3]是上品，未解何意，乃在下[4]。其二月、三月作英时[5]，可作菹及熟瀹食之[6]，亦利小便，消水肿[7]。又有渣蘄，可为生菜，此蘄亦可生啖[8]，俗中皆作芹字也。

[谨案] 芹花，味苦。主脉溢[9]。出无用条[10]。

【校注】

[1] **疗** 《证类》《品汇》《图考长编》无此字。

[2] **止** 《新修》原作“心”，据《千金翼》《证类》改。

[3] **乃应** 《证类》《图考长编》作“合”。

[4] **下** 《图考长编》作“下品”。

[5] **作英时** 《新修》原作“英时善”，据《证类》改。

[6] **之** 《新修》原作“可”，据《证类》改。

[7] **亦利小便，消水肿** 《证类》《图考长编》无此文。《纲目》作“故名水英”。

[8] **此蘄亦可生啖** 《证类》《图考长编》无“此蘄”2字。“啖”，《纲目》作“啖”。

[9] **主脉溢** 《新修》原作“至胜溢”，据《证类》改。

[10] **出无用条** 《证类》无此文。

622 马芹子

味甘、辛，温，无毒。主心腹胀满，下气[1]，消食。调[2]味用之，香似橘皮，而[3]无苦味。

生水泽旁，苗似鬼针、菾菜等[4]，花青白色；子黄黑[5]色，似防风子[6]。 新附

【校注】

[1] **下气** 《纲目》作“开胃下气”。

[2] **调** 其后，《纲目》衍“食”字。

[3] **而** 《新修》原脱，据《证类》补。

[4] **等** 其后，《纲目》衍"嫩时可食"。

[5] **黑** 《新修》原脱，据《证类》补。

[6] **生水泽旁……似防风子** 《新修》原作大字正文，据《证类》改成小字注文。

623 蓴

味甘，寒，无毒。主消渴，热痹[1]。

蓴性[2]寒，又[3]云冷，补，下气，杂鲤鱼作羹[4]，亦逐水。而性滑，服食家不可多啖[5]也。 〔谨案〕蓴久食大宜人。合鲋鱼为羹[6]，食之，主胃气[7]弱不下食者，至效。又宜老人，此应在上品中[8]。三四月至七八月，通名丝蓴，味甜，体软；霜降已后，至十[9]二月，名环[10]蓴，味苦，体涩，取以为羹，犹胜杂菜[11]。

【校注】

[1] **痹** 《新修》原脱，据《千金翼》《证类》补。

[2] **性** 《新修》原作"有"，据《证类》改。

[3] **又** 《新修》原作"夏皆"，据《证类》改。

[4] **羹** 《新修》原作"美"，《纲目》作"羹食"，据《证类》改。下同。

[5] **啖** 《纲目》作"用"。

[6] **羹** 《新修》原作"清美"，据《证类》改。

[7] **之，主胃气** 《纲目》无"之""气"2字。

[8] **在上品中** "在"，《纲目》作"入"。"中"字后，《纲目》衍"故张翰临秋风思吴中之鲈莼羹也"。按，此文原出处为《晋书》，非"唐本注"。

[9] **十** 《新修》原作"于"，据《证类》改。

[10] **环** 《证类》作"瑰"。

[11] **三四月……犹胜杂菜** 《纲目》无此文。

624 落葵

味酸，寒，无毒。主滑中散热。实，主悦泽人面。一名天葵，一名繁露。

又名承露，人家多种之。叶惟可菹[1]鲊，性[2]冷滑，人食之，为狗所啮作疮者[3]，终身不差[4]。其子紫色，女人以渍粉敷面为假色，不[5]入药用也。

【校注】

[1] **菹** 《新修》原作"葅"，据《证类》改。

[2] **性** 《纲目》无此字。

[3] **人食之，为狗所啮作疮者**　《纲目》作"曾为狗啮者食之"。《新修》原脱"作""者"2字，据《证类》补。

[4] **差**　《新修》原作"老"，据《证类》改。

[5] **不**　《证类》《图考长编》作"少"。

625　蘩蒌[1]

味酸，平，无毒。主积年恶疮不愈。五月五日日中采，干，用之当燔[2]。

此菜人以作羹。五月五日采，曝干，烧作屑，疗杂恶[3]疮，有效。亦杂百草取[4]之，不必止此一种尔。　　[谨案] 此草，即是鸡肠也，俱非正经所出。而二处说异，多生湿地坑渠之侧，一名百滋草[5]。流俗通谓鸡肠，雅士总名蘩蒌。《尔雅》物重名者[6]，并云[7]一物两名也。

【校注】

[1] **蒌**　《新修》原作"蒌蒌"，据《千金翼》《证类》改。

[2] **用之当燔**　《证类》《图考长编》无"当燔"2字，《纲目》脱"之当燔"3字。

[3] **恶**　《证类》《图考长编》无此字。

[4] **取**　《新修》原作"乍"，据《证类》改。

[5] **一名百滋草**　《新修》原脱，据《本草和名》补。

[6] **者**　《新修》原脱，据《证类》补。

[7] **云**　《新修》原作"之"，据《证类》改。

626　蕺

味辛，微温。主蠼螋溺疮，多食令人气喘。

俗传言食蕺不利人脚，恐由闭气故也。今[1]小儿食之，便觉脚痛。　　[谨案] 此物，叶似荞麦[2]，肥地亦能蔓生[3]，茎紫赤色，多生湿地、山谷阴处。山南江左人，好生食之[4]，关中谓之菹菜也。

【校注】

[1] **今**　《图考长编》作"令"。

[2] **麦**　其后，《新修》原衍"茎目从"3字，据《证类》删。

[3] **肥地亦能蔓生**　《纲目》作"而肥"。

[4] **之**　《新修》原脱，据《证类》补。

627　葫

味辛，温，有毒。主散痈肿、䘌疮，除风[1]邪，杀毒气。独子者，亦佳。归五脏。久食伤人，损目明。五月五日采之[2]。

今人谓葫为大蒜，谓蒜为小蒜，以其气类相似也。性最熏[3]臭，不可食。俗人作斋以啖脍[4]肉，损性伐命，莫此之甚。此物惟生食[5]，不中煮，用[6]以合青鱼鲊食，令人发黄耳。取[7]其条上子，初种之，成独子葫；明年则复其本也[8]。　　［谨案］此物煮为羹臞极美，熏气亦微。下气，消谷，除风，破冷[9]，足为馔中之俊。而注云[10]不中煮，自[11]当是未经试尔。

【校注】

[1] **风**　《新修》原脱，据《千金翼》《医心方》《证类》补。

[2] **之**　《证类》《图考长编》无此字。

[3] **熏**　《新修》原作"董"，据《证类》改。

[4] **啖脍**　《新修》原作"敢脍"，据《证类》改。

[5] **食**　《新修》原脱，据《证类》补。

[6] **用**　《证类》《图考长编》无此字。

[7] **取**　《新修》原脱，据《证类》补。

[8] **其本也**　《新修》原脱"其""也"2字，据《证类》补。

[9] **除风，破冷**　《纲目》作"化肉"。

[10] **云**　《新修》原作"之"，据《证类》改。

[11] **自**　《新修》原作"用"，据《证类》改。

628　蒜

味辛，温，无毒[1]，归脾肾。主霍乱，腹[2]中不安，消谷，理胃，温中，除邪痹毒气。五月五日采。

小蒜生叶时，可煮和食。至五月叶枯，取根[3]名乱子，正尔啖之[4]，亦甚熏臭。味辛，性热[5]，主[6]中冷，霍乱，煮饮之。亦主溪毒。食之损人，不可长用之[7]。　　［谨案］此蒜与胡葱相得，主恶螫毒、山[8]溪中沙虱水毒，大效。山人僵僚时[9]用之。

【校注】

[1] **无毒**　《证类》《纲目》《图考长编》作"有小毒"。

[2] **腹**　万历《政和》作"温"。

[3] **根**　《新修》原脱，据《证类》补。

[4] **啖之**　《新修》原作"敢人"，据《证类》改。

[5] **味辛，性热**　《新修》原作"惟辛热"，据《证类》改。

[6] **主**　《新修》原脱，据《证类》补。

[7] **用之**　《证类》作"服"，《纲目》《图考长编》作"食"。

［8］**山** 《新修》原脱，据《证类》补。

［9］**时** 《新修》原作"梓"，据《证类》改。

629　堇汁

味甘，寒，无毒。主马毒疮[1]，捣汁洗之，并服之。堇，菜也，出《小品方》。《万毕方》云[2]：除[3]蛇蝎毒及痈肿。

此菜野生，非人所种。俗谓之堇葵[4]，叶似葴，花紫色者。　新附

【校注】

［1］**马毒疮**　《纲目》在"捣汁洗之"之后。

［2］**出《小品方》。《万毕方》云**　《纲目》无此文。

［3］**除**　《纲目》作"涂"。

［4］**葵**　《证类》作"菜"。

630　芸薹

味辛，温，无毒。主风游丹肿，乳痈。

《别录》曰[1]：春食之，能发膝痼疾。此人间所啖[2]菜也。　新附

【校注】

［1］**曰**　《证类》作"云"。

［2］**啖**　《新修》原作"敢"，据《证类》改。

《新修本草》菜部卷第十八

631 **胡麻**	632 **青蘘**	633 **麻蕡**
634 饴糖	635 **大豆黄卷**	636 **赤小豆**
637 豉	638 大麦	639 穬麦
640 小麦	641 青粱米	642 黄粱米
643 白粱米	644 粟米	645 丹黍米
646 糵米	647 秫米	648 陈廪米
649 酒	650 **腐婢**	651 藊豆
652 黍米	653 粳米	654 稻米
655 稷米	656 醋	657 酱
658 食盐		

右米等部合廿八种六种《神农本经》，廿二种《名医别录》。

米　上

631　胡麻

味甘，平，无毒。主伤中，虚羸，补五内[1]**，益气力，长肌肉，填髓脑。**坚筋骨，疗金创，止痛[2]，及伤寒温疟，大吐后虚热羸困。**久服轻身不老，**明耳目，耐饥渴[3]，延年。以作油，微寒，利大肠、胞衣不落；生者摩疮肿，生秃发。一名狗虱，一名方茎，一名鸿藏。**一名巨胜**[4]，**叶名青蘘。**生上党川泽。

八谷之中，惟此为良。淳[5]黑者名巨胜。巨者，大也，是为大胜[6]。本生[7]大宛，故名胡麻[8]。又茎方名巨胜，茎圆名胡麻[9]。服食家当九蒸、九曝、熬、捣，饵之断谷、长生、充饥。虽易得[10]，俗中学者犹不能恒[11]服，而况余药耶！蒸不熟，令人发落，其性与伏苓相宜。俗方用之甚少，惟[12]时以合汤丸耳。麻油生榨者如此，若蒸炒止[13]可供作食及燃[14]耳，不入药用也[15]。　　〔谨案〕此麻以角作八棱者为巨胜，四棱者名胡麻。都以乌者良，白者劣尔。生嚼涂小儿头疮及浸淫恶疮，大效。

【校注】

[1] **内**　《御览》作“藏”。

[2] **疗金创，止痛**　《新修》原脱“疗”，据《证类》补。“创”，《证类》《纲目》作“疮”。“止”，《新修》原作“心”，据《证类》改。

[3] **渴**　《新修》原脱，据《证类》补。

[4] **一名巨胜**　《新修》在“一名鸿藏”之后，《证类》在“生秃发”之后。

[5] **淳**　《纲目》作“纯”。

[6] **是为大胜**　《纲目》无此文。

[7] **生**　《本草和名》作“出”。

［8］**麻**　《新修》原作"摩"，据《证类》改。

［9］**茎圆名胡麻**　《纲目》作"圆者为胡麻"。

［10］**充饥。虽易得**　"充饥"，《新修》原脱，据《证类》补。"虽"，《新修》原作"甘爪"，据《证类》改。

［11］**恒**　《证类》作"常"。其后，《新修》原缺"服"字，据《证类》补。

［12］**惟**　《证类》无此字。

［13］**止**　《新修》作"正"。

［14］**燃**　《纲目》作"燃灯"。

［15］**麻油生榨者……不入药用也**　《证类》移作"胡麻油"注。

632　青蘘

味甘，寒[1]**，无毒。主五脏邪气，风寒湿痹，益气，补脑髓**[2]**，坚筋骨**[3]**。久服耳目聪明，不饥**[4]**，不老，增寿。巨**[5]**胜苗也。**生中原川谷。

胡麻叶。甚肥滑，亦可以沐头，但不知云何服之。仙方并无用此法，正当阴干，捣为丸散耳。既服其实，故不复假苗。五符巨胜丸方亦云：叶名青蘘。本生大宛，度来千年耳。　　［谨案］青蘘，《本经》在草部[6]上品中，既堪啖，今从胡[7]麻条下。

【校注】

［1］**寒**　《本经续疏》作"苦"。

［2］**髓**　《品汇》作"体"。

［3］**坚筋骨**　《新修》原脱"坚"，据《千金翼》《证类》补。

［4］**不饥**　《谷类钞》无此文。

［5］**巨**　《新修》原作"臣"，据《千金翼》《证类》改，下同。

［6］**部**　《新修》原脱，据《证类》补。

［7］**胡**　《新修》原作"细"，据《证类》改。

633　麻蕡

味辛，平[1]**，有毒。主五劳**[2]**七伤，利五脏，下血寒气**[3]**。破积，止**[4]**痹，散**[5]**脓。多食令人**[6]**见鬼狂走。久服通神明，轻身**[7]**。**一名麻勃，此麻花上勃勃者。七月七日采，良。**麻子，味甘，平**[8]**，无毒。主补中益气，肥健不老**[9]。疗中风汗出[10]，逐[11]水，利小便，破积血，复血脉，乳妇产后余疾，长发，可为沐药。久服神仙[12]。九月采。入土中者贼人[13]。生太山川谷。畏牡蛎、白薇，恶伏苓。

麻蕡即牡麻，牡麻则无实，今人作布及履用之。麻勃，方药亦少用，术家合人参服之[14]，令逆知未来事[15]。其子中人，合丸药并酿酒，大善，而是滑利性[16]。麻根汁及煮饮[17]之，亦主瘀血、石淋。　［谨案］蕡，即麻实，非花也。《尔雅》云：麻蕡，枲实[18]。《礼》云：苴，麻之有蕡者。注云：有子之麻为苴。皆谓子耳。陶以一名麻勃，谓勃勃然如花者，即以为花，重出子条，误矣。既以麻蕡为米之上品，今用花为之，花岂堪食乎？根主产难胞[19]衣不出，破血壅胀，带下，崩中不止者，以水煮服之，效。沤麻汁，主消渴。捣叶水绞取汁，服五合[20]，主蛔虫。捣敷[21]蝎毒，效。

【校注】

[1] **辛，平**　《御览》作"平辛"。

[2] **五劳**　《新修》原脱，据《千金翼》《证类》补。

[3] **利五脏，下血寒气**　《纲目》注为《别录》文。《御览》无"寒"字。

[4] **止**　《新修》原作"心"，据《千金翼》《证类》改。

[5] **散**　其前，《新修》原衍"除"字，据《千金翼》《证类》删。

[6] **多食令人**　"食"，《纲目》作"服"。"令"，《大全》《图考长编》无。《证类》无"人"字。

[7] **久服通神明，轻身**　《纲目》注为《别录》文。《御览》"轻身"在"久服"之后。

[8] **味甘，平**　《御览》无此3字。

[9] **肥健不老**　"肥"字前，《本经疏证》《图考长编》、顾本、《谷类钞》衍"久服"2字，《御览》有"令人"2字。"老"字后，《图考长编》有"神仙"2字。

[10] **疗中风汗出**　《新修》原脱"疗"字，据《千金翼》《证类》补。"疗"，《图考长编》作"主"。"汗"，《新修》原作"汁"，据《千金翼》《证类》改。

[11] **逐**　《新修》原作"递"，据《千金翼》《证类》改。

[12] **久服神仙**　"服"字后，《证类》有"肥健不老"4字。《图考长编》无此4字。

[13] **入土中者贼人**　《证类》《图考长编》作"入土者损人"。"土"，《新修》原作"出"，据《证类》改。

[14] **合人参服之**　"合"，《新修》原作"今"，据《证类》、武田本《新修》改。《证类》《图考长编》无"之"字。

[15] **来事**　《新修》原作"然"，据《证类》改。

[16] **而是滑利性**　《证类》《图考长编》作"然而其性滑利"。

[17] **饮**　《图考长编》作"服"。

[18] **《尔雅》云：麻蕡，枲实**　"雅""枲"《新修》原作"邪""叶"，据《证类》改。

[19] **胞**　《证类》《图考长编》无此字。

[20] **合**　《新修》原作"令"，据《证类》改。

[21] **敷**　《新修》原作"薄"，据《证类》改。

634　饴糖

味甘，微温。主补虚乏，止渴，去血。

方家用饴糖，乃云胶饴[1]，皆是湿糖[2]如厚蜜者，建中汤多用之。其凝强及牵白者[3]，不入药[4]。又胡麻亦可作糖，弥甘补[5]。今酒用曲[6]，糖用蘖，犹同是米、麦，而为中、上之异[7]。糖当以和润为优，酒以熏乱为劣。

【校注】

[1]　**饴**　《新修》《本草和名》作"粘"，《千金翼》《证类》作"饴"。

[2]　**湿糖**　"湿"，《图考长编》作"沙"。"糖"，《本草和名》作"粘"。

[3]　**其凝强及牵白者**　"强"，《证类》《纲目》《图考长编》作"结"。"者"字后，《纲目》衍"饧糖"2字。

[4]　**药**　其后，《纲目》衍"用"字。

[5]　**又胡麻亦可作糖，弥甘补**　《证类》《图考长编》无此文。

[6]　**今酒用曲**　"今"，《新修》原作"令"，据《证类》改。《证类》无"用"字。

[7]　**犹同是米、麦，而为中、上之异**　《纲目》作"糖与酒皆用米麦，而糖居上品，酒居中品"。

米　中

635　大豆[1]黄卷

味甘，平，无毒。主[2]**湿痹，筋挛，膝痛。**五脏[3]胃气结积，益气，止[4]毒，去黑皯，润泽[5]皮毛。**生大豆，味甘，平**[6]。**涂痈肿**[7]，**煮饮汁**[8]，**杀鬼毒，止**[9]**痛。**逐水胀，除胃中热痹，伤中，淋露，下瘀血，散五脏结积、内寒，杀乌头毒。久服令人身重。熬屑[10]，味甘。主胃中热，去肿，除痹，消谷，止腹胀[11]。生[12]太山平泽，九月采。

恶五参、龙胆，得前胡、乌喙、杏人、牡蛎良。

【校注】

[1]　**豆**　《医心方》作"豆及"。

[2]　**主**　《千金方》作"主久风"。

[3]　**脏**　其后，《纲目》《本经疏证》衍"不足"2字。

[4]　**止**　《新修》原作"心"，据《千金翼》《证类》改，下同。

[5]　**泽**　《纲目》作"肌肤"。

[6] **味甘，平**　《图考长编》注为《本经》文。

[7] **肿**　《万安方》作"疽"。

[8] **煮饮汁**　《证类》《品汇》《本草经疏》、孙本作"煮汁饮"。

[9] **止**　《新修》原作"心"，据《千金翼》《证类》改，下同。

[10] **熬屑**　《证类》《本草经疏》《图考长编》作"炒为屑"。

[11] **止腹胀**　《新修》原作"心胀"，据《千金翼》《证类》改。

[12] **生**　《新修》原作"主"，据《千金翼》《证类》改。

636　赤小豆

味甘、酸，平、温，无毒[1]。**主下水**[2]，**排痈肿脓血**[3]。寒热，热中，消渴，止泄[4]，利小便，吐逆[5]，卒澼，下胀满[6]。

大[7]、小豆共条，犹如葱、薤义也。以大豆为蘖，芽生[8]便干之，名为黄卷，用之亦熬[9]，服食家[10]所须。煮大豆，主温毒、水肿殊效。复有白大豆，不入药。小豆性逐津液，久食[11]令人枯燥矣。　　[谨案]《别录》云：叶名藿，止[12]小便数，去烦热。

【校注】

[1] **味甘、酸，平、温，无毒**　《新修》此文原在"脓血"之后，据《证类》改。

[2] **水**　《千金方》《纲目》《本经疏证》作"水肿"。

[3] **排痈肿脓血**　《千金方》无"痈肿"2字。《御览》无"脓"字。

[4] **止泄**　"止"，《新修》原作"心"，据《千金翼》《证类》改。"泄"字后，《本经疏证》衍"痢"字。

[5] **逆**　《新修》原脱，据《证类》补。

[6] **下胀满**　《本经疏证》《图考长编》作"上腹胀满"。

[7] **大**　《图考长编》作"赤"。

[8] **生**　其后，《纲目》有"五寸长"3字。

[9] **亦熬**　"亦"，《图考长编》作"以"。"亦熬"，《纲目》作"熬过"。

[10] **家**　《证类》《图考长编》无此字。

[11] **食**　《证类》《图考长编》作"服"。

[12] **止**　《新修》原作"主心"，据《证类》改。

637　豉

味苦，寒，无毒。主伤寒头痛寒热，瘴气恶毒[1]，烦躁满闷，虚劳喘吸，两脚疼冷。又杀六畜胎子诸毒。

豉，食中之常用。春夏天气不和，蒸炒以酒渍服之，至佳。暑热烦闷，冷水渍饮二三升[2]。依康伯法，先以酢[3]酒溲蒸曝燥，以[4]麻油和，又蒸曝之[5]，凡三过，乃末椒、干姜屑合和以进食[6]，胜今作[7]油豉也。患脚人恒将其酒浸以淬敷脚[8]，皆差。好者出襄阳、钱塘，香美而浓，取中心弥善也[9]。

【校注】

[1] **瘴气恶毒** "瘴"，《新修》原作"鄣"，《本经疏证》作"瘴"，据《证类》改。《新修》原脱"恶"字，据《千金翼》《证类》补。

[2] **暑热烦闷，冷水渍饮二三升** 《证类》《图考长编》无此文。

[3] **酢** 《新修》作"酢"，《证类》作"醋"。

[4] **以** 《新修》原脱，据《证类》补。

[5] **又蒸曝之** "又"，《纲目》作"再"。《新修》原脱"之"字，据《证类》补。

[6] **乃末椒、干姜屑合和以进食** 《纲目》作"末椒、姜治和进食"。"末椒"，《新修》原作"未拆"，据《证类》改。

[7] **胜今作** 《纲目》作"大胜今时"。

[8] **恒将其酒浸以淬敷脚** "恒"，《证类》《图考长编》作"常"。"浸"，《新修》原脱，据《证类》补。"敷"，《新修》原作"薄"，据《证类》改。

[9] **心弥善也** 其后，《证类》有"者"字。《证类》无"也"字。

638 大麦

味咸，温[1]、微寒，无毒。主消渴，除热，益气调中。又云：令人多热，为五谷长[2]。

食[3]蜜为之使。 即今稞[4]麦，一名蜱麦，似穬麦，惟皮薄耳[5]。 〔谨案〕大麦出关[6]中，即青科麦[7]是。形似小麦而大。皮厚，故谓大麦，殊不似穬麦也。大麦面，平胃，止[8]渴，消食，疗胀。

【校注】

[1] **温** 《本经疏证》无此字。

[2] **又云：令人多热，为五谷长** 《本经疏证》无此文。《和名类聚钞》引陶隐居曰："麦为五谷之长，有芒，秋种夏熟。"

[3] **食** 《证类》《本草经疏》无此字。

[4] **即今稞** 《证类》无"即"字。"稞"，《证类》《图考长编》作"稞"。

[5] **惟皮薄耳** 《新修》原作"唯无皮耳"，据《证类》改。

[6] **关** 《新修》原作"开"，据《证类》改。

[7] **即青科麦** 《和名类聚钞》引苏敬曰："大麦，一名青科麦。""科"，《证类》《图考长编》作"稞"。

[8] **止** 《新修》、武本《新修》作"心"，据《证类》改。

639 穬麦

味甘，微寒，无毒。主轻身，除热。久服令人多力健行[1]；以作糵，温[2]，消食和中[3]。

此是今马所食者，性乃言[4]热，而云微寒，恐是作屑与合谷[5]异也。服食家，并食大、穬二麦，令人轻身[6]健。 ［谨案］穬麦性寒，陶云性热，非也；复云作屑与合谷异。此皆江东少有，故斟酌言之耳[7]。

【校注】

[1] **久服令人多力健行** 《新修》原脱，据《证类》补。

[2] **温** 《纲目》《本经续疏》作"温中"。

[3] **和中** 《纲目》无此2字。

[4] **言** 《证类》《纲目》《图考长编》无此字。

[5] **谷** 《证类》作"壳"，下同。

[6] **身** 《证类》《图考长编》无此字。

[7] **耳** 《证类》《图考长编》无此字。

640 小麦

味甘，微寒，无毒。主除热[1]，止燥渴，咽干[2]，利小便，养肝气，止[3]漏血、唾血[4]。以作曲，温，消谷，止痢；以作面，温，不能消热止[5]烦。

小麦合汤皆完用之，热家疗也。作面则温，明穬麦亦当如此。今服食家啖面，不及大、穬麦，犹胜于米耳。 ［谨案］小麦汤用，不许皮坼，云坼则温，明面不能消热止烦也。小麦曲止[6]痢，平胃，主小儿痫，消食痔。又有女曲、黄蒸。女曲[7]，完小麦为之，一名䴷[8]子；黄蒸，磨小麦为之，一名黄衣。并消食，止[9]泄痢，下胎，破冷血也。

【校注】

[1] **热** 《本经疏证》作"客热"。

[2] **止燥渴，咽干** "止"，《新修》原作"心"，据《千金翼》《医心方》《证类》改。《新修》原脱"咽干"2字，据《证类》补。

[3] **止** 《新修》原作"心"，据《千金翼》《医心方》《证类》改。

[4] **血** 其后，《纲目》有"令女人易孕"。

[5] **不能消热止** 《新修》原脱"不能"2字，据《证类》补。"止"，《新修》原作"心"，据

《证类》改，下同。

[6] **曲止** 《新修》原作"面心"，据《证类》改。

[7] **女曲** 《新修》原作"女面"，据《证类》改。

[8] **麹** 《新修》原作"面"，据《本草和名》《证类》改。

[9] **止** 《新修》原作"心"，据《证类》改。

641 青粱米

味甘，微寒，无毒。主胃痹，热中，消[1]渴，止泄痢[2]，利小便，益气，补中，轻身，长年[3]。

凡云粱米，皆是粟类，惟其牙头色异为分别尔。青粱出此[4]，今江东少有。《氾胜之书》云：粱是秫粟，今俗用则不尔也。 [谨案] 青粱壳[5]穗有毛，粒青，米亦微青，而细于黄、白粱也。谷[6]粒似青稞而少粗[7]。夏月食之，极为清凉[8]，但以味短色恶，不如黄、白粱，故人少种之。此谷早熟[9]而收少也，作[10]饧，清白胜余米。

【校注】

[1] **消** 《新修》原脱，据《证类》补。

[2] **止泄痢** 《新修》原作"利心泄"，据《证类》改。

[3] **年** 其后，《纲目》衍"煮粥食之"。

[4] **此** 《图考长编》作"北"。

[5] **壳** 《新修》原作"谷"，据《证类》改。

[6] **谷** 《图考长编》作"壳"。

[7] **粗** 《新修》原作"鹿"，据《证类》改。

[8] **清凉** 《新修》原作"凉清"，据《证类》改。

[9] **熟** 《新修》原作"就"，据《证类》改。

[10] **作** 其前，《图考长编》衍"堪"字。

642 黄粱米

味甘，平，无毒。主益气，和中，止[1]泄。

黄粱亦[2]出青、冀州，此间不见有[3]耳。 [谨案] 黄粱，出蜀、汉，商、浙[4]间亦种之。穗大毛长，谷米俱粗于白粱[5]，而收子少，不耐水旱。食之香美，逾于诸粱，人号为竹根黄。而陶注白粱云：襄阳竹根者是。此乃黄粱，非白粱也。

【校注】

[1] **止** 《新修》原作"心"，据《千金翼》《证类》改。

[2] **亦** 《证类》无此字。

[3] **有** 《新修》原脱，据《证类》补。

[4] **浙** 《图考长编》作"淅"。

[5] **粗于白粱** "粗"，《新修》原作"鹿"，据《证类》改。《新修》原脱"粱"字，据《证类》补。

643 白粱米

味甘，微寒，无毒。主除热，益气。

今处处有，襄阳竹根者最佳。所以夏月作粟飧[1]，亦以除热也[2]。 ［谨案］白粱穗大，多毛且长。诸粱都相似，而白粱谷粗扁[3]长，不似粟圆也。米亦白且[4]大，食之香美，为[5]黄粱之亚矣[6]。陶云竹根，竹根乃黄粱，非白粱也。然粱虽粟类，细论则别，谓作粟飧，殊乖的称也。

【校注】

[1] **飧** 《图考长编》作"飱"，下同。

[2] **也** 《证类》无此字。

[3] **谷粗扁** "谷"，《图考长编》作"壳"。"粗扁"，《新修》原作"鹿遍"，据《证类》改。

[4] **且** 《证类》《图考长编》作"而"。

[5] **为** 《新修》原脱，据《证类》补。

[6] **亚矣** 《新修》原作"恶美"，据《证类》改。

644 粟米

味咸，微寒，无毒。主养肾[1]气，去胃痹[2]，中热，益气。陈者，味苦[3]，主胃热，消渴，利小便。

江东所种及西间皆是[4]，其粒[5]细于粱米，熟春令白，亦以当白粱，呼为白粱粟。陈者谓经三五年者，或呼为䆗米[6]，以作粉，尤解烦闷，服食家亦将[7]食之。 ［谨案］粟有[8]多种，而并细于诸粱，北土恒食[9]，与粱有别。陶云：当白粱，又云或呼为䆗，䆗则是稷，稷乃穄之异名也。其米泔汁，主霍乱，卒[10]热，心烦渴，饮数升立差。臭泔，止消渴优良。米麦籹[11]，味甘、苦，寒，无毒。主寒中，除热渴，解烦，消石气。蒸米麦熬[12]磨作之，一名糗也。

【校注】

[1] **肾** 《新修》原作"贤"，据《千金翼》《医心方》《证类》改。

[2] **胃痹** 《证类》《品汇》《图考长编》、孙本作"胃脾"，《纲目》作"脾胃"。

[3] **味苦** 《纲目》作"苦寒"。

[4] **江东所种及西间皆是** 《纲目》作"江南西间所种皆是"。

［5］ **粒** 《纲目》作"粟"。

［6］ **米** 其后，《新修》原衍"粢音滞"，据《证类》删。

［7］ **将** 《纲目》作"当"。

［8］ **有** 《证类》《纲目》《图考长编》作"类"。

［9］ **北土恒食** "北"，《新修》原作"比"，据《证类》改。"恒"，《证类》《纲目》《图考长编》作"常"。

［10］ **卒** 《新修》原作"夹"，据《证类》改。

［11］ **杪** 《证类》《图考长编》作"抄"。

［12］ **熬** 《新修》原作"热"，据《证类》改。

645 丹黍米

味苦，微温，无毒。主咳逆，霍乱，止泄[1]，除热，止[2]烦渴。

此则即赤黍也[3]，亦出北[4]间，江东时有种，而非土所宜，多入神药用[5]。又黑黍名秬[6]，供酿酒祭祀用之。

【校注】

［1］ **止泄** 《纲目》作"止泄痢"。"止"，《新修》原作"心"，据《证类》改。

［2］ **止** 《新修》原作"心"，据《千金翼》《证类》改。

［3］ **此则即赤黍也** 《证类》《图考长编》无"则"字。"黍"，《证类》《图考长编》作"黍米"。

［4］ **北** 《新修》原作"此"，据《证类》改。

［5］ **用** 《图考长编》作"方"。

［6］ **秬** 《新修》原作"秴"，据《证类》改。

646 蘗[1]米

味苦[2]，无毒。主寒中，下气，除热。

此是以米为蘗尔，非别米名也。末其米脂和敷面，亦使皮肤悦泽，为热不及麦蘗也。 ［谨案］蘗者，生不以理之名也，皆当以可生之物为[3]之。陶称以米为蘗，其米岂更能生乎？止当取蘗中之米耳。案，《食经》称用稻蘗，稻即穬谷之[4]名，明非米作也[5]。

【校注】

［1］ **蘗** 《新修》原作"孽"，据《千金翼》《证类》改。

［2］ **苦** 《本经续疏》作"甘苦"。

［3］ **为** 《纲目》作"生"。

［4］ **之** 《新修》原脱，据《证类》补。其后，《纲目》有"总"字。

［5］ **明非米作也** 《纲目》无此文。

647 秫米

味甘，微寒。止[1]寒热，利大肠，疗[2]漆疮。

此[3]人以作酒及煮糖者，肥软而[4]易消；方药不正用，惟嚼以涂漆疮[5]，及酿诸药醪。

［谨案］此米，功能[6]是稻秫也。今大都[7]呼粟糯为秫稻，秫为糯矣。北土亦多，以粟[8]秫酿酒，而汁少于黍米。粟秫应有别功，但本草不载。凡黍稷、粟秫、秔糯[9]，此三谷之秫秫也[10]。

【校注】

［1］ **止** 《纲目》无此字。

［2］ **疗** 《本经续疏》作"疮"。

［3］ **此** 《图考长编》作"北"。

［4］ **而** 《证类》无此字。

［5］ **疮** 《证类》脱此字。

［6］ **能** 《图考长编》作"用"。

［7］ **都** 《万花谷》引"唐本注"作"郡"。

［8］ **粟** 《新修》原作"栗"，据《证类》改。

［9］ **秔糯** 《图考长编》作"秔稻"。"糯"，《新修》原脱，据《证类》补。

［10］ **此三谷之秫秫也** "此"字后，《新修》原衍"糯"，据《证类》删。"秫"，《新修》原作"秞"，据《证类》改。"秫"，《图考长编》作"糯"。

648 陈廪米

味咸、酸，温[1]，无毒。主下气，除烦渴[2]，调胃，止[3]泄。

此今久入仓陈赤者[4]，汤中多用之[5]。人以作酢酒[6]，胜于新粳米。

【校注】

［1］ **温** 《新修》原脱，据《千金翼》《证类》补。

［2］ **渴** 《新修》原脱，据《证类》补。

［3］ **止** 《新修》原作"上"，据《千金翼》《证类》改。

［4］ **此今久入仓陈赤者** 《纲目》作"陈廪米，即粳米久入仓陈赤者，以廪军人，故曰廪尔"。又"赤"，罗氏藏本《新修》误作"亦"。

［5］ **汤中多用之** "汤"，《纲目》作"方"。

［6］ **酢酒** 《证类》作"醋"。

649　酒

味苦、甘、辛[1]，大热，有毒。主行药势，杀百邪恶毒气[2]。

大寒凝海，惟酒不冰[3]，明其热性[4]独冠群物。药家多须，以行其势[5]。人饮之，使体弊神昏，是其有毒故也。昔三人晨行触雾[6]，一人健，一人病，一人死。健者饮酒，病者食粥，死者空腹。此酒势辟恶，胜于食[7]。　　〔谨案〕酒，有葡萄、秫、黍、杭、粟、曲、蜜等，作酒醴[8]以曲为。而葡萄、蜜等，独不用曲[9]。饮葡萄酒，能消痰[10]破澼。诸酒醇醨不同，惟米酒入药用。

【校注】

[1]　**甘、辛**　《新修》原脱，据《证类》补。

[2]　**杀百邪恶毒气**　《新修》原脱"百""毒"2字，据《证类》补。

[3]　**冰**　《新修》原作"水"，据《证类》改。

[4]　**热性**　《证类》《纲目》《图考长编》作"性热"。

[5]　**势**　《新修》原作"热"，据《证类》改。

[6]　**昔三人晨行触雾**　《纲目》作"《博物志》云：王肃、张衡、马均三人冒雾晨行"。

[7]　**食**　《证类》作"作食"，《纲目》《图考长编》作"他食"。

[8]　**醴**　《新修》原作"体"，据《证类》改。

[9]　**曲**　指"小麦"条中的"小麦曲"。

[10]　**能消痰**　《新修》原脱"能"字，据《证类》补。"痰"，《新修》原作"淡"，据《证类》改。

米　下

650　腐婢

味辛，平，无毒。主痎[1]**疟寒热，邪气，泄痢，阴不起。止消渴**[2]**，病酒头痛**。生汉中，即[3]小豆华也。七月采，阴干[4]。

花用异实，故其类不得同品[5]，方家都不用之，今自可依其所主以为疗也。但未解何故有腐婢之名。《本经》不云是小豆花，后医显之耳。未知审是否[6]。今海边有小树，状似[7]枝子，茎条[8]多曲，气作[9]腐臭，土人呼为腐婢，用疗疟有效，亦酒渍皮疗心腹痛[10]。恐此多[11]当是真。若尔，此条应在木部[12]下品卷中也。　　〔谨案〕腐婢，山南相承，以为葛花。《本经》云小豆花，陶复称海边小树，未知孰是？然葛花消酒，大胜豆花，葛根亦能消酒，小豆全无此效。校量葛、豆二花，葛为真也[13]。

【校注】

[1] 痎 《纲目》作"痰"。

[2] 止消渴 《纲目》注为《本经》文。

[3] 即 《新修》原脱，据《千金翼》《证类》补。

[4] 阴干 《纲目》作"之，阴干四十日"。

[5] 花用异实，故其类不得同品 《纲目》作"花与实异用，故不同品"。《新修》原脱"类"字，据《证类》补。

[6] 否 《新修》原作"不"，据《证类》改。

[7] 似 《纲目》作"如"。

[8] 条 《纲目》作"叶"。

[9] 作 《纲目》作"似"。

[10] 痛 《证类》《图考长编》无此字。《纲目》作"疾"。

[11] 多 《证类》《图考长编》无此字。

[12] 此条应在木部 "此"，《新修》原作"无此无"，据《证类》改。《新修》原脱"木部"2字，据《证类》补。

[13] 也 《新修》原作"矣也之"，据《证类》改。

651 藊豆

味甘，微温。主和[1]中，下气。叶[2]主霍乱吐下不止。

人家种之于篱援，其荚蒸食甚美，无正用[3]其豆者。叶乃单行用之。患寒热病者，不可食之。

[谨案] 此北人名鹊豆，以其黑而间白[4]故也。

【校注】

[1] 和 玄《大观》脱此字。

[2] 叶 《图经衍义》作"豆叶"。

[3] 用 其后，《证类》《图考长编》衍"取"字。

[4] 间白 《证类》《图考长编》作"白间"。

652 黍米[1]

味甘，温，无毒。主益气，补中，多热，令人烦[2]。

荆、郢州及江北皆种此。其苗如芦而异于粟，粒亦大。粟而多是秫，今人又呼秫粟为黍，非也。北人作黍饭，方药酿黍米酒，则皆用秫黍也。又有稷米与黍米[3]相似，而粒殊大，食之[4]不宜人，乃[5]言发宿病。 [谨案] 黍有数种，已备[6]注前条，今此通论黄[7]黑黍米耳，亦全[8]不似芦，虽似粟而非粟也。穄即稷也，具[9]释后条。

【校注】

[1] 本条孙本注为《本经》文。

[2] **多热，令人烦** 《纲目》《图考长编》作"多食，令人烦热"。

[3] **米** 《新修》原脱，据《证类》补。

[4] **之** 《证类》《图考长编》脱此字。

[5] **乃** 《证类》《图考长编》脱此字。

[6] **备** 《新修》原作"略"，据《证类》改。

[7] **黄** 《证类》《图考长编》作"丹"。

[8] **全** 《证类》《图考长编》无此字。

[9] **具** 《新修》原作"其"，据《证类》改。

653　粳米

味甘、苦，平[1]，无毒。主益气，止烦[2]，止泄。

此即今常所食[3]米，但有白、赤、小、大[4]异族四五种，犹同一类也。前陈廪米，亦是此种，以廪军人，故曰廪耳[5]。　　[谨案] 传称食廪为禄。廪，仓也。前陈仓米曰廪，字误作㐷，即谓[6]廪军米也。若廪[7]军新米者，亦为陈乎？

【校注】

[1] **甘、苦，平** 《新修》原脱"甘"字，据《证类》补。《图经衍义》无"平"字。

[2] **止烦** "止"，《新修》原作"心"，据《证类》改，下同。"烦"字后，《纲目》衍"止渴"2字。

[3] **今常所食** 《纲目》作"人常食之"。"今"，《证类》《图考长编》作"人"。

[4] **大** 《新修》原脱，据《证类》补。

[5] **前陈廪米……故曰廪耳** 《纲目》作"可作廪米"。

[6] **谓** 《证类》无此字。

[7] **此即今常所食米……若廪** 此段文字中的"廪"字，均从《新修》。今"㐷""廪"均统一作"廪"。

654　稻米

味苦。主[1]温中，令人多热，大便坚。

道家方药有俱用稻米、粳米，此则是两物矣[2]。云稻米糠[3]白如霜。今[4]江东无此，皆通呼粳米[5]为稻耳。不知其色类，复云何也！　　[谨案] 稻者，穊谷通名。《尔雅》云：稌，稻也，秔者不粘[6]之称，一曰秈。氾[7]胜之云：秔稻、秫稻，三月种秔稻[8]，四月种秫稻，即并稻[9]也。今陶别为二事，深不可解也[10]。

【校注】

[1] **主** 《纲目》作"作饭"。

[2] **矣** 《新修》原脱，据《证类》补。

[3] **糠** 《证类》《图考长编》无此字。

[4] **今** 《证类》《图考长编》作"又"。

[5] **米** 《证类》《图考长编》无此字。

[6] **粳** 《证类》《图考长编》作"糯"，《纲目》作"粘"。

[7] **氾** 《万花谷》引"唐本注"作"纪"。

[8] **稻** 《新修》原脱，据《证类》补。

[9] **稻** 《万花谷》引"唐本注"作"称"。

[10] **别为二事，深不可解也** "别"，《纲目》作"谓"。《证类》无"别"字，《纲目》无"事"字。"深"，《纲目》作"盖"。

655 稷米

味甘，无毒。主益气，补不足。

稷米亦不识，书多云黍稷，稷恐与黍[1]相似。又有稌[2]，亦不知是何米。《诗》云：黍、稷、稻、粱、禾、麻、菽、麦，此即八谷也，俗人莫能证辨，如此谷稼尚弗能明，而况芝英[3]乎？案，氾胜之《种植书》有黍，即如前说。无稷有稻，犹是粳米[4]，粱是秫[5]，禾即是粟。董仲舒云：禾是粟苗名耳[6]，麻是胡麻，枲是大麻，菽[7]是大豆。大豆有两种；小豆一名荅[8]，有三四种。麦有大、小穬，穬即宿麦，亦谓种麦。如此，诸谷之限也。菰米一名彫胡，可作饼。又汉中有一种名枲粱，粒如粟而皮黑，亦可食；酿为酒，甚消玉[9]。又有乌禾，生野中如稙[10]，荒年代粮而杀虫，煮以沃地，蝼蚓皆死。稗亦可食。凡此之类，复有数种耳。　　[谨案]《吕氏春秋》云：饭之美者，有阳山之穄。高诱曰：关西谓之糜[11]，冀州谓之鏖[12]，《广雅》云：鏖，穄也。《礼记》云[13]：祭宗庙，稷曰明粢。《穆天子传》云：赤乌之人。献穄麦[14]百载。《说文》云：稷，五[15]谷长，田正也，自商已[16]来，周弃主之。此官名，非谷号也。又案，先儒以为粟类，或言粟之上者。《尔雅》云：粢，稷也。《传》云：粢盛，解云黍稷为粢。氾胜之《种植书》又不言稷。陶云八谷者，黍、稷、稻、粱、禾、麻、菽、麦，俗人尚不能辨[17]，况芝英乎？既[18]有稷禾，明非粟也。本草有稷，不载穄，稷即穄也。今楚人谓之稷，关中谓之糜，呼其米为黄米，与黍为秫秫，故其苗与黍[19]同类。陶又[20]引《诗》云：稷，恐与黍相似斯并得之矣。儒家但说其义，不知其实[21]。寻郑玄[22]注《礼》：王瓜云是菝葜，谓楂为梨之不藏者[23]。周官疡人主祝药，云祝当为注，义如附着，此尺有所短耳[24]。

【校注】

[1] **稷，稷恐与黍** 《证类》《纲目》《图考长编》作"与稷"。

[2] 稴 《图考长编》作"穄"。

[3] 英 《新修》原作"莫",据《证类》改。按,日本传抄的古本草,"莫"多作"英"。

[4] 米 《证类》《图考长编》作"谷"。

[5] 秫 其后,《新修》原衍"禾"字,据《证类》删。

[6] 名耳 《证类》无此2字。

[7] 菣 《新修》原作"升",据《证类》改。

[8] 荅 《新修》原作"荅",据《证类》改。又《图考长编》作"答"。

[9] 甚消玉 《图考长编》作"甚清美"。

[10] 又有乌禾,生野中如稗 "又",《新修》原作"人",据《证类》改。"稗",《新修》原脱,据《证类》补。

[11] 糜 《新修》原作"麇",据《本草和名》改。

[12] 鑿 《新修》原作"紧",据《证类》改。

[13] 云 《新修》原脱,据《证类》补。

[14] 麦 《证类》《图考长编》无此字。

[15] 五 《新修》原作"玉",据《证类》改。

[16] 巳 《图考长编》作"以"。

[17] 辨 《新修》原作"弃",据《证类》改。

[18] 既 《证类》作"即"。

[19] 黍 其后,《新修》原衍"黍"字,据《证类》删。

[20] 又 《证类》《图考长编》无此字。

[21] 不知其实 《证类》《图考长编》作"而不知其实也"。

[22] 玄 《图考长编》无此字。

[23] 谓楂为梨之不藏者 "楂",《证类》作"祖"。"藏",《新修》原作"减",据《证类》改。

[24] 尺有所短耳 《新修》原作"人尺有所短耳之官也矣哉",据《证类》改。

656 醋[1]

味酸[2],温,无毒。主消痈肿,散水气,杀邪毒。

醋酒为用,无所不入,逾久[3]逾良,亦谓之醯。以有苦味,俗呼[4]苦酒。丹家又加余物,谓为华池左味,但不可多食之,损人肌脏耳[5]。 [谨案] 醋有数种,此言[6]米醋。若[7]蜜醋、麦醋、曲醋[8]、桃醋、葡萄、大枣、蘡薁等诸杂果醋,及糠糟等醋[9]会意者,亦极酸烈,止[10]可噉之,不可入药用[11]也。

【校注】

[1] 醋 《新修》原作"醋酒",据《证类》改。

[2] 酸 其后,《纲目》有"苦"字。

［3］**逾久** 《新修》原脱，据《证类》补。

［4］**呼** 其后，《证类》《图考长编》有"为"字。

［5］**耳** 《证类》无此字。

［6］**此言** 《纲目》作"有"。

［7］**若** 《图考长编》作"苦"，《纲目》无此字。

［8］**醋** 其后，《纲目》衍"糠醋、糟醋、饧醋"6字。

［9］**及糠糟等醋** 《纲目》无此文。

［10］**止** 《新修》原作"心"，据《证类》改。其前，《纲目》有"惟米醋二三年者入药，余"。

［11］**用** 《证类》无此字。

657 酱

味咸、酸，冷利。主除热，止[1]烦满，杀百药热汤[2]及火毒。

酱多以豆作，纯麦者少。今此当是豆者，亦以久久者弥好。又有肉酱、鱼酱，皆呼为醢，不入药用也。 ［谨案］又有榆人酱，亦辛美，利大小便。芜荑酱大美，杀三虫，虽[3]有少臭气，亦[4]辛好。

【校注】

［1］**止** 《新修》原作"心"，据《千金翼》《证类》改。

［2］**百药热汤** 《新修》原脱"百""热汤"3字，据《证类》补。

［3］**虽** 《新修》原脱，据《证类》补。

［4］**亦** 《新修》原脱，据《证类》补。

658 食[1]盐

味咸，温，无毒。主杀鬼蛊，邪注，毒气，下部䘌疮，伤寒寒[2]热，吐胸中痰澼，止心腹卒痛，坚肌骨。多食伤肺，喜咳[3]。

五味之中[4]，惟此不可缺。今有东海、北海供京都及西川南江用。中原有河东盐池[5]，梁、益有[6]盐井，交、广有南海盐[7]，西羌[8]有山盐，胡中有树盐，而色类各[9]不同，以河东最为胜[10]。此间[11]东海盐、官盐白，草粒细。北海盐黄，草粒大[12]。以作鱼鲊及咸菹，乃言北海[13]胜。而藏茧必用盐官者，蜀中盐小淡，广州盐咸苦。不知其为疗体复有优劣否[14]？西方、北方人，食不耐咸，而多寿少病，好颜色[15]。东方、南方人，食绝欲咸，少寿多病，便是损人，则伤肺之效矣。然以浸鱼肉，则能经久不败；以沾布帛，则易致朽烂。所施处各有所宜也[16]。

【校注】

［1］**食** 《新修》原脱，据《证类》补。

［2］**寒寒**　《新修》原脱一"寒"字，据《千金翼》《证类》补。

［3］**多食伤肺，喜咳**　《纲目》移此于"大盐"条"气味"之下。

［4］**中**　《新修》原脱，据《证类》补。

［5］**今有东海、北海供京都及西川南江用。中原有河东盐池**　《证类》作"有东海北海盐及河东盐池"。

［6］**有**　《证类》《纲目》脱此字，下同。

［7］**盐**　《新修》原脱，据《证类》补。

［8］**羌**　《新修》原作"芜"，据《证类》改。

［9］**各**　《证类》《纲目》无此字。

［10］**以河东最为胜**　"以"，《新修》原脱，据《证类》补。"最"，《证类》《纲目》作"者"。

［11］**此间**　《证类》无此2字。

［12］**大**　《证类》《纲目》作"粗"。

［13］**海**　《证类》《纲目》无此字。

［14］**否**　《新修》原作"不"，据《证类》改。

［15］**好颜色**　《新修》原脱，据《证类》补。

［16］**所施处各有所宜也**　《纲目》无"处"字。"宜"字后，《新修》原衍"可"字，据《证类》删。

《新修本草》米等部卷第十九

有名无用　卷第廿

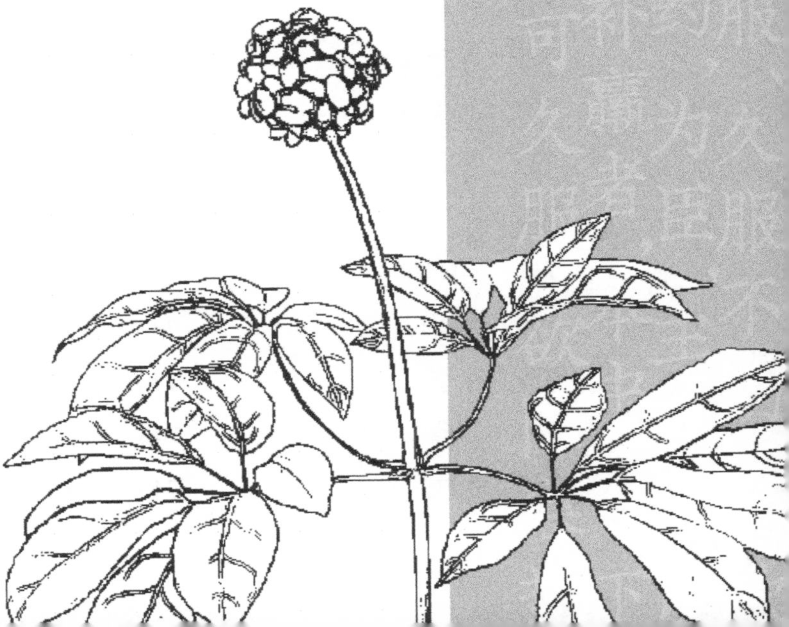

659 青玉	660 白玉髓	661 玉英
662 璧玉	663 合玉石	664 紫石华
665 白石华	666 黑石华	667 黄石华
668 厉石华	669 石肺	670 石肝
671 石脾	672 石肾	673 封石
674 陵石	675 碧石青	676 遂石
677 白肌石	678 龙石膏	679 五羽石
680 石流青	681 石流赤	682 石耆
683 紫加石	684 终石	

右玉石类廿六种

685 玉伯	686 文石	687 曼诸石
688 山慈石	689 石濡	690 石芸
691 石剧	692 路石	693 旷石
694 败石	695 越砥	696 金茎
697 夏台	698 柒紫	699 鬼目
700 鬼盖	701 马颠	702 马唐
703 马逢	704 牛舌实	705 羊乳
706 羊实	707 犀洛	708 鹿良
709 菟枣	710 雀梅	711 雀翘
712 鸡涅	713 相乌	714 鼠耳
715 蛇舌	716 龙常草	717 离楼草
718 神护草	719 黄护草	720 吴唐草
721 天雄草	722 雀医草	723 木甘草
724 益决草	725 九熟草	726 兑草
727 酸草	728 异草	729 痈草
730 蓏草	731 莘草	732 勒草
733 英草华	734 吴葵华	735 封华［附］北荇华
736 陕华	737 棑华	738 节华
739 徐李	740 新雉木	741 合新木
742 俳蒲木	743 遂阳木	744 学木核
745 木核	746 枸核	747 荻皮

748 桑茎实	749 满阴实	750 可聚实
751 让实	752 蕙实	753 青雌
754 白背	755 白女肠	756 白扇根
757 白给	758 白并	759 白辛
760 白昌	761 赤举	762 赤涅
763 黄秫	764 徐黄	765 黄白支
766 紫蓝	767 紫给	768 天蓼
769 地朕	770 地芩	771 地筋
772 地耳	773 土齿	774 燕齿
775 酸恶	776 酸赭	777 巴棘
778 巴朱	779 蜀格	780 累根
781 苗根	782 参果根	783 黄辨
784 良达	785 对庐	786 粪蓝
787 委蛇	788 麻伯	789 王明
790 类鼻	791 师系	792 逐折
793 并苦〔附〕<u>领灰</u>	794 父陛根	795 索干
796 荆茎	797 鬼丽	798 竹付
799 秘恶	800 唐夷	801 知杖
802 葵松	803 河煎	804 区余
805 三叶	806 五母麻	807 疥柏
808 常更之生	809 救煞人者	810 丁公寄
811 城里赤柱	812 城东腐木	813 芥
814 载	815 庆	816 脿

右草木类一百卅二种

817 雄黄虫	818 天社虫	819 桑蠹虫
820 石蠹虫	821 行夜	822 蜗离
823 麋鱼	824 丹戬	825 扁前
826 蚖类	827 蜚厉	828 梗鸡
829 益符	830 地防	831 黄虫

右虫类十五种

| 832 薰草 | 833 **姑活** | 834 **别羁** |

523

835 牡蒿	836 **石下长卿**	837 麋舌
838 练石草	839 弋共	840 葍草
841 五色符	842 蘘草	843 **翘根**
844 鼠姑	845 船虹	846 **屈草**
847 赤赫	848 **淮木**	849 占斯
850 婴桃	851 鸱鸟毛	

右唐本退廿种六种《神农本经》，十四种《名医别录》。

陶弘景不识，今医博识人亦不识者。

右有名无用一百九十三种①一百七十三种旧品，廿种新退。

---

① 《千金翼》所载《新修》药物，在有名无用类题注"一百九十六种"，而实数是一百九十五种，内中较《新修》多"北荇华"和"领灰"两种。《千金翼》中北荇华排列在封华和陕华之间，领灰排列在并苦和父陛根之间，今均据以列为附录。

659　青玉

味甘，平，无毒。主妇人无子，轻身不老，长年。一名谷玉[1]。生蓝田。

张华云：合玉浆用谷玉，正缥白色，不夹石，大者[2]如升，小者如鸡子，取[3]穴中者，非今作器物玉[4]也。出襄乡[5]县旧穴中。黄初中，诏征南将军夏侯尚[6]求之。

【校注】

[1] **谷玉**　《新修》原作"壳山"。据《千金翼》《证类》改。

[2] **大者**　《证类》《纲目》作"者大"。

[3] **取**　《纲目》作"取于"。

[4] **玉**　《新修》原作"王"，据《证类》改。

[5] **出襄乡**　"襄"，《纲目》作"裴"。"乡"，《新修》原作"死"，据《证类》改。

[6] **尚**　《纲目》作"上"。

660　白玉髓

味甘，平，无毒。主妇人无子，不老延季[1]。生蓝田玉石之间[2]。

【校注】

[1] **季**　《千金翼》《证类》作"年"。

[2] **间**　《新修》原作"门"，据《千金翼》《证类》改。

661　玉英

味甘。主风瘙皮肤痒[1]。一名石镜，明白可作镜[2]。生山窍[3]，十二月采。

【校注】

[1] **主风瘙皮肤痒** "瘙"，《新修》原作"格"，据《千金翼》《证类》改。"皮"，《千金翼》作"疗皮"。

[2] **石镜，明白可作镜** 《新修》原脱"石""作"2字，据《千金翼》《证类》补。

[3] **窍** 《纲目》《食货典》作"窍中"。

662 璧玉[1]

味甘，无毒。主明目、益气，使人多精生子[2]。

【校注】

[1]《纲目》将此条附录在"青玉"条后。

[2] **子** 《食货典》作"下"。

663 合玉石[1]

味甘，无毒。主益气，消渴[2]，轻身，辟谷。生常山中丘，如鼍肪[3]。

【校注】

[1]《纲目》将此条附录在"青玉"条后。

[2] **消渴** 《千金翼》《证类》作"疗消渴"。

[3] **肪** 《纲目》作"肋"。

664 紫石华

味甘，平[1]，无毒。主渴，去小肠热。一名茈石华[2]。生中牛[3]山阴，采无时。

【校注】

[1] **平** 《新修》原脱，据《千金翼》《证类》补。

[2] **茈石华** "茈"，《纲目》作"苉"。"华"，万历《政和》作"叶"。

[3] **牛** 《纲目》作"牟"。

665 白石华

味辛，无毒。主痹[1]，消渴，膀胱热。生液北乡北[2]邑山，采无时。

【校注】

[1] **主瘅** "主",《新修》原作"王",据《千金翼》《证类》改。"瘅",《纲目》作"脾"。

[2] **北乡北** 《新修》原作"此乡此",据《千金翼》《证类》改。

666 黑石华

味甘,无毒。主阴萎,消渴,去热,疗月水不利[1]。生弗其劳山阴石间,采无时。

【校注】

[1] **疗月水不利** 《新修》原脱"疗""不"2 字,据《千金翼》《证类》补。

667 黄石华

味甘,无毒。主[1]阴萎,消渴[2],膈中热,去百毒。生液北[3]山,黄色,采无时。

【校注】

[1] **主** 《新修》原作"二",据《千金翼》《证类》改。

[2] **渴** 《千金翼》作"胸"。

[3] **生液北** 《新修》原作"王液此",据《千金翼》《证类》改。

668 厉石华[1]

味甘,无毒。主益气,养神,止渴,除热[2],强阴。生江南,如石华,采无时。

【校注】

[1] 《纲目》无此条。

[2] **除热** 《新修》原作"阴热",据《千金翼》《证类》改。

669 石肺

味辛,无毒。主疬咳寒,久痿,益气,明目。生[1]水中,状如肺,黑泽有赤文,出水即干。

今浮石亦疗咳[2],似肺而不黑泽,恐非是也[3]。

【校注】

[1] 生 《新修》原作"主"，据《千金翼》《证类》改。

[2] 今浮石亦疗咳 《千金翼》作"陶隐居云：今浮石亦疗效"。

[3] 恐非是也 《纲目》作"非此也"。

670 石肝

味酸，无毒。主身痒，令人色美。生常山，色如肝。

671 石脾

味甘，无毒。主胃寒热，益气，痒瘶[1]。令人有子。一名胃石[2]，一名膏石[3]，一名消石。生隐番山谷石间，黑如大豆，有赤文，色微黄，而轻薄如棋子，采无时。

【校注】

[1] 痒瘶 《千金翼》《证类》《纲目》无此文。

[2] 石 《御览》作"口"。

[3] 膏石 《本草和名》作"高石"，《御览》作"肾石"。

672 石肾

味咸[1]，无毒[2]。主泄痢。色如白珠[3]。

【校注】

[1] 味咸 《纲目》作"味酸"。

[2] 无毒 《纲目》脱此2字。

[3] 色如白珠 《纲目》作"色白如珠"。

673 封石

味甘，无毒。主消渴，热中，女子疽蚀。生常山及少室，采无时。

674 陵石

味甘，无毒。主益气，耐寒，轻身，长年。生华山，其形薄泽。

675 碧石青

味甘，无毒。主明目，益精，去白皮瘕，延季[1]。

【校注】

[1] **去白皮瘕，延季** 《证类》《纲目》作"去白癣，延年"。又"瘕"，《新修》原作"瘕"，据《千金翼》改。

676 遂[1]石

味甘，无毒。主消渴，伤中，益气。生太山阴，采无时。

【校注】

[1] **遂** 《千金翼》作"逐"。

677 白肌石

味辛，无毒。主强筋骨，止渴[1]，不饥，阴热不足。一名肌石，一名洞石。生广焦国[2]卷山，青色润泽[3]。

【校注】

[1] **止渴** 《新修》原作"止消"，据《千金翼》《证类》改。

[2] **焦国** 《纲目》脱此2字。

[3] **青色润泽** 《证类》《纲目》作"青石间"。

678 龙石膏[1]

无毒。主消渴，益寿。生杜陵，如铁脂，中黄。

【校注】

[1]《纲目》将此条附在"石膏"条下。

679 五羽[1]石

主轻身，延季[2]。一名金黄。生海水中蓬莨山上仓[3]中，黄如金。

【校注】

［1］**羽**　《本草和名》作"州"。

［2］**延季**　《千金翼》《证类》作"长年"。

［3］**上仓**　《纲目》无此文。"仓"，《品汇》作"谷"。

680　石流青

味酸，无毒。主疗泄，益肝气，明目，轻身长年。生武都山石[1]间，青白色。

【校注】

［1］**石**　《新修》原作"名"，据《千金翼》《证类》改。

681　石流赤

味苦，无毒。主妇人带下，止血，轻身长年。理如石者[1]，生[2]山石间。

芝品中有石流丹，又有石中黄子。

【校注】

［1］**理如石者**　《纲目》作"埋如石者"。

［2］**生**　万历《政和》作"主"。

682　石耆

味甘，无毒。主咳逆气。生石间，色赤如铁脂，四月采。

683　紫加[1]石

味酸。主痹血气。一名赤英，一名石血。赤无理[2]。生邯郸山[3]，如爵茈。二月采。

三十六水方呼为紫贺石。

【校注】

［1］**加**　商务《政和》、《纲目》作"佳"。

［2］**赤无理**　成化《政和》、商务《政和》、《大全》作"赤无毒"，《纲目》作"无毒"。

［3］**山**　《纲目》作"石"。

684 终石

味辛，无毒。主阴痿痹，小便难，益精气。生陵阴，采无时。

右玉石类廿六种

685 玉伯[1]

味酸，温，无毒。主轻身，益气，止渴。一名玉遂。生石上，如松，高五六寸，紫华用[2]茎叶。

【校注】

[1] **玉伯** 《纲目》作"玉柏"。

[2] **用** 《新修》原作"田"，据《千金翼》《证类》改。

686 文石

味甘。主寒热，心烦。一名黍石。生东郡山泽中水下。五色，有汁润泽。

687 曼诸石

味甘。主益五脏气，轻身长年。一名阴精。六月、七月出[1]石上，青黄色，夜有光。

【校注】

[1] **出** 《千金翼》无此字。

688 山慈石

味苦，平，有毒[1]。主女子带下。一名爱茝。生山之阳。正月生叶如藜芦，茎有衣。

【校注】

[1] **有毒** 《证类》《纲目》作"无毒"。《新修》《千金翼》作"有毒"。

531

689　石濡[1]

主明目，益精气，令人不饥渴，轻身长年。一名石芥。

【校注】

［1］《纲目》将此条并在"石蕊"条中。

690　石芸

味甘，无毒。主目痛，淋露，寒热，溢血。一名蚤[1]烈，一名颐喙[2]。三月、五月采茎叶[3]，阴干。

【校注】

［1］**蚤**　《千金翼》《证类》《纲目》作"螯"。

［2］**颐喙**　《千金翼》《证类》《纲目》作"顾啄"。

［3］**三月、五月采茎叶**　"三"，《千金翼》作"二"。"叶"，《新修》原脱，据《证类》补。

691　石剧

味甘，无毒。主渴消中[1]。

【校注】

［1］**主渴消中**　《新修》原脱"消"字，据《千金翼》《证类》补。《纲目》作"止消渴"，《草木典》作"止消渴中"。

692　路石

味甘、酸，无毒。主心腹，止汗，生肌[1]，酒痂[2]，益气，耐寒，实骨髓。一名陵石。生草石上，天雨独干，日出独濡。花黄，茎赤黑。三岁一实，实[3]赤如麻子。五月、十月采茎叶，阴干。

【校注】

［1］**肌**　《新修》原作"肤"，据《千金翼》《证类》改。

［2］**酒痂**　《纲目》作"润痂"。

[3] **实** 《千金翼》《证类》无此字。

693 旷石

味甘，平[1]，无毒。主益气养神，除热，止渴。生江南，如石草。

【校注】

[1] **平** 《新修》原脱，据《千金翼》《证类》补。

694 败石

味苦，无毒。主渴、痹。

695 越砥[1]

味甘，无毒。主目盲，止痛阴[2]，除热瘅[3]。

疑此[4]今细砺石，出临平者。

【校注】

[1] **砥** 《新修》原作"砥"，据《千金翼》《证类》改。《千金翼》作"砥石"。

[2] **阴** 《千金翼》《证类》《纲目》无此字。

[3] **目盲，止痛阴，除热瘅** 《纲目》注为《本经》文。"瘅"，《千金翼》《证类》《纲目》作"瘅"。

[4] **疑此** 《证类》脱此2字。

696 金茎

味苦，平，无毒。主[1]金创、内漏。一名叶金草。生泽中高处。

【校注】

[1] **主** 《新修》原脱，据《千金翼》《证类》补。

697 夏台[1]

味甘。主百疾，济绝气。

此药乃尔神奇，而不复识用，可恨。

【校注】

［1］《纲目》将此条附在"艾"条之后。

698　柒紫[1]

味苦。主少[2]腹痛，利小肠[3]，破积聚，长肌肉。久服轻身长年。生宛朐，二月、七月采。

【校注】

［1］**柒紫**　《纲目》作"柴紫"。按，《广韵》谓"柒"系"漆"的异体字。

［2］**少**　《千金翼》《证类》《纲目》作"小"。

［3］**肠**　《千金翼》《证类》《纲目》作"腹"。

699　鬼目

味酸，平，无毒。主明目。一名来甘。实赤如五味，十月采。

俗人今呼白草子赤[1]为鬼目，此乃相似。

【校注】

［1］**赤**　《证类》作"亦"。按，《尔雅》注，鬼目，子如耳珰赤色。

700　鬼盖

味甘，平，无毒。主小儿寒热痫。一名地盖。生垣墟下，聚生赤[1]，旦生暮死。

一名朝生，疑是今鬼伞。

【校注】

［1］**生垣墟下，聚生赤**　《千金翼》《证类》作"生垣墙下丛生赤"，《纲目》作"丛生垣墙下赤色"。

701　马颠

味甘，有毒。疗浮肿，不可多食。

702　马唐

味甘，寒。主调中，明耳目。一名羊麻，一名羊粟。生下湿^[1]地，茎有节，节生根^[2]。五月采。

【校注】

[1] **湿**　《新修》原脱，据《千金翼》《证类》补。

[2] **茎有节，节生根**　《纲目》作"茎有节生根"。

703　马逢

味辛，无毒。主癣虫。

704　牛舌实

味咸，温，无毒。主轻身益气。一名象尸^[1]。生水中泽旁，大叶长尺^[2]。五月采。

【校注】

[1] **象尸**　《千金翼》作"象户"，《纲目》作"豕首"。

[2] **大叶长尺**　《证类》作"实大，叶长尺"。

705　羊乳

味甘，温，无毒。主头眩痛，益^[1]气，长肌肉。一名地黄。三月采，立夏后母死。

【校注】

[1] **益**　《新修》原脱，据《千金翼》《证类》补。

706　羊实

味苦，寒。主头秃，恶疮，疥瘙，痂癣^[1]。生蜀郡。

【校注】

[1] **癣**　《新修》原作"瘢"，据《千金翼》《证类》改。

707　犀洛

味甘，无毒。主瘕[1]。一名星洛，一名泥洛。

【校注】

[1] **主瘕**　《纲目》作"主瘕疾"。

708　鹿良

味咸，臭。主小儿惊痫，贲豚，痫疭，大人痓。五月采。

709　菟枣

味酸，无毒。主轻身益气。生丹阳陵地，高尺许，实如枣。

710　雀梅

味酸，寒，有毒。主蚀恶疮。一名千雀。生海水石[1]谷间。叶如李，实如麦李[2]。

【校注】

[1] **石**　《新修》原脱，据《千金翼》《证类》补。
[2] **叶如李，实如麦李**　《证类》作为小字注文。《纲目》作"弘景曰：叶与实俱如麦李"。

711　雀翘

味咸。主益气，明目。一名去母，一名更生。生蓝中，叶细黄，茎赤有刺。四月实，实兑[1]黄中黑。五月采，阴干。

【校注】

[1] **四月实，实兑**　《证类》作"四月实兑"，《纲目》作"四月实锐"。

712　鸡涅[1]

味甘，平，无毒。主明目，目中寒风[2]，诸不足，水腹[3]，邪气，补中，止泄痢，女子白沃。一名阴洛。生鸡山，采无时。

【校注】

[1] 涅　《新修》原作"沮"，据《证类》改。

[2] **主明目，目中寒风**　《纲目》作"主明目，中寒风"。

[3] **腹**　《证类》作"肿"，《千金翼》《新修》作"腹"。

713　相乌[1]

味苦。主阴萎。一名乌葵。如兰香，赤茎。生山阳，五月十五日采，阴干。

【校注】

[1] **乌**　《本草和名》作"马"，《纲目》作"乌"。

714　鼠耳

味酸，无毒。主痹寒，寒[1]热，止咳。一名无心。生田中下地，厚华[2]、肥茎。

【校注】

[1] **寒**　《新修》原脱，据《千金翼》《证类》补。

[2] **华**　《证类》《纲目》作"叶"。《新修》《千金翼》作"华"。

715　蛇舌[1]

味酸，平，无毒。主除留血，惊气，蛇痫。生大水之阳。四月采华，八月采根。

【校注】

[1]《纲目》无此条。

716　龙常草

味咸，温，无毒。主轻身，益阴气，疗痹寒湿。生河水旁，如龙刍，冬、夏生。

717　离楼草

味咸，平，无毒。主益气力，多子，轻身长年。生[1]常山，七月、八月采实。

【校注】

[1]　**生**　《新修》原脱，据《证类》补。

718　神护草

可使独守，叱咄人，寇盗不敢入门。生常山北共[1]，八月采。

此亦奇草，计彼人犹应识用之。

【校注】

[1]　**共**　《千金翼》《证类》《纲目》无此字。

719　黄护草

无毒。主痹，益气，令人嗜食。生陇西。

720　吴唐草

味甘，平，无毒。主轻身，益气，长年。生故稻田中，夜日[1]有光，草中有膏。

【校注】

[1]　**夜日**　《千金翼》《证类》作"日夜"。

721　天雄草

味甘，温，无毒。主益气，阴痿。生山泽中，状如兰，实如大豆，赤色。

722　雀医草

味苦，无毒。主轻身，益气，洗浴[1]烂疮，疗风水。一名白气。春生，秋花白，冬实黑。

【校注】

[1] 浴　《纲目》脱此字。

723　木甘草

主疗痈肿盛热，煮洗之。生木间，三月生，大叶如蛇床[1]，四四相值，折[2]枝种之便[3]生。五月华白，实核赤。三月三日采。

【校注】

[1] 床　《证类》《纲目》作"状"。

[2] 折　《新修》原作"析"，据《千金翼》《证类》改。

[3] 便　《新修》原脱，据《千金翼》《证类》补。

724　益决草

味辛，温，无毒。主咳逆、肺伤[1]。生山阴，根如细辛。

【校注】

[1] 主咳逆、肺伤　《纲目》脱"逆"字。"伤"，《新修》原作"肠"，据《千金翼》《证类》改。

725　九熟草

味甘，温，无毒。主出汗，止泄，疗闷。一名乌[1]粟，一名雀粟。生人家庭中，叶如枣。一岁九熟，七月七日[2]采。

今不见有此之。

【校注】

[1] 乌　《纲目》作"鸟"。

[2] 七日　《千金翼》《证类》《纲目》无此2字。

726　兑草

味酸，平，无毒。主轻身，益气，长年。生[1]蔓草木上，叶黄有毛，冬生[2]。

【校注】

［1］**生**　《新修》原脱，据《千金翼》《证类》补。

［2］**冬生**　《纲目》在"蔓草木上"之前。

727　酸草

主轻身，长[1]年。生名山醴泉上阴居[2]。茎有五叶青泽，根赤黄。可以消玉。一名丑草。

李云[3]是今酸箕，布[4]地生者，而今[5]处处有，恐非也。

【校注】

［1］**长**　《千金翼》《证类》《纲目》作"延"。

［2］**生名山醴泉上阴居**　"生"，《新修》原脱，据《千金翼》《证类》补。"居"，《纲目》作"厓"。

［3］**李云**　《纲目》作"李当之云"。"云"，《新修》原作"乃乃"，据《证类》改。

［4］**布**　《新修》原作"而"，据《证类》改。

［5］**而今**　《纲目》无此2字。"今"，《新修》原作"合"，据《证类》改。

728　异草

味甘，无毒。主瘘痹寒热，去黑子。生篱木上，叶如葵，茎旁[1]有角，汁白。

【校注】

［1］**旁**　《新修》原作"温"，据《千金翼》《证类》改。

729　痈[1]草

叶主痈肿。一名鼠肝。叶滑，青白[2]。

【校注】

［1］**痈**　《千金翼》《证类》《纲目》作"灌"。

［2］**青白**　《纲目》作"清白"。

730　葂草

味辛，无毒。主伤金创[1]。

【校注】

[1] **创** 《纲目》作"疮,琞音起"。

731 莘草

味甘,无毒。主盛伤痹肿。生山泽,如蒲黄,叶如芥。

732 勒草

味甘,无毒。主瘀血,止精溢盛气。一名黑草。生山谷,如栝楼。

疑此犹是薰草,两[1]字皆相似,一误耳,而栝楼为殊也。

【校注】

[1] **两** 《新修》原作"西",据《证类》改。

733 英草华

味辛,平[1],无毒。主痹气,强阴,疗面[2]劳疸,解烦,坚筋骨,疗风头。可作沐药。生蔓木上。一名鹿英。九月采,阴干[3]。

【校注】

[1] **平** 《新修》原脱,据《千金翼》《证类》补。
[2] **面** 《纲目》作"女"。
[3] **阴干** 《新修》原脱"阴"字,据《千金翼》《证类》补。

734 吴葵华

味咸,无毒。主理心[1]气不足。

【校注】

[1] **心** 人卫《政和》、《千金翼》作"心心",《大观》、商务《政和》、《品汇》《新修》只有一个"心"字。

735 封华[1]

味甘,有毒。主疗[2]疮,养肌,去恶肉。夏至采[3]。

【校注】

［1］本条《新修》原接抄于"吴葵华"条，今别列一条。

［2］**庥**　《新修》原作"粉"，据《千金翼》《证类》改。

［3］**夏至采**　《证类》《纲目》作"夏至日采"。

［附］北荇华[1]

味苦，无毒。主气脉溢。一名芹华。

【校注】

［1］本条《新修》《证类》原无，据《千金翼》列为附录。

736　㒱华

味甘，无毒。主上气，解烦，坚筋骨。

737　排华

味苦。主除[1]水气，去赤虫，令人好色。不可久服。春生仍采。

【校注】

［1］**除**　《千金翼》《证类》脱此字。

738　节华

味苦，无毒。主伤中，痿痹，溢肿。皮，主脾中客热[1]气。一名山节，一名达节，一名通柴。十月采，曝干。

【校注】

［1］**热**　《新修》原脱，据《千金翼》《证类》补。

739　徐李

主益气，轻身，长季[1]。生太山阴。如李小形，实青色，无核，熟采食之。

【校注】

[1] 季 《千金翼》《证类》作"年"。

740 新雉木

味苦，香，温，无毒。主风头[1]眩痛，可作沐药。七月采阴干，实如桃。

【校注】

[1] 头 《千金翼》《证类》《纲目》无此字。

741 合新木

味辛，平，无毒。解心烦，止疮痛[1]。生辽东。

【校注】

[1] 解心烦，止疮痛 《新修》原作"解烦心上疗痛"，据《千金翼》《证类》改。

742 俳蒲木

味甘，平，无毒。主少气，止烦。生山陵[1]。叶如椿，实赤，三核[2]。

【校注】

[1] 生山陵 《千金翼》《证类》《纲目》作"生陵谷"。

[2] 三核 《纲目》作"三棱"。

743 遂阳木

味甘，无毒。主益气。生山中[1]。如白杨叶三月实，十月熟赤，可食。

【校注】

[1] 中 《新修》原脱，据《千金翼》《证类》补。

744 学木核

味甘，寒，无毒。主胁下留饮，胃气不平，除热。如蕤核，五月采，阴干。

745 木核

疗肠[1]澼。花，疗不足。子，疗伤中[2]。根，疗心腹逆气，止渴。十月采。

【校注】

[1] **肠** 《新修》原作"腹"，据《千金翼》《证类》改。

[2] **中** 《新修》原脱，据《千金翼》《证类》补。

746 枸核

味苦，疗水身面痈肿。五月采。

747 荻[1]皮

味苦，止消渴，去[2]白虫，益气。生江南。如松叶，有别刺，实赤黄。十月采。

【校注】

[1] **荻** 傅氏影刻《新修》、罗氏藏本《新修》目录作"荻"，正文作"获"，据《千金翼》《证类》改。

[2] **去** 《纲目》脱此字。

748 桑茎实

味酸，温，无毒。主字乳余疾[1]，轻身，益气。一名草王。叶似[2]荏，方茎大叶。生园中，十月采。

【校注】

[1] **字乳余疾** 《纲目》作"乳孕余病"。

[2] **似** 《千金翼》《证类》《纲目》作"如"。

749 满[1]阴实

味酸，平，无毒。主益气，除热，止渴[2]，利小便，轻身[3]，长年。生深山谷及园中。茎如芥，叶小，实如樱[4]桃，七月成。

【校注】

[1] **满** 《千金翼》《御览》卷993引《吴氏本草》作"蒲"。

[2] **渴** 《新修》原作"汤",据《千金翼》《证类》改。

[3] **轻身** 《纲目》无此2字。

[4] **樱** 《新修》原脱,据《千金翼》《证类》补。

750 可聚实

味甘,温,无毒。主轻身益气,明目。一名长寿。生山野道中。穗如麦,叶如艾,五月采。

751 让实

味酸。主喉痹,止泄痢。十月采,阴干。

752 蕙实

味辛。主明目,补中。根茎中汤[1],疗伤寒寒热,出汗,中风,面肿,消渴,热中,逐水[2]。生鲁山平泽。

【校注】

[1] **汤** 《证类》作"涕",《新修》作"汤"。

[2] **逐水** 《新修》原作"遂",据《证类》改。

753 青雌

味苦。主恶疮,秃败疮,火气,杀三虫。一名蛊损,一名血推[1]。生方山山谷。

【校注】

[1] **一名蛊损,一名血推** "蛊""血",《千金翼》《证类》《纲目》作"虫""盂"。

754 白背

味苦,平,无毒。主寒热,洗浴疥,恶疮[1]。生山陵。根似紫葳,叶如燕虑[2]。采无时。

【校注】

[1] 洗浴疥，恶疮 《纲目》作"洗恶疮疥"。

[2] 悤 《千金翼》《证类》《纲目》作"卢"。

755 白女肠

味辛，温，无毒。主泄痢肠澼，疗心痛，破疝瘕[1]。生深山谷中[2]，叶如蓝，实赤。赤女肠亦[3]同。

【校注】

[1] 瘕 《新修》原作"瘦"，据《千金翼》《证类》改。

[2] 中 《纲目》无此字。

[3] 亦 《纲目》脱此字。

756 白扇根

味苦，寒，无毒。主疟，皮肤寒热，出汗，令[1]人变。

【校注】

[1] 令 《新修》原作"合"，据《千金翼》《证类》改。

757 白给

味辛，平，无毒。主伏虫、白癜[1]、肿痛。生山谷，如藜芦[2]，根白相[3]连，九月采。

【校注】

[1] 癜 《新修》原作"瘕"，据《千金翼》《证类》改。

[2] 如藜芦 《纲目》作"叶如藜芦"。

[3] 相 《新修》原脱，据《证类》补。

758 白并

味苦，无毒。主肺咳上气，行五脏，令百病不起。一名玉箫[1]，一名箭杆[2]。叶如小竹，根黄白皮[3]。生山陵。三[4]、四月采根，曝干。

【校注】

[1] **一名玉箭** 《纲目》作"一名王富"。"玉",《新修》原作"王",据《千金翼》《证类》改。

[2] **桿** 《纲目》作"杆"。

[3] **白皮** 《千金翼》《证类》《纲目》作"皮白"。

[4] **三** 《千金翼》《证类》《纲目》作"三月"。

759　白辛

味辛,有毒。主寒热。一名脱尾,一名羊草。生楚山。三月采根,根[1]白而香。

【校注】

[1] **根** 《纲目》脱此字。

760　白昌[1]

味甘,无毒。主食诸虫。一名水昌[2],一名水宿,一名茎蒲。十月采。

【校注】

[1]《纲目》在"白昌"条中引陶弘景注:"兰荪,主风湿咳逆,去虫,断蚤虱。"按,此文乃"菖蒲"条注文,非"白昌"条注文。

[2] **水昌** 《纲目》作"水昌蒲"。

761　赤举

味甘,无毒。主腹痛。一名羊饴,一名陵渴。生山阴。二月华兑[1]蔓草上,五月实黑,中有核。三月三日采叶,阴干。

【校注】

[1] **兑** 《纲目》作"锐"。

762　赤涅

味甘,无毒。主痒,崩中,止血,益气。生蜀郡山石阴地湿处,采无时。

763 黄秫

味苦，无毒。主止心烦、汗出。生如桐，根黄[1]。

【校注】

[1] **主止心烦、汗出。生如桐，根黄** 《千金翼》《证类》《纲目》作"主心烦，止汗出，生如桐根"。

764 徐黄

味辛，平，无毒。主心腹积瘕。茎，主恶疮。生泽中，大茎细叶，香如蒿[1]本。

【校注】

[1] **蒿** 《千金翼》《证类》《纲目》作"藁"。

765 黄白支

生山陵。三[1]、四月采根，曝干。

【校注】

[1] **三** 《千金翼》《证类》《纲目》作"三月"。

766 紫蓝

味咸，平[1]，无毒。主食肉得毒，能消除之。

【校注】

[1] **平** 《千金翼》《证类》《纲目》无此字。

767 紫给

味咸。主毒风头泄注。一名野葵。生高陵下地。三月三日采根，根如乌头。

768 天蓼

味辛，有毒。疗恶疮，去痹气。一名石龙。生水中。

769　地朕[1]

味苦，平，无毒。主心气，女子阴疝，血结。一名承夜，一名夜光。三月采。

【校注】

[1]《纲目》对本条中地朕、承夜、夜光药名出典，皆注为《吴氏本草》。按，此文出典应注为《别录》。

770　地芩

味苦，无毒。主小儿痫，除邪，养胎，风痹，洗浴[1]寒热，目中青翳，女子带下。生腐木积草处，如朝生，天雨生盖[2]，黄白色。四月采。

【校注】

[1]**洗浴**　《千金翼》《证类》《纲目》作"洗洗"。

[2]**如朝生，天雨生盖**　《纲目》作"大雨生盖，如朝生"。

771　地筋

味甘，平，无毒。主益气，止渴，除热在腹脐，利筋。一名菅根，一名土筋。生泽中[1]，根有毛。三月生，四月实白，三月三日采根。

疑此犹[2]是白茅而小异。

【校注】

[1]**生泽中**　《纲目》作"生汉中"。

[2]**犹**　《纲目》作"即"。

772　地耳

味甘[1]，无毒。主明目，益气，令人有子。生丘陵，如碧石青。

【校注】

[1]**味甘**　《纲目》作"味甘寒"。

773　土齿

味甘，平，无毒。主轻身，益气，长年。生山陵地中，状如马牙。

774　燕齿

主小儿痫，寒热。五月五日采。

775　酸恶

主恶疮，去白虫。生水旁，状如泽泻。

776　酸赭

味酸，主内漏，止血，不足。生昌阳山，采无时。

777　巴棘

味苦，有毒。主恶疥疮，出虫。一名女木。生高地，叶白有刺，根连数十枚。

778　巴朱

味甘，无毒。主寒，止[1]血带下。生雒阳。

【校注】

[1]　**止**　《新修》原作"上"，据《证类》改。

779　蜀格

味苦，平，无毒。主寒热，痿痹，女子带下，痈肿。生山阳，如藿[1]菌，有刺。

【校注】

[1]　**藿**　《千金翼》《证类》《纲目》作"藋"。

780　累根

主缓筋，令不痛。

781 苗根

味咸，平，无毒。主痹及热中伤跌折。生山阴谷中蔓草木上。茎有刺，实如椒。

782 参果根

味苦，有毒。主鼠瘘。一名百连，一名乌蓼，一名鼠茎，一名鹿蒲。生百余根，根有衣裹茎。三月三日采根。

783 黄辨

味甘，平，无毒。主心腹疝瘕，口疮，脐伤[1]。一名经辨。

【校注】

[1] **口疮，脐伤** "疮"，《新修》原作"痛"，据《千金翼》《证类》改。"伤"，《新修》原脱，据《千金翼》《证类》补。

784 良达

主齿痛，止渴，轻身。生山阴，茎蔓延，大如葵，子滑小。

785 对庐

味苦，寒，无毒。主疥，诸久疮[1]不瘳，生死肌，除大热，煮洗之[2]。八月采，似菴蕳。

【校注】

[1] **诸久疮** 《大观》作"诸疮久"，《纲目》作"疮久"。
[2] **煮洗之** 《纲目》作"煮汁洗之"。

786 粪蓝[1]

味苦。主身痒疮，白秃，漆疮，洗之。生房陵。

【校注】

[1] **粪蓝** 《新修》原作"墙蓝"，据《千金翼》《证类》改。

787 委蛇

味甘，平，无毒。主消渴，少气，令人耐寒。生人家园中，大支长须多，叶两两[1]相值，子如芥子。

【校注】

[1] **两两** 《千金翼》《证类》作"而两两"。

788 麻伯

味酸，无毒。主益气，出汗。一名君莒，一名衍草，一名道止，一名自死。生平陵，如兰，叶黑厚白裹[1]茎，实赤黑。九月采根。

【校注】

[1] **裹** 《新修》原作"里"，据《千金翼》改。

789 王明

味苦。主身热，邪气；小儿身热，以浴之。生山谷，一名王草。

790 类鼻

味酸，温，无毒。主痿痹。一名类重。生田中高地，叶如天[1]名精、美根。五月采。

【校注】

[1] **天** 《新修》原脱，据《千金翼》《证类》补。

791 师系

味甘，无毒。主痈肿、恶疮，煮洗之。一名臣尧，一名臣骨[1]，一名鬼芭。生平泽，八月采。

【校注】

[1] 臣骨　《纲目》作"巨骨"。

792　逐[1]折

杀鼠，明目。一名百合。厚实，生木[2]间，茎黄，七月实黑如大豆。

又杜仲子亦名逐折。

【校注】

[1] 逐　《新修》原作"遂"，据《千金翼》《证类》改，下同。
[2] 木　《千金翼》作"禾"。

793　并苦

主咳逆上气，益肺气，安五脏。一名蚳[1]薰，一名玉[2]荆。三月采，阴干。

【校注】

[1] 蚳　商务《政和》、《纲目》作"蛬"，《千金翼》、人卫《政和》作"蚕"。
[2] 玉　《新修》原作"王"，据《证类》改。

[附]　领灰[1]

味甘，有毒。主心腹痛，炼中不足。叶如芒草，冬生，烧作灰。

【校注】

[1] 本条，《新修》《证类》原无，据《千金翼》列为附录。

794　父陛根

味辛，有毒。以熨痈肿、肤胀。一名膏鱼，一名梓藻。

795　索干[1]

味苦，无毒。主易耳。一名马耳。

【校注】

[1] **索千**　《纲目》作"索千"，《证类》作"索干"，《千金翼》作"索十"。

796　荆茎

疗灼烂。八月、十月采，阴干。

797　鬼麗 音丽

生石上，挼[1]之。日柔为沐。

【校注】

[1] **挼**　《新修》原作"接"，据《千金翼》《证类》改。

798　竹付

味甘，无毒。主止痛，除血。

799　秘恶

味酸，无毒。主疗肝邪气。一名杜逢。

800　唐夷

味苦，无毒。主疗痿折[1]。

【校注】

[1] **主疗痿折**　《新修》原作"疗痿折"，据《证类》改。

801　知杖

味甘，无毒。主疗疝。

802　葵松[1]

味辛，无毒。主疗眩痹。

【校注】

[1] **葵松** 《千金翼》《证类》作"垄松"。陶弘景《集注·序录》云："路边地松，而为金创所秘。"

803 河煎

味酸。主结气，痛在喉头[1]者。生海中。八月、九月采。

【校注】

[1] **头** 《千金翼》《证类》《纲目》作"颈"。

804 区余

味辛，无毒。主心腹热癥[1]。

【校注】

[1] **癥** 《千金翼》《证类》作"癌"，但《证类》注引《蜀本草》作"癥"。

805 三叶

味辛。疗寒热，蛇蜂螫人。一名起莫[1]，一名三石，一名当田。生田中。叶一[2]茎小黑白，高三尺，根黑。三月采，阴干。

【校注】

[1] **起莫** 《千金翼》《证类》注引《蜀本草》作"赴鱼"，《纲目》亦作"赴鱼"。

[2] **叶一** 《证类》《纲目》无此文。

806 五母麻

味苦，有毒。疗痿痹，不便，下痢。一名鹿麻，一名归泽麻，一名天麻，一名若一[1]草。生田野。五月采。

【校注】

[1] **一** 《证类》注引《蜀本草》云："无一字"。《纲目》亦无"一"字。

807 疥柏[1]

味辛，温，无毒。主轻身，疗痹。五月采，阴干[2]。

【校注】

［1］疥柏　《千金翼》《证类》《纲目》作"疥拍腹"。

［2］阴干　《新修》原脱，据《千金翼》《证类》补。"干"字后，《千金翼》有"生上党"3字。

808 常更[1]之生

味苦，平，无毒。主明目。实有刺，大如稻米[2]。

【校注】

［1］更　《千金翼》《证类》《纲目》作"吏"，但《本草和名》作"更"，又《证类》注引《蜀本草》作"更"。

［2］米　商务《政和》、《纲目》作"粱"。

809 救煞[1]人者

味甘，有毒。主疝痹，通气，诸不足。生人家宫室。五月、十月采，曝干。

【校注】

［1］煞　《千金翼》《证类》《纲目》作"赦"。

810 丁公寄

味甘。主金疮痛，延年。一名丁父。生石间，蔓延木上。叶细，大枝，赤茎，母大如磧黄，有汁。七月七日采。

811 城里赤柱[1]

味辛，平。疗妇人漏血，白沃，阴蚀，湿痹，邪气，补中益气。生晋平阳。

【校注】

[1]《纲目》将本条并在"淮木"条下。

812 城[1]东腐木

味咸，温。主心腹痛，止[2]泄，便脓血。

【校注】

[1] **城** 《新修》作"小"，据《千金翼》《证类》改。

[2] **止** 《新修》原作"上"，据《千金翼》《证类》改。

813 芥

味苦，寒，无毒。主消渴，止血，妇人疾[1]，除痹。一名梨。叶如大青。

【校注】

[1] **疾** 《纲目》作"痰"。

814 载

味酸，无毒。主诸恶气。

815 庆

味苦，有毒[1]。主咳嗽。

【校注】

[1] **有毒** 《千金翼》《证类》《纲目》作"无毒"。

816 脿[1]

味甘，无毒。主益气，延年。生山谷中，白顺理。十月采。

【校注】

[1] **脿** 《新修》原作"眆"，据《千金翼》《证类》《本草和名》改。

以上草木类一百卅二种[1]

【校注】

[1] **以上草木类一百卅二种** 原文注"一百卅二种"，实际亦为132种。按，《证类本草》卷9"兔葵"条引"唐本注"云："猪蓴堪食，有名未用条中载也。"据此则"有名未用"条中应有"猪蓴"一药。今"兔葵"条下《嘉祐本草》注云："今据唐本注云：有名未用条中载也。而寻有名未用条中，却无兔葵、猪蓴，盖经《开宝详定》已删去也。"查日本传抄卷子本《新修》卷20"有名无用"条中，亦无兔葵、猪蓴，可见并非"《开宝详定》"所删，可能是编修《新修》时删去的。

817　雄黄虫

主明目，辟兵不祥，益气力。状如蠮螉[1]。

【校注】

[1] **蠮螉** 《千金翼》《证类》《纲目》作"蟺螉"。

818　天社虫

味甘，无毒。主绝孕[1]，益气。状如蜂[2]，大腰，食草木叶。三月采。

【校注】

[1] **孕** 《新修》原作"字"，据《千金翼》《证类》改。
[2] **状如蜂** 《纲目》作"虫状如犬"。

819　桑蠹虫

味甘，无毒。主心暴痛，金疮，肉生不足。

820　石蠹虫

主石癃，小便不利。生石中。

821　行夜

疗腹痛，寒热，利血。一名负盘。

今小儿呼为糖盘，或曰死频虫[1]。

【校注】

[1] **今小儿呼为糠盘，或曰死顿虫** 《证类》作"今小儿呼窎音屁盘，或曰窎音屁频虫者也"；《纲目》作"今小儿呼气盘虫，或曰气蝥即此也"。

822　蜗离[1]

味甘，无毒。主烛馆，明目。生江夏[2]。

【校注】

[1] **蜗离** 《纲目》作"蜗赢"。

[2] **生江夏** "夏"字后，《纲目》有陈藏器文"溪水中，小于田螺，上有棱"，《纲目》误注之为《别录》文。

823　麋鱼

味甘，无毒。主痹[1]，止血。

【校注】

[1] **痹** 商务《政和》作"痑"。

824　丹戬

味辛[1]。主心腹积血。一名飞龙。生蜀[2]，如鼠负[3]，青股蜚头赤[4]。七月七日采，阴干[5]。

【校注】

[1] **味辛** 《纲目》作"味辛有毒"。

[2] **生蜀** 《千金翼》《证类》作"生蜀都"，《纲目》作"生蜀郡"。

[3] **负** 《大观》作"员"，《纲目》作"妇"。

[4] **蜚头赤** 《纲目》作"赤头"。

[5] **阴干** 《千金翼》《证类》《纲目》无此 2 字。

825　扁前

味甘，有毒。主鼠瘘瘰[1]，利水道。生山陵，如牛虻翼赤[2]。五月、八月采。

【校注】

[1] 瘕 《纲目》作"瘕闭"。

[2] **如牛虻翼赤** 《纲目》作"状如牛虻赤翼"。

826 蚘类

疗痹内漏。一名蚘短，土色而文。

827 蜚厉

主妇人寒热。

828 梗鸡

味甘[1]，无毒。疗痹。

【校注】

[1] **甘** 《新修》原脱，据《千金翼》《证类》补。

829 益符

主疗闭。一名无舌。

830 地防

令人不饥不渴。生黄陵，如濡，居土中。

831 黄虫

味苦。疗寒热，生地上，赤头，长足，有角，群居。七月七日采。

以上虫类十五种

832 薰草

味甘，平，无毒。主明目，止泪，疗泄精，去臭恶气，伤寒头痛，上气，腰痛。一名蕙草。生下湿地，三月采，阴干，脱节者良。

俗人呼燕草，状如茅而香者为薰草，人家颇种之。《药录》云[1]：叶如麻，两两相对。《山海经》云：薰草，麻[2]叶而方茎，赤[3]花而黑实，气如蘼芜，可以止[4]疠。今市人皆用燕草，此则非。今诗书家多用蕙语，而竟不知是何草。尚其名而迷其实，皆此类也。

【校注】

[1] 《**药录**》**云**　《纲目》作"《桐君药录》"。

[2] **薰草，麻**　《纲目》作"浮山有草麻"。"麻"字后，《新修》原衍"草"字，据《山海经》卷5、《证类》删。

[3] **赤**　《新修》原作"亦"，据《证类》改。

[4] **止**　《证类》《纲目》作"已"。

833　姑活[1]

味甘，温，无毒。主大风邪气，湿痹寒痛。久服轻身，益寿耐老[2]**。一名冬葵子。生河东川泽**[3]**。**

方药亦无用此者[4]，乃有固活丸，即是野葛一名耳[5]。此又名冬葵子，非葵菜之冬葵子，疗体乖异[6]。　〔谨案〕《别录》[7]一名鸡精也。

【校注】

[1] 《纲目》将本条全文注为《别录》文，其中无《本经》标记。

[2] **益寿耐老**　"寿"，《纲目》作"气"。"耐"，《新修》原作"能"，据《千金翼》《证类》改。

[3] **川泽**　《千金翼》《证类》《纲目》无此2字。

[4] **方药亦无用此者**　《纲目》作"药无用者"。"亦无用"，《新修》原作"赤用无"，据《证类》改。

[5] **野葛一名耳**　《纲目》作"之名"。

[6] **疗体乖异**　《纲目》无此文。"乖"，《新修》原作"未"，据《证类》改。

[7] 《**别录**》　《纲目》作"别本"。

834　别羁

味苦，微温，无毒[1]**。主风寒，湿痹，身重，四肢疼酸，寒邪**[2]**历节痛。一名别枝，一名别骑，一名鳖羁**[3]**。生蓝田川谷。二月、八月采。**

方家时有用处，今俗亦绝耳[4]。

【校注】

[1] **无毒** 《纲目》注之为《本经》文。

[2] **邪** 《新修》原作"耶",《纲目》无此字,据《证类》改。

[3] **一名别骑,一名鳖鶒** 《纲目》无此文。

[4] **耳** 其后,《新修》原衍"也"字,据《证类》删。《纲目》无"耳"字。

835 牡[1]蒿

味苦[2],温,无毒。主充肌肤,益气,令人暴肥,不可久服,血脉满盛[3]。生田野,五月、八月[4]采。

方药不复用。 [谨案]齐头蒿也,所在有之。叶似防风,细薄无光泽。

【校注】

[1] **牡** 《新修》原作"杜",据《千金翼》《证类》改。

[2] **苦** 《纲目》作"苦微甘"。

[3] **血脉满盛** 诸本此句皆在"不可久服"之后。按文理此句应在"不可久服"之前。

[4] **八月** 《新修》原脱,据《千金翼》《证类》补。

836 石下长卿[1]

味咸,平,有毒。主鬼疰,精物,邪恶气,杀百精,蛊毒,老魅注易,亡走,啼哭,悲伤,恍惚。一名徐长卿。生陇西池泽山谷。

此又名徐长卿,恐是误尔,方家无用。此处俗中皆不复识别[2]也。

【校注】

[1] 《纲目》将本条并在"徐长卿"条下,并注为《别录》文,其中无《本经》标记。

[2] **别** 《证类》《纲目》无此字。

837 麋舌

味辛,微温,无毒。主霍乱,腹痛,吐逆,心[1]烦。生水中。五月采,曝干[2]。

生小小水中。今人五月五日采,阴[3]干,以疗霍乱,甚良[4]。

【校注】

[1] **心** 《新修》原作"止",据《千金翼》《证类》改。

［2］**曝干** 《千金翼》《证类》《纲目》无此 2 字。

［3］**阴** 《证类》《纲目》无此字。

［4］**良** 其后，《新修》原衍"方也"2 字，据《证类》删。

838　练石草[1]

味苦，寒，无毒。主五癃，破石淋，膀胱中结气，利水道小便。生南阳川泽。

一名烂石草，又云即马屎蒿[2]。

【校注】

［1］《纲目》将本条并在"马先蒿"条下。

［2］**又云即马屎蒿** 《纲目》作"即马屎蒿，今方药不复用之"。

839　弋[1]共

味苦，寒，无毒。主惊气，伤寒，腹痛羸瘦，皮中有邪气，手足寒无色。生益州山谷。

畏玉札、蜚蠊[2]。

【校注】

［1］**弋** 《大观》《纲目》作"戈"。

［2］**畏玉札、蜚蠊** "畏"，《证类》《纲目》作"恶"。《纲目》脱"玉札"2 字。"蠊"，《新修》原作"蠨"，据《证类》改。

840　蕈草

味咸，平，无毒。主养心气，除心温温辛痛，浸淫身热。可作盐花[1]。生淮南平泽，七月采。

矾石为之使。

【校注】

［1］**花** 《新修》原脱，据《千金翼》补。

841　五色符

味苦，微温。主咳逆，五脏邪气，调中，益气，明目，杀虫[1]。青符、白符、赤符、黑符、黄符[2]，各随色补其脏。白符一名女木。生巴郡[3]山谷。

方药皆不复用，今人并无识者。

【校注】

[1] 虱 《纲目》作"虫"。

[2] 黄符 《新修》原脱，据《千金翼》《证类》补。

[3] 郡 《纲目》无此字。

842 襄草[1]

味甘[2]、苦，寒，无毒。主温疟[3]寒热，酸嘶邪气，辟不祥。生淮南山谷。

【校注】

[1] 《纲目》将本条并在"襄荷"条下。

[2] 甘 《新修》原脱，据《千金翼》《证类》补。

[3] 疟 《新修》原作"生"，据《千金翼》《证类》改。

843 翘根[1]

味甘，寒、平，有小毒。主下热气，益阴精，令人面悦好，明目。久服轻身，耐[2]老。以作蒸饮酒病人。生嵩高平泽。二月、八月采。

方药不复用，俗无识者也[3]。

【校注】

[1] 《纲目》将本条并在"连翘"条下。

[2] 耐 《新修》原作"能"，据《千金翼》《证类》改。

[3] 方药不复用，俗无识者也 《纲目》无"复"字。"俗"，《纲目》作"人"。

844 鼠姑

味苦，平、寒，无毒。主咳逆上气，寒热，鼠瘘，恶疮，邪气。一名䐈。生丹水。

今人不识此鼠姑，乃牡丹又[1]名鼠姑，罔[2]知孰是。

【校注】

[1] 又 《新修》原作"人"，据《证类》改。

［2］ 罔 《新修》原作"因"，据《证类》改。

845 船虹

味酸，无毒。主下气，止烦满[1]。可作浴汤，药色黄。生蜀郡，立秋取。方[2]药不用，俗人无识者也。

【校注】

［1］ 满 《纲目》作"渴"。

［2］ 方 《新修》原作"古"，据《证类》改。

846 屈草

味苦，微寒，无毒[1]。**主胸胁下痛，邪气，肠间寒热，阴痹。久服轻身益气，耐老。生汉中川泽，五月采。**

方药不复用，俗无识者也[2]。

【校注】

［1］ **微寒，无毒** 《大观》、人卫《政和》、商务《政和》注此4字为《别录》文，孙本不取此4字为《本经》文，《纲目》注此4字为《本经》文，森本、顾本取"微寒"2字为《本经》文，应以《大观》等为是。

［2］ **方药不复用，俗无识者也** 《纲目》无此文。

847 赤赫[1]

味苦，寒，有毒。主痂疡恶败疮，除三虫，邪气。生益州川谷，二月、八月采[2]。

【校注】

［1］ 赫 《新修》作"赭"，据《千金翼》《证类》《本草和名》改。

［2］ 采 《新修》原脱，据《千金翼》《证类》补。

848 淮木

味苦，平，无毒。**主久咳上气，伤中，虚羸，补中益气，女子阴蚀，漏下，赤白沃[1]。一名百岁城中木。生晋阳平泽。**

方药亦不复用。

【校注】

[1] **女子阴蚀，漏下，赤白沃** 《纲目》注之为《别录》文。

849 占斯

味苦，温[1]，无毒。主邪气湿痹，寒热疽疮，除水坚积血癥，月闭无子，小儿躄不能行，诸恶疮痈肿，止[2]腹痛，令女人有子。一名炭皮。生太山山谷，采无时。解狼毒毒。

李云是梓[3]树上寄生，树大衔枝在肌肉，今人皆以胡桃皮当[4]之，非是真也。案，《桐君录》[5]云：生上洛[6]，是木皮，状如厚朴，色似桂白[7]，其理一纵一横。今市人皆削乃似厚朴，而无正纵横理，不知此复是何物，莫测真假，何者为是[8]也。

【校注】

[1] **温** 其后，《新修》衍"微温"2字，据《千金翼》《证类》删。

[2] **止** 《新修》原作"上"，据《千金翼》《证类》改。

[3] **李云是梓** 《纲目》作"李当之云是樟"。"梓"，《新修》作"梓"，《证类》作"樟"。

[4] **当** 《纲目》作"为"。

[5] **《桐君录》** 《纲目》作"《桐君采药录》"。

[6] **洛** 《新修》原作"俗"，据《证类》改。

[7] **白** 《新修》原作"日"，据《证类》改。

[8] **何者为是** 《纲目》无此文。

850 婴桃

味辛，平，无毒。主止泄腹[1]澼，除热，调中，益脾气，令人好色美志。一名牛桃，一名英豆。实大如麦，多毛。四月采，阴干。

此非今果实樱桃，形乃相似，而实乖异，山间乃时有，方药亦不复用耳。

【校注】

[1] **腹** 《千金翼》《证类》作"肠"。

851 鸩鸟毛

有大毒。入五脏烂杀人。其口，主杀蝮蛇毒[1]。一名鸩日。生南海。

此乃是两种：鸩鸟，状如孔雀，五色杂斑，高大，黑颈，赤喙，出交、广深山中；鵋日鸟[2]，状如黑伧鸡，其共禁大朽树，令反，觅蛇吞之[3]，作声似云同力，故江东人呼为同力鸟，并啖蛇。人误食其肉[4]，亦即死[5]。鸩毛羽，不可近人[6]，而并疗蛇毒。带鸩喙，亦辟蛇[7]。昔时皆用鸩毛为毒酒，故名酖酒。顷来不复尔。又云[8]有物赤色，状如龙，名海姜，生海中，亦大有毒，甚于鸩羽也。　　〔谨案〕此鸟，商州以南、江岭间大有，人皆谙识。其肉，腥，有毒，亦不堪啖。云羽画酒杀人，此是浪证。案，《玉篇》引[9]郭璞云：鸩[10]大如雕，长颈赤喙，食蛇。又《说文》《广雅》《淮南子》皆一名运日，鸩、运同也[11]，问交、广人并云[12]：鵋日，一名鸩，一名同力。鵋日鸟外[13]，更无如孔雀鸟[14]。陶云如孔雀者，交、广人诳也[15]。

右有名无用有合一百九十三种—一百七十三种旧，廿种新退。

【校注】

[1] 其口，主杀蝮蛇毒　　《纲目》作"喙带之，杀蝮蛇毒"。

[2] 鸟　　《纲目》脱此字。

[3] 其共禁大朽树，令反，觅蛇吞之　　《纲目》无此文。

[4] 肉　　《新修》原作"宗"，据《证类》改。

[5] 亦即死　　《纲目》作"立死"。

[6] 鸩毛羽，不可近人　　《纲目》无此文。

[7] 带鸩喙，亦辟蛇　　《纲目》无此文。

[8] 又云　　《纲目》作"又海中"。"又"，《新修》原作"不"，据《证类》改。

[9] 案，《玉篇》引　　《纲目》无此文。

[10] 鸩　　《证类》作"鸩鸟"。

[11] 皆一名运日，鸩、运同也　　《纲目》作"皆以鸩为鵋日"。

[12] 问交、广人并云　　《新修》原作"问交辛人五云"，据《证类》改。

[13] 鵋日鸟外　　《纲目》作"鸟"。

[14] 鸟　　《证类》、《纲目》作"者"。

[15] 交、广人诳也　　"广"，《证类》作"爱"。"诳也"，《新修》原作"谁之"，据《证类》改。

《新修本草》有名无用卷第廿